JN061901

日常生活の

日々の光

一年をとおして
朝夕読むための
聖 句 選 集

伝 道 出 版 社

Daily Light

on the Daily Path

Morning and Evening Hour

A Devotional Text for every day of the year in the very words of Scripture.

The Evangelical Publishers

Fuchu-shi, Tokyo.

日々の光

新改訳 2017

Daily Light

出 典 略 語 記 号 表

（旧約聖書の部）

創………創世記　　　　　　　伝………伝道者の書
出………出エジプト記　　　　雅………雅歌
レビ……レビ記　　　　　　　イザ……イザヤ書
民………民数記　　　　　　　エレ……エレミヤ書
申………申命記　　　　　　　哀………哀歌
ヨシ……ヨシュア記　　　　　エゼ……エゼキエル書
士………士師記　　　　　　　ダニ……ダニエル書
ルツ……ルツ記　　　　　　　ホセ……ホセア書
Ⅰサム…サムエル記第1　　　　ヨエ……ヨエル書
Ⅱサム…サムエル記第2　　　　アモ……アモス書
Ⅰ列……列王記第1　　　　　　オバ……オバデヤ書
Ⅱ列……列王記第2　　　　　　ヨナ……ヨナ書
Ⅰ歴……歴代誌第1　　　　　　ミカ……ミカ書
Ⅱ歴……歴代誌第2　　　　　　ナホ……ナホム書
エズ……エズラ記　　　　　　ハバ……ハバクク書
ねへ……ネヘミヤ記　　　　　ゼパ……ゼパニヤ書
エス……エステル記　　　　　ハガ……ハガイ書
ヨブ……ヨブ記　　　　　　　ゼカ……ゼカリヤ書
詩………詩篇　　　　　　　　マラ……マラキ書
箴………箴言

出典略語記号表

（新約聖書の部）

マタ……マタイの福音書
マル……マルコの福音書
ルカ……ルカの福音書
ヨハ……ヨハネの福音書
使………使徒の働き
ロマ……ローマ人への手紙
Ⅰコリ…コリント人への
　　　　手紙第1
Ⅱコリ…コリント人への
　　　　手紙第2
ガラ……ガラテヤ人への
　　　　手紙
エペ……エペソ人への手紙
ピリ……ピリピ人への手紙
コロ……コロサイ人への
　　　　手紙
Ⅰテサ…テサロニケ人への
　　　　手紙第1

Ⅱテサ…テサロニケ人への
　　　　手紙第2
Ⅰテモ…テモテへの手紙
　　　　第1
Ⅱテモ…テモテへの手紙
　　　　第2
テト……テトスへの手紙
ピレ……ピレモンへの手紙
ヘブ……ヘブル人への手紙
ヤコ……ヤコブの手紙
Ⅰペテ…ペテロの手紙第1
Ⅱペテ…ペテロの手紙第2
Ⅰヨハ…ヨハネの手紙第1
Ⅱヨハ…ヨハネの手紙第2
Ⅲヨハ…ヨハネの手紙第3
ユダ……ユダの手紙
黙………ヨハネの黙示録

1 月 1 日 （朝）

ただ一つのこと、すなわち、うしろのものを忘れ、
‥‥キリスト・イエスにあって神が上に召してくださる
という、その賞をいただくために、目標を目指して走っ
ているのです。(ピリ 3・13.14)

父よ。わたしに下さったものについてお願いします。わた
しがいるところに、彼らもわたしとともにいるようにしてく
ださい。わたしの栄光を、彼らが見るためです。‥‥あなた
がわたしに下さった栄光を。(ヨハ 17・24) 私は自分が信じてき
た方をよく知っており、また、その方は私がお任せしたもの
を、かの日まで守ることがおできになると確信している。(II
テモ 1・12) あなたがたの間で良い働きを始められた方は、キ
リスト・イエスの日が来るまでにそれを完成させてくださる。
(ピリ 1・6)

競技場で走る人たちはみな走っても、賞を受けるのは一人
だけだということを、あなたがたは知らないのですか。です
から、あなたがたも賞を得られるように走りなさい。競技を
する人は、あらゆることについて節制します。彼らは朽ちる
冠を受けるためにそうするのですが、私たちは朽ちない冠を
受けるためにそうするのです。(I コリ 9・24.25) 一切の重荷とま
とわりつく罪を捨てて、自分の前に置かれている競走を、忍
耐をもって走り続けようではありませんか。‥‥イエスから、
目を離さないでいなさい。(ヘブ 12・1.2)

1 月 1 日 （夜）

**主ご自身があなたに先立って進まれる。主があなた
とともにおられる。主はあなたを見放さず、あなたを
見捨てない。**(申 31・8)

　もしあなたのご臨在がともに行かないのなら、私たちをこ
こから導き上らないでください。(出 33・15) 主よ、私は知って
います。人間の道はその人によるのではなく、歩むことも、
その歩みを確かにすることも、人によるのではないことを。
(エレ 10・23)

　主によって 人の歩みは確かにされる。主はその人の道を
喜ばれる。その人は転んでも 倒れ伏すことはない。主が そ
の人の腕を支えておられるからだ。(詩 37・23.24)

　私は絶えずあなたとともにいました。あなたは私の右の手
をしっかりとつかんでくださいました。あなたは 私を諭し
て導き 後には栄光のうちに受け入れてくださいます。(詩 73・
23.24) 私はこう確信しています。死も、いのちも、御使いた
ちも、支配者たちも、今あるものも、後に来るものも、力あ
るものも、高いところにあるものも、深いところにあるもの
も、そのほかのどんな被造物も、私たちの主キリスト・イエ
スにある神の愛から、私たちを引き離すことはできません。
(ロマ 8・38.39)

1 月 2 日 （朝）

新しい歌を主に歌え。（イザ 42・10）

喜び歌え 私たちの力なる神に。喜び叫べ ヤコブの神に。ほめ歌を歌い タンバリンを打ち鳴らせ。麗しい音色の竪琴（たてごと）を 琴に合わせてかき鳴らせ。（詩 81・1.2）主はこの口に授けてくださった。新しい歌を 私たちの神への賛美を。多くの者は見て恐れ 主に信頼するだろう。（詩 40・3）

強くあれ。雄々しくあれ。恐れてはならない。おののいてはならない。あなたが行くところどこででも、あなたの神、主があなたとともにおられるのだから。（ヨシ 1・9）主を喜ぶことは、あなたがたの力だからだ。（ネヘ 8・10）パウロは‥‥神に感謝し、勇気づけられた。（使 28・15）

あなたがたは、今がどのような時であるか知っています。あなたがたが眠りからさめるべき時刻が、もう来ているのです。私たちが信じたときよりも、今は救いがもっと私たちに近づいているのですから。夜は深まり、昼は近づいて来ました。ですから私たちは、闇のわざを脱ぎ捨て、光の武具を身に着けようではありませんか。遊興や泥酔、淫乱や好色、争いやねたみの生活ではなく、昼らしい、品位のある生き方をしようではありませんか。主イエス・キリストを着なさい。欲望を満たそうと、肉に心を用いてはいけません。（ロマ 13・11-14）

1 月 2 日 （夜）

私の祈りが 御前への香として 手を上げる祈りが 夕
べのささげ物として 立ち上りますように。(詩 141・2)

香をたくための祭壇を作れ。‥‥それを、あかしの箱をさ
えぎる垂れ幕の手前、わたしがあなたと会う、あかしの箱の
上の「宥めの蓋」(なだめのふた)の手前に置く。アロンはその上
で香りの高い香をたく。朝ごとにともしびを整え、煙を立ち
上らせる。アロンは夕暮れにともしびをともすときにも、煙
を立ち上らせる。これは、あなたがたの代々にわたる、主の
前の常供の香のささげ物である。(出 30・1.6-8)

イエスは、いつも生きていて、彼らのためにとりなしをし
ておられるので、ご自分によって神に近づく人々を完全に救
うことがおできになります。(ヘブ 7・25) 香の煙は、聖徒たちの
祈りとともに、御使いの手から神の御前に立ち上った。(黙 8・4)

あなたがた自身も生ける石として霊の家に築き上げられ、
神に喜ばれる霊のいけにえをイエス・キリストを通して献げ
る、聖なる祭司となります。(Ⅰ ペテ 2・5)

絶えず祈りなさい。(Ⅰ テサ 5・17)

1 月 3 日 （朝）

主は彼らをまっすぐな道に導き‥‥。(詩107・6.7)

　主は荒野の地で、荒涼とした荒れ地で彼を見つけ、これを抱き、世話をし、ご自分の瞳のように守られた。鷲が巣のひなを呼び覚まし、そのひなの上を舞い、翼を広げてこれを取り、羽に乗せて行くように。ただ主だけでこれを導かれた。(申32・10-12) あなたがたが年をとっても、わたしは同じようにする。あなたがたが白髪になっても、わたしは背負う。わたしはそうしてきたのだ。わたしは運ぶ。背負って救い出す。(イザ46・4)

　主は私のたましいを生き返らせ 御名のゆえに 私を義の道に導かれます。たとえ 死の陰の谷を歩むとしても 私はわざわいを恐れません。あなたが ともにおられますから。あなたのむちとあなたの杖 それが私の慰めです。(詩23・3.4)

　主は絶えずあなたを導いて、焼けつく土地でも食欲を満たし、骨を強くする。あなたは、潤された園のように、水の涸れない水源のようになる。(イザ58・11) この方こそまさしく神。世々限りなく われらの神。神は 死を越えて私たちを導かれる。(詩48・14) 神のような教師が、だれかいるだろうか。(ヨブ36・22)

1 月 3 日 （夜）

わたしに何をしてほしいのですか。‥‥主よ、目が
見えるようにしてください。(ルカ 18・41)

　私の目を開いてください。私が目を留めるようにしてくだ
さい。あなたのみおしえのうちにある奇しいことに。(詩 119・
18)

　イエスは、聖書を悟らせるために彼らの心を開かれた。(ル
カ 24・45) 助け主、すなわち、父がわたしの名によってお遣わ
しになる聖霊は、あなたがたにすべてのことを教えてくださ
います。(ヨハ 14・26) すべての良い贈り物、またすべての完全
な賜物は、上からのものであり、光を造られた父から下って
来るのです。(ヤコ 1・17)

　どうか、私たちの主イエス・キリストの神、栄光の父が、
神を知るための知恵と啓示の御霊を、あなたがたに与えてく
ださいますように。また、あなたがたの心の目がはっきり見
えるようになって、神の召しにより与えられる望みがどのよ
うなものか、聖徒たちが受け継ぐものがどれほど栄光に富ん
だものか、また、神の大能の力の働きによって私たち信じる
者に働く神のすぐれた力が、どれほど偉大なものであるかを、
知ることができますように。(エペ 1・17-19)

1 月 4 日 （朝）

あなたがたがまだ、あなたの神、主があなたに与え
ようとしておられる安住の地、ゆずりの地に入ってい
ないからである。(申 12・9)

ここは憩いの場所ではない。(ミカ 2・10) 安息日の休みは、神
の民のためにまだ残されています。(ヘブ 4・9) イエスは、私た
ちのために先駆けとしてそこ(幕の内側)に入られたのです。(ヘ
ブ 6・20)

わたしの父の家には住む所がたくさんあります。そうでな
かったら、あなたがたのために場所を用意しに行く、と言っ
たでしょうか。わたしが行って、あなたがたに場所を用意し
たら、また来て、あなたがたをわたしのもとに迎えます。わ
たしがいるところに、あなたがたもいるようにするためです。
(ヨハ 14・2.3) キリストとともにいること‥‥そのほうが、は
るかに望ましいのです。(ピリ 1・23)

神は彼らの目から涙をことごとくぬぐい取ってくださる。
もはや死はなく、悲しみも、叫び声も、苦しみもない。以前
のものが過ぎ去ったからである。(黙 21・4) かしこでは、悪し
き者は荒れ狂うのをやめ、かしこでは、力の萎えた者は憩う。
(ヨブ 3・17)

自分のために、天に宝を蓄えなさい。‥‥あなたの宝のあ
るところ、そこにあなたの心もあるのです。(マタ 6・20.21) 上
にあるものを思いなさい。地にあるものを思ってはなりませ
ん。(コロ 3・2)

1 月 4 日 （夜）

**死よ、おまえの勝利はどこにあるのか。死よ、おまえ
のとげはどこにあるのか。**（Ⅰコリ 15・55）

　死のとげは罪です。（Ⅰコリ 15・56）しかし今、キリストはた
だ一度だけ、世々の終わりに、ご自分をいけにえとして罪を
取り除くために現れてくださいました。そして、人間には、
一度死ぬことと死後にさばきを受けることが定まっているよ
うに、キリストも、多くの人の罪を負うために一度ご自分を
献げ、二度目には、罪を負うためではなく、ご自分を待ち望
んでいる人々の救いのために現れてくださいます。（ヘブ9・26-
28）

　子たちがみな血と肉を持っているので、イエスもまた同じ
ように、それらのものをお持ちになりました。それは、死の
力を持つ者、すなわち、悪魔をご自分の死によって滅ぼし、
死の恐怖によって一生涯奴隷としてつながれていた人々を解
放するためでした。（ヘブ2・14.15）

　私はすでに注ぎのささげ物となっています。私が世を去る
時が来ました。私は勇敢に戦い抜き、走るべき道のりを走り
終え、信仰を守り通しました。あとは、義の栄冠が私のため
に用意されているだけです。（Ⅱテモ4・6-8）

1 月 5 日 （朝）

信じた私たちは安息に入るのです。(ヘブ 4・3)

彼らは‥‥疲れきるまで悪事を働く。(エレ 9・5) 私のからだには異なる律法があって、それが私の心の律法に対して戦いを挑み、私を、からだにある罪の律法のうちにとりこにしていることが分かるのです。私は本当にみじめな人間です。だれがこの死のからだから、私を救い出してくれるのでしょうか。(ロマ 7・23.24)

すべて疲れた人、重荷を負っている人はわたしのもとに来なさい。わたしがあなたがたを休ませてあげます。(マタ 11・28) 私たちは信仰によって義と認められたので、私たちの主イエス・キリストによって、神との平和を持っています。このキリストによって私たちは、信仰によって、今立っているこの恵みに導き入れられました。そして、神の栄光にあずかる望みを喜んでいます。(ロマ 5・1.2)

神の安息に入る人は、‥‥自分のわざを休むのです。(ヘブ 4・10) 私は律法による自分の義ではなく、キリストを信じることによる義、すなわち、信仰に基づいて神から与えられる義を持つのです。(ピリ 3・9) ここに憩いがある。疲れた者を憩わせよ。ここに休息がある。(イザ 28・12)

1 月 5 日 （夜）

**主よ 私の口に見張りを置き 私の唇の戸を守ってくだ
さい。**(詩 141・3)

主よ あなたがもし 不義に目を留められるなら 主よ だれ
が御前に立てるでしょう。(詩 130・3) 彼らが主の御霊に逆らっ
たとき 彼(モーセ)が軽率なことを口にしたのである。(詩 106・
33)

口に入る物は人を汚しません。口から出るもの、それが人
を汚すのです。(マタ 15・11)

陰口をたたく者は親しい友を離れさせる。(箴 16・28) 軽率に
話して人を剣で刺すような者がいる。しかし、知恵のある人
の舌は人を癒やす。真実の唇はとこしえまでも堅く立つ。偽
りの舌はまばたきの間だけ。(箴 12・18.19) 舌を制することがで
きる人は、だれもいません。舌は休むことのない悪であり、
死の毒で満ちています。同じ口から賛美と呪いが出て来るの
です。私の兄弟たち、そのようなことが、あってはなりませ
ん。(ヤコ 3・8.10)

怒り、憤り、悪意、ののしり、あなたがたの口から出る恥
ずべきことばを捨てなさい。互いに偽りを言ってはいけませ
ん。あなたがたは古い人をその行いとともに脱ぎ捨てたので
す。(コロ 3・8.9) 彼らの口には偽りが見出されなかった。彼ら
は傷のない者たちである。(黙 14・5)

1 月 6 日 （朝）

私たちの神 主の慈愛が私たちの上にありますように。
私たちのために 私たちの手のわざを確かなものにし
てください。(詩90・17)

　あなたの美しさのゆえに、あなたの名は国々の間に広まっ
た。それは、わたしがあなたにまとわせた、わたしの飾り物
が完全であったからだ――神である主のことば。(エゼ16・14)
私たちはみな、覆いを取り除かれた顔に、鏡のように主の栄
光を映しつつ、栄光から栄光へと、主と同じかたちに姿を変
えられていきます。これはまさに、御霊なる主の働きによる
のです。(Ⅱコリ3・18) 栄光の御霊、すなわち神の御霊が、あな
たがたの上にとどまってくださるからです。(Ⅰペテ4・14)

　幸いなことよ 主を恐れ 主の道を歩むすべての人は。あな
たがその手で労した実りを食べること それはあなたの幸
い あなたへの恵み。(詩128・1.2) あなたのわざを主にゆだね
よ。そうすれば、あなたの計画は堅く立つ。(箴16・3)

　恐れおののいて自分の救いを達成するよう努めなさい。神
はみこころのままに、あなたがたのうちに働いて志を立てさ
せ、事を行わせてくださる方です。(ピリ2・12.13) どうか、私
たちの主イエス・キリストと、私たちの父なる神、すなわち、
私たちを愛し、永遠の慰めとすばらしい望みを恵みによって
与えてくださった方ご自身が、あなたがたの心を慰め、強め
て、あらゆる良いわざとことばに進ませてくださいますよう
に。(Ⅱテサ2・16.17)

1 月 6 日 （夜）

**使徒たちはイエスのもとに集まり、自分たちがしたこ
と、教えたことを、残らずイエスに報告した。**(マル6・30)

兄弟以上に親密な友人もいる。(箴18・24) 主は、人が自分の
友と語るように、顔と顔を合わせてモーセと語られた。(出33・
11) わたしが命じることを行うなら、あなたがたはわたしの
友です。わたしはもう、あなたがたをしもべとは呼びません。
しもべなら主人が何をするのか知らないからです。わたしは
あなたがたを友と呼びました。父から聞いたことをすべて、
あなたがたには知らせたからです。(ヨハ15・14.15)

あなたがたも、自分に命じられたことをすべて行ったら、
「私たちは取るに足りないしもべです。なすべきことをした
だけです」と言いなさい。(ルカ17・10)

あなたがたは、人を再び恐怖に陥れる、奴隷の霊を受けた
のではなく、子とする御霊を受けたのです。この御霊によっ
て、私たちは「アバ、父」と叫びます。(ロマ8・15)

あらゆる場合に、感謝をもってささげる祈りと願いによっ
て、あなたがたの願い事を神に知っていただきなさい。(ピリ4・
6) 心の直ぐな人の祈りは主に受け入れられる。(箴15・8)

1 月 7 日 （朝）

私の神よ。どうか私‥‥を覚えて、私をいつくしんで

ください。(ネヘ 5・19)

主はこう言われる。わたしは、あなたの若いころの真実の
愛、婚約時代の愛、種も蒔かれていなかった地、荒野でのわ
たしへの従順を覚えている。(エレ 2・2) わたしは、あなたが若
かった日々にあなたと結んだ契約を覚えて、あなたと永遠の
契約を立てる。(エゼ 16・60) わたしはあなたがたを顧み、あな
たがたにいつくしみの約束を果たす。‥‥わたし自身、あな
たがたのために立てている計画をよく知っている──主のこ
とば──。それはわざわいではなく平安を与える計画であり、
あなたがたに将来と希望を与えるためのものだ。(エレ 29・10.
11)

天が地よりも高いように、わたしの道は、あなたがたの道
よりも高く、わたしの思いは、あなたがたの思いよりも高い。
(イザ 55・9) 私なら、神に尋ね、神に向かって自分のことを訴
えるだろう。神は、測り知れない大いなることをなし、数え
きれない奇しいみわざを行われる。(ヨブ 5・8.9) わが神 主
よ なんと多いことでしょう。あなたがなさった奇しいみわ
ざと 私たちへの計らいは。あなたに並ぶ者はありません。
語ろうとしても 告げようとしても それはあまりに多くて数
えきれません。(詩 40・5)

1 月 7 日 （夜）

わたしはあなたを見放さず、あなたを見捨てない。

（ヨシ 1・5）

主がイスラエルの家に告げられた良いことは、一つもたがわず、すべて実現した。（ヨシ 21・45）神は人ではないから、偽りを言うことがない。人の子ではないから、悔いることがない。神が仰せられたら、実行されないだろうか。語られたら、成し遂げられないだろうか。（民 23・19）

あなたの神、主だけが神である。……主は信頼すべき神であり、ご自分を愛し、ご自分の命令を守る者には恵みの契約を千代までも守られる。（申 7・9）ご自分の契約をとこしえに覚えておられる。（詩 111・5）

女が自分の乳飲み子を忘れるだろうか。自分の胎の子をあわれまないだろうか。たとえ女たちが忘れても、このわたしは、あなたを忘れない。見よ、わたしは手のひらにあなたを刻んだ。（イザ 49・15. 16）

あなたの神、主は、あなたのただ中にあって救いの勇士だ。主はあなたのことを大いに喜び、その愛によってあなたに安らぎを与え、高らかに歌ってあなたのことを喜ばれる。（ゼパ 3・17）

1 月 8 日 （朝）

御名を知る者は あなたに拠り頼みます。主よ あなたを求める者を あなたはお見捨てになりませんでした。(詩9・10)

主の名は堅固なやぐら。正しい人はその中に駆け込み、保護される。(箴18・10) 私は信頼して恐れない。ヤハ、主は私の力、私のほめ歌。私のために救いとなられた。(イザ12・2)

若かったころも年老いた今も 私は見たことがない。正しい人が見捨てられることを。その子孫が食べ物を乞うことを。(詩37・25) まことに 主は義を愛し 主にある敬虔な人をお見捨てにならない。彼らは永遠に保たれるが 悪しき者どもの子孫は断ち切られる。(詩37・28) 主は、ご自分の大いなる御名のために、ご自分の民を捨て去りはしない。主は、あなたがたをご自分の民とすることを良しとされたからだ。(1サム12・22) 神は、それほど大きな死の危険から私たちを救い出してくださいました。これからも救い出してくださいます。私たちはこの神に希望を置いています。(Ⅱコリ1・10)

今持っているもので満足しなさい。主ご自身が「わたしは決してあなたを見放さず、あなたを見捨てない」と言われたからです。ですから、私たちは確信をもって言います。「主は私の助け手。私は恐れない。人が私に何ができるだろうか。」
(ヘブ13・5.6)

1 月 8 日 （夜）

彼らは傷のない者たちである。(黙 14・5)

イスラエルの咎を探しても、それはない。ユダの罪も見つからない。わたしが残す者を、わたしが赦すからだ。(エレ 50・20) あなたのような神が、ほかにあるでしょうか。あなたは咎を除き、ご自分のゆずりである残りの者のために、背きを見過ごしてくださる神。いつまでも怒り続けることはありません。神は、恵みを喜ばれるからです。もう一度、私たちをあわれみ、私たちの咎を踏みつけて、すべての罪を海の深みに投げ込んでください。(ミカ 7・18.19)

神がその愛する方にあって私たちに与えてくださった恵み。(エペ 1・6) 神が‥‥あなたがたをご自分と和解させてくださいました。あなたがたを聖なる者、傷のない者、責められるところのない者として御前に立たせるためです。(コロ 1・22)

あなたがたを、つまずかないように守ることができ、傷のない者として、大きな喜びとともに栄光の御前に立たせることができる方、私たちの救い主である唯一の神に、私たちの主イエス・キリストを通して、栄光、威厳、支配、権威が、永遠の昔も今も、世々限りなくありますように。アーメン。(ユダ 24.25)

1 月 9 日 （朝）

**あなたは あなたを恐れる者に 旗を授けられました。
弓から逃れた者をそこに集めるために。**(詩60・4)

アドナイ・ニシ［主はわが旗］。(出17・15) 神である主はこう言われる。「見よ。わたしは国々に向かって手を上げ、わたしの旗を諸国の民に向かって揚げる。」(イザ49・22)

私たちは あなたの勝利を喜び歌い 私たちの神の御名により 旗を高く掲げます。(詩20・5) 主は私たちの義を明らかにされた。さあ、私たちはシオンで、私たちの神、主のみわざを語ろう。(エレ51・10) 私たちを愛してくださった方によって、私たちは圧倒的な勝利者です。(ロマ8・37) 神に感謝します。神は、私たちの主イエス・キリストによって、私たちに勝利を与えてくださいました。(Ⅰコリ15・57) 救いの創始者。(ヘブ2・10)

主にあって、その大能の力によって強められなさい。(エペ6・10) 主の戦いを戦ってくれ。(Ⅰサム18・17) この国のすべての民よ、強くあれ。──主のことば──仕事に取りかかれ。‥‥恐れるな。(ハガ2・4.5) 目を上げて畑を見なさい。色づいて、刈り入れるばかりになっています。(ヨハ4・35) もうしばらくすれば、来たるべき方が来られる。遅れることはない。(ヘブ10・37)

1 月 9 日 （夜）

必要なことは一つだけです。(ルカ 10・42)

多くの者は言っています。「だれがわれわれに良い目を見させてくれるのか」と。主よ どうか あなたの御顔の光を 私たちの上に照らしてください。あなたは喜びを私の心に下さいます。それは 彼らに穀物と新しいぶどう酒が 豊かにある時にもまさっています。(詩 4・6.7)

鹿が谷川の流れを慕いあえぐように 神よ 私のたましいはあなたを慕いあえぎます。私のたましいは 神を 生ける神を求めて 渇いています。(詩 42・1.2) 神よ あなたは私の神。私はあなたを切に求めます。水のない 衰え果てた乾いた地で 私のたましいは あなたに渇き 私の身も あなたをあえぎ求めます。(詩 63・1)

「わたしがいのちのパンです。わたしのもとに来る者は決して飢えることがなく、わたしを信じる者はどんなときにも、決して渇くことがありません。」(ヨハ 6・35)「主よ、そのパンをいつも私たちにお与えください。」(ヨハ 6・34) マリア‥‥が、主の足もとに座って、主のことばに聞き入っていた。(ルカ 10・39) 一つのことを私は主に願った。それを私は求めている。私のいのちの日の限り 主の家に住むことを。主の麗しさに目を注ぎ その宮で思いを巡らすために。(詩 27・4)

1 月 10 日 （朝）

**あなたがたの霊、たましい、からだのすべてが、私
たちの主イエス・キリストの来臨のときに、責められ
るところのないものとして保たれていますように。**

（Ⅰテサ5・23）

キリストが教会を愛し、教会のためにご自分を献げられた
‥‥。キリストがそうされたのは、‥‥しみや、しわや、そ
のようなものが何一つない、聖なるもの、傷のないものとなっ
た栄光の教会を、ご自分の前に立たせるためです。(エペ5・25-
27) 私たちはこのキリストを宣べ伝え、あらゆる知恵をもっ
て、すべての人を諭し、すべての人を教えています。すべて
の人を、キリストにあって成熟した者として立たせるためで
す。(コロ1・28)

すべての理解を超えた神の平安。(ピリ4・7) キリストの平和
が、あなたがたの心を支配するようにしなさい。そのために、
あなたがたも召されて一つのからだとなったのです。(コロ3・
15)

どうか、私たちの主イエス・キリストと、私たちの父なる
神、すなわち、私たちを愛し、永遠の慰めとすばらしい望み
を恵みによって与えてくださった方ご自身が、あなたがたの
心を慰め、強めて、あらゆる良いわざとことばに進ませてく
ださいますように。(Ⅱテサ2・16.17) 主はあなたがたを最後まで
堅く保って、私たちの主イエス・キリストの日に責められる
ところがない者としてくださいます。(Ⅰコリ1・8)

1 月 10 日 （夜）

**神は、はたして人間とともに地の上に住まわれるで
しょうか。**（Ⅱ歴 6・18）

彼らにわたしのための聖所を造らせよ。そうすれば、わた
しは彼らのただ中に住む。（出 25・8）その場所でわたしはイス
ラエルの子らと会う。そこは、わたしの栄光によって聖なる
ものとされる。わたしはイスラエルの子らのただ中に住み、
彼らの神となる。（出 29・43.45）

あなたは 捕虜を引き連れて いと高き所に上り 人々に 頑
迷な者どもにさえ 贈り物を与えられた。神であられる主
が そこに住まわれるために。（詩 68・18）

私たちは生ける神の宮なのです。神がこう言われるとおり
です。「わたしは彼らの間に住み、また歩む。わたしは彼ら
の神となり、彼らはわたしの民となる。」（Ⅱコリ 6・16）あなた
がたのからだは、あなたがたのうちにおられる‥‥聖霊の宮
です。（Ⅰコリ 6・19）あなたがたも‥‥ともに築き上げられ、御
霊によって神の御住まいとなるのです。（エペ 2・22）

わたしの聖所が永遠に彼らのうちにあるとき、諸国の民は、
わたしがイスラエルを聖なる者とする主であることを知る。
（エゼ 37・28）

1 月 11 日 （朝）

**神よ 御前には静けさがあり シオンには賛美がありま
す。**(詩 65・1)

　私たちには、父なる唯一の神がおられるだけで、この神か
らすべてのものは発し、この神に私たちは至るからです。ま
た、唯一の主なるイエス・キリストがおられるだけで、この
主によってすべてのものは存在し、この主によって私たちも
存在するからです。(Ⅰコリ8・6) すべての人が、父を敬うのと
同じように、子を敬うようになるためです。子を敬わない者
は、子を遣わされた父も敬いません。(ヨハ5・23) 私たちはイエ
スを通して、賛美のいけにえ、御名をたたえる唇の果実を、
絶えず神にささげようではありませんか。(ヘブ13・15) 感謝の
いけにえを献げる者は わたしをあがめる。自分の道を正し
くする人に わたしは神の救いを見せる。(詩50・23)

　私は見た。すると見よ。すべての国民、部族、民族、言語
から、だれも数えきれないほどの大勢の群衆が御座の前と子
羊の前に立ち、白い衣を身にまとい、手になつめ椰子の枝を
持っていた。彼らは大声で叫んだ。「救いは、御座に着いて
おられる私たちの神と、子羊にある。」「アーメン。賛美と栄
光と知恵と感謝と誉れと力と勢いが、私たちの神に世々限り
なくあるように。アーメン。」(黙7・9.10.12)

1 月 11 日 （夜）

主は‥‥あなたのいのちを穴から贖われる。

（詩 103・3, 4）

彼らを贖う方は強い。その名は万軍の主。(エレ 50・34) わた
しはよみの力から彼らを贖い出し、死から彼らを贖う。死よ、
おまえのとげはどこにあるのか。よみよ、おまえの針はどこ
にあるのか。(ホセ 13・14)

子たちがみな血と肉を持っているので、イエスもまた同じ
ように、それらのものをお持ちになりました。それは、死の
力を持つ者、すなわち、悪魔をご自分の死によって滅ぼし、
死の恐怖によって一生涯奴隷としてつながれていた人々を解
放するためでした。(ヘブ 2・14, 15)

御子を信じる者は永遠のいのちを持っているが、御子に聞
き従わない者はいのちを見ることがなく、神の怒りがその上
にとどまる。(ヨハ 3・36)

あなたがたはすでに死んでいて、あなたがたのいのちは、
キリストとともに神のうちに隠されているのです。あなたが
たのいのちであるキリストが現れると、そのときあなたがた
も、キリストとともに栄光のうちに現れます。(コロ 3・3, 4)

その日に主イエスは来て、ご自分の聖徒たちの間であがめ
られ、信じたすべての者たちの間で感嘆の的となられます。

（Ⅱテサ 1・10）

1 月 12 日 （朝）

知恵に富む唯一の神。(ロマ 16・27)

　キリストは、私たちにとって神からの知恵、すなわち、義と聖と贖いになられました。(Ⅰコリ 1・30) あなたは神の深さを見極められるだろうか。全能者の極みを見出せるだろうか。それは天よりも高い。あなたに何ができるだろう。それはよみよりも深い。あなたが何を知り得るだろう。(ヨブ 11・7.8)

　私たちは、奥義のうちにある、隠された神の知恵を語るのであって、その知恵は、神が私たちの栄光のために、世界の始まる前から定めておられたものです。(Ⅰコリ 2・7) 万物を創造した神のうちに世々隠されていた奥義‥‥を、すべての人に明らかにするためです。これは、今、天上にある支配と権威に、教会を通して神のきわめて豊かな知恵が知らされるためです。(エペ 3・9.10)

　あなたがたのうちに、知恵に欠けている人がいるなら、その人は、だれにでも惜しみなく、とがめることなく与えてくださる神に求めなさい。そうすれば与えられます。(ヤコ 1・5) 上からの知恵は、まず第一に清いものです。それから、平和で、優しく、協調性があり、あわれみと良い実に満ち、偏見がなく、偽善もありません。(ヤコ 3・17)

1 月 12 日 （夜）

私は‥‥言う。「いつ起き上がれるだろうか」と。夜

は長い。(ヨブ 7・4)

「夜回りよ、今は夜の何時か。」夜回りは言った。「朝は来る。」
(イザ 21・11. 12)

　もうしばらくすれば、来たるべき方が来られる。遅れるこ
とはない。(ヘブ 10・37) その者は、太陽が昇る朝の光、雲一つ
ない朝の光のようだ。(Ⅱサム 23・4)

　わたしが行って、あなたがたに場所を用意したら、また来
て、あなたがたをわたしのもとに迎えます。わたしがいると
ころに、あなたがたもいるようにするためです。あなたがた
は心を騒がせてはなりません。ひるんではなりません。「わ
たしは去って行くが、あなたがたのところに戻って来る」と
わたしが言ったのを、あなたがたは聞きました。(ヨハ 14・3. 27.
28)

　主よ、あなたの敵がみな滅び、主を愛する者が、力強く昇
る太陽のようになりますように。(士 5・31) あなたがたはみな、
光の子ども、昼の子どもなのです。私たちは夜の者、闇の者
ではありません。(Ⅰテサ 5・5)

　そこには夜がない。(黙 21・25)

1 月 13 日 （朝）

志の堅固な者を、あなたは全き平安のうちに守られます。（イザ26・3）

あなたの重荷を主にゆだねよ。主があなたを支えてくださる。主は決して 正しい者が揺るがされるようにはなさらない。（詩55・22）私は信頼して恐れない。ヤハ、主は私の力、私のほめ歌。私のために救いとなられた。（イザ12・2）

どうして怖がるのか、信仰の薄い者たち。（マタ8・26）何も思い煩わないで、あらゆる場合に、感謝をもってささげる祈りと願いによって、あなたがたの願い事を神に知っていただきなさい。そうすれば、すべての理解を超えた神の平安が、あなたがたの心と思いをキリスト・イエスにあって守ってくれます。（ピリ4・6.7）静かにして信頼すれば、あなたがたは力を得る。（イザ30・15）

義がとこしえの平穏と安心をもたらす。（イザ32・17）わたしはあなたがたに平安を残します。わたしの平安を与えます。わたしは、世が与えるのと同じようには与えません。あなたがたは心を騒がせてはなりません。ひるんではなりません。（ヨハ14・27）今おられ、昔おられ、やがて来られる方から、‥‥平安があなたがたにあるように。（黙1・4.5）

1 月 13 日 （夜）

憤ったままで日が暮れるようであってはいけません。

（エペ 4・26）

　もしあなたの兄弟があなたに対して罪を犯したなら、行って二人だけのところで指摘しなさい。その人があなたの言うことを聞き入れるなら、あなたは自分の兄弟を得たことになります。「主よ。兄弟が私に対して罪を犯した場合、何回赦すべきでしょうか。七回まででしょうか。」イエスは言われた。「わたしは七回までとは言いません。七回を七十倍するまでです。」（マタ 18・15.21.22）また、祈るために立ち上がるとき、だれかに対し恨んでいることがあるなら、赦しなさい。そうすれば、天におられるあなたがたの父も、あなたがたの過ちを赦してくださいます。（マル 11・25）

　神に選ばれた者、聖なる者、愛されている者として、深い慈愛の心、親切、謙遜、柔和、寛容を着なさい。互いに忍耐し合い、だれかがほかの人に不満を抱いたとしても、互いに赦し合いなさい。主があなたがたを赦してくださったように、あなたがたもそうしなさい。（コロ 3・12.13）互いに親切にし、優しい心で赦し合いなさい。神も、キリストにおいてあなたがたを赦してくださったのです。（エペ 4・32）

　使徒たちは主に言った。「私たちの信仰を増し加えてください。」（ルカ 17・5）

1 月 14 日 （朝）

父はわたしよりも偉大な方。(ヨハ 14・28)

あなたがたはこう祈りなさい。「天にいます私たちの父よ。」(マタ 6・9) わたしの父であり、あなたがたの父である方、わたしの神であり、あなたがたの神である方。(ヨハ 20・17)

わたしは‥‥父が命じられたとおりに行っている。(ヨハ 14・31) わたしがあなたがたに言うことばは、自分から話しているのではありません。わたしのうちにおられる父が、ご自分のわざを行っておられるのです。(ヨハ 14・10)

父は御子を愛しておられ、その手にすべてをお与えになった。(ヨハ 3・35) あなたは子に、すべての人を支配する権威を下さいました。それは、あなたが下さったすべての人に、子が永遠のいのちを与えるためです。(ヨハ 17・2)

ピリポはイエスに言った。「主よ、私たちに父を見せてください。そうすれば満足します。」イエスは彼に言われた。「‥‥わたしを見た人は、父を見たのです。どうしてあなたは、『私たちに父を見せてください』と言うのですか。わたしが父のうちにいて、父がわたしのうちにおられることを、信じていないのですか。」(ヨハ 14・8-10) わたしと父とは一つです。(ヨハ 10・30) 父がわたしを愛されたように、わたしもあなたがたを愛しました。わたしの愛にとどまりなさい。わたしがわたしの父の戒めを守って、父の愛にとどまっているのと同じように、あなたがたもわたしの戒めを守るなら、わたしの愛にとどまっているのです。(ヨハ 15・9.10)

1 月 14 日 （夜）

**女の子孫‥‥はおまえの頭を打ち、おまえは彼のか
かとを打つ。**(創3・15)

その顔だちは損なわれて人のようではなく、その姿も人の
子らとは違っていた。(イザ52・14) 彼は私たちの背きのために
刺され、私たちの咎のために砕かれたのだ。彼への懲らしめ
が私たちに平安をもたらし、その打ち傷のゆえに、私たちは
癒やされた。(イザ53・5)

今はあなたがたの時、暗闇の力です。(ルカ22・53) 上から与
えられていなければ、あなたにはわたしに対して何の権威も
ありません。(ヨハ19・11)

悪魔のわざを打ち破るために、神の御子が現れました。(Ⅰ
ヨハ3・8) イエスは、‥‥多くの悪霊を追い出し、悪霊どもが
ものを言うのをお許しにならなかった。彼らがイエスのこと
を知っていたからである。(マル1・34)

わたしには天においても地においても、すべての権威が与
えられています。(マタ28・18) わたしの名によって悪霊を追い
出す。(マル16・17)

平和の神は、速やかに、あなたがたの足の下でサタンを踏
み砕いてくださいます。(ロマ16・20)

1 月 15 日 （朝）

**私のたましいは ちりに打ち伏しています。みことばの
とおりに私を生かしてください。**(詩 119・25)

キリストとともによみがえらされたのなら、上にあるもの
を求めなさい。そこでは、キリストが神の右の座に着いてお
られます。上にあるものを思いなさい。地にあるものを思っ
てはなりません。‥‥あなたがたのいのちは、キリストとと
もに神のうちに隠されているのです。(コロ3・1-3) 私たちの国
籍は天にあります。そこから主イエス・キリストが救い主と
して来られるのを、私たちは待ち望んでいます。キリストは、
万物をご自分に従わせることさえできる御力によって、私た
ちの卑しいからだを、ご自分の栄光に輝くからだと同じ姿に
変えてくださいます。(ピリ3・20.21)

肉が望むことは御霊に逆らい、御霊が望むことは肉に逆ら
うからです。この二つは互いに対立しているので、あなたが
たは願っていることができなくなります。(ガラ5・17) 兄弟たち
よ、私たちには義務があります。肉に従って生きなければな
らないという、肉に対する義務ではありません。もし肉に従っ
て生きるなら、あなたがたは死ぬことになります。しかし、
もし御霊によってからだの行いを殺すなら、あなたがたは生
きます。(ロマ8・12.13) 愛する者たち、私は勧めます。あなた
がたは旅人、寄留者なのですから、たましいに戦いを挑む肉
の欲を避けなさい。(Iペテ2・11)

1 月 15 日 （夜）

信仰の量り。(ロマ 12・3)

信仰の弱い人。(ロマ 14・1) かえって信仰が強められて、神に栄光を帰しました。(ロマ 4・20)

信仰の薄い者よ、なぜ疑ったのか。(マタ 14・31) あなたの信仰は立派です。あなたが願うとおりになるように。(マタ 15・28)

「わたしにそれができると信じるのか」‥‥彼らは「はい、主よ」と言った。‥‥「あなたがたの信仰のとおりになれ」(マタ 9・28.29)

私たちの信仰を増し加えてください。(ルカ 17・5) あなたがたは自分たちの最も聖なる信仰の上に、自分自身を築き上げなさい。(ユダ 20) キリストのうちに根ざし、建てられ、‥‥信仰を堅くしなさい。(コロ 2・7) 私たちをあなたがたと一緒にキリストのうちに堅く保たれた方は神です。(Ⅱコリ 1・21) あらゆる恵みに満ちた神‥‥が、あなたがたをしばらくの苦しみの後で回復させ、堅く立たせ、強くし、不動の者としてくださいます。(Ⅰペテ 5・10)

私たち力のある者たちは、力のない人たちの弱さを担うべきであり、自分を喜ばせるべきではありません。(ロマ 15・1) 私たちはもう互いにさばき合わないようにしましょう。いや、むしろ、兄弟に対して妨げになるもの、つまずきになるものを置くことはしないと決心しなさい。(ロマ 14・13)

1 月 16 日 （朝）

神は、ご自分の満ち満ちたものをすべて御子のうちに
宿らせ、‥‥(コロ1・19)

　父は御子を愛しておられ、その手にすべてをお与えになった。(ヨハ3・35) 神は、この方を高く上げて、すべての名にまさる名を与えられました。それは、イエスの名によって、天にあるもの、地にあるもの、地の下にあるもののすべてが膝をかがめ、すべての舌が「イエス・キリストは主です」と告白して、父なる神に栄光を帰するためです。(ピリ2・9-11) 神は‥‥キリストを‥‥すべての支配、権威、権力、主権の上に、また、今の世だけでなく、次に来る世においても、となえられるすべての名の上に置かれました。(エペ1・20, 21) 天と地にあるすべてのものは、見えるものも見えないものも、王座であれ主権であれ、支配であれ権威であれ、御子にあって造られたからです。万物は御子によって造られ、御子のために造られました。(コロ1・16)

　キリストが死んでよみがえられたのは、死んだ人にも生きている人にも、主となるためです。(ロマ14・9) あなたがたは、キリストにあって満たされているのです。キリストはすべての支配と権威のかしらです。(コロ2・10) 私たちはみな、この方の満ち満ちた豊かさの中から‥‥受けた。(ヨハ1・16)

1 月 16 日 （夜）

あなたが見たこと、今あること、この後起ころうとしていることを書き記せ。(黙 1・19)

聖霊に動かされた人たちが神から受けて語ったものです。(Ⅱペテ 1・21) 私たちが見たこと、聞いたことを、あなたがたにも伝えます。あなたがたも私たちと交わりを持つようになるためです。私たちの交わりとは、御父また御子イエス・キリストとの交わりです。(Ⅰヨハ 1・3)

「わたしの手やわたしの足を見なさい。まさしくわたしです。わたしにさわって、よく見なさい。幽霊なら肉や骨はありません。見て分かるように、わたしにはあります。」こう言って、イエスは彼らに手と足を見せられた。(ルカ 24・39) これを目撃した者が証しししている。それは、あなたがたも信じるようになるためである。その証しは真実であり、その人は自分が真実を話していることを知っている。(ヨハ 19・35)

私たちはあなたがたに、私たちの主イエス・キリストの力と来臨を知らせましたが、それは、巧みな作り話によったのではありません。私たちは、キリストの威光の目撃者として伝えたのです。(Ⅱペテ 1・16) それは、あなたがたの信仰が、人間の知恵によらず、神の力によるものとなるためだったのです。(Ⅰコリ 2・5)

1 月 17 日 （朝）

あなたは私のたましいを慕い、滅びの穴から引き離されました。(イザ 38・17)

　神はそのひとり子を世に遣わし、その方によって私たちにいのちを得させてくださいました。‥‥私たちが神を愛したのではなく、神が私たちを愛し、私たちの罪のために、宥(なだ)めのささげ物としての御子を遣わされました。ここに愛があるのです。(Ⅰヨハ 4・9.10)

　あなたのような神が、ほかにあるでしょうか。あなたは咎を除き、ご自分のゆずりである残りの者のために、背きを見過ごしてくださる神。いつまでも怒り続けることはありません。神は、恵みを喜ばれるからです。もう一度、私たちをあわれみ、私たちの咎を踏みつけて、すべての罪を海の深みに投げ込んでください。(ミカ 7・18.19) わが神 主よ 私が叫び求めると あなたは私を癒やしてくださいました。主よ あなたは私のたましいをよみから引き上げ 私を生かしてくださいました。私が穴に下って行かないように。(詩 30・2.3) 私のたましいが私のうちで衰え果てたとき、私は主を思い出しました。私の祈りはあなたに、あなたの聖なる宮に届きました。(ヨナ 2・7) 私は切に 主を待ち望んだ。滅びの穴から 泥沼から 主は私を引き上げてくださった。(詩 40・1.2)

1 月 17 日 （夜）

今あること。(黙 1・19)

今、私たちは鏡にぼんやり映るものを見ています。(Ⅰコリ 13・12) 今なお私たちは、すべてのものが人の下に置かれているのを見てはいません。(ヘブ 2・8)

私たちは、さらに確かな預言のみことばを持っています。夜が明けて、明けの明星があなたがたの心に昇るまでは、暗い所を照らすともしびとして、それに目を留めているとよいのです。(Ⅱペテ 1・19) あなたのみことばは 私の足のともしび 私の道の光です。(詩 119・105)

愛する者たち。あなたがたは、私たちの主イエス・キリストの使徒たちが前もって語ったことばを思い起こしなさい。彼らはあなたがたにこう言いました。「終わりの時には、嘲（あざけ）る者たちが現れて、自分の不敬虔な欲望のままにふるまう。」(ユダ 17,18) 御霊が明らかに言われるように、後の時代になると、ある人たちは惑わす霊と悪霊の教えとに心を奪われ、信仰から離れるようになります。(Ⅰテモ 4・1)

幼子たち、今は終わりの時です。(Ⅰヨハ 2・18) 夜は深まり、昼は近づいて来ました。ですから私たちは、闇のわざを脱ぎ捨て、光の武具を身に着けようではありませんか。(ロマ 13・12)

1 月 18 日 （朝）

来たるべき方。(ロマ5・14)

　御使いよりもわずかの間 低くされた方、すなわちイエス
・・・・その死は、神の恵みによって、すべての人のために味わ
われたものです。(ヘブ2・9) 一人の人がすべての人のために死
んだ。(Ⅱコリ5・14) ちょうど一人の人の不従順によって多くの
人が罪人とされたのと同様に、一人の従順によって多くの人
が義人とされるのです。(ロマ5・19)

　「最初の人アダムは生きるものとなった。」しかし、最後の
アダムはいのちを与える御霊となりました。最初にあったの
は、御霊のものではなく血肉のものです。御霊のものは後に
来るのです。(Ⅰコリ15・45.46) 神は仰せられた。「さあ、人をわ
れわれのかたちとして、われわれの似姿に造ろう。」神は人
をご自身のかたちとして創造された。(創1・26.27) 神は・・・・こ
の終わりの時には、御子にあって私たちに語られました。御子
子は神の栄光の輝き、また神の本質の完全な現れです。(ヘブ1・
1-3) あなたは子に、すべての人を支配する権威を下さいまし
た。(ヨハ17・2)

　第一の人は地から出て、土で造られた人ですが、第二の人
は天から出た方です。土で造られた者たちはみな、この土で
造られた人に似ており、天に属する者たちはみな、この天に
属する方に似ています。(Ⅰコリ15・47.48)

1 月 18 日 （夜）

この後起ころうとしていること。(黙 1・19)

「目が見たことのないもの、耳が聞いたことのないもの、人の心に思い浮かんだことがないものを、神は、神を愛する者たちに備えてくださった」と書いてあるとおりでした。それを、神は私たちに御霊によって啓示してくださいました。(Ⅰコリ 2・9. 10) 真理の御霊が‥‥これから起こることをあなたがたに伝えてくださいます。(ヨハ 16・13)

見よ、その方は雲とともに来られる。すべての目が彼を見る。彼を突き刺した者たちさえも。地のすべての部族は彼のゆえに胸をたたいて悲しむ。しかり、アーメン。(黙 1・7)

眠っている人たちについては、兄弟たち、あなたがたに知らずにいてほしくありません。あなたがたが、望みのない他の人々のように悲しまないためです。イエスが死んで復活された、と私たちが信じているなら、神はまた同じように、イエスにあって眠った人たちを、イエスとともに連れて来られるはずです。号令と御使いのかしらの声と神のラッパの響きとともに、主ご自身が天から下って来られます。そしてまず、キリストにある死者がよみがえり、それから、生き残っている私たちが、彼らと一緒に雲に包まれて引き上げられ、空中で主と会うのです。こうして私たちは、いつまでも主とともにいることになります。(Ⅰテサ 4・13. 14. 16. 17)

1 月 19 日 （朝）

謙遜の限りを尽くし、‥‥主に仕えてきました。

(使 20・19)

あなたがたの間で偉くなりたいと思う者は、皆に仕える者になりなさい。あなたがたの間で先頭に立ちたいと思う者は、皆のしもべになりなさい。人の子が、仕えられるためではなく仕えるために、また多くの人のための贖いの代価として、自分のいのちを与えるために来たのと、同じようにしなさい。
(マタ 20・26-28)

だれかが、何者でもないのに、自分を何者かであるように思うなら、自分自身を欺いているのです。(ガラ 6・3) 私は、自分に与えられた恵みによって、あなたがた一人ひとりに言います。思うべき限度を超えて思い上がってはいけません。むしろ、神が各自に分け与えてくださった信仰の量りに応じて、慎み深く考えなさい。(ロマ 12・3) あなたがたも、自分に命じられたことをすべて行ったら、「私たちは取るに足りないしもべです。なすべきことをしただけです」と言いなさい。(ルカ 17・10)

私たちが誇りとすること‥‥は、私たちがこの世において、‥‥神から来る純真さと誠実さをもって、肉的な知恵によらず、神の恵みによって行動してきたということです。(Ⅱコリ 1・12) 私たちは、この宝を土の器の中に入れています。それは、この測り知れない力が神のものであって、私たちから出たものでないことが明らかになるためです。(Ⅱコリ 4・7)

1 月 19 日 （夜）

**私たちはみな、羊のようにさまよい、それぞれ自分
勝手な道に向かって行った。**(イザ53・6)

ノアは・・・・ぶどう畑を作り始めた。彼はぶどう酒を飲んで
酔った。(創9・20.21) 彼(アブラム)は・・・・妻のサライに言った。
「私の妹だと言ってほしい。そうすれば、あなたのゆえに事
がうまく運ぶだろう。」(創12・11.13) イサクはヤコブに言った。
「本当におまえは、わが子エサウだね。」するとヤコブは答え
た。「そうです。」(創27・21.24) 彼(モーセ)が軽率なことを口にし
た。(詩106・33) 人々は彼らの食糧の一部を受け取った。しかし、
主の指示を求めなかった。ヨシュアは彼らと和を講じた。(ヨ
シ9・14.15) それは、ダビデが主の目にかなうことを行い、ヒッ
タイト人ウリヤのことのほかは、一生の間、主が命じられた
すべてのことからそれなかったからである。(Ⅰ列15・5)

これらの人たちはみな、その信仰によって称賛されました。
(ヘブ11・39) 神の恵みにより、キリスト・イエスによる贖いを
通して、価なしに義と認められるからです。(ロマ3・24) 主は私
たちすべての者の咎を彼に負わせた。(イザ53・6)

わたしが事を行うのは、あなたがたのためではない——神
である主のことば——。そのことをあなたがたは知っていな
ければならない。・・・・恥じよ。あなたがたの生き方のゆえに
辱めを受けよ。(エゼ36・32)

1 月 20 日 （朝）

その名は「不思議な助言者、力ある神、永遠の父、
平和の君」と呼ばれる。(イザ9・6)

ことばは人となって、私たちの間に住まわれた。私たちは
この方の栄光を見た。父のみもとから来られたひとり子とし
ての栄光である。この方は恵みとまことに満ちておられた。
(ヨハ1・14)

その名はインマヌエルと呼ばれる。それは、訳すと「神が
私たちとともにおられる」という意味である。(マタ1・23) その
名をイエスとつけなさい。この方がご自分の民をその罪から
お救いになるのです。(マタ1・21) すべての人が、父を敬うのと
同じように、子を敬うようになるためです。(ヨハ5・23) 神は、
この方を高く上げて、すべての名にまさる名を与えられまし
た。(ピリ2・9) 神は‥‥キリストを‥‥すべての支配、権威、
権力、主権の上に、また、今の世だけでなく、次に来る世に
おいても、となえられるすべての名の上に置かれました。ま
た、神はすべてのものをキリストの足の下に従わせられまし
た。(エペ1・20-22) ご自分のほかはだれも知らない名が記され
ていた。‥‥「王の王、主の主。」(黙19・12.16)

私たちが見出すことのできない全能者。(ヨブ37・23) その名
は何か、その子の名は何か。あなたは確かに知っている。(箴
30・4)

1 月 20 日 （夜）

ご自分の民、ヤコブへのゆずりの地。(申32・9)

あなたがたはキリストのもの、キリストは神のものです。(Ⅰコリ3・23) 私は、私の愛する方のもの。あの方は私を恋い慕う。(雅7・10) 私はあの方のもの。(雅2・16) 私を愛し、私のためにご自分を与えてくださった、神の御子。(ガラ2・20)

あなたがたは知らないのですか。‥‥あなたがたはもはや自分自身のものではありません。あなたがたは、代価を払って買い取られたのです。ですから、自分のからだをもって神の栄光を現しなさい。(Ⅰコリ6・19.20) 主はあなたがたを取って、鉄の炉から、すなわちエジプトから導き出し、今日のようにゆずりの民とされたのである。(申4・20)

あなたがたは神の畑、神の建物です。(Ⅰコリ3・9) キリストは、御子として神の家を治めることに忠実でした。そして、私たちが神の家です。もし確信と、希望による誇りを持ち続けさえすれば、そうなのです。(ヘブ3・6) 霊の家‥‥聖なる祭司。(Ⅰペテ2・5)

彼らは、わたしのものとなる。──万軍の主は言われる──わたしが事を行う日に、わたしの宝となる。(マラ3・17) わたしのものはすべてあなたのもの、あなたのものはわたしのものです。わたしは彼らによって栄光を受けました。(ヨハ17・10) 聖徒たちが受け継ぐものがどれほど栄光に富んだものか、‥‥知ることができますように。(エペ1・18.19)

1 月 21 日 （朝）

実を結ぶものは‥‥(父が)刈り込みをなさいます。

(ヨハ15・2)

　この方は、精錬する者の火、布をさらす者の灰汁(あく)のようだ。この方は、銀を精錬する者、きよめる者として座に着き、レビの子らをきよめて、金や銀にするように、彼らを純粋にする。彼らは主にとって、義によるささげ物を献げる者となる。(マラ3・2.3)

　苦難さえも喜んでいます。それは、苦難が忍耐を生み出し、忍耐が練られた品性を生み出し、練られた品性が希望を生み出すと、私たちは知っているからです。この希望は失望に終わることがありません。なぜなら、私たちに与えられた聖霊によって、神の愛が私たちの心に注がれているからです。(ロマ5・3-5)訓練として耐え忍びなさい。神はあなたがたを子として扱っておられるのです。父が訓練しない子がいるでしょうか。もしあなたがたが、すべての子が受けている訓練を受けていないとしたら、私生児であって、本当の子ではありません。すべての訓練は、そのときは喜ばしいものではなく、かえって苦しく思われるものですが、後になると、これによって鍛えられた人々に、義という平安の実を結ばせます。ですから、弱った手と衰えた膝をまっすぐにしなさい。(ヘブ12・7.8. 11. 12)

1 月 21 日 （夜）

今、私たちは高ぶる者を幸せ者と言おう。(マラ3・15)

いと高くあがめられ、永遠の住まいに住み、その名が聖である方が、こう仰せられる。「わたしは、高く聖なる所に住み、砕かれた人、へりくだった人とともに住む。へりくだった人たちの霊を生かし、砕かれた人たちの心を生かすためである。」(イザ57・15)

へりくだって、貧しい者とともにいるのは、高ぶる者とともに分捕り物を分け合うのにまさる。(箴16・19) 心の貧しい者は幸いです。天の御国はその人たちのものだからです。(マタ5・3)

主の憎むものが六つある。いや、主ご自身の忌み嫌うものが七つある。高ぶる目、‥‥。(箴6・16) 心の高ぶりはすべて主に忌み嫌われる。(箴16・5)

神よ 私を探り 私の心を知ってください。私を調べ 私の思い煩いを知ってください。私のうちに 傷のついた道があるかないかを見て 私をとこしえの道に導いてください。(詩139・23.24)

私たちの父なる神と主イエス・キリストから、恵みと平安があなたがたにありますように。私は、あなたがたのことを思うたびに、私の神に感謝しています。(ピリ1・2.3) 柔和な者は幸いです。その人たちは地を受け継ぐからです。(マタ5・5)

1 月 22 日 （朝）

この方こそまさしく神。世々限りなく われらの神。神
は 死を越えて私たちを導かれる。(詩48・14)

主よ、あなたは私の神。私はあなたをあがめ、御名をほめ
たたえます。あなたは遠い昔からの不思議なご計画を、まこ
とに、真実に成し遂げられました。(イザ25・1) 主は私への割り
当て分 また杯。(詩16・5)

主は‥‥御名のゆえに 私を義の道に導かれます。たと
え 死の陰の谷を歩むとしても 私はわざわいを恐れません。
あなたが ともにおられますから。あなたのむちとあなたの
杖 それが私の慰めです。(詩23・3.4) あなたは私の右の手
を しっかりとつかんでくださいました。あなたは 私を諭し
て導き 後には栄光のうちに受け入れてくださいます。あな
たのほかに 天では 私にだれがいるでしょう。地では 私は
だれをも望みません。この身も心も尽き果てるでしょう。し
かし 神は私の心の岩 とこしえに 私が受ける割り当ての地。
(詩73・23-26) まことに 私たちの心は主を喜び 私たちは聖な
る御名に拠り頼む。(詩33・21) 主は私のためにすべてを成し遂
げてくださいます。主よ あなたの恵みはとこしえにありま
す。あなたの御手のわざをやめないでください。(詩138・8)

1 月 22 日 （夜）

私のうちで 思い煩いが増すときに あなたの慰めで
私のたましいを喜ばせてください。(詩 94・19)

私の心が衰え果てるとき‥‥及びがたいほど高い岩の上
に 私を導いてください。(詩 61・2)

主よ、私は虐げられています。私の保証人となってくださ
い。(イザ 38・14) あなたの重荷を主にゆだねよ。主があなたを
支えてくださる。(詩 55・22)

私は小さな子どもで、出入りする術を知りません。(Ⅰ列 3・7)
あなたがたのうちに、知恵に欠けている人がいるなら、‥‥
神に求めなさい。そうすれば与えられます。(ヤコ 1・5)

このような務めにふさわしい人は、いったいだれでしょう
か。(Ⅱコリ 2・16) 私は、自分のうちに、すなわち、自分の肉の
うちに善が住んでいないことを知っています。(ロマ 7・18) わた
しの恵みはあなたに十分である。わたしの力は弱さのうちに
完全に現れるからである。(Ⅱコリ 12・9)

子よ、しっかりしなさい。あなたの罪は赦された。(マタ 9・2)
娘よ、しっかりしなさい。あなたの信仰があなたを救ったの
です。(マタ 9・22)

脂肪と髄をふるまわれたかのように 私のたましいは満ち
足りています。喜びにあふれた唇で 私の口はあなたを賛美
します。床の上で あなたを思い起こすとき 夜もすがら あ
なたのことを思い巡らすときに。(詩 63・5.6)

1 月 23 日 （朝）

この希望は失望に終わることがありません。(ロマ5・5)

わたしが主である。・・・・わたしを待ち望む者は恥を見ることがない。(イザ49・23) 主に信頼する者に祝福があるように。その人は主を頼みとする。(エレ17・7) 志の堅固な者を、あなたは全き平安のうちに守られます。その人があなたに信頼しているからです。いつまでも主に信頼せよ。ヤハ、主は、とこしえの岩だから。(イザ26・3.4) 私のたましいよ 黙って ただ神を待ち望め。私の望みは神から来るからだ。神こそ わが岩 わが救い わがやぐら。私は揺るがされることがない。(詩62・5.6) (私は)それを恥とは思っていません。私は自分が信じてきた方をよく知って・・・・いるからです。(Ⅱテモ1・12)

神は、約束の相続者たちに、ご自分の計画が変わらないことをさらにはっきり示そうと思い、誓いをもって保証されました。それは、前に置かれている希望を捕らえようとして逃れて来た私たちが、約束と誓いという変わらない二つのものによって、力強い励ましを受けるためです。この二つについて、神が偽ることはあり得ません。私たちが持っているこの希望は、安全で確かな、たましいの錨のようなものであり、また幕の内側にまで入って行くものです。イエスは、私たちのために先駆けとしてそこに入られたのです。(ヘブ6・17-20)

1 月 23 日 （夜）

十字架のつまずき。(ガラ5・11)

だれでもわたしについて来たいと思うなら、自分を捨て、自分の十字架を負って、わたしに従って来なさい。(マタ16・24)

世を愛することは神に敵対することだと分からないのですか。世の友となりたいと思う者はだれでも、自分を神の敵としているのです。(ヤコ4・4) 私たちは、神の国に入るために、多くの苦しみを経なければならない。(使14・22)

この方に信頼する者は失望させられることがない。(ロマ9・33) この石は、信じているあなたがたには尊いものですが、信じていない人々にとっては、「家を建てる者たちが捨てた石、それが要の石となった」のであり、それは「つまずきの石、妨げの岩」なのです。(Ⅰペテ2・7.8)

私には、私たちの主イエス・キリストの十字架以外に誇りとするものが、決してあってはなりません。この十字架につけられて、世は私に対して死に、私も世に対して死にました。(ガラ6・14) 私はキリストとともに十字架につけられました。(ガラ2・19) キリスト・イエスにつく者は、自分の肉を、情欲や欲望とともに十字架につけたのです。(ガラ5・24) 耐え忍んでいるなら、キリストとともに王となる。キリストを否むなら、キリストもまた、私たちを否まれる。(Ⅱテモ2・12)

1 月 24 日 （朝）

主は近いのです。（ピリ 4・5）

号令と御使いのかしらの声と神のラッパの響きとともに、主ご自身が天から下って来られます。そしてまず、キリストにある死者がよみがえり、それから、生き残っている私たちが、彼らと一緒に雲に包まれて引き上げられ、空中で主と会うのです。こうして私たちは、いつまでも主とともにいることになります。ですから、これらのことばをもって互いに励まし合いなさい。（Ⅰテサ 4・16-18）これらのことを証しする方が言われる。「しかり、わたしはすぐに来る。」アーメン。主イエスよ、来てください。（黙 22・20）

ですから、愛する者たち。これらのことを待ち望んでいるのなら、しみも傷もない者として平安のうちに神に見出していただけるように努力しなさい。（Ⅱペテ 3・14）あらゆる形の悪から離れなさい。平和の神ご自身が、あなたがたを完全に聖なるものとしてくださいますように。あなたがたの霊、たましい、からだのすべてが、私たちの主イエス・キリストの来臨のときに、責められるところのないものとして保たれていますように。あなたがたを召された方は真実ですから、そのようにしてくださいます。（Ⅰテサ 5・22-24）

あなたがたも耐え忍びなさい。心を強くしなさい。主が来られる時が近づいているからです。（ヤコ 5・8）

1 月 24 日 （夜）

良いぶどうの木。(創49・11)

　わが愛する者は、よく肥えた山腹にぶどう畑を持っていた。彼はそこを掘り起こして、石を除き、そこに良いぶどうを植え、‥‥ぶどうがなるのを心待ちにしていた。ところが、酸いぶどうができてしまった。(イザ5・1.2) わたしは、あなたをみな、純種の良いぶどうとして植えたのに、どうしてあなたは、わたしにとって、質の悪い雑種のぶどうに変わってしまったのか。(エレ2・21)

　肉のわざは明らかです。すなわち、淫らな行い、汚れ、好色、‥‥ねたみ、泥酔、遊興、そういった類のものです。‥‥しかし、御霊の実は、愛、喜び、平安、寛容、親切、善意、誠実、柔和、自制です。(ガラ5・19.21.22.23)

　わたしはまことのぶどうの木、わたしの父は農夫です。わたしの枝で実を結ばないものはすべて、父がそれを取り除き、実を結ぶものはすべて、もっと多く実を結ぶように、刈り込みをなさいます。わたしにとどまりなさい。わたしもあなたがたの中にとどまります。‥‥あなたがたが多くの実を結び、わたしの弟子となることによって、わたしの父は栄光をお受けになります。(ヨハ15・1.2.4.8)

1 月 25 日 （朝）

イエス・キリストを信じることによって、信じるすべて の人に与えられる神の義です。（ロマ 3・22）

　神は、罪を知らない方を私たちのために罪とされました。それは、私たちがこの方にあって神の義となるためです。（Ⅱコリ 5・21）キリストは、ご自分が私たちのためにのろわれた者となることで、私たちを律法ののろいから贖い出してくださいました。（ガラ 3・13）キリストは、私たちにとって神からの知恵、すなわち、義と聖と贖いになられました。（Ⅰコリ 1・30）神は、私たちが行った義のわざによってではなく、ご自分のあわれみによって、聖霊による再生と刷新の洗いをもって、私たちを救ってくださいました。神はこの聖霊を、私たちの救い主イエス・キリストによって、私たちに豊かに注いでくださったのです。（テト 3・5.6）

　私の主であるキリスト・イエスを知っていることのすばらしさのゆえに、私はすべてを損と思っています。私はキリストのゆえにすべてを失いましたが、それらはちりあくただと考えています。それは、私がキリストを得て、キリストにある者と認められるようになるためです。私は律法による自分の義ではなく、キリストを信じることによる義、すなわち、信仰に基づいて神から与えられる義を持つのです。（ピリ 3・8.9）

1 月 25 日 （夜）

あなたがたは、‥‥子とする御霊を受けたのです。
この御霊によって、私たちは「アバ、父」と叫びます。

(ロマ 8・15)

イエスは目を天に向けて言われた。「父よ、‥‥聖なる父よ、
‥‥正しい父よ。」(ヨハ 17・1.11.25)「アバ、父よ。」(マル 14・36)
あなたがたが子であるので、神は「アバ、父よ」と叫ぶ御子
の御霊を、私たちの心に遣わされました。(ガラ 4・6) このキリ
ストを通して、私たち二つのものが、一つの御霊によって御
父に近づくことができるのです。こういうわけで、あなたが
たは、もはや他国人でも寄留者でもなく、聖徒たちと同じ国
の民であり、神の家族なのです。(エペ 2・18.19)

まことに、あなたは私たちの父です。‥‥主よ、あなたは
私たちの父です。あなたの御名は、とこしえから「私たちの
贖い主」。(イザ 63・16)

彼(放蕩息子)は‥‥言った。「立って、父のところに行こう。
そしてこう言おう。『お父さん。私は天に対して罪を犯し、
あなたの前に罪ある者です。もう、息子と呼ばれる資格はあ
りません。雇い人の一人にしてください。』」こうして彼は立
ち上がって、自分の父のもとへ向かった。(ルカ 15・17-20)

ですから、愛されている子どもらしく、神に倣う者となり
なさい。(エペ 5・1)

1 月 26 日 （朝）

私たちは、イエスの辱めを身に負い、宿営の外に出て、みもとに行こうではありませんか。私たちは、いつまでも続く都をこの地上に持っているのではなく、むしろ来たるべき都を求めているのです。

（ヘブ 13・13.14）

愛する者たち。あなたがたを試みるためにあなたがたの間で燃えさかる試練を、何か思いがけないことが起こったかのように、不審に思ってはいけません。むしろ、キリストの苦難にあずかればあずかるほど、いっそう喜びなさい。キリストの栄光が現れるときにも、歓喜にあふれて喜ぶためです。（Ⅰペテ4・12.13）あなたがたが私たちと苦しみをともにしているように、慰めもともにしている。（Ⅱコリ1・7）

もしキリストの名のためにののしられるなら、あなたがたは幸いです。栄光の御霊、すなわち神の御霊が、あなたがたの上にとどまってくださるからです。（Ⅰペテ4・14）

使徒たちは、御名のために辱められるに値する者とされたことを喜びながら、最高法院から出て行った。（使5・41）モーセは‥‥はかない罪の楽しみにふけるよりも、むしろ神の民とともに苦しむことを選び取りました。彼は、キリストのゆえに受ける辱めを、エジプトの宝にまさる大きな富と考えました。それは、与えられる報いから目を離さなかったからでした。（ヘブ11・24-26）

1 月 26 日 （夜）

キリストは、万物をご自分に従わせることさえできる
御力によって、私たちの卑しいからだを、ご自分の栄
光に輝くからだと同じ姿に変えてくださいます。

(ピリ 3・21)

　王座に似たもののはるか上には、人間の姿に似たものが
あった。‥‥その腰と見えるところから上の方は、その中と
周りが琥珀のきらめきのように輝き、火のように見えた。腰
と見えるところから下の方に、私は火のようなものを見た。
その方の周りには輝きがあった。‥‥まさに主の栄光の姿の
ようであった。(エゼ 1・26-28)

　私たちはみな、覆いを取り除かれた顔に、鏡のように主の
栄光を映しつつ、栄光から栄光へと、主と同じかたちに姿を
変えられていきます。(Ⅱコリ 3・18) やがてどのようになるのか、
まだ明らかにされていません。しかし、私たちは、キリスト
が現れたときに、キリストに似た者になることは知っていま
す。キリストをありのままに見るからです。(Ⅰヨハ 3・2)

　彼らは、もはや飢えることも渇くこともない。(黙 7・16) 彼
らは神のしもベモーセの歌と子羊の歌を歌った。(黙 15・3)

1 月 27 日 （朝）

あなたがたが知っているとおり、キリストは罪を取り除くために現れたのであり、この方のうちには罪はありません。(Ⅰヨハ3・5)

神は‥‥この終わりの時には、御子にあって私たちに語られました。‥‥御子は神の栄光の輝き、また神の本質の完全な現れであり、その力あるみことばによって万物を保っておられます。御子は罪のきよめを成し遂げ、いと高き所で、大いなる方の右の座に着かれました。(ヘブ1・1-3) 神は、罪を知らない方を私たちのために罪とされました。それは、私たちがこの方にあって神の義となるためです。(Ⅱコリ5・21)

この世に寄留している時を、恐れつつ過ごしなさい。ご存じのように、あなたがたが‥‥贖い出されたのは、銀や金のような朽ちる物にはよらず、傷もなく汚れもない子羊のようなキリストの、尊い血によったのです。キリストは、世界の基が据えられる前から知られていましたが、この終わりの時に、あなたがたのために現れてくださいました。(Ⅰペテ1・17-20) キリストの愛が私たちを捕らえているからです。私たちはこう考えました。一人の人がすべての人のために死んだ以上、すべての人が死んだのである、と。キリストはすべての人のために死なれました。それは、生きている人々が、もはや自分のためにではなく、自分のために死んでよみがえった方のために生きるためです。(Ⅱコリ5・14.15)

1 月 27 日 （夜）

私は、いのちと死、祝福とのろいをあなたの前に置く。
あなたはいのちを選びなさい。(申 30・19)

わたしは、だれが死ぬのも喜ばない——神である主のこと
ば——。だから立ち返って、生きよ。(エゼ 18・32)

もしわたしが来て彼らに話さなかったら、彼らに罪はな
かったでしょう。けれども今では、彼らの罪について弁解の
余地はありません。(ヨハ 15・22)

主人の思いを知りながら用意もせず、その思いどおりに働
きもしなかったしもべは、むちでひどく打たれます。(ルカ 12・
47)

罪の報酬は死です。しかし神の賜物は、私たちの主キリス
ト・イエスにある永遠のいのちです。(ロマ 6・23) 御子を信じる
者は永遠のいのちを持っているが、御子に聞き従わない者は
いのちを見ることがなく、神の怒りがその上にとどまる。(ヨ
ハ 3・36) あなたがたは知らないのですか。あなたがたが自分
自身を奴隷として献げて服従すれば、その服従する相手の奴
隷となるのです。つまり、罪の奴隷となって死に至り、ある
いは従順の奴隷となって義に至ります。(ロマ 6・16)

わたしに仕えるというのなら、その人はわたしについて来
なさい。わたしがいるところに、わたしに仕える者もいるこ
とになります。わたしに仕えるなら、父はその人を重んじて
くださいます。(ヨハ 12・26)

1 月 28 日 （朝）

あなたの力が、生きるかぎり続くように。(申 33・25)

人々があなたがたを捕らえて引き渡すとき、何を話そうかと、前もって心配するのはやめなさい。ただ、そのときあなたがたに与えられることを話しなさい。話すのはあなたがたではなく、聖霊です。(マル 13・11) 明日のことまで心配しなくてよいのです。明日のことは明日が心配します。苦労はその日その日に十分あります。(マタ 6・34)

イスラエルの神こそ 力と勢いを御民にお与えになる方です。ほむべきかな 神。(詩 68・35) 疲れた者には力を与え、精力のない者には勢いを与えられる。(イザ 40・29)

主は、「わたしの恵みはあなたに十分である。わたしの力は弱さのうちに完全に現れるからである」と言われました。ですから私は、キリストの力が私をおおうために、むしろ大いに喜んで自分の弱さを誇りましょう。ですから私は、キリストのゆえに、弱さ、侮辱、苦悩、迫害、困難を喜んでいます。というのは、私が弱いときにこそ、私は強いからです。(Ⅱコリ 12・9.10) 私を強くしてくださる方によって、私はどんなことでもできるのです。(ピリ 4・13) わがたましいよ、力強く進め。(士 5・21)

1 月 28 日 （夜）

北風よ、起きなさい。‥‥私の庭に吹いて、その香りを漂わせておくれ。(雅4・16)

すべての訓練は、そのときは喜ばしいものではなく、かえって苦しく思われるものですが、後になると、これによって鍛えられた人々に、義という平安の実を結ばせます。(ヘブ12・11) 御霊の実。(ガラ5・22)

あなたは‥‥東風の日に、激しい息で彼らを吹き払われた。(イザ27・8)

父がその子をあわれむように 主は ご自分を恐れる者をあわれまれる。(詩103・13)

たとえ私たちの外なる人は衰えても、内なる人は日々新たにされています。私たちの一時の軽い苦難は、それとは比べものにならないほど重い永遠の栄光を、私たちにもたらすのです。私たちは見えるものにではなく、見えないものに目を留めます。(Ⅱコリ4・16-18)

キリストは御子であられるのに、お受けになった様々な苦しみによって従順を学ばれました。(ヘブ5・8) 私たちの大祭司は、‥‥罪は犯しませんでしたが、すべての点において、私たちと同じように試みにあわれたのです。(ヘブ4・15)

1 月 29 日 （朝）

あなたはエル・ロイ [私を見てくださる神]。(創16・13)

　主よ あなたは私を探り 知っておられます。あなたは 私の座るのも立つのも知っておられ 遠くから私の思いを読み取られます。あなたは私が歩くのも伏すのも見守り 私の道のすべてを知り抜いておられます。ことばが私の舌にのぼる前に なんと主よ あなたはそのすべてを知っておられます。そのような知識は私にとってあまりにも不思議 あまりにも高くて 及びもつきません。(詩139・1-4.6)

　主の目はどこにもあり、悪人と善人を見張っている。(箴15・3) 人の道は主の御目の前にあり、主はその道筋のすべてに心を向けてくださる。(箴5・21) 神はあなたがたの心をご存じです。人々の間で尊ばれるものは、神の前では忌み嫌われるものなのです。(ルカ16・15) 主はその御目をもって全地を隅々まで見渡し、その心がご自分と全く一つになっている人々に御力を現してくださるのです。(Ⅱ歴16・9)

　イエスご自身は‥‥すべての人を知っていたので、人について だれの証言も必要とされなかった。(ヨハ2・24.25) 主よ、あなたはすべてをご存じです。あなたは、私があなたを愛していることを知っておられます。(ヨハ21・17)

1 月 29 日 （夜）

**わが神 主よ 私は心を尽くしてあなたに感謝し とこ
しえまでも あなたの御名をあがめます。**(詩86・12)

　感謝のいけにえを献げる者は わたしをあがめる。(詩50・
23) 主に感謝することは 良いことです。いと高き方よ あな
たの御名をほめ歌うことは。朝に あなたの恵みを 夜ごと
に あなたの真実を告げることは。(詩92・1.2)

　息のあるものはみな 主をほめたたえよ。(詩150・6)

　兄弟たち、私は神のあわれみによって、あなたがたに勧め
ます。あなたがたのからだを、神に喜ばれる、聖なる生きた
ささげ物として献げなさい。それこそ、あなたがたにふさわ
しい礼拝です。(ロマ12・1) イエスも、ご自分の血によって民を
聖なるものとするために、門の外で苦しみを受けられました。
それなら、私たちはイエスを通して、賛美のいけにえ、御名
をたたえる唇の果実を、絶えず神にささげようではありませ
んか。(ヘブ13・12.15) いつでも、すべてのことについて、私た
ちの主イエス・キリストの名によって、父である神に感謝し
なさい。(エペ5・20)

　屠(ほふ)られた子羊は、力と富と知恵と勢いと誉れと栄光
と賛美を受けるにふさわしい方です。(黙5・12)

1 月 30 日 （朝）

自分の前に置かれている競走を、忍耐をもって走り続けようではありませんか。信仰の創始者であり完成者であるイエスから、目を離さないでいなさい。

（ヘブ 12・1.2）

だれでもわたしについて来たいと思うなら、自分を捨て、日々自分の十字架を負って、わたしに従って来なさい。(ルカ 9・23) 自分の財産すべてを捨てなければ、あなたがたはだれも、わたしの弟子になることはできません。(ルカ 14・33) ですから私たちは、闇のわざを打ち捨てようではありませんか。(ロマ 13・12)

競技をする人は、あらゆることについて節制します。彼らは朽ちる冠を受けるためにそうするのですが、私たちは朽ちない冠を受けるためにそうするのです。ですから、私は目標がはっきりしないような走り方はしません。空を打つような拳闘もしません。むしろ、私は自分のからだを打ちたたいて服従させます。ほかの人に宣べ伝えておきながら、自分自身が失格者にならないようにするためです。(Ⅰコリ 9・25-27) 兄弟たち。私は、自分がすでに捕らえたなどと考えてはいません。ただ一つのこと、すなわち、うしろのものを忘れ、前のものに向かって身を伸ばし、キリスト・イエスにあって神が上に召してくださるという、その賞をいただくために、目標を目指して走っているのです。(ピリ 3・13.14) 私たちは知ろう。主を知ることを切に追い求めよう。(ホセ 6・3)

1 月 30 日 （夜）

人が、若いときに、くびきを負うのは良い。(哀3・27)

若者をその行く道にふさわしく教育せよ。そうすれば、年老いても、それから離れない。(箴22・6)

私たちには肉の父がいて、私たちを訓練しましたが、私たちはその父たちを尊敬していました。それなら、なおのこと、私たちは霊の父に服従して生きるべきではないでしょうか。肉の父はわずかの間、自分が良いと思うことにしたがって私たちを訓練しましたが、霊の父は私たちの益のために、私たちをご自分の聖さにあずからせようとして訓練されるのです。(ヘブ12・9.10)

主よ。苦難の時に彼らはあなたを求めました。(イザ26・16) 苦しみにあう前には 私は迷い出ていました。しかし今は あなたのみことばを守ります。(詩119・67) 苦しみにあったことは 私にとって幸せでした。それにより 私はあなたのおきてを学びました。(詩119・71)

わたし自身、あなたがたのために立てている計画をよく知っている——主のことば——。それはわざわいではなく平安を与える計画であり、あなたがたに将来と希望を与えるためのものだ。(エレ29・11) ですから、あなたがたは神の力強い御手の下にへりくだりなさい。神は、ちょうど良い時に、あなたがたを高く上げてくださいます。(Ⅰペテ5・6)

1 月 31 日 （朝）

もしその地の住民をあなたがたの前から追い払わな
ければ、あなたがたが残しておく者たちは、あなた
がたの目のとげとなり、脇腹の茨となり、彼らはあな
たがたが住むその土地であなたがたを苦しめる。

(民 33・55)

信仰の戦いを立派に戦いなさい。(Ⅰテモ6・12) 私たちの戦い
の武器は肉のものではなく、神のために要塞を打ち倒す力が
あるものです。(Ⅱコリ10・4)

兄弟たちよ、私たちには義務があります。肉に従って生き
なければならないという、肉に対する義務ではありません。
もし肉に従って生きるなら、あなたがたは死ぬことになりま
す。しかし、もし御霊によってからだの行いを殺すなら、あ
なたがたは生きます。(ロマ8・12.13)

肉が望むことは御霊に逆らい、御霊が望むことは肉に逆ら
うからです。この二つは互いに対立しているので、あなたが
たは願っていることができなくなります。(ガラ5・17) 私のから
だには異なる律法があって、それが私の心の律法に対して戦
いを挑み、私を、からだにある罪の律法のうちにとりこにし
ていることが分かるのです。(ロマ7・23) 私たちを愛してくだ
さった方によって、私たちは圧倒的な勝利者です。(ロマ8・37)

1 月 31 日 （夜）

主に対して人が罪を犯すなら、だれがその人のため
に仲裁に立つだろうか。(Ⅰサム2・25)

　もしだれかが罪を犯したなら、私たちには、御父の前でと
りなしてくださる方、義なるイエス・キリストがおられます。
この方こそ、私たちの罪のための、いや、私たちの罪だけで
なく、世全体の罪のための宥(なだ)めのささげ物です。(Ⅰヨハ2・
1.2) 神はこの方を、信仰によって受けるべき、血による宥め
のささげ物として公に示されました。ご自分の義を明らかに
されるためです。神は忍耐をもって、これまで犯されてきた
罪を見逃してこられたのです。すなわち、ご自分が義であり、
イエスを信じる者を義と認める方であることを示すため、今
この時に、ご自分の義を明らかにされたのです。(ロマ3・25.26)

　神は彼をあわれんで仰せられる。「彼を救って、滅びの穴
に下って行かないようにせよ。わたしは身代金を見出した」
と。(ヨブ33・24)

　では、これらのことについて、どのように言えるでしょう
か。神が私たちの味方であるなら、だれが私たちに敵対でき
るでしょう。だれが、神に選ばれた者たちを訴えるのですか。
神が義と認めてくださるのです。だれが、私たちを罪ありと
するのですか。死んでくださった方、いや、よみがえられた
方であるキリスト・イエスが、神の右の座に着き、しかも私
たちのために、とりなしていてくださるのです。(ロマ8・31.33.
34)

2 月 1 日 （朝）

あなたがたはイエス・キリストを見たことはないけれ
ども愛しており、‥‥(Ⅰペテ1・8)

　私たちは見えるものによらず、信仰によって歩んでいます。
(Ⅱコリ5・7) 私たちは愛しています。神がまず私たちを愛して
くださったからです。(Ⅰヨハ4・19) 私たちは自分たちに対する
神の愛を知り、また信じています。神は愛です。愛のうちに
とどまる人は神のうちにとどまり、神もその人のうちにとど
まっておられます。(Ⅰヨハ4・16) キリストにあって、あなたが
たもまた、真理のことば、あなたがたの救いの福音を聞いて
それを信じたことにより、約束の聖霊によって証印を押され
ました。(エペ1・13) この奥義が異邦人の間でどれほど栄光に富
んだものであるか、神は聖徒たちに知らせたいと思われまし
た。この奥義とは、あなたがたの中におられるキリスト、栄
光の望みのことです。(コロ1・27)

　神を愛すると言いながら兄弟を憎んでいるなら、その人は
偽り者です。目に見える兄弟を愛していない者に、目に見え
ない神を愛することはできません。(Ⅰヨハ4・20)

　イエスは彼(トマス)に言われた。「あなたはわたしを見たか
ら信じたのですか。見ないで信じる人たちは幸いです。」(ヨハ
20・29) 主に信頼する者は 恵みがその人を囲んでいる。(詩32・
10)

2 月 1 日 （夜）

主は私たちの義。(エレ 23・6)

私たちはみな、汚れた者のようになり、その義はみな、不潔な衣のようです。(イザ 64・6)

神である主よ　私はあなたの力とともに行きます。あなたの　ただあなたの義だけを心に留めて。(詩 71・16) 私は主にあって大いに楽しみ、私のたましいも私の神にあって喜ぶ。主が私に救いの衣を着せ、正義の外套をまとわせ、花婿のように栄冠をかぶらせ、花嫁のように宝玉で飾ってくださるからだ。(イザ 61・10)

一番良い衣を持って来て、この子に着せなさい。(ルカ 15・22) 花嫁は、輝くきよい亜麻布をまとうことが許された。その亜麻布とは、聖徒たちの正しい行いである。(黙示 19・8)

私の主であるキリスト・イエスを知っていることのすばらしさのゆえに、私はすべてを損と思っています。‥‥それは、私がキリストを得て、キリストにある者と認められるようになるためです。私は律法による自分の義ではなく、キリストを信じることによる義、すなわち、信仰に基づいて神から与えられる義を持つのです。(ピリ 3・8.9)

2 月 2 日 （朝）

私を‥‥わざわいから遠ざけてください。(Ⅰ歴代4・10)

　どうして眠っているのか。誘惑に陥らないように、起きて祈っていなさい。(ルカ22・46) 霊は燃えていても肉は弱いのです。(マタ26・41)

　二つのことをあなたにお願いします。私が死なないうちに、それをかなえてください。むなしいことと偽りのことばを、私から遠ざけてください。貧しさも富も私に与えず、ただ、私に定められた分の食物で、私を養ってください。私が満腹してあなたを否み、「主とはだれだ」と言わないように。また、私が貧しくなって盗みをし、私の神の御名を汚すことのないように。(箴言30・7-9)

　主は すべてのわざわいからあなたを守り あなたのたましいを守られる。(詩121・7) わたしは、あなたを悪しき者たちの手から救い出し、横暴な者たちの手から贖い出す。(エレ15・21) 神から生まれた方がその人を守っておられ、悪い者はその人に触れることができない。(Ⅰヨハ5・18)

　あなたは忍耐についてのわたしのことばを守ったので、地上に住む者たちを試みるために全世界に来ようとしている試練の時には、わたしもあなたを守る。(黙示3・10) 主は‥‥敬虔な者たちを誘惑から救い出すことを、心得ておられるのです。

(Ⅱペテ2・9)

2 月 2 日 （夜）

星と星の間でも輝きが違います。（Ⅰコリ 15・41）

彼ら(弟子たち)は‥‥だれが一番偉いか論じ合っていた。‥‥イエスは腰を下ろすと、十二人を呼んで言われた。「だれでも先頭に立ちたいと思う者は、皆の後になり、皆に仕える者になりなさい。」（マル 9・34.35）謙遜を身に着けなさい。「神は高ぶる者には敵対し、へりくだった者には恵みを与えられる」のです。ですから、あなたがたは神の力強い御手の下にへりくだりなさい。神は、ちょうど良い時に、あなたがたを高く上げてくださいます。（Ⅰペテ 5・5.6）

キリスト・イエスのうちにあるこの思いを、あなたがたの間でも抱きなさい。キリストは‥‥ご自分を空しくして、しもべの姿をとり、人間と同じようになられました。‥‥それゆえ神は、この方を高く上げて、すべての名にまさる名を与えられました。それは、イエスの名によって‥‥すべてが膝をかがめるためです。（ピリ 2・5-7.9-11）

賢明な者たちは大空の輝きのように輝き、多くの者を義に導いた者は、世々限りなく、星のようになる。（ダニ 12・3）

2 月 3 日 （朝）

強くあれ。‥‥仕事に取りかかれ。わたしがあなた
がたとともにいるからだ。――万軍の主のことば――

（ハガ2・4）

　わたしはぶどうの木、あなたがたは枝です。人がわたしに
とどまり、わたしもその人にとどまっているなら、その人は
多くの実を結びます。わたしを離れては、あなたがたは何も
することができないのです。（ヨハ15・5）私を強くしてくださる
方によって、私はどんなことでもできるのです。（ピリ4・13）主
にあって、その大能の力によって強められなさい。（エペ6・10）
主を喜ぶことは、あなたがたの力だからだ。（ネヘ8・10）

　万軍の主はこう言われる。「勇気を出せ。‥‥あなたがた
はこれらのことばを、預言者たちの口から聞いてきたではな
いか。」（ゼカ8・9）弱った手を強め、よろめく膝をしっかりさ
せよ。心騒ぐ者たちに言え。「強くあれ。恐れるな。」（イザ35・3.
4）行け、あなたのその力で。（士6・14）

　神が私たちの味方であるなら、だれが私たちに敵対できる
でしょう。（ロマ8・31）こういうわけで、私たちは、あわれみを
受けてこの務めについているので、落胆することがありませ
ん。（Ⅱコリ4・1）失望せずに善を行いましょう。あきらめずに
続ければ、時が来て刈り取ることになります。（ガラ6・9）神に
感謝します。神は、私たちの主イエス・キリストによって、
私たちに勝利を与えてくださいました。（Ⅰコリ15・57）

2 月 3 日 （夜）

あなたにとっては　闇も暗くなく‥‥。(詩 139・12)

　神の御目が人の道の上にあり、その歩みのすべてを神が見ておられるからだ。不法を行う者どもが身を隠せる闇はなく、暗黒もない。(ヨブ 34・21.22) 人が隠れ場に身を隠したら、わたしはその人を見ることができないのか。‥‥天にも地にも、わたしは満ちているではないか。——主のことば。(エレ 23・24)

　あなたは恐れない。夜襲の恐怖も‥‥暗闇に忍び寄る疫病も。それは　わが避け所　主を　いと高き方を　あなたが自分の住まいとしたからである。わざわいは　あなたに降りかからず　疫病も　あなたの天幕に近づかない。(詩 91・5.6.9.10) あなたを守る方は　まどろむこともない。主はあなたを守る方。主はあなたの右手をおおう陰。昼も　日があなたを打つことはなく　夜も　月があなたを打つことはない。主は　すべてのわざわいからあなたを守られる。(詩 121・3.5-7)

　たとえ　死の陰の谷を歩むとしても　私はわざわいを恐れません。あなたが　ともにおられますから。(詩 23・4)

2 月 4 日 （朝）

二度とこの道を戻ってはならない。(申 17・16)

　もし彼らが思っていたのが、出て来た故郷だったなら、帰る機会はあったでしょう。しかし実際には、彼らが憧(あこが)れていたのは、もっと良い故郷、すなわち天の故郷でした。(ヘブ 11・15.16) モーセは‥‥はかない罪の楽しみにふけるよりも、むしろ神の民とともに苦しむことを選び取りました。彼は、キリストのゆえに受ける辱めを、エジプトの宝にまさる大きな富と考えました。(ヘブ 11・24-26)「‥‥義人は信仰によって生きる。もし恐れ退くなら、わたしの心は彼を喜ばない。」しかし私たちは、恐れ退いて滅びる者ではなく、信じていのちを保つ者です。(ヘブ 10・38.39) 鋤(すき)に手をかけてからうしろを見る者はだれも、神の国にふさわしくありません。(ルカ 9・62)

　私には、私たちの主イエス・キリストの十字架以外に誇りとするものが、決してあってはなりません。この十字架につけられて、世は私に対して死に、私も世に対して死にました。(ガラ 6・14) 彼らの中から出て行き、彼らから離れよ。——主は言われる——汚れたものに触れてはならない。そうすればわたしは、あなたがたを受け入れる。(Ⅱコリ 6・17)

　あなたがたの間で良い働きを始められた方は、キリスト・イエスの日が来るまでにそれを完成させてくださる。(ピリ 1・6)

2 月 4 日 （夜）

彼らは‥‥あなたに刺し貫かれた者の痛みを言いふ
らします。(詩 69・26)

わたしが少ししか怒らないでいると、彼らは欲するままに
悪事を行った。(ゼカ 1・15)

兄弟たち。もしだれかが何かの過ちに陥っていることが分
かったなら、御霊の人であるあなたがたは、柔和な心でその
人を正してあげなさい。また、自分自身も誘惑に陥らないよ
うに気をつけなさい。(ガラ 6・1)

罪人を迷いの道から連れ戻す人は、罪人のたましいを死か
ら救い出し、また多くの罪をおおうことになる。(ヤコ 5・20) 弱
い者の世話をし、すべての人に対して寛容でありなさい。(Ⅰ
テサ 5・14)

私たちはもう互いにさばき合わないようにしましょう。い
や、むしろ、兄弟に対して妨げになるもの、つまずきになる
ものを置くことはしないと決心しなさい。(ロマ 14・13) 私たち
力のある者たちは、力のない人たちの弱さを担うべきであり、
自分を喜ばせるべきではありません。(ロマ 15・1)

愛は‥‥不正を喜ばずに、真理を喜びます。(Ⅰ コリ 13・4.6)
立っていると思う者は、倒れないように気をつけなさい。(Ⅰ
コリ 10・12)

2 月 5 日 （朝）

わたしが来たのは、羊たちがいのちを得るため、そ
れも豊かに得るためです。(ヨハ 10・10)

その木から食べるとき、あなたは必ず死ぬ。(創 2・17) 女は
その実を取って食べ、ともにいた夫にも与えたので、夫も食
べた。(創 3・6)

罪の報酬は死です。しかし神の賜物は、私たちの主キリス
ト・イエスにある永遠のいのちです。(ロマ 6・23) もし一人の違
反により、一人によって死が支配するようになったのなら、
なおさらのこと、恵みと義の賜物をあふれるばかり受けてい
る人たちは、一人の人イエス・キリストにより、いのちにあっ
て支配するようになるのです。(ロマ 5・17) 死が一人の人を通し
て来たのですから、死者の復活も一人の人を通して来るので
す。アダムにあってすべての人が死んでいるように、キリス
トにあってすべての人が生かされるのです。(1 コリ 15・21.22)
私たちの救い主キリスト・イエス‥‥は死を滅ぼし、福音に
よっていのちと不滅を明らかに示されたのです。(Ⅱ テモ 1・10)

神が私たちに永遠のいのちを与えてくださったというこ
と、そして、そのいのちが御子のうちにあるということです。
御子を持つ者はいのちを持っており、神の御子を持たない者
はいのちを持っていません。(1 ヨハ 5・11.12) 神が御子を世に遣
わされたのは、世をさばくためではなく、御子によって世が
救われるためである。(ヨハ 3・17)

2 月 5 日 (夜)

さばきの座。 (Ⅱコリ5・10)

真理に基づいて神のさばきが下ることを、私たちは知っています。(ロマ2・2) 人の子は、その栄光を帯びてすべての御使いたちを伴って来るとき、その栄光の座に着きます。そして、すべての国々の人々が御前に集められます。人の子は、羊飼いが羊をやぎからより分けるように彼らをより分けます。(マタ25・31.32)

そのとき、正しい人たちは彼らの父の御国で太陽のように輝きます。(マタ13・43) だれが、神に選ばれた者たちを訴えるのですか。神が義と認めてくださるのです。だれが、私たちを罪ありとするのですか。死んでくださった方、いや、よみがえられた方であるキリスト・イエスが、神の右の座に着き、しかも私たちのために、とりなしていてくださるのです。(ロマ8・33.34) こういうわけで、今や、キリスト・イエスにある者が罪に定められることは決してありません。(ロマ8・1)

私たちがさばかれるとすれば、それは、この世とともにさばきを下されることがないように、主によって懲らしめられる、ということなのです。(Ⅰコリ11・32)

2 月 6 日 （朝）

私たちの主の恵みは、キリスト・イエスにある信仰と
愛とともに満ちあふれました。（Ⅰテモ1・14）

あなたがたは、私たちの主イエス・キリストの恵みを知っています。すなわち、主は富んでおられたのに、あなたがたのために貧しくなられました。それは、あなたがたが、キリストの貧しさによって富む者となるためです。（Ⅱコリ8・9）罪の増し加わるところに、恵みも満ちあふれました。（ロマ5・20）

この恵みのゆえに、あなたがたは信仰によって救われたのです。それはあなたがたから出たことではなく、神の賜物です。行いによるのではありません。だれも誇ることのないためです。（エペ2・8.9）人は律法を行うことによってではなく、ただイエス・キリストを信じることによって義と認められると知って、私たちもキリスト・イエスを信じました。律法を行うことによってではなく、キリストを信じることによって義と認められるためです。というのは、肉なる者はだれも、律法を行うことによっては義と認められないからです。（ガラ2・16）神は‥‥ご自分のあわれみによって、聖霊による再生と刷新の洗いをもって、私たちを救ってくださいました。神はこの聖霊を、私たちの救い主イエス・キリストによって、私たちに豊かに注いでくださったのです。（テト3・5.6）

2 月 6 日 （夜）

わたしは‥‥輝く明けの明星である。(黙示 22・16)

ヤコブから一つの星が進み出る。(民 24・17)

夜は深まり、昼は近づいて来ました。ですから私たちは、闇のわざを脱ぎ捨て、光の武具を身に着けようではありませんか。(ロマ 13・12) 私の愛する方よ。そよ風が吹き始め、影が逃げ去るまでに、あなたは戻って来て、険しい山々の上のかもしかや若い鹿のようになってください。(雅 2・17)

「夜回りよ、今は夜の何時か。」夜回りは言った。「朝は来る。また夜も来る。尋ねたければ尋ねよ。もう一度、来るがよい。」(イザ 21・11.12)

わたしは世の光です。(ヨハ 8・12) わたしは明けの明星を与える。(黙 2・28)

気をつけて、目を覚ましていなさい。その時がいつなのか、あなたがたは知らないからです。それはちょうど、旅に出る人のようです。家を離れるとき、しもべたちそれぞれに、仕事を割り当てて責任を持たせ、門番には目を覚ましているように命じます。ですから、目を覚ましていなさい。‥‥主人が突然帰って来て、あなたがたが眠っているのを見ることがないようにしなさい。わたしがあなたがたに言っていることは、すべての人に言っているのです。目を覚ましていなさい。(マル 13・33-37)

2 月 7 日 （朝）

あなたが食べて満ち足りたとき、主がお与えくださっ
た良い地について、あなたの神、主をほめたたえな
ければならない。(申8・10)

気をつけなさい。‥‥あなたの神、主を忘れることがない
ように。(申8・11)

そのうちの一人は、自分が癒やされたことが分かると、大
声で神をほめたたえながら引き返して来て、イエスの足もと
にひれ伏して感謝した。彼はサマリア人であった。すると、
イエスは言われた。「十人きよめられたのではなかったか。
九人はどこにいるのか。この他国人のほかに、神をあがめる
ために戻って来た者はいなかったのか。」(ルカ17・15-18)

神が造られたものはすべて良いもので、感謝して受けると
き、捨てるべきものは何もありません。神のことばと祈りに
よって、聖なるものとされるからです。(Ⅰテモ4・4.5) 食べる
人は、主のために食べています。神に感謝しているからです。
(ロマ14・6) 人を富ませるのは主の祝福。(箴10・22)

わがたましいよ 主をほめたたえよ。私のうちにあるすべ
てのものよ 聖なる御名をほめたたえよ。わがたましいよ 主
をほめたたえよ。‥‥主は あなたのすべての咎を赦し‥‥
あなたに恵みとあわれみの冠をかぶらせる。(詩103・1-4)

2 月 7 日 （夜）

イエスは‥‥彼らを深くあわれまれた。(マタ 14・14)

　イエス・キリストは、昨日も今日も、とこしえに変わることがありません。(ヘブ 13・8) 私たちの大祭司は、私たちの弱さに同情できない方ではありません。罪は犯しませんでしたが、すべての点において、私たちと同じように試みにあわれたのです。(ヘブ 4・15) 大祭司は‥‥無知で迷っている人々に優しく接することができます。(ヘブ 5・2) イエスは戻り、彼らが眠っているのを見て、ペテロに言われた。「シモン、眠っているのですか。一時間でも、目を覚ましていられなかったのですか。誘惑に陥らないように、目を覚まして祈っていなさい。霊は燃えていても肉は弱いのです。」(マル 14・37.38)

　父がその子をあわれむように 主は ご自分を恐れる者をあわれまれる。主は 私たちの成り立ちを知り 私たちが土のちりにすぎないことを心に留めてくださる。(詩 103・13.14)

　主よ あなたはあわれみ深く 情け深い神。怒るのに遅く 恵みとまことに富んでおられます。御顔を私に向け 私をあわれんでください。あなたのしもべに御力を与え あなたのはしための子をお救いください。(詩 86・15.16)

2 月 8 日 （朝）

わたしはもう、あなたがたをしもべとは呼びません。
しもべなら主人が何をするのか知らないからです。わ
たしはあなたがたを友と呼びました。(ヨハ15・15)

主はこう考えられた。「わたしは、自分がしようとしてい
ることを、アブラハムに隠しておくべきだろうか。」(創18・
17) あなたがたには天の御国の奥義を知ることが許されてい
ます。(マタ13・11) それを、神は私たちに御霊によって啓示し
てくださいました。御霊はすべてのことを、神の深みさえも
探られるからです。(Ⅰコリ2・10) 隠された神の知恵‥‥は、神
が私たちの栄光のために、世界の始まる前から定めておられ
たものです。(Ⅰコリ2・7)

幸いなことよ あなたが選び 近寄せられた人 あなたの大
庭に住む人は。私たちは あなたの家の良いもの あなたの宮
の聖なるもので満ち足ります。(詩65・4) 主は ご自分を恐れる
者と親しく交わり その契約を彼らにお知らせになる。(詩25・
14) あなたがわたしに下さったみことばを、わたしが彼らに
与えたからです。彼らはそれを受け入れ、わたしがあなたの
もとから出て来たことを本当に知り、あなたがわたしを遣わ
されたことを信じました。(ヨハ17・8)

わたしが命じることを行うなら、あなたがたはわたしの友
です。(ヨハ15・14)

2 月 8 日 （夜）

**あなたは、あなたの城壁を救いと呼び、あなたの門
を賛美と呼ぶ。**(イザ 60・18)

都の城壁には十二の土台石があり、それには、子羊の十二
使徒の、十二の名が刻まれていた。(黙 21・14)

あなたがたは、もはや他国人でも寄留者でもなく、聖徒た
ちと同じ国の民であり、神の家族なのです。使徒たちや預言
者たちという土台の上に建てられていて、キリスト・イエス
ご自身がその要(かなめ)の石です。このキリストにあって、建
物の全体が組み合わされて成長し、主にある聖なる宮となり
ます。あなたがたも、このキリストにあって、ともに築き上
げられ、御霊によって神の御住まいとなるのです。(エペ 2・19-
22) あなたがたは、主がいつくしみ深い方であることを、確
かに味わいました。主のもとに来なさい。主は、人には捨て
られたが神には選ばれた、尊い生ける石です。あなたがた自
身も生ける石として霊の家に築き上げられ、神に喜ばれる霊
のいけにえをイエス・キリストを通して献げる、聖なる祭司
となります。(Ⅰペテ 2・3-5)

神よ‥‥シオンには賛美があります。(詩 65・1)

2 月 9 日 （朝）

今は、彼は‥‥慰められている。(ルカ 16・25)

　あなたの太陽はもう沈むことがなく、あなたの月は陰ることがない。主があなたの永遠の光となり、あなたの嘆き悲しむ日が終わるからである。(イザ 60・20) （主は）永久に死を呑み込まれる。神である主は、すべての顔から涙をぬぐい取り、全地の上からご自分の民の恥辱を取り除かれる。(イザ 25・8)

　この人たちは大きな患難を経てきた者たちで、その衣を洗い、子羊の血で白くしたのです。それゆえ、彼らは神の御座の前にあって、昼も夜もその神殿で神に仕えている。御座に着いておられる方も、彼らの上に幕屋を張られる。彼らは、もはや飢えることも渇くこともなく、太陽もどんな炎熱も、彼らを襲うことはない。御座の中央におられる子羊が彼らを牧し、いのちの水の泉に導かれる。(黙 7・14-17) 神は彼らの目から涙をことごとくぬぐい取ってくださる。もはや死はなく、悲しみも、叫び声も、苦しみもない。以前のものが過ぎ去ったからである。(黙 21・4)

2 月 9 日 （夜）

だれも働くことができない夜が来ます。(ヨハ 9・4)

今から後、主にあって死ぬ死者は幸いである。‥‥その人たちは、その労苦から解き放たれて安らぐことができる。彼らの行いが、彼らとともについて行くからである。(黙 14・13) かしこでは、悪しき者は荒れ狂うのをやめ、かしこでは、力の萎(な)えた者は憩う。(ヨブ 3・17) サムエルはサウルに言った。「なぜ、私を呼び出して、私を煩わすのか。」(Ⅰサム 28・15)

あなたの手がなし得ると分かったことはすべて、自分の力でそれをせよ。あなたが行こうとしているよみには、わざも道理も知識も知恵もないからだ。(伝 9・10) 死人は主をほめたたえることがない。沈黙へ下る者たちも。(詩 115・17)

私はすでに注ぎのささげ物となっています。私が世を去る時が来ました。私は勇敢に戦い抜き、走るべき道のりを走り終え、信仰を守り通しました。あとは、義の栄冠が私のために用意されているだけです。その日には、正しいさばき主である主が、それを私に授けてくださいます。(Ⅱテモ 4・6-8)

安息日の休みは、神の民のためにまだ残されています。神の安息に入る人は、神がご自分のわざを休まれたように、自分のわざを休むのです。(ヘブ 4・9.10)

2 月 10 日 （朝）

からだの明かりは目です。あなたの目が健やかなら
全身も明るくなります。(ルカ11・34)

　生まれながらの人間は、神の御霊に属することを受け入れ
ません。それらはその人には愚かなことであり、理解するこ
とができないのです。御霊に属することは御霊によって判断
するものだからです。（Ⅰコリ2・14）私の目を開いてください。
私が目を留めるようにしてください。あなたのみおしえのう
ちにある奇しいことに。(詩119・18)

　わたしは世の光です。わたしに従う者は、決して闇の中を
歩むことがなく、いのちの光を持ちます。（ヨハ8・12）私たちは
みな、覆いを取り除かれた顔に、鏡のように主の栄光を映し
つつ、‥‥主と同じかたちに姿を変えられていきます。これ
はまさに、御霊なる主の働きによるのです。（Ⅱコリ3・18）「闇
の中から光が輝き出よ」と言われた神が、キリストの御顔に
ある神の栄光を知る知識を輝かせるために、私たちの心を照
らしてくださったのです。（Ⅱコリ4・6）

　どうか、私たちの主イエス・キリストの神、栄光の父が、
神を知るための知恵と啓示の御霊を、あなたがたに与えてく
ださいますように。また、‥‥神の召しにより与えられる望
みがどのようなものか、聖徒たちが受け継ぐものがどれほど
栄光に富んだものか‥‥を、知ることができますように。(エ
ペ1・17-19)

2 月 10 日 (夜)

**神が岩を打たれると 水が湧き出て 流れがあふれ
た。**(詩78・20)

　私たちの先祖はみな雲の下にいて、みな海を通って行きま
した。そしてみな、雲の中と海の中で、モーセにつくバプテ
スマを受け、みな、同じ霊的な食べ物を食べ、みな、同じ霊
的な飲み物を飲みました。彼らについて来た霊的な岩から飲
んだのです。その岩とはキリストです。(Iコリ10・1-4) 兵士の
一人は、イエスの脇腹を槍で突き刺した。すると、すぐに血
と水が出て来た。(ヨハ19・34) 彼は私たちの背きのために刺さ
れ、私たちの咎のために砕かれたのだ。彼への懲らしめが私
たちに平安をもたらし、その打ち傷のゆえに、私たちは癒や
された。(イザ53・5)

　あなたがたは、いのちを得るためにわたしのもとに来よう
とはしません。(ヨハ5・40) わたしの民は二つの悪を行った。い
のちの水の泉であるわたしを捨て、多くの水溜めを自分たち
のために掘ったのだ。水を溜めることのできない、壊れた水
溜めを。(エレ2・13)

　だれでも渇いているなら、わたしのもとに来て飲みなさい。
(ヨハ7・37) いのちの水が欲しい者は、ただで受けなさい。(黙
22・17)

2 月 11 日 (朝)

主を恐れる者たちが互いに語り合った。主は耳を傾けて、これを聞かれた。主を恐れ、主の御名を尊ぶ者たちのために、主の前で記憶の書が記された。

(マラ 3・16)

弟子たちのうちの二人が‥‥話し合ったり論じ合ったりしているところに、イエスご自身が近づいて来て、彼らとともに歩き始められた。(ルカ 24・13, 15) 二人か三人がわたしの名において集まっているところには、わたしもその中にいるのです。(マタ 18・20) いのちの書に名が記されている‥‥私の同労者たち。(ピリ 4・3)

キリストのことばが、あなたがたのうちに豊かに住むようにしなさい。知恵を尽くして互いに教え、忠告し合い、詩と賛美と霊の歌により、感謝をもって心から神に向かって歌いなさい。(コロ 3・16)「今日」と言われている間、日々互いに励まし合って、だれも罪に惑わされて頑なにならないようにしなさい。(ヘブ 3・13)

人は、口にするあらゆる無益なことばについて、さばきの日に申し開きをしなければなりません。あなたは自分のことばによって義とされ、また、自分のことばによって不義に定められるのです。(マタ 12・36.37) 見よ、これはわたしの前に書かれている。わたしは黙っていない。必ず報いる。(イザ 65・6)

2 月 11 日 （夜）

主の木々は満ち足りています。（詩 104・16）

　わたしはイスラエルにとって露のようになる。彼はゆりのように花咲き、レバノン杉のように根を張る。その若枝は伸び、その輝きはオリーブの木のように、その香りはレバノン杉のようになる。（ホセ14・5.6）主に信頼する者に祝福があるように。その人は主を頼みとする。その人は、水のほとりに植えられた木。流れのほとりに根を伸ばし、暑さが来ても暑さを知らず、葉は茂って、日照りの年にも心配なく、実を結ぶことをやめない。（エレ17・7.8）

　主であるわたしが高い木を低くし、低い木を高くし、生木を枯らし、枯れ木に芽を出させる。（エゼ17・24）

　正しい者は なつめ椰子の木のように萌え出で レバノンの杉のように育ちます。彼らは 主の家に植えられ 私たちの神の大庭で花を咲かせます。彼らは年老いてもなお 実を実らせ 青々と生い茂ります。（詩92・12-14）

2 月 12 日 （朝）

彼らは、わたしのものとなる。——万軍の主は言わ
れる——わたしが事を行う日に、わたしの宝となる。

(マラ3・17)

　あなたが世から選び出して与えてくださった人たちに、わ
たしはあなたの御名を現しました。彼らはあなたのもので
したが、あなたはわたしに委ねてくださいました。そして彼ら
はあなたのみことばを守りました。‥‥わたしは彼らのため
にお願いします。世のためにではなく、あなたがわたしに下
さった人たちのためにお願いします。彼らはあなたのもので
すから。わたしのものはすべてあなたのもの、あなたのもの
はわたしのものです。わたしは彼らによって栄光を受けまし
た。‥‥父よ。わたしに下さったものについてお願いします。
わたしがいるところに、彼らもわたしとともにいるようにし
てください。わたしの栄光を、彼らが見るためです。世界の
基が据えられる前からわたしを愛されたゆえに、あなたがわ
たしに下さった栄光を。(ヨハ17・6.9.10.24)

　また来て、あなたがたをわたしのもとに迎えます。(ヨハ14・
3) 生き残っている私たちが、彼らと一緒に雲に包まれて引
き上げられ、空中で主と会うのです。こうして私たちは、い
つまでも主とともにいることになります。(Iテサ4・17) あなた
は主の手にある輝かしい冠となり、あなたの神の手のひらに
ある王のかぶり物となる。(イザ62・3)

2 月 12 日 （夜）

どうか、あなたの栄光を私に見せてください。

（出 33・18）

「闇の中から光が輝き出よ」と言われた神が、キリストの御顔にある神の栄光を知る知識を輝かせるために、私たちの心を照らしてくださったのです。（Ⅱコリ4・6）ことばは人となって、私たちの間に住まわれた。私たちはこの方の栄光を見た。父のみもとから来られたひとり子としての栄光である。この方は恵みとまことに満ちておられた。（ヨハ1・14）いまだかつて神を見た者はいない。父のふところにおられるひとり子の神が、神を説き明かされたのである。（ヨハ1・18）

私のたましいは 神を 生ける神を求めて 渇いています。いつになれば 私は行って 神の御前に出られるのでしょうか。（詩42・2）主よ あなたの御顔を私は慕い求めます。（詩27・8）

私たちはみな、覆いを取り除かれた顔に、鏡のように主の栄光を映しつつ、栄光から栄光へと、主と同じかたちに姿を変えられていきます。これはまさに、御霊なる主の働きによるのです。（Ⅱコリ3・18）父よ。わたしに下さったものについてお願いします。わたしがいるところに、彼らもわたしとともにいるようにしてください。わたしの栄光を、彼らが見るためです。世界の基が据えられる前からわたしを愛されたゆえに、あなたがわたしに下さった栄光を。（ヨハ17・24）

2 月 13 日 （朝）

王座に似たもののはるか上には、人間の姿に似たものがあった。(エゼ1・26)

人としてのキリスト・イエス。(Ⅰテモ2・5) （キリストは）人間と同じようになられました。人としての姿をもって現れ、‥‥(ピリ2・7.8) 子たちがみな血と肉を持っているので、イエスもまた同じように、それらのものをお持ちになりました。それは、死の力を持つ者‥‥をご自分の死によって滅ぼすためでした。(ヘブ2・14)

わたしは‥‥生きている者である。わたしは死んだが、見よ、世々限りなく生きている。(黙1・17.18) キリストは死者の中からよみがえって、もはや死ぬことはありません。死はもはやキリストを支配しないのです。なぜなら、キリストが死なれたのは、ただ一度罪に対して死なれたのであり、キリストが生きておられるのは、神に対して生きておられるのだからです。(ロマ6・9.10) それなら、人の子がかつていたところに上るのを見たら、どうなるのか。(ヨハ6・62) 神は‥‥キリストを死者の中からよみがえらせ、天上でご自分の右の座に着かせて、‥‥(エペ1・20) キリストのうちにこそ、神の満ち満ちたご性質が形をとって宿っています。(コロ2・9)

キリストは弱さのゆえに十字架につけられましたが、神の力によって生きておられます。私たちもキリストにあって弱い者ですが、‥‥神の力によってキリストとともに生きるのです。(Ⅱコリ13・4)

2 月 13 日 （夜）

みことばは私を生かします。(詩 119・50)

「最初の人アダムは生きるものとなった。」しかし、最後の
アダムはいのちを与える御霊となりました。(I コリ 15・45)

父がご自分のうちにいのちを持っておられるように、子に
も、自分のうちにいのちを持つようにしてくださったからで
す。(ヨハ 5・26) わたしはよみがえりです。いのちです。わたし
を信じる者は死んでも生きるのです。また、生きていてわた
しを信じる者はみな、永遠に決して死ぬことがありません。
(ヨハ 11・25.26)

この方にはいのちがあった。このいのちは人の光であった。
(ヨハ 1・4) この方を受け入れた人々、すなわち、その名を信
じた人々には、神の子どもとなる特権をお与えになった。こ
の人々は、血によってではなく、肉の望むところでも人の意
志によってでもなく、ただ、神によって生まれたのである。(ヨ
ハ 1・12.13)

いのちを与えるのは御霊です。肉は何の益ももたらしませ
ん。わたしがあなたがたに話してきたことばは、霊であり、
またいのちです。(ヨハ 6・63) 神のことばは生きていて、力があ
り、両刃の剣よりも鋭く、たましいと霊、関節と骨髄を分け
るまでに刺し貫き、心の思いやはかりごとを見分けることが
できます。(ヘブ 4・12)

2 月 14 日 （朝）

今はそうさせてほしい。このようにして正しいことをすべて実現することが、わたしたちにはふさわしいのです。(マタ3・15)

わが神よ　私は　あなたのみこころを行うことを喜びとします。あなたのみおしえは私の心のうちにあります。(詩40・8)

わたしが律法や預言者を廃棄するために来た、と思ってはなりません。廃棄するためではなく成就するために来たのです。まことに、あなたがたに言います。天地が消え去るまで、律法の一点一画も決して消え去ることはありません。すべてが実現します。(マタ5・17.18) 主はご自分の義のために望まれた。みおしえを広め、これを輝かすことを。(イザ42・21) あなたがたの義が、律法学者やパリサイ人の義にまさっていなければ、あなたがたは決して天の御国に入れません。(マタ5・20)

肉によって弱くなったため、律法にできなくなったことを、神はしてくださいました。神はご自分の御子を、罪深い肉と同じような形で、罪のきよめのために遣わし、肉において罪を処罰されたのです。それは、肉に従わず御霊に従って歩む私たちのうちに、律法の要求が満たされるためなのです。(ロマ8・3.4) 律法が目指すものはキリストです。それで、義は信じる者すべてに与えられるのです。(ロマ10・4)

2 月 14 日 （夜）

**わたしがあなたへの割り当てであり、あなたへのゆ
ずりである。**（民 18・20）

あなたのほかに 天では 私にだれがいるでしょう。地で
は 私はだれをも望みません。この身も心も尽き果てるでしょ
う。しかし 神は私の心の岩 とこしえに 私が受ける割り当
ての地。（詩 73・25.26）主は私への割り当て分 また杯。あなた
は 私の受ける分を堅く保たれます。割り当ての地は定まり
ました。私の好む所に。実にすばらしい 私へのゆずりの地
です。（詩 16・5.6）

「主こそ、私への割り当てです」と私のたましいは言う。そ
れゆえ、私は主を待ち望む。（哀 3・24）

私はあなたのさとしを永遠に受け継ぎました。これこ
そ 私の心の喜びです。（詩 119・111）

神よ あなたは私の神。私はあなたを切に求めます。水の
ない 衰え果てた乾いた地で 私のたましいは あなたに渇
き 私の身も あなたをあえぎ求めます。（詩 63・1）まことに あ
なたは私の助けでした。御翼の陰で 私は喜び歌います。（詩
63・7）

私の愛する方は私のもの。私はあの方のもの。（雅 2・16）

2 月 15 日 （朝）

だれが、「私は自分の心を清めた。‥‥」と言える
だろうか。(箴20・9)

主は天から人の子らを見下ろされた。悟る者 神を求める
者がいるかどうかと。すべての者が離れて行き だれもかれ
も無用の者となった。善を行う者はいない。だれ一人いない。
(詩14・2.3) 肉のうちにある者は神を喜ばせることができませ
ん。(ロマ8・8)

私には良いことをしたいという願いがいつもあるのに、実
行できないからです。私は、したいと願う善を行わないで、
したくない悪を行っています。(ロマ7・18.19) 私たちはみな、
汚れた者のようになり、その義はみな、不潔な衣のようです。
私たちはみな、木の葉のように枯れ、その咎は風のように私
たちを吹き上げます。(イザ64・6)

聖書は、すべてのものを罪の下に閉じ込めました。それは
約束が、イエス・キリストに対する信仰によって、信じる人
たちに与えられるためでした。(ガラ3・22) 神はキリストにあっ
て、この世をご自分と和解させ、背きの責任を人々に負わせ
ず、‥‥(Ⅱコリ5・19)

もし自分には罪がないと言うなら、私たちは自分自身を欺
いており、私たちのうちに真理はありません。もし私たちが
自分の罪を告白するなら、神は真実で正しい方ですから、そ
の罪を赦し、私たちをすべての不義からきよめてくださいま
す。(Ⅰヨハ1・8.9)

2 月 15 日 （夜）

激しい響きを 川はとどろかせています。(詩93・3)

大水のとどろきにまさり 力強い海の波にもまさって 主は力に満ちておられます。いと高き所で。(詩93・4) 万軍の神 主よ。だれがあなたのように力があるでしょう。主よ。あなたの真実はあなたを取り囲んでいます。あなたは海の高まりを治めておられます。波が逆巻くとき あなたはそれを鎮められます。(詩89・8.9)

あなたがたは、わたしを恐れないのか。——主のことば——わたしの前で震えないのか。わたしは砂浜を海の境とした。それは永遠の境界で、越えることはできない。(エレ5・22)

あなたが水の中を過ぎるときも、わたしは、あなたとともにいる。川を渡るときも、あなたは押し流されない。(イザ43・2)

ペテロは‥‥水の上を歩いてイエスの方に行った。ところが強風を見て怖くなり、沈みかけたので、「主よ、助けてください」と叫んだ。イエスはすぐに手を伸ばし、彼をつかんで言われた。「信仰の薄い者よ、なぜ疑ったのか。」(マタ14・29-31)

心に恐れを覚える日 私はあなたに信頼します。(詩56・3)

2 月 16 日 （朝）

あなたの名は、注がれた香油のよう。(雅 1・3)

キリストも私たちを愛して、私たちのために、ご自分を神へのささげ物、またいけにえとし、芳ばしい香りを献げてくださいました。(エペ 5・2) それゆえ神は、この方を高く上げて、すべての名にまさる名を与えられました。それは、イエスの名によって、‥‥すべてが膝をかがめるためです。(ピリ 2・9-11) キリストのうちにこそ、神の満ち満ちたご性質が形をとって宿っています。(コロ 2・9)

もしわたしを愛しているなら、あなたがたはわたしの戒めを守るはずです。(ヨハ 14・15) 私たちに与えられた聖霊によって、神の愛が私たちの心に注がれている。(ロマ 5・5) 家は香油の香りでいっぱいになった。(ヨハ 12・3) 二人がイエスとともにいたのだということも分かってきた。(使 4・13)

主よ 私たちの主よ あなたの御名は全地にわたり なんと力に満ちていることでしょう。あなたのご威光は天でたたえられています。(詩 8・1) インマヌエル‥‥ 「神が私たちとともにおられる。」(マタ 1・23) その名は「不思議な助言者、力ある神、永遠の父、平和の君」と呼ばれる。(イザ 9・6) 主の名は堅固なやぐら。正しい人はその中に駆け込み、保護される。(箴 18・10)

2 月 16 日 （夜）

**この幕屋のうちにいる間、私たちは重荷を負ってうめ
いています。**(Ⅱコリ5・4)

主よ 私の願いはすべてあなたの御前にあり 私の嘆きはあ
なたに隠れてはいません。(詩38・9) 私の咎が頭を越えるほど
になり 重荷となって 担いきれません。(詩38・4) 私は本当に
みじめな人間です。だれがこの死のからだから、私を救い出
してくれるのでしょうか。(ロマ7・24)

被造物のすべては、今に至るまで、ともにうめき、ともに
産みの苦しみをしています。それだけでなく、御霊の初穂を
いただいている私たち自身も、子にしていただくこと、すな
わち、私たちのからだが贖われることを待ち望みながら、心
の中でうめいています。(ロマ8・22.23) 今しばらくの間、様々
な試練の中で悲しまなければならないのです。(Ⅰペテ1・6)

私はこの幕屋を間もなく脱ぎ捨てる。(Ⅱペテ1・14) この朽ち
るべきものが、朽ちないものを必ず着ることになり、この死
ぬべきものが、死なないものを必ず着ることになるからです。
そして、この朽ちるべきものが朽ちないものを着て、この死
ぬべきものが死なないものを着るとき、このように記された
みことばが実現します。「死は勝利に呑み込まれた。」(Ⅰコリ
15・53.54)

2 月 17 日 （朝）

その雄牛の残りすべてを、宿営の外のきよい所、す
なわち灰捨て場に運び出し、薪の火で焼く。(レビ 4・12)

　彼らはイエスを引き取った。イエスは自分で十字架を負っ
て、「どくろの場所」と呼ばれるところに出て行かれた。そ
こは、ヘブル語ではゴルゴタと呼ばれている。彼らはその場
所でイエスを十字架につけた。(ヨハ 19・17.18) 動物の血は、罪
のきよめのささげ物として、大祭司によって聖所の中に持っ
て行かれますが、からだは宿営の外で焼かれるのです。それ
でイエスも、ご自分の血によって民を聖なるものとするため
に、門の外で苦しみを受けられました。ですから私たちは、
イエスの辱めを身に負い、宿営の外に出て、みもとに行こう
ではありませんか。(ヘブ 13・11-13) キリストの苦難にもあず
かって、・・・・(ピリ 3・10)

　キリストの苦難にあずかればあずかるほど、いっそう喜び
なさい。キリストの栄光が現れるときにも、歓喜にあふれて
喜ぶためです。(Ⅰ ペテ 4・13) 私たちの一時の軽い苦難は、それ
とは比べものにならないほど重い永遠の栄光を、私たちにも
たらすのです。(Ⅱ コリ 4・17)

2 月 17 日 （夜）

神は人をご自身のかたちとして創造された。(創 1・27)

　そのように私たちは神の子孫ですから、神である方を金や銀や石、人間の技術や考えで造ったものと同じであると、考えるべきではありません。(使 17・29)

　あわれみ豊かな神は、私たちを愛してくださったその大きな愛のゆえに、背きの中に死んでいた私たちを、キリストとともに生かしてくださいました。(エペ 2・4.5) 私たちは神の作品であって、良い行いをするためにキリスト・イエスにあって造られたのです。(エペ 2・10) 神は、あらかじめ知っている人たちを、御子のかたちと同じ姿にあらかじめ定められたのです。それは、多くの兄弟たちの中で御子が長子となるためです。(ロマ 8・29)

　私たちは、キリストが現れたときに、キリストに似た者になることは知っています。キリストをありのままに見るからです。(Ⅰヨハ 3・2) 目覚めるとき 御姿に満ち足りるでしょう。(詩 17・15)

　勝利を得る者は、これらのものを相続する。わたしは彼の神となり、彼はわたしの子となる。(黙 21・7) 子どもであるなら、相続人でもあります。私たちは‥‥神の相続人であり、キリストとともに共同相続人なのです。(ロマ 8・17)

2 月 18 日 （朝）

あなたは、わざわいの日の、私の身の避け所です。

(エレ 17・17)

多くの者は言っています。「だれがわれわれに良い目を見せてくれるのか」と。主よ　どうか　あなたの御顔の光を私たちの上に照らしてください。(詩 4・6) 私はあなたの力を歌います。朝明けには　あなたの恵みを喜び歌います。私の苦しみの日に　あなたが私の砦　また　私の逃れ場であられたからです。(詩 59・16)

私は平安のうちに言った。「私は決して揺るがされない」と。‥‥あなたが御顔を隠されると　私はおじ惑いました。主よ　あなたを私は呼び求めます。私の主にあわれみを乞います。私が墓に下っても　私の血に何の益があるでしょうか。ちりが　あなたをほめたたえるでしょうか。あなたのまことを告げるでしょうか。聞いてください　主よ。私をあわれんでください　主よ。私の助けとなってください。(詩 30・6-10)

わたしはほんの少しの間、あなたを見捨てたが、大いなるあわれみをもって、あなたを集める。怒りがあふれて、少しの間、わたしは、顔をあなたから隠したが、永遠の真実の愛をもって、あなたをあわれむ。——あなたを贖う方、主は言われる。(イザ 54・7.8) 悲しみは喜びに変わります。(ヨハ 16・20) 夕暮れには涙が宿っても　朝明けには喜びの叫びがある。(詩 30・5)

2 月 18 日 （夜）

アダムは‥‥彼の似姿として、彼のかたちに男の子を生んだ。(創5・3)

きよい物を汚れた物から取り出せたらよいのに。(ヨブ14・4)
ご覧ください。私は咎ある者として生まれ 罪ある者として 母は私を身ごもりました。(詩51・5)

自分の背きと罪の中に死んでいた者であり、‥‥ほかの人たちと同じように、生まれながら御怒りを受けるべき子らでした。(エペ2・1.3) 私は肉的な者であり、売り渡されて罪の下にある者です。私には、自分のしていることが分かりません。自分がしたいと願うことはせずに、むしろ自分が憎んでいることを行っているからです。(ロマ7・14.15) 私は、自分のうちに、すなわち、自分の肉のうちに善が住んでいないことを知っています。(ロマ7・18)

一人の人によって罪が世界に入り、‥‥一人の人の不従順によって多くの人が罪人とされた。(ロマ5・12.19) もし一人の違反によって多くの人が死んだのなら、神の恵みと、一人の人イエス・キリストの恵みによる賜物は、なおいっそう、多くの人に満ちあふれるのです。(ロマ5・15)

キリスト・イエスにあるいのちの御霊の律法が、罪と死の律法からあなたを解放した。(ロマ8・2)

神に感謝します。神は、私たちの主イエス・キリストによって、私たちに勝利を与えてくださいました。(Ⅰコリ15・57)

2 月 19 日 （朝）

主が知恵を与え、御口から知識と英知が出る。(箴2・6)

心を尽くして主に拠り頼め。自分の悟りに頼るな。(箴3・5) あなたがたのうちに、知恵に欠けている人がいるなら、その人は、だれにでも惜しみなく、とがめることなく与えてくださる神に求めなさい。そうすれば与えられます。(ヤコ1・5) 神の愚かさは人よりも賢く、神の弱さは人よりも強いからです。(Ⅰコリ1・25) 神は、知恵ある者を恥じ入らせるために、この世の愚かな者を選ばれました。肉なる者がだれも神の御前で誇ることがないようにするためです。(Ⅰコリ1・27.29)

みことばの戸が開くと 光が差し 浅はかな者に悟りを与えます。(詩119・130) 私はあなたのみことばを心に蓄えます。あなたの前に罪ある者とならないために。(詩119・11)

人々はみなイエスをほめ、その口から出て来る恵みのことばに驚いた。(ルカ4・22) 下役たちは答えた。「これまで、あの人のように話した人はいませんでした。」(ヨハ7・46) あなたがたは神によってキリスト・イエスのうちにあります。キリストは、私たちにとって神からの知恵、すなわち、義と聖と贖いになられました。(Ⅰコリ1・30)

2 月 19 日 （夜）

わたしの贖いの年が来た。(イザ63・4)

あなたがたは五十年目を聖別し、国中のすべての住民に解放を宣言する。これはあなたがたのヨベルの年である。あなたがたはそれぞれ自分の所有地に帰り、それぞれ自分の家族のもとに帰る。(レビ25・10)

あなたの死人は生き返り、私の屍(しかばね)は、よみがえります。覚めよ、喜び歌え。土のちりの中にとどまる者よ。まことに、あなたの露は光の露。地は死者の霊を生き返らせます。(イザ26・19)

号令と御使いのかしらの声と神のラッパの響きとともに、主ご自身が天から下って来られます。そしてまず、キリストにある死者がよみがえり、それから、生き残っている私たちが、彼らと一緒に雲に包まれて引き上げられ、空中で主と会うのです。こうして私たちは、いつまでも主とともにいることになります。(Iテサ4・16.17)

わたしはよみの力から彼らを贖い出し、死から彼らを贖う。死よ、おまえのとげはどこにあるのか。よみよ、おまえの針はどこにあるのか。(ホセ13・14)

彼らを贖う方は強い。その名は万軍の主。(エレ50・34)

2 月 20 日 （朝）

彼は自分のたましいの激しい苦しみのあとを見て、満足する。(イザ53・11)

イエスは‥‥「完了した」と言われた。そして、頭を垂れて霊をお渡しになった。(ヨハ19・30) 神は、罪を知らない方を私たちのために罪とされました。それは、私たちがこの方にあって神の義となるためです。(Ⅱコリ5・21)

わたしのためにわたしが形造ったこの民は、わたしの栄誉を宣べ伝える。(イザ43・21) これは、今、天上にある支配と権威に、教会を通して神のきわめて豊かな知恵が知らされるためであり、私たちの主キリスト・イエスにおいて成し遂げられた、永遠のご計画によるものです。(エペ3・10.11) それは、キリスト・イエスにあって私たちに与えられた慈愛によって、この限りなく豊かな恵みを、来たるべき世々に示すためでした。(エペ2・7)

あなたがたも‥‥それを信じたことにより、約束の聖霊によって証印を押されました。聖霊は私たちが御国を受け継ぐことの保証です。このことは、私たちが贖われて神のものとされ、神の栄光がほめたたえられるためです。(エペ1・13.14) あなたがたは選ばれた種族、王である祭司、聖なる国民、神のものとされた民です。それは、あなたがたを闇の中から、ご自分の驚くべき光の中に召してくださった方の栄誉を、あなたがたが告げ知らせるためです。(Ⅰペテ2・9)

2 月 20 日 （夜）

荒野での試みの日。(ヘブ 3・8)

　だれでも誘惑されているとき、神に誘惑されていると言ってはいけません。神は悪に誘惑されることのない方であり、ご自分でだれかを誘惑することもありません。人が誘惑にあうのは、それぞれ自分の欲に引かれ、誘われるからです。そして、欲がはらんで罪を生み、罪が熟して死を生みます。(ヤコ 1・13-15)

　彼らは荒野で激しい欲望にかられ　荒れ地で神を試みた。(詩 106・14)

　イエスは････御霊によって荒野に導かれ、四十日間、悪魔の試みを受けられた。その間イエスは何も食べず、その期間が終わると空腹を覚えられた。そこで、悪魔はイエスに言った。「あなたが神の子なら、この石に、パンになるように命じなさい。」(ルカ 4・1-3)

　イエスは、自ら試みを受けて苦しまれたからこそ、試みられている者たちを助けることができるのです。(ヘブ 2・18)　イエスは････言われた。「シモン、シモン。見なさい。サタンがあなたがたを麦のようにふるいにかけることを願って、聞き届けられました。しかし、わたしはあなたのために、あなたの信仰がなくならないように祈りました。」(ルカ 22・25.31.32)

2 月 21 日 （朝）

わたしはあなたがたを聖なる者とする主である。

（レビ 20・8）

あなたがたは、わたしにとって聖でなければならない。主であるわたしが聖だからである。わたしは、あなたがたをわたしのものにしようと、諸民族の中から選り分けたのである。（レビ 20・26）真理によって彼らを聖別してください。あなたのみことばは真理です。（ヨハ 17・17）平和の神ご自身が、あなたがたを完全に聖なるものとしてくださいますように。あなたがたの霊、たましい、からだのすべてが、私たちの主イエス・キリストの来臨のときに、責められるところのないものとして保たれていますように。（Ⅰテサ 5・23）

イエスも、ご自分の血によって民を聖なるものとするために、門の外で苦しみを受けられました。（ヘブ 13・12）私たちの救い主であるイエス・キリスト‥‥は、私たちをすべての不法から贖い出し、良いわざに熱心な選びの民をご自分のものとしてきよめるため、私たちのためにご自分を献げられたのです。（テト 2・13.14）聖とする方も、聖とされる者たちも、みな一人の方から出ています。それゆえ、イエスは彼らを兄弟と呼ぶことを恥とせずに、‥‥（ヘブ 2・11）わたしは彼らのため、わたし自身を聖別します。彼ら自身も真理によって聖別されるためです。（ヨハ 17・19）御霊による聖別によって、イエス・キリストに従うように、またその血の注ぎかけを受けるように選ばれた人たち。（Ⅰペテ 1・2）

2 月 21 日 （夜）

光は 正しい者のために蒔かれている。喜びは 心の
直ぐな人のために。(詩 97・11)

涙とともに種を蒔く者は 喜び叫びながら刈り取る。種入
れを抱え 泣きながら出て行く者は 束を抱え 喜び叫びなが
ら帰って来る。(詩 126・5.6)

あなたが蒔くものは、後にできるからだではない。(Ⅰコリ
15・37)

私たちの主イエス・キリストの父である神がほめたたえら
れますように。神は、ご自分の大きなあわれみのゆえに、イ
エス・キリストが死者の中からよみがえられたことによっ
て、私たちを新しく生まれさせ、生ける望みを持たせてくだ
さいました。そういうわけで、あなたがたは大いに喜んでい
ます。今しばらくの間、様々な試練の中で悲しまなければな
らないのですが、試練で試されたあなたがたの信仰は、火で
精錬されてもなお朽ちていく金よりも高価であり、イエス・
キリストが現れるとき、称賛と栄光と誉れをもたらします。
(Ⅰペテ1・3.6.7)

2 月 22 日 （朝）

**主を恐れる人は だれか。主はその人に選ぶべき道
をお教えになる。**(詩 25・12)

からだの明かりは目です。ですから、あなたの目が健やか
なら全身が明るくなります。(マタ 6・22)

あなたのみことばは 私の足のともしび 私の道の光です。
(詩 119・105) あなたが右に行くにも左に行くにも、うしろから
「これが道だ。これに歩め」と言うことばを、あなたの耳は
聞く。(イザ 30・21) 私は あなたが行く道で あなたを教え あな
たを諭そう。あなたに目を留め 助言を与えよう。あなたが
たは 分別のない馬やらばのようであってはならない。くつ
わや手綱 そうした馬具で強いるのでなければ それらは あ
なたの近くには来ない。悪しき者は心の痛みが多い。しか
し 主に信頼する者は 恵みがその人を囲んでいる。正しい者
たち 主を喜び 楽しめ。すべて心の直ぐな人たちよ 喜びの
声をあげよ。(詩 32・8-11)

主よ、私は知っています。人間の道はその人によるのでは
なく、歩むことも、その歩みを確かにすることも、人による
のではないことを。(エレ 10・23)

2 月 22 日 （夜）

**横たわるとき、あなたに恐れはない。休むとき、眠り
は心地よい。**(箴3・24)

激しい突風が起こって波が舟の中にまで入り、舟は水で
いっぱいになった。ところがイエスは、船尾で枕をして眠っ
ておられた。(マルコ4・37.38)

何も思い煩わないで、あらゆる場合に、感謝をもってささ
げる祈りと願いによって、あなたがたの願い事を神に知って
いただきなさい。そうすれば、すべての理解を超えた神の平
安が、あなたがたの心と思いをキリスト・イエスにあって
守ってくれます。(ピリ4・6.7)

平安のうちに私は身を横たえ すぐ眠りにつきます。主
よ ただあなただけが 安らかに 私を住まわせてくださいま
す。(詩4・8) 主は愛する者に眠りを与えてくださる。(詩127・2)

彼らがステパノに石を投げつけていると、ステパノは主を
呼んで言った。「主イエスよ、私の霊をお受けください。」そ
して、ひざまずいて大声で叫んだ。「主よ、この罪を彼らに
負わせないでください。」こう言って、彼は眠りについた。(使
7・59.60) 肉体を離れて、主のみもとに住むほうがよいと思っ
ています。(Ⅱコリ5・8)

2 月 23 日 （朝）

アベルの血よりもすぐれたことを語る、注ぎかけられ
たイエスの血。(ヘブ 12・24)

見よ、世の罪を取り除く神の子羊。(ヨハ 1・29) 世界の基が据
えられたときから、屠(ほふ)られた子羊。(黙 13・8) 雄牛と雄や
ぎの血は罪を除くことができないからです。ですからキリス
トは、この世界に来てこう言われました。「あなたは、いけ
にえやささげ物をお求めにならないで、わたしに、からだを
備えてくださいました。」(ヘブ 10・4,5) このみこころにしたがっ
て、イエス・キリストのからだが、ただ一度だけ献げられた
ことにより、私たちは聖なるものとされています。(ヘブ 10・10)

アベルもまた、自分の羊の初子の中から、肥えたものを持っ
て来た。主はアベルとそのささげ物に目を留められた。(創 4・
4) キリストも私たちを愛して、私たちのために、ご自分を
神へのささげ物、またいけにえとし、芳ばしい香りを献げて
くださいました。(エペ 5・2)

心に血が振りかけられて、邪悪な良心をきよめられ、から
だをきよい水で洗われ、全き信仰をもって真心から神に近づ
こうではありませんか。(ヘブ 10・22) 私たちはイエスの血に
よって大胆に聖所に入ることができます。(ヘブ 10・19)

2 月 23 日 （夜）

だれが御怒りの力を‥‥知っているでしょう。

(詩 90・11)

　十二時から午後三時まで闇が全地をおおった。三時ごろ、イエスは大声で叫ばれた。「エリ、エリ、レマ、サバクタニ。」これは、「わが神、わが神、どうしてわたしをお見捨てになったのですか」という意味である。(マタ 27・45. 46) 主は私たちすべての者の咎を彼に負わせた。(イザ 53・6)

　こういうわけで、今や、キリスト・イエスにある者が罪に定められることは決してありません。(ロマ 8・1) 私たちは信仰によって義と認められたので、私たちの主イエス・キリストによって、神との平和を持っています。(ロマ 5・1) キリストは、ご自分が私たちのためにのろわれた者となることで、私たちを律法ののろいから贖い出してくださいました。(ガラ 3・13)

　神はそのひとり子を世に遣わし、その方によって私たちにいのちを得させてくださいました。それによって神の愛が私たちに示されたのです。私たちが神を愛したのではなく、神が私たちを愛し、私たちの罪のために、宥(なだ)めのささげ物としての御子を遣わされました。ここに愛があるのです。(Ⅰヨハ 4・9. 10) 義であり、イエスを信じる者を義と認める方。(ロマ 3・26)

2 月 24 日 （朝）

**神である主はこう言われる。「わたしはイスラエルの
家の求めに応じる。」**(エゼ36・37)

　自分のものにならないのは、あなたがたが求めないからで
す。(ヤコ4・2) 求めなさい。そうすれば与えられます。(マタ7・7.
8) 何事でも神のみこころにしたがって願うなら、神は聞い
てくださるということ、これこそ神に対して私たちが抱いて
いる確信です。私たちが願うことは何でも神が聞いてくださ
ると分かるなら、私たちは、神に願い求めたことをすでに手
にしていると分かります。(Ⅰヨハ5・14.15) あなたがたのうち
に、知恵に欠けている人がいるなら、その人は、だれにでも
惜しみなく、とがめることなく与えてくださる神に求めなさ
い。そうすれば与えられます。(ヤコ1・5) あなたの口を大きく
開けよ。わたしが それを満たそう。(詩81・10) いつでも祈る
べきで、失望してはいけない。(ルカ18・1)

　主の目は 正しい人たちの上にあり 主の耳は 彼らの叫び
に傾けられる。苦しむ者が叫ぶと 主は聞かれ そのすべての
苦難から救い出してくださる。(詩34・15.17) あなたがたはわた
しの名によって求めます。あなたがたに代わってわたしが父
に願う、と言うのではありません。父ご自身があなたがたを
愛しておられるのです。あなたがたがわたしを愛したからで
す。(ヨハ16・26.27) 求めなさい。そうすれば受けます。あなた
がたの喜びが満ちあふれるようになるためです。(ヨハ16・24)

2 月 24 日 （夜）

私たちは幸いを神から受けるのだから、わざわいも
受けるべきではないか。（ヨブ2・10）

　主よ　私は知っています。あなたのさばきが正しいこと
と　あなたが真実をもって私を苦しめられたことを。（詩119・
75）主よ、あなたは私たちの父です。私たちは粘土で、あな
たは私たちの陶器師です。私たちはみな、あなたの御手のわ
ざです。（イザ64・8）その方は主だ。主が御目にかなうことをな
さるように。（Ⅰサム3・18）主よ。私があなたと論じても、あな
たのほうが正しいのです。それでも、私はさばきについてあ
なたにお聞きしたいのです。（エレ12・1）

　この方は、銀を精錬する者、きよめる者として座に着く。（マ
ラ3・3）主はその愛する者を訓練し、受け入れるすべての子に、
むちを加えられる。（ヘブ12・6）家の主人がベルゼブルと呼ばれ
るくらいなら、ましてその家の者たちは、どれほどひどい呼
び方をされるでしょうか。（マタ10・25）キリストは御子であら
れるのに、お受けになった様々な苦しみによって従順を学ば
れました。（ヘブ5・8）

　キリストの苦難にあずかればあずかるほど、いっそう喜び
なさい。キリストの栄光が現れるときにも、歓喜にあふれて
喜ぶためです。（Ⅰペテ4・13）この人たちは大きな患難を経てき
た者たちで、その衣を洗い、子羊の血で白くしたのです。（黙7・
14）

2 月 25 日 （朝）

**悪魔に対抗しなさい。そうすれば、悪魔はあなたが
たから逃げ去ります。**(ヤコ4・7)

イエスは言われた。「下がれ、サタン。『あなたの神である
主を礼拝しなさい。主にのみ仕えなさい』と書いてある。」
すると悪魔はイエスを離れた。(マタ4・10.11)

主にあって、その大能の力によって強められなさい。悪魔
の策略に対して堅く立つことができるように、神のすべての
武具を身に着けなさい。(エペ6・10.11) 実を結ばない暗闇のわ
ざに加わらず、むしろ、それを明るみに出しなさい。(エペ5・
11) それは、私たちがサタンに乗じられないようにするため
です。私たちはサタンの策略を知らないわけではありません。
(Ⅱコリ2・11) 身を慎み、目を覚ましていなさい。あなたがた
の敵である悪魔が、吼(ほ)えたける獅子のように、だれかを
食い尽くそうと探し回っています。堅く信仰に立って、この
悪魔に対抗しなさい。ご存じのように、世界中で、あなたが
たの兄弟たちが同じ苦難を通ってきているのです。(Ⅰペテ5・8.
9) 私たちの信仰、これこそ、世に打ち勝った勝利です。(Ⅰヨ
ハ5・4)

だれが、神に選ばれた者たちを訴えるのですか。神が義と
認めてくださるのです。(ロマ8・33)

2 月 25 日 （夜）

ああ、‥‥どこで神に会えるかを知って、その御座に
まで行きたいものだ。(ヨブ 23・3)

あなたがたのうちで主を恐れ、主のしもべの声に聞き従う
のはだれか。闇の中を歩くのに光を持たない人は、主の御名
に信頼し、自分の神に拠り頼め。(イザ 50・10)

あなたがたがわたしを捜し求めるとき、心を尽くしてわた
しを求めるなら、わたしを見つける。(エレ 29・13) 探しなさい。
そうすれば見出します。たたきなさい。そうすれば開かれま
す。(ルカ 11・9)

私たちの交わりとは、御父また御子イエス・キリストとの
交わりです。(Ⅰヨハ 1・3) かつては遠く離れていたあなたがた
も、今ではキリスト・イエスにあって、キリストの血によっ
て近い者となりました。‥‥このキリストを通して、私たち
二つのものが、一つの御霊によって御父に近づくことができ
るのです。(エペ 2・13, 18)

もし私たちが、神と交わりがあると言いながら、闇の中を
歩んでいるなら、私たちは偽りを言っているのであり、真理
を行っていません。(Ⅰヨハ 1・6)

見よ。わたしは‥‥いつもあなたがたとともにいます。(マ
タ 28・20) わたしは決してあなたを見放さず、あなたを見捨て
ない。(ヘブ 13・5) 助け主‥‥はあなたがたとともにおられ、ま
た、あなたがたのうちにおられる。(ヨハ 14・16, 17)

2 月 26 日 （朝）

自分たちの道を尋ね調べて、主のみもとに立ち返ろう。

(哀3・40)

主よ 私を調べ 試みてください。私の心の深みまで精錬してください。(詩26・2) あなたは心のうちの真実を喜ばれます。どうか私の心の奥に 知恵を教えてください。(詩51・6) 私は 自分の道を顧みて あなたのさとしの方へ足の向きを変えました。私はすぐ ためらわずに あなたの仰せを守りました。(詩119・59.60) だれでも、自分自身を吟味して、そのうえでパンを食べ、杯を飲みなさい。(Ⅰコリ11・28)

もし私たちが自分の罪を告白するなら、神は真実で正しい方ですから、その罪を赦し、私たちをすべての不義からきよめてくださいます。(Ⅰヨハ1・9) 私たちには、御父の前でとりなしてくださる方、義なるイエス・キリストがおられます。この方こそ、私たちの罪のための‥‥宥(なだ)めのささげ物です。(Ⅰヨハ2・1.2) こういうわけで、兄弟たち。私たちはイエスの血によって大胆に聖所に入ることができます。イエスはご自分の肉体という垂れ幕を通して、私たちのために、この新しい生ける道を開いてくださいました。また私たちには、神の家を治める、この偉大な祭司がおられるのですから、心に血が振りかけられて、邪悪な良心をきよめられ、からだをきよい水で洗われ、全き信仰をもって真心から神に近づこうではありませんか。(ヘブ10・19-22)

2 月 26 日 （夜）

御座の周りには、エメラルドのように見える虹があっ
た。(黙4・3)

　神は仰せられた。「わたしとあなたがたとの間に、また、
あなたがたとともにいるすべての生き物との間に、代々にわ
たり永遠にわたしが与えるその契約のしるしは、これである。
わたしは雲の中に、わたしの虹を立てる。‥‥虹が雲の中に
あるとき、わたしはそれを見て、神と、すべての生き物、地
上のすべての肉なるものとの間の永遠の契約を思い起こそ
う。」(創9・12.13.16) 永遠の契約‥‥。それは、すべてのことに
おいて備えられ、また守られる。(Ⅱサム23・5) それは、前に置
かれている希望を捕らえようとして逃れて来た私たちが、約
束と誓いという変わらない二つのものによって、力強い励ま
しを受けるためです。その二つについて、神が偽ることはあ
り得ません。(ヘブ6・18)

　私たちもあなたがたに、神が父祖たちに約束された福音を
宣べ伝えています。神はイエスをよみがえらせ、彼らの子孫
である私たちにその約束を成就してくださいました。(使13・
32.33)

　イエス・キリストは、昨日も今日も、とこしえに変わるこ
とがありません。(ヘブ13・8)

2 月 27 日 （朝）

あなたがたもキリスト・イエスにあって、自分は罪に
対して死んだ者であり、神に対して生きている者だと、
認めなさい。(ロマ6・11)

わたしのことばを聞いて、わたしを遣わされた方を信じる
者は、永遠のいのちを持ち、さばきにあうことがなく、死か
らいのちに移っています。(ヨハ5・24) 私は、神に生きるために、
律法によって律法に死にました。私はキリストとともに十字
架につけられました。もはや私が生きているのではなく、キ
リストが私のうちに生きておられるのです。今私が肉におい
て生きているいのちは、私を愛し、私のためにご自分を与え
てくださった、神の御子に対する信仰によるのです。(ガラ2・
19.20)

わたしが生き、あなたがたも生きる。(ヨハ14・19) わたしは彼
らに永遠のいのちを与えます。彼らは永遠に、決して滅びる
ことがなく、また、だれも彼らをわたしの手から奪い去りは
しません。わたしの父がわたしに与えてくださった者は、す
べてにまさって大切です。だれも彼らを、父の手から奪い去
ることはできません。わたしと父とは一つです。(ヨハ10・28-30)

こういうわけで、あなたがたはキリストとともによみがえ
らされたのなら、上にあるものを求めなさい。そこでは、キ
リストが神の右の座に着いておられます。‥‥あなたがたは
すでに死んでいて、あなたがたのいのちは、キリストととも
に神のうちに隠されているのです。(コロ3・1.3)

2 月 27 日 （夜）

だれにでも惜しみなく、とがめることなく与えてくださる神。(ヤコ1・5)

「女の人よ、彼らはどこにいますか。だれもあなたにさばきを下さなかったのですか。」彼女は言った。「はい、主よ。だれも。」イエスは言われた。「わたしもあなたにさばきを下さない。行きなさい。これからは、決して罪を犯してはなりません。」(ヨハ8・10.11)

神の恵みと、一人の人イエス・キリストの恵みによる賜物は、なおいっそう、多くの人に満ちあふれるのです。‥‥恵みの場合は、多くの違反が義と認められるからです。(ロマ5・15.16) あわれみ豊かな神は、私たちを愛してくださったその大きな愛のゆえに、背きの中に死んでいた私たちを、キリストとともに生かしてくださいました。あなたがたが救われたのは恵みによるのです。神はまた、キリスト・イエスにあって、私たちをともによみがえらせ、ともに天上に座らせてくださいました。それは、キリスト・イエスにあって私たちに与えられた慈愛によって、この限りなく豊かな恵みを、来たるべき世々に示すためでした。(エペ2・4-7)

私たちすべてのために、ご自分の御子さえも惜しむことなく死に渡された神が、どうして、御子とともにすべてのものを、私たちに恵んでくださらないことがあるでしょうか。(ロマ8・32)

2 月 28 日 （朝）

> 神は、実に、そのひとり子をお与えになったほどに世
> を愛された。それは御子を信じる者が、一人として
> 滅びることなく、永遠のいのちを持つためである。

（ヨハ 3・16）

　神は、キリストによって私たちをご自分と和解させ、また、和解の務めを私たちに与えてくださいました。すなわち、神はキリストにあって、この世をご自分と和解させ、背きの責任を人々に負わせず、和解のことばを私たちに委ねられました。こういうわけで、神が私たちを通して勧めておられるのですから、私たちはキリストに代わる使節なのです。私たちはキリストに代わって願います。神と和解させていただきなさい。神は、罪を知らない方を私たちのために罪とされました。それは、私たちがこの方にあって神の義となるためです。（Ⅱコリ 5・18-21）

　神は愛だからです。神はそのひとり子を世に遣わし、その方によって私たちにいのちを得させてくださいました。それによって神の愛が私たちに示されたのです。私たちが神を愛したのではなく、神が私たちを愛し、私たちの罪のために、宥(なだ)めのささげ物としての御子を遣わされました。ここに愛があるのです。愛する者たち。神がこれほどまでに私たちを愛してくださったのなら、私たちもまた、互いに愛し合うべきです。（Ⅰヨハ 4・8-11）

2 月 28 日 （夜）

人間の霊は主のともしび。(箴 20・27)

「あなたがたの中で罪のない者が、まずこの人に石を投げなさい。」‥‥彼らはそれを聞くと、年長者たちから始まり、一人、また一人と去って行った。(ヨハ 8・7.9)

あなたが裸であることを、だれがあなたに告げたのか。あなたは、食べてはならない、とわたしが命じた木から食べたのか。(創 3・11)

なすべき良いことを知っていながら行わないなら、それはその人には罪です。(ヤコ 4・17) たとえ自分の心が責めたとしても、安らかでいられます。神は私たちの心よりも大きな方であり、すべてをご存じだからです。愛する者たち。自分の心が責めないなら、私たちは神の御前に確信を持つことができます。(Ⅰヨハ 3・20.21)

すべての食べ物はきよいのです。しかし、それを食べて人につまずきを与えるような者にとっては、悪いものなのです。‥‥自分が良いと認めていることで自分自身をさばかない人は幸いです。(ロマ 14・20.22)

神よ 私を探り 私の心を知ってください。私を調べ 私の思い煩いを知ってください。私のうちに 傷のついた道があるかないかを見て 私をとこしえの道に導いてください。(詩 139・23.24)

2 月 29 日 （朝）

明日のことを誇るな。一日のうちに何が起こるか、あなたは知らないのだから。(箴 27・1)

見よ、今は恵みの時、今は救いの日です。(Ⅱコリ 6・2) もうしばらく、光はあなたがたの間にあります。闇があなたがたを襲うことがないように、あなたがたは光があるうちに歩きなさい。闇の中を歩く者は、自分がどこに行くのか分かりません。自分に光があるうちに、光の子どもとなれるように、光を信じなさい。(ヨハ 12・35.36)

あなたの手がなし得ると分かったことはすべて、自分の力でそれをせよ。あなたが行こうとしているよみには、わざも道理も知識も知恵もないからだ。(伝 9・10)

「わがたましいよ、これから先 何年分もいっぱい物がためられた。さあ休め。食べて、飲んで、楽しめ。」‥‥「愚か者、おまえのたましいは、今夜おまえから取り去られる。おまえが用意した物は、いったいだれのものになるのか。」自分のために蓄えても、神に対して富まない者はこのとおりです。(ルカ 12・19-21)

あなたがたのいのちとは、どのようなものでしょうか。あなたがたは、しばらくの間現れて、それで消えてしまう霧です。(ヤコ 4・14) 世と、世の欲は過ぎ去ります。しかし、神のみこころを行う者は永遠に生き続けます。(Ⅰヨハ 2・17)

2 月 29 日 （夜）

**あなたは変わることがなく あなたの年は尽きること
がありません。**（詩102・27）

山々が生まれる前から 地と世界を あなたが生み出す前か
ら とこしえからとこしえまで あなたは神です。（詩90・2）

主であるわたしは変わることがない。そのため、ヤコブの
子らよ、あなたがたは絶え果てることはない。（マラ3・6）昨日
も今日も、とこしえに変わることがありません。（ヘブ13・8）

すべての良い贈り物、またすべての完全な賜物は、上から
のものであり、光を造られた父から下って来るのです。父に
は、移り変わりや、天体の運行によって生じる影のようなも
のはありません。（ヤコ1・17）神の賜物と召命は、取り消される
ことがないからです。（ロマ11・29）

神は人ではないから、偽りを言うことがない。人の子では
ないから、悔いることがない。（民23・19）私たちは滅び失せな
かった。主のあわれみが尽きないからだ。（哀3・22）

イエスは永遠に存在されるので、変わることがない祭司職
を持っておられます。したがってイエスは、いつも生きてい
て、彼らのためにとりなしをしておられるので、ご自分によっ
て神に近づく人々を完全に救うことがおできになります。（ヘ
ブ7・24.25）恐れることはない。わたしは初めであり、終わり
である。（黙1・17）

3 月 1 日 (朝)

御霊の実は、愛です。(ガラ5・22)

　神は愛です。愛のうちにとどまる人は神のうちにとどまり、神もその人のうちにとどまっておられます。(Ⅰヨハ4・16) 私たちに与えられた聖霊によって、神の愛が私たちの心に注がれているからです。(ロマ5・5) 私たちは愛しています。神がまず私たちを愛してくださったからです。(Ⅰヨハ4・19)

　キリストの愛が私たちを捕らえているからです。私たちはこう考えました。一人の人がすべての人のために死んだ以上、すべての人が死んだのである、と。キリストはすべての人のために死なれました。それは、生きている人々が、もはや自分のためにではなく、自分のために死んでよみがえった方のために生きるためです。(Ⅱコリ5・14.15)

　あなたがたこそ、互いに愛し合うことを神から教えられた人たちです。(Ⅰテサ4・9) わたしがあなたがたを愛したように、あなたがたも互いに愛し合うこと、これがわたしの戒めです。(ヨハ15・12) 何よりもまず、互いに熱心に愛し合いなさい。愛は多くの罪をおおうからです。(Ⅰペテ4・8) 愛のうちに歩みなさい。キリストも私たちを愛して、私たちのために、ご自分を神へのささげ物、またいけにえとし、芳ばしい香りを献げてくださいました。(エペ5・2)

3 月 1 日 （夜）

アドナイ・ニシ ［主はわが旗］。(出17・15)

神が私たちの味方であるなら、だれが私たちに敵対できる でしょう。(ロマ8・31) 主は私の味方。私は恐れない。人は私に 何ができよう。(詩118・6)

あなたは あなたを恐れる者に旗を授けられました。(詩60・4)

主は私の光 私の救い。だれを私は恐れよう。主は私のい のちの砦。だれを私は怖がろう。たとえ 私に対して陣営が 張られても 私の心は恐れない。たとえ 私に対して戦いが起 こっても それにも私は動じない。(詩27・1.3)

見よ、神は私たちとともにいて、かしらとなっておられる。 (Ⅱ歴13・12) 万軍の主はわれらとともにおられる。ヤコブの神 はわれらの砦である。(詩46・7)

彼らは子羊に戦いを挑みますが、子羊は彼らに打ち勝ちま す。(黙17・14)

なぜ 国々は騒ぎ立ち もろもろの国民は空しいことを企む のか。‥‥天の御座に着いておられる方は笑い 主はその者 どもを嘲(あざけ)られる。(詩2・1.4) はかりごとをめぐらせ。し かしそれは破られる。事を謀れ。しかしそれは成らない。神 が私たちとともにおられるからだ。(イザ8・10)

3 月 2 日 （朝）

神が、私の苦しみの地で、私を実り多い者としてくだ さった。(創41・52)

私たちの主イエス・キリストの父である神、あわれみ深い 父、あらゆる慰めに満ちた神がほめたたえられますように。 神は、どのような苦しみのときにも、私たちを慰めてくださ います。それで私たちも、自分たちが神から受ける慰めによっ て、あらゆる苦しみの中にある人たちを慰めることができま す。私たちにキリストの苦難があふれているように、キリス トによって私たちの慰めもあふれているからです。(Ⅱコリ1・ 3-5)

今しばらくの間、様々な試練の中で悲しまなければならな いのですが、試練で試されたあなたがたの信仰は、火で精錬 されてもなお朽ちていく金よりも高価であり、イエス・キリ ストが現れるとき、称賛と栄光と誉れをもたらします。(Ⅰペ テ1・6.7) 主は私とともに立ち、私に力を与えてくださいまし た。それは、私を通してみことばが余すところなく宣べ伝え られ、すべての国の人々がみことばを聞くようになるためで した。こうして私は獅子の口から救い出されたのです。(Ⅱテ モ4・17)

神のみこころにより苦しみにあっている人たちは、善を行 いつつ、真実な創造者に自分のたましいをゆだねなさい。(Ⅰ ペテ4・19)

３ 月 ２ 日 （夜）

安息日の休みは、神の民のためにまだ残されています。(ヘブ 4・9)

かしこでは、悪しき者は荒れ狂うのをやめ、かしこでは、力の萎(な)えた者は憩い、捕らわれ人たちもみな、ともに安らかで、激しく追い立てる者の声も聞こえない。(ヨブ 3・17.18)

「今から後、主にあって死ぬ死者は幸いである。」‥‥「その人たちは、その労苦から解き放たれて安らぐことができる。」(黙 14・13)

「わたしたちの友ラザロは眠ってしまいました。」‥‥イエスは、ラザロの死のことを言われたのだが、彼らは睡眠の意味での眠りを言われたものと思った。(ヨハ 11・11.13)

この幕屋のうちにいる間、私たちは重荷を負ってうめいています。(Ⅱコリ 5・4)

御霊の初穂をいただいている私たち自身も、子にしていただくこと、すなわち、私たちのからだが贖われることを待ち望みながら、心の中でうめいています。私たちは、この望みとともに救われたのです。目に見える望みは望みではありません。目で見ているものを、だれが望むでしょうか。私たちはまだ見ていないものを望んでいるのですから、忍耐して待ち望みます。(ロマ 8・23-25)

3 月 3 日 （朝）

心を尽くして主に拠り頼め。自分の悟りに頼るな。あなたの行く道すべてにおいて、主を知れ。主があなたの進む道をまっすぐにされる。(箴 3・5, 6)

民よ どんなときにも神に信頼せよ。あなたがたの心を 神の御前に注ぎ出せ。神はわれらの避け所である。(詩 62・8)

私は あなたが行く道で あなたを教え あなたを諭そう。あなたに目を留め 助言を与えよう。あなたがたは 分別のない馬やらばのようであってはならない。くつわや手綱 そうした馬具で強いるのでなければ それらは あなたの近くには来ない。悪しき者は心の痛みが多い。しかし 主に信頼する者は 恵みがその人を囲んでいる。(詩 32・8-10) あなたが右に行くにも左に行くにも、うしろから「これが道だ。これに歩め」と言うことばを、あなたの耳は聞く。(イザ 30・21)

モーセは言った。「もしあなたのご臨在がともに行かないのなら、私たちをここから導き上らないでください。私とあなたの民がみこころにかなっていることは、いったい何によって知られるのでしょう。それは、あなたが私たちと一緒に行き、私とあなたの民が地上のすべての民と異なり、特別に扱われることによるのではないでしょうか。」(出 33・15, 16)

3 月 3 日 （夜）

キリスト・イエスにあって神が上に召してくださるとい
う、その賞をいただくために、目標を目指して走って
いるのです。(ピリ3・14)

あなたは天に宝を持つことになります。‥‥わたしに従っ
て来なさい。(マタ19・21) あなたへの報いは非常に大きい。(創
15・1)

よくやった。良い忠実なしもべだ。おまえはわずかな物に
忠実だったから、多くの物を任せよう。主人の喜びをともに
喜んでくれ。(マタ25・21) 彼らは世々限りなく王として治める。
(黙22・5)

しぼむことのない栄光の冠をいただくことになります。(I
ペテ5・4) いのちの冠。(ヤコ1・12) 義の栄冠。(IIテモ4・8) 朽ちな
い冠。(Iコリ9・25)

父よ。わたしに下さったものについてお願いします。わた
しがいるところに、彼らもわたしとともにいるようにしてく
ださい。わたしの栄光を、彼らが見るためです。‥‥あなた
がわたしに下さった栄光を。(ヨハ17・24) こうして私たちは、
いつまでも主とともにいることになります。(Iテサ4・17)

今の時の苦難は、やがて私たちに啓示される栄光に比べれ
ば、取るに足りないと私は考えます。(ロマ8・18)

3 月 4 日 （朝）

上にあるものを思いなさい。地にあるものを思っては
なりません。(コロ 3・2)

　世も世にあるものも、愛してはいけません。もしだれかが
世を愛しているなら、その人のうちに御父の愛はありません。
(Ⅰヨハ2・15)　自分のために、地上に宝を蓄えるのはやめなさい。
そこでは虫やさびで傷物になり、盗人が壁に穴を開けて盗み
ます。自分のために、天に宝を蓄えなさい。そこでは虫やさ
びで傷物になることはなく、盗人が壁に穴を開けて盗むこと
もありません。あなたの宝のあるところ、そこにあなたの心
もあるのです。(マタ6・19-21)

　私たちは見えるものによらず、信仰によって歩んでいます。
(Ⅱコリ5・7)　私たちは落胆しません。たとえ私たちの外なる人
は衰えても、内なる人は日々新たにされています。私たちの
一時の軽い苦難は、それとは比べものにならないほど重い永
遠の栄光を、私たちにもたらすのです。私たちは見えるもの
にではなく、見えないものに目を留めます。見えるものは一
時的であり、見えないものは永遠に続くからです。(Ⅱコリ4・
16-18)　朽ちることも、汚れることも、消えて行くこともない
資産‥‥これらは、あなたがたのために天に蓄えられていま
す。(Ⅰペテ1・4)

3 月 4 日 （夜）

肩は重荷を負ってたわみ、‥‥(創 49・15)

兄弟たち。苦難と忍耐については、主の御名によって語った預言者たちを模範にしなさい。(ヤコ 5・10) これらのことが彼らに起こったのは、戒めのためであり、それが書かれたのは、世の終わりに臨んでいる私たちへの教訓とするためです。(Ⅰコリ 10・11)

私たちは幸いを神から受けるのだから、わざわいも受けるべきではないか。(ヨブ 2・10) その方は主だ。主が御目にかなうことをなさるように。(Ⅰサム 3・18)

あなたの重荷を主にゆだねよ。主があなたを支えてくださる。(詩 55・22) まことに、彼は私たちの病を負い、私たちの痛みを担った。(イザ 53・4)

すべて疲れた人、重荷を負っている人はわたしのもとに来なさい。わたしがあなたがたを休ませてあげます。わたしは心が柔和でへりくだっているから、あなたがたもわたしのくびきを負って、わたしから学びなさい。そうすれば、たましいに安らぎを得ます。わたしのくびきは負いやすく、わたしの荷は軽いからです。(マタ 11・28-30)

3 月 5 日 （朝）

主よ、私は虐げられています。私の保証人となってください。(イザ 38・14)

あなたに向かって 私は目を上げます。天の御座に着いておられる方よ。まことに しもべたちの目が主人の手に向けられ 仕える女の目が女主人の手に向けられるように 私たちの目は私たちの神 主に向けられています。(詩 123・1, 2) 神よ 私の叫びを聞き 私の祈りに耳を傾けてください。私の心が衰え果てるとき 私は地の果てから あなたを呼び求めます。どうか 及びがたいほど高い岩の上に 私を導いてください。あなたは私の避け所 敵に対して強いやぐら。私は あなたの幕屋にいつまでも住み 御翼の陰に身を避けます。(詩 61・1-4) あなたは弱っている者の砦、貧しい者の、苦しみのときの砦、嵐のときの避け所‥‥となられました。(イザ 25・4)

キリストも、あなたがたのために苦しみを受け、その足跡に従うようにと、あなたがたに模範を残された。キリストは罪を犯したことがなく、その口には欺きもなかった。ののしられても、ののしり返さず、苦しめられても、脅すことをせず、正しくさばかれる方にお任せになった。(Ⅰペテ 2・21-23)

3 月 5 日 （夜）

信仰の戦いを立派に戦いなさい。（Ⅰテモ 6・12）

（私たちは）あらゆることで苦しんでいました。外には戦いが、内には恐れがありました。（Ⅱコリ 7・5）恐れるな。私たちとともにいる者は、彼らとともにいる者よりも多いのだから。（Ⅱ列 6・16）主にあって、その大能の力によって強められなさい。（エペ 6・10）

ダビデはペリシテ人（ゴリヤテ）に言った。「おまえは、剣と槍と投げ槍を持って私に向かって来るが、私は、おまえがそしったイスラエルの戦陣の神、万軍の主の御名によって、おまえに立ち向かう。」（Ⅰサム 17・45）神は私の力強い砦。戦いのために私の手を鍛え、腕が青銅の弓も引けるようにされます。（Ⅱサム 22・33.35）

主の使いは 主を恐れる者の周りに陣を張り 彼らを助け出される。（詩 34・7）彼が見ると、なんと、火の馬と戦車がエリシャを取り巻いて山に満ちていた。（Ⅱ列 6・17）

もし、ギデオン、バラク、サムソン、エフタ、またダビデ、サムエル、預言者たちについても語れば、時間が足りないでしょう。彼らは信仰によって、国々を征服し、正しいことを行い、約束のものを手に入れ、獅子の口をふさぎ、火の勢いを消し、剣の刃を逃れ、弱い者なのに強くされ、戦いの勇士となり、他国の陣営を敗走させました。（ヘブ 11・32-34）

3 月 6 日 （朝）

（主は）敬虔な人たちの道を守られる。(箴2・8)

　あなたがたの神、‥‥主はあなたがたが宿営する場所を探すために、道中あなたがたの先に立って行き、夜は火の中、昼は雲の中にあって、あなたがたが行くべき道を示される。(申1・32.33) 鷲が巣のひなを呼び覚まし、そのひなの上を舞い、翼を広げてこれを取り、羽に乗せて行くように。ただ主だけでこれを導き、主とともに異国の神はいなかった。(申32・11.12) 主によって　人の歩みは確かにされる。主はその人の道を喜ばれる。その人は転んでも　倒れ伏すことはない。主が　その人の腕を支えておられるからだ。(詩37・23.24) 正しい人には苦しみが多い。しかし　主はそのすべてから救い出してくださる。(詩34・19) 正しい者の道は主が知っておられ　悪しき者の道は滅び去る。(詩1・6) 神を愛する人たち、すなわち、神のご計画にしたがって召された人たちのためには、すべてのことがともに働いて益となることを、私たちは知っています。(ロマ8・28) 彼とともにいる者は肉の腕だが、私たちとともにおられる方は、私たちの神、主であり、私たちを助け、私たちの戦いを戦ってくださる。(Ⅱ歴32・8)

　あなたの神、主は、あなたのただ中にあって救いの勇士だ。主はあなたのことを大いに喜ばれる。(ゼパ3・17)

3 月 6 日 （夜）

**わが神、わが神、どうしてわたしをお見捨てになった
のですか。**（マタ27・46）

彼は私たちの背きのために刺され、私たちの咎のために砕
かれたのだ。彼への懲らしめが私たちに平安をもたらした。
‥‥主は私たちすべての者の咎を彼に負わせた。（イザ53・5.6）
彼が私の民の背きのゆえに打たれた。‥‥彼を砕いて病を負
わせることは主のみこころであった。（イザ53・8.10）

私たちの主イエス‥‥は、私たちの背きの罪のゆえに死に
渡された。（ロマ4・24.25）キリストも一度、罪のために苦しみ
を受けられました。正しい方が正しくない者たちの身代わり
になられたのです。それは、‥‥あなたがたを神に導くため
でした。（Iペテ3・18）キリストは自ら十字架の上で、私たちの
罪をその身に負われた。それは、私たちが罪を離れ、義のた
めに生きるため。その打ち傷のゆえに、あなたがたは癒やさ
れた。（Iペテ2・24）

神は、罪を知らない方を私たちのために罪とされました。
それは、私たちがこの方にあって神の義となるためです。（II
コリ5・21）

キリストは、ご自分が私たちのためにのろわれた者となる
ことで、私たちを律法ののろいから贖い出してくださいまし
た。（ガラ3・13）

3 月 7 日 （朝）

あなたの夫はあなたを造った者、その名は万軍の主。

（イザ 54・5）

この奥義は偉大です。私は、キリストと教会を指して言っているのです。（エペ 5・32）

あなたはもう、「見捨てられた」と言われず、‥‥かえって、あなたは「わたしの喜びは彼女にある」と呼ばれ、あなたの国は「夫のある国」と呼ばれる。それは、主の喜びがあなたにあり、あなたの国が夫を得るからである。‥‥花婿が花嫁を喜ぶように、あなたの神はあなたを喜ぶ。（イザ 62・4.5）主は‥‥わたしを遣わされた。‥‥すべての嘆き悲しむ者を慰めるために。シオンの嘆き悲しむ者たちに、灰の代わりに頭の飾りを、嘆きの代わりに喜びの油を、憂いの心の代わりに賛美の外套を着けさせるために。（イザ 61・1-3）

私は主にあって大いに楽しみ、私のたましいも私の神にあって喜ぶ。主が私に救いの衣を着せ、‥‥花婿のように栄冠をかぶらせ、花嫁のように宝玉で飾ってくださるからだ。（イザ 61・10）

わたしは永遠に、あなたと契りを結ぶ。義とさばきと、恵みとあわれみをもって、あなたと契りを結ぶ。（ホセ 2・19）

だれが、私たちをキリストの愛から引き離すのですか。（ロマ 8・35）

3 月 7 日 （夜）

私の時は御手の中にあります。(詩31・15)

御手のうちにすべての聖なる者がいる。(申33・3) エリヤに次のような主のことばがあった。「ここを去って東へ向かい、ヨルダン川の東にあるケリテ川のほとりに身を隠せ。あなたはその川の水を飲むことになる。わたしは烏に、そこであなたを養うように命じた。」‥‥すると、彼に次のような主のことばがあった。「さあ、シドンのツァレファテに行き、そこに住め。見よ。わたしはそこの一人のやもめに命じて、あなたを養うようにしている。」(Ⅰ列17・2-4.8.9)

何を食べようか何を飲もうかと、自分のいのちのことで心配したり、何を着ようかと、自分のからだのことで心配したりするのはやめなさい。‥‥あなたがたにこれらのものすべてが必要であることは、あなたがたの天の父が知っておられます。(マタ6・25.32)

心を尽くして主に拠り頼め。自分の悟りに頼るな。あなたの行く道すべてにおいて、主を知れ。主があなたの進む道をまっすぐにされる。(箴3・5.6) あなたがたの思い煩いを、いっさい神にゆだねなさい。神があなたがたのことを心配してくださるからです。(Ⅰペテ5・7)

3 月 8 日 （朝）

あなたは私のすべての罪を、あなたのうしろに投げ
やられました。(イザ 38・17)

　あなたのような神が、ほかにあるでしょうか。あなたは咎を除き、ご自分のゆずりである残りの者のために、背きを見過ごしてくださる神。いつまでも怒り続けることはありません。神は、恵みを喜ばれるからです。もう一度、私たちをあわれみ、私たちの咎を踏みつけて、すべての罪を海の深みに投げ込んでください。(ミカ 7・18.19)

　「わたしはほんの少しの間、あなたを見捨てたが、大いなるあわれみをもって、あなたを集める。怒りがあふれて、少しの間、わたしは、顔をあなたから隠したが、永遠の真実の愛をもって、あなたをあわれむ。——あなたを贖う方、主は言われる。(イザ 54・7.8) わたしは彼らの不義を赦し、もはや彼らの罪を思い起こさない。(エレ 31・34)

　幸いなことよ　その背きを赦され　罪をおおわれた人は。幸いなことよ　主が咎をお認めにならず　その霊に欺きがない人は。(詩 32・1.2) 御子イエスの血がすべての罪から私たちをきよめてくださいます。(I ヨハ 1・7)

3 月 8 日 （夜）

その方は‥‥がおできになると確信している。

（Ⅱテモ1・12）

私たちが願うところ、思うところのすべてをはるかに超えて行うことのできる方。(エペ3・20)

あなたがたに、あらゆる恵みをあふれるばかりに与えることがおできになります。(Ⅱコリ9・8)

試みられている者たちを助けることができるのです。(ヘブ2・18)

いつも生きていて、彼らのためにとりなしをしておられるので、ご自分によって神に近づく人々を完全に救うことがおできになります。(ヘブ7・25)

あなたがたを、つまずかないように守ることができ、傷のない者として、大きな喜びとともに栄光の御前に立たせることができる方。(ユダ24)

私がお任せしたものを、かの日まで守ることがおできになる。(Ⅱテモ1・12)

万物をご自分に従わせることさえできる御力によって、私たちの卑しいからだを、ご自分の栄光に輝くからだと同じ姿に変えてくださいます。(ピリ3・21)

「わたしにそれができると信じるのか」‥‥イエスは彼らの目にさわって、「あなたがたの信仰のとおりになれ」と言われた。(マタ9・28.29)

3 月 9 日 (朝)

**私たちにすべての物を豊かに与えて楽しませてくださ
る神に望みを置きなさい。**(Ⅰテモ6・17)

　気をつけなさい。私が今日あなたに命じる、主の命令と主
の定めと主の掟を守らず、あなたの神、主を忘れることがな
いように。あなたが食べて満ち足り、立派な家を建てて住み、
‥‥あなたの心が高ぶり、あなたの神、主を忘れることがな
いように。‥‥主があなたに富を築き上げる力を与えるので
ある。(申8・11-14.18)

　主が家を建てるのでなければ　建てる者の働きはむなしい。
主が町を守るのでなければ　守る者の見張りはむなしい。あ
なたがたが早く起き　遅く休み　労苦の糧を食べたとしても
それはむなしい。実に　主は愛する者に眠りを与えてくださ
る。(詩127・1.2) 自分の剣によって　彼らは地を得たのではなく
自分の腕が　彼らを救ったのでもありません。ただあなたの
右の手　あなたの御腕　あなたの御顔の光が　そうしたのです。
あなたが彼らを愛されたからです。(詩44・3) 多くの者は言っ
ています。「だれがわれわれに良い目を見させてくれるのか」
と。主よ　どうか　あなたの御顔の光を私たちの上に照らして
ください。(詩4・6)

3 月 9 日 （夜）

彼らは‥‥新しい歌を歌った。(黙 14・3)

　私たちのために、この新しい生ける道を開いてくださいました。(ヘブ 10・20) 神は、私たちが行った義のわざによってではなく、ご自分のあわれみによって、聖霊による再生と刷新の洗いをもって、私たちを救ってくださいました。神はこの聖霊を、私たちの救い主イエス・キリストによって、私たちに豊かに注いでくださったのです。(テト 3・5.6) この恵みのゆえに、あなたがたは信仰によって救われたのです。それはあなたがたから出たことではなく、神の賜物です。行いによるのではありません。だれも誇ることのないためです。(エペ 2・8.9)

　私たちにではなく 主よ 私たちにではなく ただあなたの御名に 栄光を帰してください。(詩 115・1) 私たちを愛し、その血によって私たちを罪から解き放ち、また、ご自分の父である神のために、私たちを王国とし、祭司としてくださった方に、栄光と力が世々限りなくあるように。アーメン。(黙 1・5.6) 彼らは新しい歌を歌った。「‥‥あなたは屠(ほふ)られて、すべての部族、言語、民族、国民の中から、あなたの血によって人々を神のために贖われました。」(黙 5・9) 私は見た。すると見よ。‥‥だれも数えきれないほどの大勢の群衆が‥‥大声で叫んだ。「救いは、御座に着いておられる私たちの神と、子羊にある。」(黙 7・9.10)

3 月 10 日 （朝）

主の山には備えがある。(創 22・14)

神ご自身が、全焼のささげ物の羊を備えてくださる。(創 22・8)

見よ。主の手が短くて救えないのではない。その耳が遠くて聞こえないのではない。(イザ 59・1) 救い出す者がシオンから現れ、ヤコブから不敬虔を除き去る。(ロマ 11・26)

幸いなことよ ヤコブの神を助けとし その神 主に望みを置く人。(詩 146・5) 見よ 主の目は主を恐れる者に注がれる。主の恵みを待ち望む者に。彼らのたましいを死から救い出し 飢饉のときにも 彼らを生かし続けるために。(詩 33・18, 19)

私の神は、キリスト・イエスの栄光のうちにあるご自分の豊かさにしたがって、あなたがたの必要をすべて満たしてくださいます。(ピリ 4・19) 主ご自身が「わたしは決してあなたを見放さず、あなたを見捨てない」と言われたからです。ですから、私たちは確信をもって言います。「主は私の助け手。私は恐れない。人が私に何ができるだろうか。」(ヘブ 13・5, 6) 主は私の力 私の盾。私の心は主に拠り頼み 私は助けられた。私の心は喜び躍り 私は歌をもって主に感謝しよう。(詩 28・7)

3 月 10 日 （夜）

あの方はゆりの花の間で群れを飼っています。

（雅2・16）

二人か三人がわたしの名において集まっているところには、わたしもその中にいるのです。（マタ18・20）だれでもわたしを愛する人は、わたしのことばを守ります。そうすれば、わたしの父はその人を愛し、わたしたちはその人のところに来て、その人とともに住みます。（ヨハ14・23）

わたしがわたしの父の戒めを守って、父の愛にとどまっているのと同じように、あなたがたもわたしの戒めを守るなら、わたしの愛にとどまっているのです。（ヨハ15・10）

私の愛する方が庭に入って、その最上の実を食べることができるように。（雅4・16）わが妹、花嫁よ、私は私の庭に入った。私の没薬を、私の香料とともに集め、私の蜂の巣を、私の蜂蜜とともに食べた。（雅5・1）御霊の実は、愛、喜び、平安、寛容、親切、善意、誠実、柔和、自制です。（ガラ5・22.23）

あなたがたが多くの実を結び、わたしの弟子となることによって、わたしの父は栄光をお受けになります。（ヨハ15・8）実を結ぶものはすべて、もっと多く実を結ぶように、刈り込みをなさいます。（ヨハ15・2）イエス・キリストによって与えられる義の実に満たされて、神の栄光と誉れが現されますように。

（ピリ1・11）

3 月 11 日 （朝）

主があなたを祝福し、あなたを守られますように。

(民 6・24)

　人を富ませるのは主の祝福。(箴 10・22) 主よ まことにあなたは 正しい者を祝福し 大盾のように いつくしみでおおってくださいます。(詩 5・12)

　主は あなたの足をよろけさせず あなたを守る方は まどろむこともない。見よ イスラエルを守る方は まどろむこともなく 眠ることもない。主はあなたを守る方。主はあなたの右手をおおう陰。‥‥主は すべてのわざわいからあなたを守り あなたのたましいを守られる。主はあなたを 行くにも帰るにも 今よりとこしえまでも守られる。(詩 121・3-5.7.8) わたし、主はそれを見守る者。絶えずこれに水を注ぎ、だれも害を加えないように、夜も昼もこれを見守る。(イザ 27・3)

　聖なる父よ、わたしに下さったあなたの御名によって、彼らをお守りください。‥‥彼らとともにいたとき、わたしはあなたが下さったあなたの御名によって、彼らを守りました。(ヨハ 17・11.12)

　主は私を、どんな悪しきわざからも救い出し、無事、天にある御国に入れてくださいます。主に栄光が世々限りなくありますように。アーメン。(Ⅱテモ 4・18)

3 月 11 日 （夜）

イエスは涙を流された。(ヨハ 11・35)

悲しみの人で、病を知っていた。(イザ 53・3) 私たちの大祭司は、私たちの弱さに同情できない方ではありません。(ヘブ 4・15) 多くの子たちを栄光に導くために、彼らの救いの創始者を多くの苦しみを通して完全な者とされたのは、万物の存在の目的であり、また原因でもある神に、ふさわしいことであった。(ヘブ 2・10) キリストは御子であられるのに、お受けになった様々な苦しみによって従順を学ばれた。(ヘブ 5・8)

私は逆らわず、うしろに退きもせず、打つ者に背中を任せ、ひげを抜く者に頬を任せ、侮辱されても、唾をかけられても、顔を隠さなかった。(イザ 50・5.6)

ご覧なさい。どんなにラザロを愛しておられたことか。(ヨハ 11・36) イエスは御使いたちを助け出すのではなく、アブラハムの子孫を助け出してくださるのです。したがって、神に関わる事柄について、あわれみ深い、忠実な大祭司となるために、イエスはすべての点で兄弟たちと同じようにならなければなりませんでした。それで民の罪の宥(なだ)めがなされたのです。(ヘブ 2・16.17)

3 月 12 日 （朝）

主が御顔をあなたに照らし、あなたを恵まれますように。主が御顔をあなたに向け、あなたに平安を与えられますように。(民 6・25.26)

いまだかつて神を見た者はいない。父のふところにおられるひとり子の神が、神を説き明かされたのである。(ヨハ 1・18) 神の栄光の輝き、また神の本質の完全な現れ。(ヘブ 1・3) この世の神が、信じない者たちの思いを暗くし、神のかたちであるキリストの栄光に関わる福音の光を、輝かせないようにしているのです。(Ⅱコリ 4・4)

御顔を しもべの上に照り輝かせてください。あなたの恵みによって 私をお救いください。主よ 私が恥を見ないようにしてください。私はあなたを呼び求めていますから。(詩 31・16.17) 主よ あなたはご恩寵のうちに 私を私の山に堅く立たせてくださいました。あなたが御顔を隠されると 私はおじ惑いました。(詩 30・7) 幸いなことよ 喜びの叫びを知る民は。主よ 彼らはあなたの御顔の光の中を歩みます。(詩 89・15)

主は ご自分の民に力をお与えになる。主は ご自分の民を平安をもって祝福される。(詩 29・11)

イエスは‥‥「しっかりしなさい。わたしだ。恐れることはない」と言われた。(マタ 14・27)

3 月 12 日 （夜）

神に喜ばれること。（Iヨハ3・22）

　信仰がなければ、神に喜ばれることはできません。（ヘブ11・6）肉のうちにある者は神を喜ばせることができません。（ロマ8・8）

　もしだれかが不当な苦しみを受けながら、神の御前における良心のゆえに悲しみに耐えるなら、それは神に喜ばれることです。‥‥善を行って苦しみを受け、それを耐え忍ぶなら、それは神の御前に喜ばれることです。（Iペテ2・19.20）柔和で穏やかな霊という朽ちることのないものを持つ、心の中の隠れた人を飾りとしなさい。それこそ、神の御前で価値あるものです。（Iペテ3・4）

　感謝のいけにえを献げる者は　わたしをあがめる。自分の道を正しくする人に　わたしは神の救いを見せる。（詩50・23）歌をもって　私は神の御名をほめたたえ　感謝をもって　私は神をあがめます。それは　雄牛にまさって主に喜ばれます。角が生え　ひづめが割れた若い牛にまさって。（詩69・30.31）

　兄弟たち、私は神のあわれみによって、あなたがたに勧めます。あなたがたのからだを、神に喜ばれる、聖なる生きたささげ物として献げなさい。それこそ、あなたがたにふさわしい礼拝です。（ロマ12・1）

3 月 13 日 （朝）

**神は唯一です。神と人との間の仲介者も唯一であり、
それは人としてのキリスト・イエスです。**（Ⅰテモ2・5）

子たちがみな血と肉を持っているので、イエスもまた同じ
ように、それらのものをお持ちになりました。（ヘブ2・14）

地の果てのすべての者よ。わたしを仰ぎ見て救われよ。わ
たしが神だ。ほかにはいない。（イザ45・22）

私たちには、御父の前でとりなしてくださる方、義なるイ
エス・キリストがおられます。（Ⅰヨハ2・1）かつては遠く離れ
ていたあなたがたも、今ではキリスト・イエスにあって、キ
リストの血によって近い者となりました。実に、キリストこ
そ私たちの平和です。（エペ2・13.14）ご自分の血によって、た
だ一度だけ聖所に入り、永遠の贖いを成し遂げられました。
・・・・キリストは新しい契約の仲介者です。それは、初めの契
約のときの違反から贖い出すための死が実現して、召された
者たちが、約束された永遠の資産を受け継ぐためです。（ヘブ9・
12.15）イエスは、いつも生きていて、彼らのためにとりなし
をしておられるので、ご自分によって神に近づく人々を完全
に救うことがおできになります。（ヘブ7・25）

3 月 13 日 （夜）

私の神よ　私のたましいは私のうちでうなだれていま
す。(詩42・6)

　志の堅固な者を、あなたは全き平安のうちに守られます。
その人があなたに信頼しているからです。いつまでも主に信
頼せよ。ヤハ、主は、とこしえの岩だから。(イザ26・3.4)

　あなたの重荷を主にゆだねよ。主があなたを支えてくださ
る。(詩55・22) 主は 貧しい人の苦しみを蔑(さげす)まず いとわ
ず 御顔を彼から隠すことなく 助けを叫び求めたとき 聞い
てくださった。(詩22・24) あなたがたの中に苦しんでいる人が
いれば、その人は祈りなさい。(ヤコ5・13)

　あなたがたは心を騒がせてはなりません。ひるんではなり
ません。(ヨハ14・27) 何を食べようか何を飲もうかと、自分の
いのちのことで心配したり、何を着ようかと、自分のからだ
のことで心配したりするのはやめなさい。いのちは食べ物以
上のもの、からだは着る物以上のものではありませんか。空
の鳥を見なさい。種蒔きもせず、刈り入れもせず、倉に納め
ることもしません。それでも、あなたがたの天の父は養って
いてくださいます。あなたがたはその鳥よりも、ずっと価値
があるではありませんか。(マタ6・25.26) 信じない者ではなく、
信じる者になりなさい。(ヨハ20・27) 見よ。わたしは‥‥いつ
もあなたがたとともにいます。(マタ28・20)

3 月 14 日 （朝）

あらゆる点で、私たちの救い主である神の教えを飾
るように・・・・(テト 2・10)

ただキリストの福音にふさわしく生活しなさい。(ピリ 1・27)
もしキリストの名のためにののしられるなら、あなたがたは
幸いです。・・・・あなたがたのうちのだれも、人殺し、盗人、
危害を加える者、他人のことに干渉する者として、苦しみに
あうことがないようにしなさい。(Ⅰペテ 4・14.15) 非難されると
ころのない純真な者となり、また、曲がった邪悪な世代のた
だ中にあって傷のない神の子どもとなり、・・・・彼らの間で世
の光として輝くためです。(ピリ 2・15.16) あなたがたの光を人々
の前で輝かせなさい。人々があなたがたの良い行いを見て、
天におられるあなたがたの父をあがめるようになるためで
す。(マタ 5・16)

恵みとまことがあなたを捨てないようにせよ。それをあな
たの首に結び、心の板に書き記せ。神と人の前に好意を得、
聡明であれ。(箴 3・3.4) 兄弟たち。すべて真実なこと、すべて
尊ぶべきこと、すべて正しいこと、すべて清いこと、すべて
愛すべきこと、すべて評判の良いことに、また、何か徳とさ
れることや称賛に値することがあれば、そのようなことに心
を留めなさい。(ピリ 4・8)

3 月 14 日 （夜）

わたしがあなたがたに話してきたことばは、霊であり、
またいのちです。(ヨハ6・63)

父が私たちを‥‥みこころのままに真理のことばをもって
生んでくださいました。(ヤコ1・18) 文字は殺し、御霊は生かす。
(Ⅱコリ3・6)

キリストが教会を愛し、教会のためにご自分を献げられた
のは、みことばにより、水の洗いをもって、教会をきよめて
聖なるものとするためであり、‥‥しみや、しわや、そのよ
うなものが何一つない‥‥栄光の教会を、ご自分の前に立た
せるためです。(エペ5・25-27)

どのようにして若い人は 自分の道を 清く保つことができ
るでしょうか。あなたのみことばのとおりに 道を守ること
です。(詩119・9) みことばは私を生かします。(詩119・50) 私はあ
なたのみことばを心に蓄えます。あなたの前に罪ある者とな
らないために。(詩119・11) あなたのみことばを忘れません。(詩
119・16) 私はあなたのみことばに信頼しています。(詩119・42)
あなたの御口のみおしえは 私にとって幾千もの金銀にまさ
ります。(詩119・72) 私は決して あなたの戒めを忘れません。
それによって あなたが私を生かしてくださったからです。
(詩119・93) あなたのみことばは私の上あごになんと甘いこと
でしょう。蜜よりも私の口に甘いのです。私にはあなたの戒
めがあり 見極めができます。それゆえ 私は偽りの道をこと
ごとく憎みます。(詩119・103. 104)

3 月 15 日 （朝）

苦しみを通して完全な者とされた。(ヘブ 2・10)

　イエスは彼らに言われた。「わたしは悲しみのあまり死ぬ
ほどです。ここにいて、わたしと一緒に目を覚ましていなさ
い。」それからイエスは少し進んで行って、ひれ伏して祈ら
れた。「わが父よ、できることなら、この杯をわたしから過
ぎ去らせてください。しかし、わたしが望むようにではなく、
あなたが望まれるままに、なさってください。」(マタ 26・38.39)
イエスは苦しみもだえて、いよいよ切に祈られた。汗が血の
しずくのように地に落ちた。(ルカ 22・44)

　死の綱が私を取り巻き　よみの恐怖が私を襲い　私は苦しみ
と悲しみの中にあった。(詩 116・3) 嘲(あざけ)りが私の心を打ち
砕き　私はひどく病んでいます。私が同情を求めても　それは
なく　慰める者たちを求めても　見つけられません。(詩 69・20)
ご覧ください　私の右に目を注いでください。私には　顧みて
くれる人がいません。私は逃げ場さえも失って　私のいのち
を気にかける人もいないのです。(詩 142・4)

　彼は蔑(さげす)まれ、人々からのけ者にされ、悲しみの人で、
病を知っていた。人が顔を背けるほど蔑まれ、私たちも彼を
尊ばなかった。(イザ 53・3)

3 月 15 日 （夜）

主が‥‥天と地と海、またそれらの中のすべてのも のを造った。(出20・11)

天は神の栄光を語り告げ　大空は御手のわざを告げ知らせ る。(詩19・1) 主のことばによって　天は造られた。天の万象も すべて　御口の息吹によって。主が仰せられると　そのように なり　主が命じられると　それは立つ。(詩33・6.9) 見よ。国々は 手桶の一しずく、秤の上のごみのように見なされる。見よ。 主は島々をちりのように取り上げる。(イザ40・15)

信仰によって、私たちは、この世界が神のことばで造られ たことを悟り、その結果、見えるものが、目に見えるものか らできたのではないことを悟ります。(ヘブ11・3)

あなたの指のわざである　あなたの天　あなたが整えられた 月や星を見るに　人とは何ものなのでしょう。あなたが心に 留められるとは。人の子とはいったい何ものなのでしょう。 あなたが顧みてくださるとは。(詩8・3.4)

3　月　16　日　（朝）

あなたがたのいのちとは、どのようなものでしょうか。
あなたがたは、しばらくの間現れて、それで消えて
しまう霧です。(ヤコ4・14)

　私の日々は飛脚よりも速い。それは飛び去って、幸せを見
ることはない。それは葦の舟のように通り過ぎる。獲物をめ
がけて舞い降りる鷲のように。(ヨブ9・25.26) あなたが押し流
すと 人は眠りに落ちます。朝には 草のように消えています。
朝 花を咲かせても 移ろい 夕べには しおれて枯れていま
す。(詩90・5.6) 女から生まれた人間は、その齢が短く、心乱さ
れることで満ちています。花のように咲き出てはしおれ、影
のように飛び去り、とどまることがありません。(ヨブ14・1.2)

　世と、世の欲は過ぎ去ります。しかし、神のみこころを行
う者は永遠に生き続けます。(Iヨハ2・17) これらのもの(天と地)
は滅びます。しかしあなたは とこしえの方です。すべての
ものは 衣のようにすり切れます。外套のように あなたがそ
れらを取り替えられると それらはすっかり変えられます。
しかし あなたは変わることがなく あなたの年は尽きること
がありません。(詩102・26.27) イエス・キリストは、昨日も今
日も、とこしえに変わることがありません。(ヘブ13・8)

3 月 16 日 （夜）

霊で賛美し、知性でも賛美しましょう。（Ⅰコリ 14・15）

御霊に満たされなさい。詩と賛美と霊の歌をもって互いに語り合い、主に向かって心から賛美し、歌いなさい。（エペ 5・18, 19）キリストのことばが、あなたがたのうちに豊かに住むようにしなさい。知恵を尽くして互いに教え、忠告し合い、詩と賛美と霊の歌により、感謝をもって心から神に向かって歌いなさい。（コロ 3・16）

私の口が主の誉れを語り すべて肉なる者が聖なる御名を世々限りなくほめたたえますように。（詩 145・21）

ハレルヤ。まことに われらの神にほめ歌を歌うのは良い。まことに楽しく 賛美は麗しい。（詩 147・1）感謝をもって主に歌え。竪琴（たてごと）に合わせて われらの神にほめ歌を歌え。（詩 147・7）

私は天からの声を聞いた。それは大水のとどろきのようであり、激しい雷鳴のようでもあった。しかも、私が聞いたその声は、竪琴を弾く人たちが竪琴に合わせて歌う声のようであった。（黙 14・2）

3 月 17 日 （朝）

その人は‥‥全焼のささげ物の頭に手を置く。それがその人のための宥(なだ)めとなり、彼は受け入れられる。(レビ1・3.4)

ご存じのように、あなたがたが先祖伝来のむなしい生き方から贖い出されたのは、銀や金のような朽ちる物にはよらず、傷もなく汚れもない子羊のようなキリストの、尊い血によったのです。(Iペテ1・18.19) キリストは自ら十字架の上で、私たちの罪をその身に負われた。(Iペテ2・24)

神がその愛する方にあって私たちに与えてくださった恵み。(エペ1・6)

あなたがた自身も生ける石として霊の家に築き上げられ、神に喜ばれる霊のいけにえをイエス・キリストを通して献げる、聖なる祭司となります。(Iペテ2・5) 兄弟たち、私は神のあわれみによって、あなたがたに勧めます。あなたがたのからだを、神に喜ばれる、聖なる生きたささげ物として献げなさい。それこそ、あなたがたにふさわしい礼拝です。(ロマ12・1)

あなたがたを、つまずかないように守ることができ、傷のない者として、大きな喜びとともに栄光の御前に立たせることができる方、私たちの救い主である唯一の神に、私たちの主イエス・キリストを通して、栄光、威厳、支配、権威が、永遠の昔も今も、世々限りなくありますように。アーメン。(ユダ24.25)

3 月 17 日 （夜）

罪は犯しませんでしたが、すべての点において、私たちと同じように試みにあわれたのです。(ヘブ4・15)

すべて世にあるもの、すなわち、肉の欲、目の欲、暮らし向きの自慢は、御父から出るものではなく、世から出るものだからです。(Ⅰヨハ2・16) 女が見ると、その木は食べるのに良さそうで(肉の欲)、目に慕わしく(目の欲)、またその木は賢くしてくれそうで(暮らし向きの自慢)好ましかった。それで、女はその実を取って食べ、ともにいた夫にも与えたので、夫も食べた。(創3・6)

試みる者が(イエスに)近づいて来て言った。「あなたが神の子なら、これらの石がパンになるように命じなさい。」(肉の欲) イエスは答えられた。「『人はパンだけで生きるのではなく、神の口から出る一つ一つのことばで生きる』と書いてある。」悪魔はまた、‥‥この世のすべての王国とその栄華を見せた(目の欲、暮らし向きの自慢)。‥‥イエスは言われた。「下がれ、サタン。」(マタ4・3. 4. 8. 10)

イエスは、自ら試みを受けて苦しまれたからこそ、試みられている者たちを助けることができるのです。(ヘブ2・18)

試練に耐える人は幸いです。(ヤコ1・12)

3 月 18 日 （朝）

私の目は上を仰いで衰えました。（イザ38・14）

主よ 私をあわれんでください。私は衰えています。主よ
私を癒やしてください。私の骨は恐れおののいています。私
のたましいは ひどく恐れおののいています。主よ あなたは
いつまで――。主よ 帰って来て私のたましいを助け出して
ください。私を救ってください。あなたの恵みのゆえに。（詩6・
2-4）私の心は 内にもだえ 死の恐怖が 私を襲っています。
恐れと震えが私に起こり 戦慄が私を包みました。私は言い
ました。「ああ 私に鳩のように翼があったなら。飛び去って
休むことができたなら。」（詩55・4-6）

あなたがた‥‥に必要なのは、忍耐です。（ヘブ10・36）

イエスが上って行かれるとき、使徒たちは天を見つめてい
た。すると見よ、白い衣を着た二人の人が、彼らのそばに立っ
ていた。そしてこう言った。「ガリラヤの人たち、どうして
天を見上げて立っているのですか。あなたがたを離れて天に
上げられたこのイエスは、天に上って行くのをあなたがたが
見たのと同じ有様で、またおいでになります。」（使1・10.11）私
たちの国籍は天にあります。そこから主イエス・キリストが
救い主として来られるのを、私たちは待ち望んでいます。（ピ
リ3・20）祝福に満ちた望み、すなわち、大いなる神であり私
たちの救い主であるイエス・キリストの、栄光ある現れを待
ち望む。（テト2・13）

3 月 18 日 （夜）

彼らの額には神の御名が記されている。(黙 22・4)

わたしは良い牧者です。わたしはわたしのものを知っています。(ヨハ 10・14) 神の堅固な土台は据えられていて、そこに次のような銘が刻まれています。「主はご自分に属する者を知っておられる。」また、「主の御名を呼ぶ者はみな、不義を離れよ。」(Ⅱテモ 2・19)

主はいつくしみ深く、苦難の日の砦。ご自分に身を避ける者を知っていてくださる。(ナホ 1・7) 私たちが神のしもべたちの額に印を押してしまうまで、地にも海にも木にも害を加えてはいけない。(黙 7・3)

救いの福音を‥‥信じたことにより、約束の聖霊によって証印を押されました。聖霊は私たちが御国を受け継ぐことの保証です。(エペ 1・13.14) 私たちをあなたがたと一緒にキリストのうちに堅く保ち、私たちに油を注がれた方は神です。神はまた、私たちに証印を押し、保証として御霊を私たちの心に与えてくださいました。(Ⅱコリ 1・21.22)

わたしは彼の上に、わたしの神の御名と、わたしの神の都、すなわち、わたしの神のもとを出て天から下って来る新しいエルサレムの名と、わたしの新しい名とを書き記す。(黙 3・12) この都は「主は私たちの義」と名づけられる。(エレ 33・16)

3 月 19 日 （朝）

神は‥‥そのしもべを立てて、あなたがたに遣わされました。その方が、あなたがた一人ひとりを悪から立ち返らせて、祝福にあずからせてくださるのです。

（使 3・26）

私たちの主イエス・キリストの父である神がほめたたえられますように。神は、ご自分の大きなあわれみのゆえに‥‥私たちを新しく生まれさせ、生ける望みを持たせてくださいました。（Ⅰペテ 1・3）

私たちの救い主であるイエス・キリスト‥‥・は、私たちをすべての不法から贖い出し、良いわざに熱心な選びの民をご自分のものとしてきよめるため、私たちのためにご自分を献げられたのです。（テト 2・13.14）あなたがたを召された聖なる方に倣い、あなたがた自身、生活のすべてにおいて聖なる者となりなさい。「あなたがたは聖なる者でなければならない。わたしが聖だからである」と書いてあるからです。（Ⅰペテ 1・15.16）

私たちの主イエス・キリストの父である神‥‥はキリストにあって、天上にあるすべての霊的祝福をもって私たちを祝福してくださいました。（エペ 1・3）私たちはみな、この方の満ち満ちた豊かさの中から、恵みの上にさらに恵みを受けた。（ヨハ 1・16）

私たちすべてのために、ご自分の御子さえも惜しむことなく死に渡された神が、どうして、御子とともにすべてのものを、私たちに恵んでくださらないことがあるでしょうか。（ロマ 8・32）

3 月 19 日 （夜）

みことばのとおりに私を強めてください。(詩119・28)

どうか あなたのしもべへのみことばを心に留めてください。あなたは 私がそれを待ち望むようになさいました。(詩119・49) 主よ、私は虐げられています。私の保証人となってください。(イザ38・14)

天地は消え去ります。しかし、わたしのことばは決して消え去ることがありません。(ルカ21・33) あなたがたは心を尽くし、いのちを尽くして、知りなさい。あなたがたの神、主があなたがたについて約束されたすべての良いことは、一つもたがわなかったことを。それらはみな、あなたがたのために実現し、一つもたがわなかった。(ヨシ23・14)

「恐れるな。安心せよ。強くあれ。強くあれ。」その方が私にそう言ったとき、私は奮い立って言った。「わが主よ、お話しください。あなたは私を力づけてくださいましたから。」(ダニ10・19)

強くあれ。‥‥仕事に取りかかれ。わたしがあなたがたとともにいるからだ。——万軍の主のことば——(ハガ2・4)「権力によらず、能力によらず、わたしの霊によって」と万軍の主は言われる。(ゼカ4・6)

主にあって、その大能の力によって強められなさい。(エペ6・10)

3 月 20 日 （朝）

みことばの戸が開くと 光が差す。(詩 119・130)

　私たちがキリストから聞き、あなたがたに伝える使信は、神は光であり、神には闇が全くないということです。(Ⅰヨハ1・5)「闇の中から光が輝き出よ」と言われた神が、キリストの御顔にある神の栄光を知る知識を輝かせるために、私たちの心を照らしてくださったのです。(Ⅱコリ4・6) ことばは神であった。……この方にはいのちがあった。このいのちは人の光であった。(ヨハ1・1.4) もし私たちが、神が光の中におられるように、光の中を歩んでいるなら、互いに交わりを持ち、御子イエスの血がすべての罪から私たちをきよめてくださいます。(Ⅰヨハ1・7)

　私はあなたのみことばを心に蓄えます。あなたの前に罪ある者とならないために。(詩 119・11) あなたがたは、わたしがあなたがたに話したことばによって、すでにきよいのです。(ヨハ15・3)

　あなたがたは以前は闇でしたが、今は、主にあって光となりました。光の子どもとして歩みなさい。(エペ5・8) あなたがたは選ばれた種族、王である祭司、聖なる国民、神のものとされた民です。それは、あなたがたを闇の中から、ご自分の驚くべき光の中に召してくださった方の栄誉を、あなたがたが告げ知らせるためです。(Ⅰペテ2・9)

3 月 20 日 （夜）

ノアは‥‥全き人であった。(創6・9)

義人は信仰によって生きる。(ガラ3・11) ノアは主のために祭壇を築き、すべてのきよい家畜から、また、すべてのきよい鳥からいくつかを取って、祭壇の上で全焼のささげ物を献げた。主は、その芳ばしい香りをかがれた。(創8・20,21) 世界の基が据えられたときから、屠(ほふ)られた子羊。(黙13・8)

私たちは信仰によって義と認められたので、私たちの主イエス・キリストによって、神との平和を持っています。(ロマ5・1)

人はだれも、律法を行うことによっては神の前に義と認められないからです。律法を通して生じるのは罪の意識です。しかし今や、律法とは関わりなく、律法と預言者たちの書によって証しされて、神の義が示されました。すなわち、イエス・キリストを信じることによって、信じるすべての人に与えられる神の義です。そこに差別はありません。(ロマ3・20-22)

私たちの主イエス・キリストによって、私たちは神を喜んでいます。キリストによって、今や、私たちは和解させていただいたのです。(ロマ5・11) だれが、神に選ばれた者たちを訴えるのですか。神が義と認めてくださるのです。(ロマ8・33) 神は、あらかじめ定めた人たちをさらに召し、召した人たちをさらに義とお認めになりました。(ロマ8・30)

3 月 21 日 （朝）

**目を覚まし、死にかけている残りの者たちを力づけな
さい。**（黙3・2）

万物の終わりが近づきました。ですから、祈りのために、
心を整え身を慎みなさい。（Ⅰペテ4・7）身を慎み、目を覚まし
ていなさい。あなたがたの敵である悪魔が、吼（ほ）えたける
獅子のように、だれかを食い尽くそうと探し回っています。
（Ⅰペテ5・8）よく気をつけ、十分に用心し、あなたが自分の目
で見たことを忘れず、一生の間それらがあなたの心から離れ
ることのないようにしなさい。（申4・9）「義人は信仰によって
生きる。もし恐れ退くなら、わたしの心は彼を喜ばない。」
しかし私たちは、恐れ退いて滅びる者ではなく、信じていの
ちを保つ者です。（ヘブ10・38.39）

わたしがあなたがたに言っていることは、すべての人に
言っているのです。目を覚ましていなさい。（マル13・37）

恐れるな。わたしはあなたとともにいる。たじろぐな。わ
たしがあなたの神だから。わたしはあなたを強くし、あなた
を助け、わたしの義の右の手で、あなたを守る。わたしがあ
なたの神、主であり、あなたの右の手を固く握る。（イザ41・10.
13）

3 月 21 日 （夜）

主の恵みは とこしえに尽き果てたのか。(詩77・8)

　その恵みはとこしえまで。(詩136・23) 主は怒るのに遅く、恵み豊かである。(民14・18) あなたのような神が、ほかにあるでしょうか。あなたは咎を除き、‥‥背きを見過ごしてくださる神。いつまでも怒り続けることはありません。神は、恵みを喜ばれるからです。もう一度、私たちをあわれみ、私たちの咎を踏みつけて、すべての罪を海の深みに投げ込んでください。(ミカ7・18.19) 神は、私たちが行った義のわざによってではなく、ご自分のあわれみによって、‥‥私たちを救ってくださいました。(テト3・5.6)

　私たちの主イエス・キリストの父である神、あわれみ深い父、あらゆる慰めに満ちた神がほめたたえられますように。神は、どのような苦しみのときにも、私たちを慰めてくださいます。それで私たちも、自分たちが神から受ける慰めによって、あらゆる苦しみの中にある人たちを慰めることができます。(Ⅱコリ1・3.4)

　神に関わる事柄について、あわれみ深い、忠実な大祭司となるために、イエスはすべての点で兄弟たちと同じようにならなければなりませんでした。それで民の罪の宥(なだ)めがなされたのです。イエスは、自ら試みを受けて苦しまれたからこそ、試みられている者たちを助けることができるのです。

(ヘブ2・17.18)

3 月 22 日 （朝）

ロトが目を上げてヨルダンの低地全体を見渡すと、主
がソドムとゴモラを滅ぼされる前であったので、····
主の園のように····どこもよく潤っていた。ロトは、自
分のためにヨルダンの低地全体を選んだ。(創 13・10.11)

正しい人、ロト。····この正しい人。(Ⅱペテ 2・7.8)

思い違いをしてはいけません。神は侮られるような方では
ありません。人は種を蒔けば、刈り取りもすることになりま
す。(ガラ 6・7) ロトの妻のことを思い出しなさい。(ルカ 17・32)

不信者と、つり合わないくびきをともにしてはいけません。
正義と不法に何の関わりがあるでしょう。光と闇に何の交わ
りがあるでしょう。····それゆえ、彼らの中から出て行き、
彼らから離れよ。——主は言われる——汚れたものに触れて
はならない。(Ⅱコリ 6・14.17) 彼らの仲間になってはいけませ
ん。あなたがたは以前は闇でしたが、今は、主にあって光と
なりました。光の子どもとして歩みなさい。····何が主に喜
ばれることなのかを吟味しなさい。実を結ばない暗闇のわざ
に加わらず、むしろ、それを明るみに出しなさい。(エペ 5・7.8.
10.11)

3 月 22 日 （夜）

**主が私とともにいてくだされば、主が約束されたよう
に、私は彼らを追い払うことができます。**(ヨシ 14・12)

主ご自身が「わたしは決してあなたを見放さず、あなたを
見捨てない」と言われたからです。ですから、私たちは確信
をもって言います。「主は私の助け手。私は恐れない。人が
私に何ができるだろうか。」(ヘブ 13・5.6) 神である主よ 私はあ
なたの力とともに行きます。あなたの ただあなたの義だけ
を心に留めて。(詩 71・16)

義が平和をつくり出し、義がとこしえの平穏と安心をもた
らす。(イザ 32・17)

堅く立ちなさい。腰には真理の帯を締め、胸には正義の胸
当てを着けなさい。(エペ 6・14) 私たちの格闘は血肉に対するも
のではなく、支配、力、この暗闇の世界の支配者たち、また
天上にいるもろもろの悪霊に対するものです。ですから、邪
悪な日に際して対抗できるように、また、一切を成し遂げて
堅く立つことができるように、神のすべての武具を取りなさ
い。(エペ 6・12.13) 主の使いが彼(ギデオン)に現れて言った。「‥‥
主があなたとともにおられる」。‥‥「行け、あなたのその
力で。」(士 6・12.14)

3 月 23 日 （朝）

聖なる、聖なる、聖なる、主なる神、全能者。(黙4・8)

あなたは聖なる方 御座に着いておられる方 イスラエルの賛美です。(詩22・3) 神は仰せられた。「ここに近づいてはならない。あなたの履き物を脱げ。あなたの立っている場所は聖なる地である。‥‥わたしはあなたの父祖の神、アブラハムの神、イサクの神、ヤコブの神である。」モーセは顔を隠した。神を仰ぎ見るのを恐れたからである。(出3・5.6)「それなのに、あなたがたは、わたしをだれになぞらえ、だれと比べようとするのか」と聖なる方は言われる。(イザ40・25) わたしはあなたの神、主、イスラエルの聖なる者、あなたの救い主である。‥‥わたし、このわたしが主であり、ほかに救い主はいない。(イザ43・3.11)

あなたがたを召された聖なる方に倣い、あなたがた自身、生活のすべてにおいて聖なる者となりなさい。「あなたがたは聖なる者でなければならない。わたしが聖だからである」と書いてあるからです。(Ⅰペテ1・15.16) あなたがたは知らないのですか。あなたがたのからだは、あなたがたのうちにおられる、神から受けた聖霊の宮であり、あなたがたはもはや自分自身のものではありません。(Ⅰコリ6・19) 私たちは生ける神の宮なのです。神がこう言われるとおりです。「わたしは彼らの間に住み、また歩む。わたしは彼らの神となり、彼らはわたしの民となる。」(Ⅱコリ6・16)

3 月 23 日 （夜）

「一緒にお泊まりください」と言って強く勧めた。

(ルカ 24・29)

　　見よ、わたしは戸の外に立ってたたいている。だれでも、わたしの声を聞いて戸を開けるなら、わたしはその人のところに入って彼とともに食事をし、彼もわたしとともに食事をする。(黙 3・20) 私のたましいの恋い慕う方。どうか私に教えてください。どこで羊を飼っておられるのですか。昼の間は、どこでそれを休ませるのですか。なぜ、私はあなたの仲間の羊の群れの傍らで、顔覆いをつけた女のようにしていなければならないのでしょう。(雅 1・7) 私は‥‥私のたましいの恋い慕う方を見つけました。私はこの方をしっかり捕まえて放さず、‥‥(雅 3・4)

　　私の愛する方が庭に入って、その最上の実を食べることができるように。(雅 4・16) 私は私の庭に入った。(雅 5・1) 茫漠としたところで、‥‥「わたしを尋ね求めよ」とは言わなかった。(イザ 45・19)

　　見よ。わたしは世の終わりまで、いつもあなたがたとともにいます。(マタ 28・20) わたしは決してあなたを見放さず、あなたを見捨てない。(ヘブ 13・5) 二人か三人がわたしの名において集まっているところには、わたしもその中にいるのです。(マタ 18・20) 世はもうわたしを見なくなります。しかし、あなたがたはわたしを見ます。(ヨハ 14・19)

3 月 24 日 （朝）

アブラムは主を信じた。それで、それが彼の義と認められた。(創 15・6)

不信仰になって神の約束を疑うようなことはなく、かえって信仰が強められて、神に栄光を帰し、神には約束したことを実行する力がある、と確信していました。だからこそ、「彼には、それが義と認められた」のです。しかし、「彼には、それが義と認められた」と書かれたのは、ただ彼のためだけでなく、私たちのためでもあります。すなわち、私たちの主イエスを死者の中からよみがえらせた方を信じる私たちも、義と認められるのです。(ロマ 4・20-24)

世界の相続人となるという約束が、アブラハムに、あるいは彼の子孫に与えられたのは、律法によってではなく、信仰による義によってであったからです。(ロマ 4・13)

義人は信仰によって生きる。(ロマ 1・17) 約束してくださった方は真実な方ですから、私たちは動揺しないで、しっかりと希望を告白し続けようではありませんか。(ヘブ 10・23) 私たちの神は 天におられ その望むところをことごとく行われる。(詩 115・3) 神にとって不可能なことは何もありません。(ルカ 1・37) 主によって語られたことは必ず実現すると信じた人は、幸いです。(ルカ 1・45)

3 月 24 日 （夜）

ご自分の御国と栄光にあずかるようにと召してくださ
る神。(Ⅰテサ2・12)

イエスは答えられた。「わたしの国はこの世のものではあ
りません。もしこの世のものであったら、わたしのしもべた
ちが‥‥戦ったでしょう。」(ヨハ18・36) 敵がご自分の足台とさ
れるのを待っておられます。(ヘブ10・13)

この世の王国は、私たちの主と、そのキリストのものとなっ
た。主は世々限りなく支配される。(黙11・15) 私たちの神のた
めに、彼らを王国とし、祭司とされました。彼らは地を治め
るのです。(黙5・10) 私は多くの座を見た。それらの上に座っ
ている者たちがいて、彼らにはさばきを行う権威が与えられ
た。‥‥彼らは生き返って、キリストとともに千年の間、王
として治めた。(黙20・4) そのとき、正しい人たちは彼らの父
の御国で太陽のように輝きます。(マタ13・43) 小さな群れよ、
恐れることはありません。あなたがたの父は、喜んであなた
がたに御国を与えてくださるのです。(ルカ12・32)

わたしの父がわたしに王権を委ねてくださったように、わ
たしもあなたがたに王権を委ねます。そうしてあなたがたは、
わたしの国でわたしの食卓に着いて食べたり飲んだりし、王
座に着いて、イスラエルの十二の部族を治めるのです。(ルカ
22・29.30)

御国が来ますように。(マタ6・10)

3 月 25 日 （朝）

わたしは決してあなたを見放さず、あなたを見捨てない。(ヘブ13・5)

私たちは確信をもって言います。「主は私の助け手。私は恐れない。人が私に何ができるだろうか。」(ヘブ13・6)

見よ。わたしはあなたとともにいて、あなたがどこへ行っても、あなたを守り、あなたをこの地に連れ帰る。わたしは、あなたに約束したことを成し遂げるまで、決してあなたを捨てない。(創28・15) 強くあれ。雄々しくあれ。彼らを恐れてはならない。おののいてはならない。あなたの神、主ご自身があなたとともに進まれるからだ。主はあなたを見放さず、あなたを見捨てない。(申31・6)

デマスは今の世を愛し、私を見捨てました。(Ⅱテモ4・10) 私の最初の弁明の際、だれも私を支持してくれず、みな私を見捨ててしまいました。‥‥しかし、主は私とともに立ち、私に力を与えてくださいました。(Ⅱテモ4・16.17) 私の父 私の母が私を見捨てるときは 主が私を取り上げてくださいます。(詩27・10)

見よ。わたしは世の終わりまで、いつもあなたがたとともにいます。(マタ28・20) わたしは‥‥生きている者である。わたしは死んだが、見よ、世々限りなく生きている。(黙1・17.18) わたしは、あなたがたを捨てて孤児にはしません。あなたがたのところに戻って来ます。(ヨハ14・18) わたしはあなたがたに‥‥わたしの平安を与えます。(ヨハ14・27)

3 月 25 日 （夜）

先生。私たちは夜通し働きましたが、何一つ捕れませんでした。でも、おことばですので、網を下ろしてみましょう。(ルカ5・5)

わたしには天においても地においても、すべての権威が与えられています。ですから、あなたがたは行って、あらゆる国の人々を弟子としなさい。父、子、聖霊の名において彼らにバプテスマを授けなさい。‥‥見よ。わたしは世の終わりまで、いつもあなたがたとともにいます。(マタ28・18-20)

天の御国は、海に投げ入れてあらゆる種類の魚を集める網のようなものです。(マタ13・47)

私が福音を宣べ伝えても、私の誇りにはなりません。そうせずにはいられないのです。福音を宣べ伝えないなら、私はわざわいです。(Ⅰコリ9・16) すべての人に、すべてのものとなりました。何とかして、何人かでも救うためです。(Ⅰコリ9・22)

失望せずに善を行いましょう。あきらめずに続ければ、時が来て刈り取ることになります。(ガラ6・9) わたしのことばも、わたしのところに、空しく帰って来ることはない。それは、わたしが望むことを成し遂げる。(イザ55・11) 大切なのは、植える者でも水を注ぐ者でもなく、成長させてくださる神です。

(Ⅰコリ3・7)

3 月 26 日 （朝）

天の御国は、旅に出るにあたり、自分のしもべたちを
呼んで財産を預ける人のようです。彼はそれぞれそ
の能力に応じて‥‥タラントを渡して旅に出かけた。

（マタ 25・14, 15）

あなたがたは知らないのですか。あなたがたが自分自身を
奴隷として献げて服従すれば、その服従する相手の奴隷とな
るのです。（ロマ 6・16）

同じ一つの御霊がこれらすべてのことをなさるのであり、
御霊は、みこころのままに、一人ひとりそれぞれに賜物を分
け与えてくださるのです。（Ⅰコリ 12・11）皆の益となるために、
一人ひとりに御霊の現れが与えられているのです。（Ⅰコリ 12・
7）それぞれが賜物を受けているのですから、神の様々な恵
みの良い管理者として、その賜物を用いて互いに仕え合いな
さい。（Ⅰペテ 4・10）管理者に要求されることは、忠実だと認め
られることです。（Ⅰコリ 4・2）多く与えられた者はみな、多く
を求められ、多く任された者は、さらに多くを要求されます。

（ルカ 12・48）

このような務めにふさわしい人は、いったいだれでしょう
か。（Ⅱコリ 2・16）私を強くしてくださる方によって、私はどん
なことでもできるのです。（ピリ 4・13）

3 月 26 日 （夜）

聖徒たちの必要をともに満たしなさい。(ロマ 12・13)

ダビデは言った。「サウルの家の者で、まだ生き残っている人はいないか。私はヨナタンのゆえに、その人に真実を尽くしたい。」(Ⅱサム 9・1)

さあ、わたしの父に祝福された人たち。世界の基が据えられたときから、あなたがたのために備えられていた御国を受け継ぎなさい。あなたがたはわたしが空腹であったときに食べ物を与え、渇いていたときに飲ませ、旅人であったときに宿を貸し、わたしが裸のときに服を着せ、病気をしたときに見舞い、牢にいたときに訪ねてくれたからです。・・・・これらのわたしの兄弟たち、それも最も小さい者たちの一人にしたことは、わたしにしたのです。(マタ 25・34-36.40) まことに、あなたがたに言います。わたしの弟子だからということで、この小さい者たちの一人に一杯の冷たい水でも飲ませる人は、決して報いを失うことがありません。(マタ 10・42)

善を行うことと、分かち合うことを忘れてはいけません。そのようないけにえを、神は喜ばれるのです。(ヘブ 13・16) 神は不公平な方ではありませんから、あなたがたの働きや愛を忘れたりなさいません。あなたがたは、これまで聖徒たちに仕え、今も仕えることによって、神の御名のために愛を示しました。(ヘブ 6・10)

3 月 27 日 （朝）

義を蒔く者は確かな賃金を得る。(箴 11・18)

かなり時がたってから、しもべたちの主人が帰って来て彼らと清算をした。すると、五タラント預かった者が進み出て、もう五タラントを差し出して言った。「ご主人様。私に五タラント預けてくださいましたが、ご覧ください。私はほかに五タラントをもうけました。」主人は彼に言った。「よくやった。良い忠実なしもべだ。おまえはわずかな物に忠実だったから、多くの物を任せよう。主人の喜びをともに喜んでくれ。」(マタ 25・19-21)

私たちはみな、善であれ悪であれ、それぞれ肉体においてした行いに応じて報いを受けるために、キリストのさばきの座の前に現れなければならないのです。(Ⅱコリ 5・10)

私は勇敢に戦い抜き、走るべき道のりを走り終え、信仰を守り通しました。あとは、義の栄冠が私のために用意されているだけです。その日には、正しいさばき主である主が、それを私に授けてくださいます。私だけでなく、主の現れを慕い求めている人には、だれにでも授けてくださるのです。(Ⅱテモ 4・7.8)

わたしはすぐに来る。あなたは、自分の冠をだれにも奪われないように、持っているものをしっかり保ちなさい。(黙 3・11)

3 月 27 日 （夜）

神は真実な方です。(Ⅰコリ10・13)

神は人ではないから、偽りを言うことがない。人の子ではないから、悔いることがない。神が仰せられたら、実行されないだろうか。語られたら、成し遂げられないだろうか。(民23・19) 主は誓われた。思い直されることはない。(ヘブ7・21)

神は、約束の相続者たちに、ご自分の計画が変わらないことをさらにはっきり示そうと思い、誓いをもって保証されました。それは、前に置かれている希望を捕らえようとして逃れて来た私たちが、約束と誓いという変わらない二つのものによって、力強い励ましを受けるためです。その二つについて、神が偽ることはあり得ません。(ヘブ6・17.18) 神のみこころにより苦しみにあっている人たちは、善を行いつつ、真実な創造者に自分のたましいをゆだねなさい。(Ⅰペテ4・19)

私は自分が信じてきた方をよく知っており、また、その方は私がお任せしたものを、かの日まで守ることがおできになると確信している。(Ⅱテモ1・12) あなたがたを召された方は真実ですから、そのようにしてくださいます。(Ⅰテサ5・24) 神の約束はことごとく、この方において「はい」となりました。それで私たちは、この方によって「アーメン」と言い、神に栄光を帰するのです。(Ⅱコリ1・20)

3 月 28 日 （朝）

ただ強く雄々しくあってください。(ヨシ1・18)

主は私の光 私の救い。だれを私は恐れよう。主は私のいのちの砦。だれを私は怖がろう。(詩27・1) 疲れた者には力を与え、精力のない者には勢いを与えられる。若者も疲れて力尽き、若い男たちも、つまずき倒れる。しかし、主を待ち望む者は新しく力を得、鷲のように、翼を広げて上ることができる。走っても力衰えず、歩いても疲れない。(イザ40・29-31) この身も心も尽き果てるでしょう。しかし 神は私の心の岩 とこしえに 私が受ける割り当ての地。(詩73・26)

神が私たちの味方であるなら、だれが私たちに敵対できるでしょう。(ロマ8・31) 主は私の味方。私は恐れない。人は私に何ができよう。(詩118・6) あなたによって 私たちは敵を押し返し 御名によって 向かい立つ者どもを踏みつけます。(詩44・5) 私たちを愛してくださった方によって、私たちは圧倒的な勝利者です。(ロマ8・37)

立ち上がって、実行しなさい。主があなたとともにいてくださるように。(I歴22・16)

3 月 28 日 （夜）

わたしたちの友‥‥は眠ってしまいました。（ヨハ 11・11）

眠っている人たちについては、兄弟たち、あなたがたに知らずにいてほしくありません。あなたがたが、望みのない他の人々のように悲しまないためです。イエスが死んで復活された、と私たちが信じているなら、神はまた同じように、イエスにあって眠った人たちを、イエスとともに連れて来られるはずです。（Ⅰテサ 4・13.14）

もし死者がよみがえらないとしたら、キリストもよみがえらなかったでしょう。そして、もしキリストがよみがえらなかったとしたら、あなたがたの信仰は空しく、あなたがたは今もなお自分の罪の中にいます。そうだとしたら、キリストにあって眠った者たちは、滅んでしまったことになります。‥‥しかし、今やキリストは、眠った者の初穂として死者の中からよみがえられました。（Ⅰコリ 15・16-18.20）

民全員がヨルダン川を渡り終えると、主はヨシュアに告げられた。‥‥「ヨルダン川の真ん中、祭司たちが足をしっかりととどめたその場所から十二の石を取れ。‥‥この石はイスラエルの子らにとって永久に記念となるのだ。」（ヨシ 4・1.3.7）このイエスを、神はよみがえらせました。私たちはみな、そのことの証人です。（使 2・32）証人である私たち‥‥は、イエスが死者の中からよみがえられた後、一緒に食べたり飲んだりしました。（使 10・41）

3 月 29 日 （朝）

さあ、わたしの父に祝福された人たち。世界の基が
据えられたときから、あなたがたのために備えられて
いた御国を受け継ぎなさい。(マタ25・34)

小さな群れよ、恐れることはありません。あなたがたの父
は、喜んであなたがたに御国を与えてくださるのです。(ルカ
12・32) 神は、この世の貧しい人たちを選んで信仰に富む者と
し、神を愛する者に約束された御国を受け継ぐ者とされたで
はありませんか。(ヤコ2・5) 私たちはキリストと、栄光をとも
に受けるために苦難をともにしているのですから、神の相続
人であり、キリストとともに共同相続人なのです。(ロマ8・17)

父ご自身があなたがたを愛しておられるのです。あなたが
たがわたしを愛したからです。(ヨハ16・27) 神は、彼らの神と
呼ばれることを恥となさいませんでした。神が彼らのために
都を用意されたのです。(ヘブ11・16)

勝利を得る者は、これらのものを相続する。わたしは彼の
神となり、彼はわたしの子となる。(黙21・7) あとは、義の栄
冠が私のために用意されているだけです。その日には、正し
いさばき主である主が、それを私に授けてくださいます。私
だけでなく、主の現れを慕い求めている人には、だれにでも
授けてくださるのです。(IIテモ4・8) あなたがたの間で良い働
きを始められた方は、キリスト・イエスの日が来るまでにそ
れを完成させてくださる。(ピリ1・6)

3 月 29 日 （夜）

富は永久に続くものではなく、王冠も代々に続かない。

（箴 27・24）

　まことに 人は幻のように歩き回り まことに 空しく立ち騒ぎます。人は蓄えるが だれのものになるのか知りません。（詩 39・6）上にあるものを思いなさい。地にあるものを思ってはなりません。（コロ 3・2）自分のために、地上に宝を蓄えるのはやめなさい。そこでは虫やさびで傷物になり、盗人が壁に穴を開けて盗みます。自分のために、天に宝を蓄えなさい。‥‥あなたの宝のあるところ、そこにあなたの心もあるのです。（マタ 6・19-21）

　彼らは朽ちる冠を受けるためにそうするのですが、私たちは朽ちない冠を受けるためにそうするのです。（Ⅰコリ 9・25）私たちは見えるものにではなく、見えないものに目を留めます。（Ⅱコリ 4・18）義を蒔く者は確かな賃金を得る。（箴 11・18）あとは、義の栄冠が私のために用意されているだけです。その日には、正しいさばき主である主が、それを私に授けてくださいます。私だけでなく、主の現れを慕い求めている人には、だれにでも授けてくださるのです。（Ⅱテモ 4・8）しぼむことのない栄光の冠。（Ⅰペテ 5・4）

3 月 30 日 （朝）

イサクは夕暮れに、黙想するために野に出かけた。

(創 24・63 英語欽定訳)

　私の口のことばと　私の心の思いとが　御前に受け入れられますように。主よ　わが岩　わが贖い主よ。(詩 19・14)

　あなたの指のわざである　あなたの天　あなたが整えられた月や星を見るに　人とは何ものなのでしょう。あなたが心に留められるとは。人の子とはいったい何ものなのでしょう。あなたが顧みてくださるとは。(詩 8・3.4) 主のみわざは偉大。それを喜ぶすべての人に　尋ね求められるもの。(詩 111・2)

　幸いなことよ　悪しき者のはかりごとに歩まず　罪人の道に立たず　嘲(あざけ)る者の座に着かない人。主のおしえを喜びとし　昼も夜も　そのおしえを口ずさむ人。(詩 1・1.2) このみおしえの書をあなたの口から離さず、昼も夜もそれを口ずさめ。(ヨシ 1・8)

　脂肪と髄をふるまわれたかのように　私のたましいは満ち足りています。喜びにあふれた唇で　私の口はあなたを賛美します。床の上で　あなたを思い起こすとき　夜もすがら　あなたのことを思い巡らすときに。(詩 63・5.6)

3 月 30 日 （夜）

**主よ いつまでですか。あなたは私を永久にお忘れに
なるのですか。いつまで 御顔を私からお隠しになる
のですか。**(詩13・1)

すべての良い贈り物、またすべての完全な賜物は、上から
のものであり、光を造られた父から下って来るのです。父に
は、移り変わりや、天体の運行によって生じる影のようなも
のはありません。(ヤコ1・17) シオンは言った。「主は私を見捨
てた。主は私を忘れた」と。「女が自分の乳飲み子を忘れる
だろうか。自分の胎の子をあわれまないだろうか。たとえ女
たちが忘れても、このわたしは、あなたを忘れない。」(イザ
49・14.15)

あなたはわたしに忘れられることがない。わたしは、あな
たの背きを雲のように、あなたの罪をかすみのように消し
去った。(イザ44・21.22)

イエスはマルタとその姉妹とラザロを愛しておられた。し
かし、イエスはラザロが病んでいると聞いてからも、そのと
きいた場所に二日とどまられた。(ヨハ11・5.6) カナン人の女が
出て来て、「主よ、ダビデの子よ。私をあわれんでください」
と言って叫び続けた。しかし、イエスは彼女に一言もお答え
にならなかった。(マタ15・22.23)

試練で試されたあなたがたの信仰は、火で精錬されてもな
お朽ちていく金よりも高価である。(Ⅰペテ1・7)

3 月 31 日 （朝）

私の神は、キリスト・イエスの栄光のうちにあるご自
分の豊かさにしたがって、あなたがたの必要をすべ
て満たしてくださいます。(ピリ 4・19)

まず神の国と神の義を求めなさい。そうすれば、これらの
ものはすべて、それに加えて与えられます。(マタ 6・33) 私たち
すべてのために、ご自分の御子さえも惜しむことなく死に渡
された神が、どうして、御子とともにすべてのものを、私た
ちに恵んでくださらないことがあるでしょうか。(ロマ 8・32) す
べては、あなたがたのものです。パウロであれ、アポロであ
れ、ケファであれ、また世界であれ、いのちであれ、死であ
れ、また現在のものであれ、未来のものであれ、すべてはあ
なたがたのもの、あなたがたはキリストのもの、キリストは
神のものです。(Ⅰコリ 3・21-23) 何も持っていないようでも、す
べてのものを持っています。(Ⅱコリ 6・10)

主は私の羊飼い。私は乏しいことがありません。(詩 23・1)
神である主は太陽 また盾。主は恵みと栄光を与え 誠実に歩
む者に良いものを拒まれません。(詩 84・11) 私たちにすべての
物を豊かに与えて楽しませてくださる神。(Ⅰテモ 6・17) 神はあ
なたがたに、あらゆる恵みをあふれるばかりに与えることが
おできになります。あなたがたが、いつもすべてのことに満
ち足りて、すべての良いわざにあふれるようになるためです。
(Ⅱコリ 9・8)

3 月 31 日 （夜）

光と闇に何の交わりがあるでしょう。(Ⅱコリ6・14)

自分の行いが悪いために、‥‥光よりも闇を愛した。(ヨハ3・19) あなたがたはみな、光の子ども、昼の子どもなのです。私たちは夜の者、闇の者ではありません。(Ⅰテサ5・5)

闇が目を見えなくした。(Ⅰヨハ2・11) あなたのみことばは私の足のともしび 私の道の光です。(詩119・105)

地の暗い所は 暴虐の巣です。(詩74・20) 愛は神から出ているのです。愛がある者はみな神から生まれ、神を知っています。愛のない者は神を知りません。神は愛だからです。(Ⅰヨハ4・7.8)

悪しき者の道は暗闇のよう。彼らは何につまずくかを知らない。(箴4・19) 正しい人の進む道は、あけぼのの光のようだ。いよいよ輝きを増して真昼となる。(箴4・18)

わたしは光として世に来ました。わたしを信じる者が、だれも闇の中にとどまることのないようにするためです。(ヨハ12・46)

あなたがたは以前は闇でしたが、今は、主にあって光となりました。光の子どもとして歩みなさい。(エペ5・8)

4 月 1 日 （朝）

御霊の実は‥‥喜び。(ガラ 5・22)

聖霊による‥‥喜び。(ロマ 14・17) ことばに尽くせない、栄えに満ちた喜び。(Iペテ 1・8)

悲しんでいるようでも、いつも喜んでおり、‥‥(IIコリ 6・10) どんな苦難にあっても喜びに満ちあふれています。(IIコリ 7・4) 苦難さえも喜んでいます。(ロマ 5・3)

信仰の創始者であり完成者であるイエス‥‥は、ご自分の前に置かれた喜びのために、辱めをものともせずに十字架を忍ばれたのです。(ヘブ 12・2) わたしの喜びがあなたがたのうちにあり、あなたがたが喜びで満ちあふれるようになるために、わたしはこれらのことをあなたがたに話しました。(ヨハ 15・11) 私たちにキリストの苦難があふれているように、キリストによって私たちの慰めもあふれているからです。(IIコリ 1・5)

いつも主にあって喜びなさい。もう一度言います。喜びなさい。(ピリ 4・4) 主を喜ぶことは、あなたがたの力だからだ。(ネヘ 8・10)

満ち足りた喜びが あなたの御前にあり 楽しみが あなたの右にとこしえにあります。(詩 16・11) 御座の中央におられる子羊が彼らを牧し、いのちの水の泉に導かれる。また、神は彼らの目から涙をことごとくぬぐい取ってくださる。(黙 7・17)

4 月 1 日 （夜）

アドナイ・シャロム ［主は平安］。(士 6・24)

　見よ、あなたに一人の男の子が生まれる。彼は穏やかな人となり、わたしは周りのすべての敵から守って彼に安息を与える。彼の名がソロモンと呼ばれるのはそのためである。彼の世に、わたしはイスラエルに平和と平穏を与える。(Ⅰ歴 22・9)

　見なさい。ここにソロモンにまさるものがあります。(マタ 12・42) ひとりのみどりごが私たちのために生まれる。ひとりの男の子が私たちに与えられる。主権はその肩にあり、その名は「不思議な助言者、力ある神、永遠の父、平和の君」と呼ばれる。(イザ 9・6) 私の民は、平和な住まい、安全な家、安らかな憩いの場に住む。あの森は雹が降って倒れ、あの町は全く卑しめられる。(イザ 32・18. 19)

　キリストこそ私たちの平和です。(エペ 2・14)

　彼らは子羊に戦いを挑みますが、子羊は彼らに打ち勝ちます。子羊は主の主、王の王だからです。(黙 17・14)

　わたしはあなたがたに平安を残します。わたしの平安を与えます。(ヨハ 14・27)

4 月 2 日 （朝）

もしあなたがたが、心のすべてをもって主に立ち返る
なら、あなたがたの間から異国の神々やアシュタロテ
を取り除きなさい。そして心を主に向け、主にのみ仕
えなさい。(Ⅰサム7・3)

子どもたち、偶像から自分を守りなさい。(Ⅰヨハ5・21) 彼ら
の中から出て行き、彼らから離れよ。——主は言われる——
汚れたものに触れてはならない。そうすればわたしは、あな
たがたを受け入れ、わたしはあなたがたの父となり、あなた
がたはわたしの息子、娘となる。——全能の主は言われる。(Ⅱ
コリ6・17.18) あなたがたは神と富とに仕えることはできませ
ん。(マタ6・24)

あなたは、ほかの神を拝んではならない。主は、その名が
ねたみであり、ねたみの神であるから。(出34・14) 全き心と喜
びの気持ちをもって神に仕えなさい。主はすべての心を探り、
すべての思いの動機を読み取られるからである。(Ⅰ歴28・9)

あなたは心のうちの真実を喜ばれます。どうか私の心の奥
に 知恵を教えてください。(詩51・6) 人はうわべを見るが、主
は心を見る。(Ⅰサム16・7) 愛する者たち。自分の心が責めない
なら、私たちは神の御前に確信を持つことができます。(Ⅰヨ
ハ3・21)

4 月 2 日 （夜）

人の子が来るとき、はたして地上に信仰が見られる
でしょうか。(ルカ 18・8)

この方はご自分のところに来られたのに、ご自分の民はこの方を受け入れなかった。(ヨハ 1・11) 御霊が明らかに言われるように、後の時代になると、ある人たちは‥‥信仰から離れるようになります。(Ⅰテモ 4・1)

みことばを宣べ伝えなさい。時が良くても悪くてもしっかりやりなさい。忍耐の限りを尽くし、絶えず教えながら、責め、戒め、また勧めなさい。というのは、人々が健全な教えに耐えられなくなり、耳に心地よい話を聞こうと、自分の好みにしたがって自分たちのために教師を寄せ集め、真理から耳を背け、作り話にそれて行くような時代になるからです。
(Ⅱテモ 4・2-4)

その日、その時がいつなのかは、だれも知りません。天の御使いたちも子も知りません。父だけが知っておられます。気をつけて、目を覚ましていなさい。その時がいつなのか、あなたがたは知らないからです。(マル 13・32.33) 帰って来た主人に、目を覚ましているのを見てもらえるしもべたちは幸いです。(ルカ 12・37) 祝福に満ちた望み、すなわち、大いなる神であり私たちの救い主であるイエス・キリストの、栄光ある現れを待ち望む。(テト 2・13)

4 月 3 日 （朝）

愛する人たち、あなたがたはこの一つのことを見落と
してはいけません。主の御前では、一日は千年のよ
うであり、千年は一日のようです。主は、ある人たち
が遅れていると思っているように、約束したことを遅
らせているのではなく、‥‥(Ⅱペテ3・8.9)

わたしの思いは、あなたがたの思いと異なり、あなたがた
の道は、わたしの道と異なるからだ。──主のことば──天
が地よりも高いように、わたしの道は、あなたがたの道より
も高く、わたしの思いは、あなたがたの思いよりも高い。雨
や雪は、天から降って、もとに戻らず、地を潤して物を生え
させる。‥‥そのように、わたしの口から出るわたしのこと
ばも、わたしのところに、空しく帰って来ることはない。そ
れは、わたしが望むことを成し遂げ、わたしが言い送ったこ
とを成功させる。(イザ55・8-11)

神は、すべての人を不従順のうちに閉じ込めましたが、そ
れはすべての人をあわれむためだったのです。ああ、神の知
恵と知識の富は、なんと深いことでしょう。神のさばきはな
んと知り尽くしがたく、神の道はなんと極めがたいことで
しょう。(ロマ11・32.33)

4 月 3 日 （夜）

あなたがたは、炎の中から取り出された燃えさしのよ
うになった。(アモ4・11)

罪人たちはシオンでわななき、神を敬わない者たちを震え
がとらえる。「私たちのうち、だれが焼き尽くす火に耐えら
れるか。私たちのうち、だれが、とこしえに燃える炉に耐え
られるか。」(イザ33・14) 私たちは死刑の宣告を受けた思いでし
た。それは、私たちが自分自身に頼らず、死者をよみがえら
せてくださる神に頼る者となるためだったのです。神は、そ
れほど大きな死の危険から私たちを救い出してくださいまし
た。これからも救い出してくださいます。私たちはこの神に
希望を置いています。(Ⅱコリ1・9.10) 罪の報酬は死です。しか
し神の賜物は、私たちの主キリスト・イエスにある永遠のい
のちです。(ロマ6・23)

生ける神の手の中に陥ることは恐ろしいことです。(ヘブ10・
31) 主を恐れることを知っている私たちは、人々を説得しよ
うとしています。(Ⅱコリ5・11) 時が良くても悪くてもしっかり
やりなさい。(Ⅱテモ4・2) ほかの人たちは、火の中からつかみ
出して救いなさい。(ユダ23)

「権力によらず、能力によらず、わたしの霊によって」と万
軍の主は言われる。(ゼカ4・6) 神は、すべての人が救われて、
真理を知るようになることを望んでおられます。(Ⅰテモ2・4)

4 月 4 日 （朝）

恐れることはない。わたしは初めであり、終わりである。（黙1・17）

あなたがたが近づいているのは、手でさわれるもの、燃える火、黒雲、暗闇、嵐‥‥ではありません。‥‥あなたがたが近づいているのは、シオンの山、‥‥すべての人のさばき主である神、完全な者とされた義人たちの霊、さらに、新しい契約の仲介者イエス‥‥です。（ヘブ12・18. 19. 22-24）信仰の創始者であり完成者であるイエス。（ヘブ12・2）私たちの大祭司は、私たちの弱さに同情できない方ではありません。罪は犯しませんでしたが、すべての点において、私たちと同じように試みにあわれたのです。ですから私たちは、あわれみを受け、また恵みをいただいて、折にかなった助けを受けるために、大胆に恵みの御座に近づこうではありませんか。（ヘブ4・15. 16）

イスラエルの王である主、これを贖う方、万軍の主はこう言われる。「わたしは初めであり、わたしは終わりである。わたしのほかに神はいない。」（イザ44・6）力ある神、永遠の父、平和の君。（イザ9・6）

あなたは昔から主ではありませんか。（ハバ1・12）主のほかに、だれが神でしょうか。私たちの神のほかに、だれが岩でしょうか。（Ⅱサム22・32）

4 月 4 日 （夜）

及びがたいほど高い岩の上に 私を導いてください。

(詩 61・2)

何も思い煩わないで、あらゆる場合に、感謝をもってささげる祈りと願いによって、あなたがたの願い事を神に知っていただきなさい。そうすれば、すべての理解を超えた神の平安が、あなたがたの心と思いをキリスト・イエスにあって守ってくれます。(ピリ 4・6.7)

私の霊が私のうちで衰え果てたときにも あなたは 私の道をよく知っておられます。(詩 142・3) 神は、私の行く道を知っておられる。私は試されると、金のようになって出て来る。(ヨブ 23・10) 主よ 代々にわたって あなたは私たちの住まいです。(詩 90・1) あなたは弱っている者の砦、貧しい者の、苦しみのときの砦、嵐のときの避け所、暑さを避ける陰となられました。(イザ 25・4)

私たちの神を除いて だれが岩でしょうか。(詩 18・31) 彼らは永遠に、決して滅びることがなく、また、だれも彼らをわたしの手から奪い去りはしません。(ヨハ 10・28) あなたのみことばのとおりに私を支え 生かしてください。私の望みのことで私を辱めないようにしてください。(詩 119・116) 私たちが持っているこの希望は、安全で確かな、たましいの錨のようなものであり、また幕の内側にまで入って行くものです。(ヘブ 6・19)

4 月 5 日 （朝）

　私はあなたを去らせません。私を祝福してくださらな
ければ。(創 32・26)

　もしわたしという砦に頼りたければ、わたしと和を結ぶが
よい。和をわたしと結ぶがよい。(イザ 27・5)

　女の方、あなたの信仰は立派です。あなたが願うとおりに
なるように。(マタ 15・28) あなたがたの信仰のとおりになれ。(マ
タ 9・29) 少しも疑わずに、信じて求めなさい。疑う人は、風
に吹かれて揺れ動く、海の大波のようです。その人は、主か
ら何かをいただけると思ってはなりません。(ヤコ 1・6.7)

　彼らは目的の村の近くに来たが、イエスはもっと先まで行
きそうな様子であった。彼らが、「一緒にお泊まりください。
‥‥‥」と言って強く勧めた。‥‥‥イエスだと分かったが、そ
の姿は見えなくなった。二人は話し合った。「道々お話しく
ださる間、私たちに聖書を説き明かしてくださる間、私たち
の心は内で燃えていたではないか。」(ルカ 24・28.29.31.32)「今、
もしも私がみこころにかなっているのでしたら、どうかあな
たの道を教えてください。そうすれば、私があなたを知るこ
とができ、みこころにかなうようになれます。」‥‥‥「わた
しの臨在がともに行き、あなたを休ませる。」(出 33・13.14)

4 月 5 日 （夜）

信仰の創始者であり完成者であるイエス。(ヘブ12・2)

神である主、今おられ、昔おられ、やがて来られる方、全能者がこう言われる。「わたしはアルファであり、オメガである。」(黙1・8) だれが、最初から代々の人々に呼びかけて これらをなし、これらを行ったのか。主であるわたしだ。わたしは初めであり、また終わりとともにある。わたしがそれだ。(イザ41・4)

平和の神ご自身が、あなたがたを完全に聖なるものとしてくださいますように。あなたがたの霊、たましい、からだのすべてが、私たちの主イエス・キリストの来臨のときに、責められるところのないものとして保たれていますように。あなたがたを召された方は真実ですから、そのようにしてくださいます。(Ⅰテサ5・23.24) あなたがたの間で良い働きを始められた方は、キリスト・イエスの日が来るまでにそれを完成させてくださると、私は確信しています。(ピリ1・6) あなたがたはそんなにも愚かなのですか。御霊によって始まったあなたがたが、今、肉によって完成されるというのですか。(ガラ3・3) 主は私のためにすべてを成し遂げてくださいます。(詩138・8)

神はみこころのままに、あなたがたのうちに働いて志を立てさせ、事を行わせてくださる方です。(ピリ2・13)

4 月 6 日 （朝）

**イエスは、いつも生きていて、彼らのためにとりなし
をしておられる。**(ヘブ7・25)

だれが、私たちを罪ありとするのですか。死んでくださっ
た方、いや、よみがえられた方であるキリスト・イエスが、
・・・・私たちのために、とりなしていてくださるのです。(ロマ8・
34) キリストは、本物の模型にすぎない、人の手で造られた
聖所に入られたのではなく、天そのものに入られたのです。
そして今、私たちのために神の御前に現れてくださいます。
(ヘブ9・24)

もしだれかが罪を犯したなら、私たちには、御父の前でと
りなしてくださる方、義なるイエス・キリストがおられます。
(Ⅰヨハ2・1) 神は唯一です。神と人との間の仲介者も唯一であ
り、それは人としてのキリスト・イエスです。(Ⅰテモ2・5)

私たちには、もろもろの天を通られた、神の子イエスとい
う偉大な大祭司がおられるのですから、信仰の告白を堅く保
とうではありませんか。私たちの大祭司は、私たちの弱さに
同情できない方ではありません。罪は犯しませんでしたが、
すべての点において、私たちと同じように試みにあわれたの
です。ですから私たちは、あわれみを受け、また恵みをいた
だいて、折にかなった助けを受けるために、大胆に恵みの御
座に近づこうではありませんか。(ヘブ4・14-16) キリストを通
して・・・・御父に近づくことができるのです。(エペ2・18)

4 月 6 日 （夜）

御名を知る者は　あなたに拠り頼みます。(詩 9・10)

「主は私たちの義」。それが、彼の呼ばれる名である。(エレ 23・6) 神である主　私はあなたの力とともに行きます。あなたの　ただあなたの義だけを心に留めて。(詩 71・16)

その名は「不思議な助言者‥‥」と呼ばれる。(イザ 9・6) 主よ、私は知っています。人間の道はその人によるのではなく、歩むことも、その歩みを確かにすることも、人によるのではないことを。(エレ 10・23)

「力ある神、永遠の父」(イザ 9・6) 私は自分が信じてきた方をよく知っており、また、その方は私がお任せしたものを、かの日まで守ることがおできになると確信している。(Ⅱテモ 1・12)

「平和の君」(イザ 9・6) キリストこそ私たちの平和です。(エペ 2・14) 私たちは信仰によって義と認められたので、私たちの主イエス・キリストによって、神との平和を持っています。(ロマ 5・1)

主の名は堅固なやぐら。正しい人はその中に駆け込み、保護される。(箴 18・10) ああ、助けを求めてエジプトに下る者たち。(イザ 31・1) 万軍の主は、舞い飛ぶ鳥のようにエルサレムを守る。これを守って救い出し、これを助けて解放する。(イザ 31・5)

4 月 7 日 （朝）

悲しんでいるようでも、いつも喜んでおり、貧しいよ
うでも、多くの人を富ませ、何も持っていないようでも、
すべてのものを持っています。(Ⅱコリ6・10)

神の栄光にあずかる望みを喜んでいます。それだけではな
く、苦難さえも喜んでいます。(ロマ5・2.3) 私は慰めに満たさ
れ、どんな苦難にあっても喜びに満ちあふれています。(Ⅱコ
リ7・4) あなたがたはイエス・キリストを‥‥信じており、
ことばに尽くせない、栄えに満ちた喜びに躍っています。(Ⅰ
ペテ1・8)

彼らの満ちあふれる喜びと極度の貧しさは、苦しみによる
激しい試練の中にあってもあふれ出て、惜しみなく施す富と
なりました。(Ⅱコリ8・2) すべての聖徒たちのうちで最も小さ
な私に、この恵みが与えられたのは、キリストの測り知れな
い富を‥‥異邦人に宣べ伝えるためであり、また、万物を創
造した神のうちに世々隠されていた奥義の実現がどのような
ものなのかを、すべての人に明らかにするためです。(エペ3・8.
9)

神は、この世の貧しい人たちを選んで信仰に富む者とし、
神を愛する者に約束された御国を受け継ぐ者とされたではあ
りませんか。(ヤコ2・5) 神はあなたがたに、あらゆる恵みをあ
ふれるばかりに与えることがおできになります。あなたがた
が、いつもすべてのことに満ち足りて、すべての良いわざに
あふれるようになるためです。(Ⅱコリ9・8)

4 月 7 日 （夜）

主が 病の床で彼を支えられますように。彼が病むと
き 寝床から起き上がらせてください。(詩 41・3)

彼らが苦しむときには、いつも主も苦しみ、主の臨在の御
使いが彼らを救った。その愛とあわれみによって、主は彼ら
を贖い、‥‥彼らを背負い、担ってくださった。(イザ 63・9)「主
よ、ご覧ください。あなたが愛しておられる者が病気です。」
(ヨハ 11・3) 主は、「わたしの恵みはあなたに十分である。わた
しの力は弱さのうちに完全に現れるからである」と言われま
した。(Ⅱコリ 12・9)

ですから私は、キリストの力が私をおおうために、むしろ
大いに喜んで自分の弱さを誇りましょう。(Ⅱコリ 12・9) 私を強
くしてくださる方によって、私はどんなことでもできるので
す。(ピリ 4・13)

私たちの外なる人は衰えても、内なる人は日々新たにされ
ています。(Ⅱコリ 4・16)

私たちは神の中に生き、動き、存在している。(使 17・28) 疲
れた者には力を与え、精力のない者には勢いを与えられる。
若者も疲れて力尽き、若い男たちも、つまずき倒れる。しか
し、主を待ち望む者は新しく力を得る。(イザ 40・29-31) 永遠の
神が、あなたの避け所。下には、とこしえの腕がある。(申 33・
27、英語欽定訳)

4 月 8 日 （朝）

あなたがたはすべての点で、‥‥キリストにあって豊
かな者とされました。(Ⅰコリ1・5)

キリストは、私たちがまだ弱かったころ、定められた時に、
不敬虔な者たちのために死んでくださいました。(ロマ5・6) 私
たちすべてのために、ご自分の御子さえも惜しむことなく死
に渡された神が、どうして、御子とともにすべてのものを、
私たちに恵んでくださらないことがあるでしょうか。(ロマ8・32)

わたしにとどまりなさい。わたしもあなたがたの中にとど
まります。枝がぶどうの木にとどまっていなければ、自分で
は実を結ぶことができないのと同じように、あなたがたもわ
たしにとどまっていなければ、実を結ぶことはできません。
わたしはぶどうの木、あなたがたは枝です。人がわたしにと
どまり、わたしもその人にとどまっているなら、その人は多
くの実を結びます。わたしを離れては、あなたがたは何もす
ることができないのです。(ヨハ15・4.5) 私には良いことをした
いという願いがいつもあるのに、実行できない。(ロマ7・18) 私
たちは一人ひとり、キリストの賜物の量りにしたがって恵み
を与えられました。(エペ4・7)

あなたがたがわたしにとどまり、わたしのことばがあなた
がたにとどまっているなら、何でも欲しいものを求めなさい。
そうすれば、それはかなえられます。(ヨハ15・7) キリストのこ
とばが、あなたがたのうちに豊かに住むようにしなさい。(コ
ロ3・16)

4 月 8 日 （夜）

御顔を仰ぎ見る。（黙 22・4）

「どうか、あなたの栄光を私に見せてください。」主は言われた。‥‥「あなたはわたしの顔を見ることはできない。人はわたしを見て、なお生きていることはできないからである。」（出 33・18-20）いまだかつて神を見た者はいない。父のふところにおられるひとり子の神が、神を説き明かされたのである。（ヨハ 1・18）

すべての目が彼を見る。彼を突き刺した者たちさえも。地のすべての部族は彼のゆえに胸をたたいて悲しむ。（黙 1・7）私には彼が見える。しかし今のことではない。私は彼を見つめる。しかし近くのことではない。（民 24・17）

私は知っている。私を贖う方は生きておられ、ついには、土のちりの上に立たれることを。私の皮がこのように剥ぎ取られた後に、私は私の肉から神を見る。（ヨブ 19・25.26）私は 義のうちに御顔を仰ぎ見 目覚めるとき 御姿に満ち足りるでしょう。（詩 17・15）私たちは‥‥キリストに似た者になる‥‥。キリストをありのままに見るからです。（I ヨハ 3・2）主ご自身が天から下って来られます。そしてまず、キリストにある死者がよみがえり、それから、生き残っている私たちが、彼らと一緒に雲に包まれて引き上げられ、空中で主と会うのです。こうして私たちは、いつまでも主とともにいることになります。（I テサ 4・16.17）

4 月 9 日 （朝）

恐れるな。わたしがあなたを贖ったからだ。(イザ43・1)

恐れるな。あなたは恥を見ないから。恥じるな。あなたは辱めを受けないから。‥‥あなたは若いときの恥を忘れ、やもめ時代の屈辱を再び思い出すことはない。なぜなら、あなたの夫はあなたを造った者、その名は万軍の主。あなたの贖い主はイスラエルの聖なる者。(イザ54・4.5) わたしは、あなたの背きを雲のように、あなたの罪をかすみのように消し去った。わたしに帰れ。わたしがあなたを贖ったからだ。(イザ44・22) 傷もなく汚れもない子羊のようなキリストの、尊い血によったのです。(Ⅰペテ1・19)

彼らを贖う方は強い。その名は万軍の主。主は、必ずや彼らの訴えを取り上げる。(エレ50・34) だれも彼らを、父の手から奪い去ることはできません。(ヨハ10・29)

私たちの父なる神と主イエス・キリストから、恵みと平安があなたがたにありますように。キリストは、今の悪の時代から私たちを救い出すために、私たちの罪のためにご自分を与えてくださいました。私たちの父である神のみこころにしたがったのです。この神に、栄光が世々限りなくありますように。アーメン。(ガラ1・3-5)

4 月 9 日 （夜）

私は主の恵みを語り告げる。主の奇しいみわざの
数々を。主が与えてくださったすべてのことを。

（イザ 63・7）

　滅びの穴から　泥沼から　主は私を引き上げてくださった。
私の足を巌に立たせ　私の歩みを確かにされた。（詩 40・2）私を
愛し、私のためにご自分を与えてくださった、神の御子。（ガ
ラ 2・20）ご自分の御子さえも惜しむことなく死に渡された神
が、どうして、御子とともにすべてのものを、私たちに恵ん
でくださらないことがあるでしょうか。（ロマ 8・32）私たちがま
だ罪人であったとき、キリストが私たちのために死なれたこ
とによって、神は私たちに対するご自分の愛を明らかにして
おられます。（ロマ 5・8）

　神はまた、私たちに証印を押し、保証として御霊を私たち
の心に与えてくださいました。（Ⅱコリ 1・22）聖霊は私たちが御
国を受け継ぐことの保証です。このことは、私たちが贖われ
て神のものとされ、神の栄光がほめたたえられるためです。

（エペ 1・14）

　あわれみ豊かな神は、私たちを愛してくださったその大き
な愛のゆえに、背きの中に死んでいた私たちを、キリストと
ともに生かしてくださいました。あなたがたが救われたのは
恵みによるのです。神はまた、キリスト・イエスにあって、
私たちをともによみがえらせ、ともに天上に座らせてくださ
いました。（エペ 2・4-6）

4 月 10 日 （朝）

私は黒いけれども美しい。(雅1・5)

私は咎ある者として生まれ 罪ある者として 母は私を身ごもりました。(詩51・5) あなたの美しさのゆえに、あなたの名は国々の間に広まった。それは、わたしがあなたにまとわせた、わたしの飾り物が完全であったからだ。(エゼ16・14)

主よ、‥‥私は罪深い人間です。(ルカ5・8) ああ、あなたは美しい。わが愛する者よ。ああ、あなたは美しい。(雅4・1)

私は自分を蔑み、悔いています。ちりと灰の中で。(ヨブ42・6) わが愛する者よ。あなたのすべては美しく、あなたには何の汚れもない。(雅4・7)

善を行いたいと願っている、その私に悪が存在する。(ロマ7・21) しっかりしなさい。あなたの罪は赦された。(マタ9・2)

私は、自分のうちに、すなわち、自分の肉のうちに善が住んでいないことを知っています。(ロマ7・18) あなたがたは、キリストにあって満たされているのです。(コロ2・10) キリストにあって完全な者。(コロ1・28別訳)

主イエス・キリストの御名と私たちの神の御霊によって、あなたがたは洗われ、聖なる者とされ、義と認められたのです。(Iコリ6・11) それは、あなたがたを闇の中から、ご自分の驚くべき光の中に召してくださった方の栄誉を、あなたがたが告げ知らせるためです。(Iペテ2・9)

4 月 10 日 （夜）

**キリスト・イエスにあって敬虔に生きようと願う者はみ
な、迫害を受けます。**（Ⅱテモ3・12）

　わたしは、人をその父に、娘をその母に、嫁をその姑に逆
らわせるために来たのです。そのようにして家の者たちがそ
の人の敵となるのです。（マタ10・35.36）世を愛することは神に
敵対することだと分からないのですか。（ヤコ4・4）世も世にあ
るものも、愛してはいけません。もしだれかが世を愛してい
るなら、その人のうちに御父の愛はありません。すべて世に
あるもの、すなわち、肉の欲、目の欲、暮らし向きの自慢は、
御父から出るものではなく、世から出るものだからです。（Ⅰ
ヨハ2・15.16）

　世があなたがたを憎むなら、あなたがたよりも先にわたし
を憎んだことを知っておきなさい。もしあなたがたがこの世
のものであったら、世は自分のものを愛したでしょう。しか
し、あなたがたは世のものではありません。わたしが世から
あなたがたを選び出したのです。そのため、世はあなたがた
を憎むのです。（ヨハ15・18.19）わたしは彼らにあなたのみこと
ばを与えました。世は彼らを憎みました。わたしがこの世の
ものでないように、彼らもこの世のものではないからです。
（ヨハ17・14）

4 月 11 日 （朝）

**ことば数が多いところには、背きがつきもの。自分の
唇を制する者は賢い人。**(箴 10・19)

　人はだれでも、聞くのに早く、語るのに遅く、怒るのに遅
くありなさい。(ヤコ 1・19) 怒りを遅くする者は勇士にまさり、
自分の霊を治める者は町を攻め取る者にまさる。(箴 16・32) も
し、ことばで過ちを犯さない人がいたら、その人はからだ全
体も制御できる完全な人です。(ヤコ 3・2) あなたは自分のこと
ばによって義とされ、また、自分のことばによって不義に定
められるのです。(マタ 12・37) 主よ　私の口に見張りを置き　私
の唇の戸を守ってください。(詩 141・3)

　キリストも、あなたがたのために苦しみを受け、その足跡
に従うようにと、あなたがたに模範を残された。キリストは
罪を犯したことがなく、その口には欺きもなかった。ののし
られても、ののしり返さず、苦しめられても、脅すことをせ
ず、正しくさばかれる方にお任せになった。(Ⅰペテ 2・21-23) あ
なたがたは、罪人たちの、ご自分に対するこのような反抗を
耐え忍ばれた方のことを考えなさい。あなたがたの心が元気
を失い、疲れ果ててしまわないようにするためです。(ヘブ 12・
3)

　彼らの口には偽りが見出されなかった。彼らは傷のない者
たちである。(黙 14・5)

4 月 11 日 （夜）

主よ あなたの道を私に教えてください。(詩 27・11)

私は あなたが行く道で あなたを教え あなたを諭そう。あなたに目を留め 助言を与えよう。(詩 32・8) 主は いつくしみ深く正しくあられます。それゆえ 罪人に道をお教えになります。主は貧しい者を正義に歩ませ 貧しい者にご自分の道をお教えになります。(詩 25・8.9)

わたしは門です。だれでも、わたしを通って入るなら救われます。また出たり入ったりして、牧草を見つけます。(ヨハ 10・9)

イエスは彼(トマス)に言われた。「わたしが道であり、真理であり、いのちなのです。わたしを通してでなければ、だれも父のみもとに行くことはできません。」(ヨハ 14・6) 私たちはイエスの血によって大胆に聖所に入ることができます。イエスはご自分の肉体という垂れ幕を通して、私たちのために、この新しい生ける道を開いてくださいました。また私たちには、神の家を治める、この偉大な祭司がおられるのですから、‥‥全き信仰をもって真心から神に近づこうではありませんか。(ヘブ 10・19-22)

私たちは知ろう。主を知ることを切に追い求めよう。(ホセ 6・3) 主の道はみな恵みとまことです。主の契約とさとしを守る者には。(詩 25・10)

4 月 12 日 （朝）

肉によって弱くなったため、律法にできなくなったこと
を、神はしてくださいました。神はご自分の御子を、
罪深い肉と同じような形で、罪のきよめのために遣わ
し、肉において罪を処罰されたのです。(ロマ8・3)

　律法には来たるべき良きものの影はあっても、その実物は
ありません。ですから律法は、年ごとに絶えず献げられる同
じいけにえによって神に近づく人々を、完全にすることがで
きません。それができたのなら、‥‥いけにえを献げること
は終わったはずです。(ヘブ10・1.2) モーセの律法を通しては義
と認められることができなかったすべてのことについて、こ
の方(イエス)によって、信じる者はみな義と認められるので
す。(使13・38.39)

　子たちがみな血と肉を持っているので、イエスもまた同じ
ように、それらのものをお持ちになりました。それは、死の
力を持つ者、すなわち、悪魔をご自分の死によって滅ぼし、
死の恐怖によって一生涯奴隷としてつながれていた人々を解
放するためでした。当然ながら、イエスは御使いたちを助け
出すのではなく、アブラハムの子孫を助け出してくださるの
です。したがって、‥‥イエスはすべての点で兄弟たちと同
じようにならなければなりませんでした。(ヘブ2・14-17)

4 月 12 日 （夜）

すべての人は罪を犯して、神の栄光を受けることができず‥‥(ロマ 3 ・ 23)

義人はいない。一人もいない。(ロマ 3 ・ 10) この地上に、正しい人は一人もいない。善を行い、罪に陥ることのない人は。(伝 7 ・ 20) 女から生まれた者が、どうして清くあり得るだろうか。(ヨブ 25 ・ 4)

私たちは恐れる心を持とうではありませんか。神の安息に入るための約束がまだ残っているのに、あなたがたのうちのだれかが、そこに入れなかったということのないようにしましょう。(ヘブ 4 ・ 1)

私は自分の背きを知っています。私の罪は いつも私の目の前にあります。ご覧ください。私は咎ある者として生まれ罪ある者として 母は私を身ごもりました。(詩 51 ・ 3.5)

「主も、あなたの罪を取り去ってくださった。あなたは死なない。」(Ⅱサム 12 ・ 13) 義と認めた人たちにはさらに栄光をお与えになりました。(ロマ 8 ・ 30) 私たちはみな、覆いを取り除かれた顔に、鏡のように主の栄光を映しつつ、栄光から栄光へと、主と同じかたちに姿を変えられていきます。(Ⅱコリ 3 ・ 18) あなたがたは信仰に土台を据え、堅く立ち、聞いている福音の望みから外れることなく、信仰にとどまらなければなりません。(コロ 1 ・ 23)

ご自分の御国と栄光にあずかるようにと召してくださる神にふさわしく歩むよう、‥‥命じました。(Ⅰテサ 2 ・ 12)

4 月 13 日 （朝）

あなたの財産で主をあがめよ。あなたのすべての収
穫の初物で。(箴 3・9)

わずかだけ蒔く者はわずかだけ刈り入れ、豊かに蒔く者は
豊かに刈り入れます。(Ⅱコリ9・6) あなたがたはそれぞれ、い
つも週の初めの日に、収入に応じて、いくらかでも手もとに
蓄えておきなさい。(Ⅰコリ16・2)

神は不公平な方ではありませんから、あなたがたの働きや
愛を忘れたりなさいません。あなたがたは、これまで聖徒た
ちに仕え、今も仕えることによって、神の御名のために愛を
示しました。(ヘブ6・10)

兄弟たち、私は神のあわれみによって、あなたがたに勧め
ます。あなたがたのからだを、神に喜ばれる、聖なる生きた
ささげ物として献げなさい。それこそ、あなたがたにふさわ
しい礼拝です。(ロマ12・1) キリストの愛が私たちを捕らえてい
る。‥‥私たちはこう考えました。一人の人がすべての人の
ために死んだ以上、すべての人が死んだのである、と。キリ
ストはすべての人のために死なれました。それは、生きてい
る人々が、もはや自分のためにではなく、自分のために死ん
でよみがえった方のために生きるためです。(Ⅱコリ5・14.15) こ
ういうわけで、あなたがたは、食べるにも飲むにも、何をす
るにも、すべて神の栄光を現すためにしなさい。(Ⅰコリ10・31)

4 月 13 日 （夜）

そこには夜がない。(黙 21・25)

主があなたの永遠の光となり、あなたの神があなたの輝き
となる。(イザ60・19) 都は、これを照らす太陽も月も必要とし
ない。神の栄光が都を照らし、子羊が都の明かりだからであ
る。(黙21・23) 神である主が彼らを照らされるので、ともしび
の光も太陽の光もいらない。(黙22・5)

あなたがたは選ばれた種族、王である祭司、聖なる国民、
神のものとされた民です。それは、あなたがたを闇の中から、
ご自分の驚くべき光の中に召してくださった方の栄誉を、あ
なたがたが告げ知らせるためです。(Ⅰペテ2・9) 光の中にある、
聖徒の相続分にあずかる資格をあなたがたに与えてくださっ
た御父に、喜びをもって感謝をささげることができますよう
に。御父は、私たちを暗闇の力から救い出して、愛する御子
のご支配の中に移してくださいました。(コロ1・12.13) あなた
がたは以前は闇でしたが、今は、主にあって光となりました。
光の子どもとして歩みなさい。(エペ5・8)

私たちは夜の者、闇の者ではありません。(Ⅰテサ5・5)

正しい人の進む道は、あけぼのの光のようだ。いよいよ輝
きを増して真昼となる。(箴4・18)

4 月 14 日 （朝）

脂肪と髄をふるまわれたかのように 私のたましいは
満ち足りています。喜びにあふれた唇で 私の口はあ
なたを賛美します。床の上で あなたを思い起こすと
き 夜もすがら あなたのことを思い巡らすときに。

（詩 63・5.6）

神よ あなたの御思いを知るのは なんと難しいことでしょ
う。そのすべては なんと多いことでしょう。数えようとし
ても それは砂よりも数多いのです。私が目覚めるとき 私は
なおも あなたとともにいます。（詩 139・17.18）あなたのみこと
ばは 私の上あごになんと甘いことでしょう。蜜よりも私の
口に甘いのです。（詩 119・103）あなたの愛は、ぶどう酒にまさっ
て麗しい。（雅 1・2）

あなたのほかに 天では 私にだれがいるでしょう。地では
私はだれをも望みません。（詩 73・25）あなたは人の子らにま
さって麗しい。（詩 45・2）

私の愛する方が若者たちの間におられるのは、林の木々の
中のりんごの木のようです。その木陰に私は心地よく座り、
その実は私の口に甘いのです。あの方は私を酒宴の席に伴っ
てくださいました。私の上に翻る、あの方の旗じるしは愛で
した。（雅 2・3.4）その姿はレバノンのよう。その杉の木のよう
にすばらしい。その口は甘美そのもの。あの方のすべてがい
としい。これが私の愛する方、これが私の恋人です。エルサ
レムの娘たちよ。（雅 5・15.16）

4 月 14 日 （夜）

あなたの救いの喜びを私に戻してください。(詩51・12)

彼の道を見たが、それでもわたしは彼を癒やす。わたしは
彼を導いて、彼とその嘆き悲しむ者たちに、慰めを報いる。(イ
ザ57・18)
「さあ、来たれ。論じ合おう。——主は言われる——たとえ、
あなたがたの罪が緋のように赤くても、雪のように白くなる。
たとえ、紅のように赤くても、羊の毛のようになる。」(イザ1・
18)「背信の子らよ、立ち返れ。わたしがあなたがたの背信を
癒やそう。」「今、私たちはあなたのもとに参ります。あなた
こそ、私たちの神、主だからです。」(エレ3・22) 聞かせてくだ
さい。主である神の仰せを。主は 御民に 主にある敬虔な人
たちに平和を告げられます。彼らが再び愚かさに戻らないよ
うに。(詩85・8)

わがたましいよ 主をほめたたえよ。主が良くしてくださっ
たことを何一つ忘れるな。主は あなたのすべての咎を赦し
あなたのすべての病を癒やされる。(詩103・2.3) 主は私のたま
しいを生き返らせ‥‥(詩23・3) 主よ、感謝します。あなたは
私に怒られたのに、あなたの怒りは去り、私を慰めてくださっ
たからです。(イザ12・1)

私を支えてください。そうすれば私は救われ 絶えずあな
たのおきてを見つめることができます。(詩119・117)

わたし、このわたしは、わたし自身のためにあなたの背き
の罪をぬぐい去り、もうあなたの罪を思い出さない。(イザ43・
25)

4 月 15 日 （朝）

彼らを贖う方は強い。(エレ 50・34)

私は、あなたがたの背きが多く、あなたがたの罪が重いことをよく知っている。(アモ 5・12)

わたしは 一人の勇士に助けを与えた。(詩 89・19) わたしが主、あなたの救い主、あなたの贖い主、ヤコブの力強き者である。(イザ 49・26) わたしは‥‥救いをもたらす大いなる者。(イザ 63・1) あなたがたを、つまずかないように守ることができる方。(ユダ 24) 罪の増し加わるところに、恵みも満ちあふれました。(ロマ 5・20)

御子を信じる者はさばかれない。信じない者はすでにさばかれている。神のひとり子の名を信じなかったからである。(ヨハ 3・18) ご自分によって神に近づく人々を完全に救うことがおできになります。(ヘブ 7・25)

わたしの手が短くて贖うことができないのか。(イザ 50・2)

だれが、私たちをキリストの愛から引き離すのですか。‥‥私はこう確信しています。死も、いのちも、御使いたちも、支配者たちも、今あるものも、後に来るものも、力あるものも、高いところにあるものも、深いところにあるものも、そのほかのどんな被造物も、私たちの主キリスト・イエスにある神の愛から、私たちを引き離すことはできません。(ロマ 8・35. 38. 39)

4 月 15 日 （夜）

あなたは、自分のために大きなことを求めるのか。
求めるな。(エレ45・5)

わたしは心が柔和でへりくだっているから、あなたがたもわたしのくびきを負って、わたしから学びなさい。そうすれば、たましいに安らぎを得ます。(マタ11・29) キリスト・イエスのうちにあるこの思いを、あなたがたの間でも抱きなさい。キリストは、神の御姿であられるのに、神としてのあり方を捨てられないとは考えず、ご自分を空しくして、しもべの姿をとり、人間と同じようになられました。人としての姿をもって現れ、自らを低くして、死にまで、それも十字架の死にまで従われました。(ピリ2・5-8)

自分の十字架を負ってわたしに従って来ない者は、わたしにふさわしい者ではありません。(マタ10・38) キリストも、あなたがたのために苦しみを受け、その足跡に従うようにと、あなたがたに模範を残された。(Ⅰペテ2・21)

満ち足りる心を伴う敬虔こそが、大きな利益を得る道です。私たちは、何もこの世に持って来なかったし、また、何かを持って出ることもできません。衣食があれば、それで満足すべきです。(Ⅰテモ6・6-8)

私は、どんな境遇にあっても満足することを学びました。
(ピリ4・11)

4 月 16 日 （朝）

私は うろたえて言いました。「私はあなたの目の前
から断たれたのだ」と。しかし 私の願いの声をあな
たは聞かれました。私があなたに叫び求めたときに。

(詩 31・22)

　私は深い泥沼に沈み 足がかりもありません。私は大水の
底に陥り 奔流が私を押し流しています。(詩 69・2) 水は私の頭
の上にあふれ、私は「断ち切られた」と言った。「主よ、私
は御名を呼びました。穴の深みから。あなたは私の声を聞か
れました。私のうめき声に、私の叫びに、耳を閉ざさないで
ください。私があなたに呼び求めると、あなたは近づき、『恐
れるな』と言われました。」(哀 3・54-57)

　「主は いつまでも拒まれるのか。もう決して受け入れてく
ださらないのか。主の恵みは とこしえに尽き果てたのか。
約束のことばは 永久に絶えたのか。神は いつくしみを忘れ
られたのか。怒って あわれみを閉ざされたのか。」私はこう
言った。「私が弱り果てたのは いと高き方の右の手が変わっ
たからだ」と。私は 主のみわざを思い起こします。昔から
の あなたの奇しいみわざを思い起こします。(詩 77・7-11) もし
も 私が 生ける者の地で主のいつくしみを見ると信じていな
かったなら——(詩 27・13)

4 月 16 日 （夜）

彼がわたしを呼び求めれば わたしは彼に答える。
わたしは苦しみのときに彼とともにいて 彼を救い 彼
に誉れを与える。(詩91・15)

ヤベツはイスラエルの神に呼び求めて言った。「私を大い
に祝福し、私の地境を広げてくださいますように。御手が私
とともにあってわざわいから遠ざけ、私が痛みを覚えること
のないようにしてください。」神は彼の願ったことをかなえ
られた。(Ⅰ歴4・10)「あなたに何を与えようか。願え。」ソロモ
ンは神に言った。「今、知恵と知識を私に授けてください。
そうすれば、私はこの民の前に出入りいたします。」(Ⅱ歴1・7.
8.10) 神は、ソロモンに非常に豊かな知恵と英知と、海辺の
砂浜のように広い心を与えられた。(Ⅰ列4・29)

アサは自分の神、主を呼び求めて言った。「主よ、力の強
い者を助けるのも、力のない者を助けるのも、あなたには変
わりはありません。‥‥主よ、あなたは私たちの神です。人
間が、あなたに力を行使することのないようにしてくださ
い。」主はアサ‥‥の前でクシュ人を打たれた。(Ⅱ歴14・11.12)

祈りを聞かれる方よ みもとにすべての肉なる者が参りま
す。(詩65・2)

4 月 17 日 （朝）

感謝のいけにえを献げる者は わたしをあがめる。

（詩 50・23）

キリストのことばが、あなたがたのうちに豊かに住むように しなさい。知恵を尽くして互いに教え、忠告し合い、詩と 賛美と霊の歌により、感謝をもって心から神に向かって歌い なさい。ことばであれ行いであれ、何かをするときには、主 イエスによって父なる神に感謝し、すべてを主イエスの名に おいて行いなさい。（コロ3・16.17）自分のからだをもって神の 栄光を現しなさい。（Ⅰコリ6・20）

あなたがたは‥‥王である祭司‥‥です。それは、あなた がたを闇の中から、ご自分の驚くべき光の中に召してくだ さった方の栄誉を、あなたがたが告げ知らせるためです。（Ⅰ ペテ2・9）あなたがた自身も生ける石として霊の家に築き上げ られ、神に喜ばれる霊のいけにえをイエス・キリストを通し て献げる、聖なる祭司となります。（Ⅰペテ2・5）私たちはイエ スを通して、賛美のいけにえ、御名をたたえる唇の果実を、 絶えず神にささげようではありませんか。（ヘブ13・15）

私のたましいは主を誇る。貧しい者はそれを聞いて喜ぶ。 私とともに主をほめよ。一つになって 御名をあがめよう。（詩 34・2.3）

4 月 17 日 （夜）

**私を引き寄せてください。私たちはあなたの後から急
いで参ります。**(雅 1・4)

永遠の愛をもって、わたしはあなたを愛した。それゆえ、
わたしはあなたに真実の愛を尽くし続けた。(エレ 31・3) わたし
は人間の綱、愛の絆で彼らを引いてきた。(ホセ 11・4) わたしが
地上から上げられるとき、わたしはすべての人を自分のもと
に引き寄せます。(ヨハ 12・32) 見よ、神の子羊。(ヨハ 1・36)

モーセが荒野で蛇を上げたように、人の子も上げられなけ
ればなりません。それは、信じる者がみな、人の子にあって
永遠のいのちを持つためです。(ヨハ 3・14.15)

あなたのほかに 天では 私にだれがいるでしょう。地では
私はだれをも望みません。(詩 73・25) 私たちは愛しています。
神がまず私たちを愛してくださったからです。(Ⅰヨハ 4・19)

私の愛する方は、私に語りかけて言われます。「わが愛す
る者、私の美しいひとよ。さあ立って、出ておいで。ご覧、
冬は去り、雨も過ぎて行ったから。地には花が咲き乱れ、刈
り入れの季節がやって来て、山鳩の声が、私たちの国中に聞
こえる。いちじくの木は実をならせ、ぶどうの木は花をつけ
て香りを放つ。わが愛する者、私の美しいひとよ。さあ立っ
て、出ておいで。」(雅 2・10-13)

4 月 18 日 （朝）

わたしは彼らの同胞のうちから、彼らのためにあなた
のような一人の預言者を起こして、彼の口にわたしの
ことばを授ける。(申 18・18)

あのとき、私(モーセ)は主とあなたがたとの間に立ち、主
のことばをあなたがたに告げた。あなたがたが‥‥恐れたか
らである。(申 5・5) 神は唯一です。神と人との間の仲介者も唯
一であり、それは人としてのキリスト・イエスです。(Ⅰテモ 2・
5)

モーセという人は、地の上のだれにもまさって柔和であっ
た。(民 12・3) わたしは心が柔和でへりくだっているから、あ
なたがたもわたしのくびきを負って、わたしから学びなさい。
そうすれば、たましいに安らぎを得ます。(マタ 11・29) キリス
ト・イエスのうちにあるこの思いを、あなたがたの間でも抱
きなさい。キリストは、神の御姿であられるのに、神として
のあり方を捨てられないとは考えず、ご自分を空しくして、
しもべの姿をとり、人間と同じようになられました。(ピリ 2・
5-7)

モーセは、後に語られることを証しするために、神の家全
体の中でしもべとして忠実でした。しかしキリストは、御子
として神の家を治めることに忠実でした。そして、私たちが
神の家です。もし確信と、希望による誇りを持ち続けさえす
れば、そうなのです。(ヘブ 3・5.6)

4 月 18 日 （夜）

永遠の慰め。（Ⅱテサ2・16）

わたしは、あなたが若かった日々にあなたと結んだ契約を覚えて、あなたと永遠の契約を立てる。（エゼ16・60）

キリストは聖なるものとされる人々を、一つのささげ物によって永遠に完成された。（ヘブ10・14）イエスは、いつも生きていて、彼らのためにとりなしをしておられるので、ご自分によって神に近づく人々を完全に救うことがおできになります。（ヘブ7・25）私は自分が信じてきた方をよく知っており、また、その方は私がお任せしたものを、かの日まで守ることがおできになると確信している。（Ⅱテモ1・12）

神の賜物と召命は、取り消されることがない。（ロマ11・29）だれが、私たちをキリストの愛から引き離すのですか。（ロマ8・35）御座の中央におられる子羊が彼らを牧し、いのちの水の泉に導かれる。また、神は彼らの目から涙をことごとくぬぐい取ってくださる。（黙7・17）私たちは、いつまでも主とともにいることになります。ですから、これらのことばをもって互いに励まし合いなさい。（Ⅰテサ4・17.18）

さあ、立ち去れ。ここは憩いの場所ではない。（ミカ2・10）私たちは、いつまでも続く都をこの地上に持っているのではなく、むしろ来たるべき都を求めているのです。（ヘブ13・14）

4 月 19 日 （朝）

まことに、まことに、あなたがたに言います。わたし
は羊たちの門です。(ヨハ 10・7)

神殿の幕が上から下まで真っ二つに裂けた。(マタ 27・51) キ
リストも一度、罪のために苦しみを受けられました。正しい
方が正しくない者たちの身代わりになられたのです。それは、
・・・・あなたがたを神に導くためでした。(I ペテ 3・18) 第一の幕
屋が存続しているかぎり、聖所への道がまだ明らかにされて
いない。(ヘブ 9・8)

わたしは門です。だれでも、わたしを通って入るなら救わ
れます。また出たり入ったりして、牧草を見つけます。(ヨハ
10・9)

わたしを通してでなければ、だれも父のみもとに行くこと
はできません。(ヨハ 14・6) キリストを通して、私たち・・・・が、
一つの御霊によって御父に近づくことができるのです。こう
いうわけで、あなたがたは、もはや他国人でも寄留者でもな
く、聖徒たちと同じ国の民であり、神の家族なのです。(エペ 2・
18. 19) 私たちはイエスの血によって大胆に聖所に入ることが
できます。イエスはご自分の肉体という垂れ幕を通して、私
たちのために、この新しい生ける道を開いてくださいました。
(ヘブ 10・19.20) 私たちは・・・・私たちの主イエス・キリストに
よって、神との平和を持っています。このキリストによって
私たちは、信仰によって、今立っているこの恵みに導き入れ
られました。(ロマ 5・1.2)

4 月 19 日 （夜）

主のことばは私の心のうちで、骨の中に閉じ込められて、燃えさかる火のようになり、私は内にしまっておくのに耐えられません。（エレ 20・9）

そうせずにはいられないのです。福音を宣べ伝えないなら、私はわざわいです。では、私にどんな報いがあるのでしょう。それは、福音を宣べ伝えるときに無報酬で福音を提供し、福音宣教によって得る自分の権利を用いない、ということです。（Ⅰコリ 9・16.18）彼らは二人を呼んで、イエスの名によって語ることも教えることも、いっさいしてはならないと命じた。しかし、ペテロとヨハネは彼らに答えた。「‥‥私たちは、自分たちが見たことや聞いたことを話さないわけにはいきません。」（使 4・18-20）キリストの愛が私たちを捕らえている。（Ⅱコリ 5・14）

「私は怖くなり、出て行って、あなた様の一タラントを地の中に隠しておきました。」‥‥「悪い、怠け者のしもべだ。‥‥おまえは私の金を銀行に預けておくべきだった。そうすれば、私が帰って来たとき、私の物を利息とともに返してもらえたのに。」（マタ 25・25-27）

あなたの家、あなたの家族のところに帰りなさい。そして、主があなたに、どんなに大きなことをしてくださったか、どんなにあわれんでくださったかを知らせなさい。（マル 5・19）

4 月 20 日 （朝）

その聖絶の物は、一部でも、あなたの手の中にとど
まることがあってはならない。(申13・17)

　彼らの中から出て行き、彼らから離れよ。――主は言われ
る――汚れたものに触れてはならない。(Ⅱコリ6・17) 愛する者
たち、私は勧めます。あなたがたは旅人、寄留者なのですか
ら、たましいに戦いを挑む肉の欲を避けなさい。(Ⅰペテ2・11)
肉によって汚された下着さえ忌み嫌いなさい。(ユダ23)

　愛する者たち、私たちは今すでに神の子どもです。やがて
どのようになるのか、まだ明らかにされていません。しかし、
私たちは、キリストが現れたときに、キリストに似た者にな
ることは知っています。キリストをありのままに見るからで
す。キリストにこの望みを置いている者はみな、キリストが
清い方であるように、自分を清くします。(Ⅰヨハ3・2.3) すべ
ての人に救いをもたらす神の恵みが現れたのです。その恵み
は、私たちが不敬虔とこの世の欲を捨て、今の世にあって、
慎み深く、正しく、敬虔に生活し、祝福に満ちた望み、すな
わち、大いなる神であり私たちの救い主であるイエス・キリ
ストの、栄光ある現れを待ち望むように教えています。キリ
ストは、私たちをすべての不法から贖い出し、良いわざに熱
心な選びの民をご自分のものとしてきよめるため、私たちの
ためにご自分を献げられたのです。(テト2・11-14)

4 月 20 日 （夜）

「主よ、あなたはどなたですか」‥‥「わたしは ‥‥イエスである。」(使26・15)

しっかりしなさい。わたしだ。恐れることはない。(マタ14・27) あなたが水の中を過ぎるときも、わたしは、あなたとともにいる。川を渡るときも、あなたは押し流されず、火の中を歩いても、あなたは焼かれず、炎はあなたに燃えつかない。わたしはあなたの神、主、‥‥あなたの救い主であるからだ。(イザ43・2.3)

たとえ 死の陰の谷を歩むとしても 私はわざわいを恐れません。あなたが ともにおられますから。あなたのむちとあなたの杖 それが私の慰めです。(詩23・4) インマヌエル‥‥神が私たちとともにおられる。(マタ1・23)

その名をイエスとつけなさい。この方がご自分の民をその罪からお救いになるのです。(マタ1・21) もしだれかが罪を犯したなら、私たちには、御父の前でとりなしてくださる方、義なるイエス・キリストがおられます。(Ⅰヨハ2・1) だれが、私たちを罪ありとするのですか。死んでくださった方、いや、よみがえられた方であるキリスト・イエスが、神の右の座に着き、しかも私たちのために、とりなしていてくださるのです。だれが、私たちをキリストの愛から引き離すのですか。苦難ですか、苦悩ですか、迫害ですか、飢えですか、裸ですか、危険ですか、剣ですか。(ロマ8・34.35)

4 月 21 日 （朝）

主にあって堅く立ってください。(ピリ4・1)

私の足は神の歩みにつき従い、神の道を守って、それたことがない。(ヨブ23・11)

まことに　主は義を愛し　主にある敬虔な人をお見捨てにならない。彼らは永遠に保たれる。(詩37・28) 主は　すべてのわざわいからあなたを守り　あなたのたましいを守られる。(詩121・7)

「わたしの義人は信仰によって生きる。もし恐れ退くなら、わたしの心は彼を喜ばない。」しかし私たちは、恐れ退いて滅びる者ではなく、信じていのちを保つ者です。(ヘブ10・38, 39) もし仲間であったなら、私たちのもとに、とどまっていたでしょう。しかし、出て行ったのは、彼らがみな私たちの仲間でなかったことが明らかにされるためだったのです。(Ⅰヨハ2・19)

あなたがたは、わたしのことばにとどまるなら、本当にわたしの弟子です。(ヨハ8・31) 最後まで耐え忍ぶ人は救われます。(マタ24・13) 目を覚ましていなさい。堅く信仰に立ちなさい。雄々しく、強くありなさい。(Ⅰコリ16・13) 自分の冠をだれにも奪われないように、持っているものをしっかり保ちなさい。(黙3・11) 勝利を得る者は、このように白い衣を着せられる。またわたしは、その者の名をいのちの書から決して消しはしない。(黙3・5)

4 月 21 日 （夜）

エノクは神とともに歩んだ。(創 5 · 24)

約束もしていないのに、二人の者が一緒に歩くだろうか。
(アモ 3 · 3)

十字架の血によって平和をもたらし‥‥。あなたがたも、
かつては神から離れ、敵意を抱き、悪い行いの中にありまし
たが、今は、神が御子の肉のからだにおいて、その死によっ
て、あなたがたをご自分と和解させてくださいました。あな
たがたを聖なる者、傷のない者、責められるところのない者
として御前に立たせるためです。(コロ 1 · 20-22) かつては遠く
離れていたあなたがたも、今ではキリスト・イエスにあって、
キリストの血によって近い者となりました。(エペ 2 · 13)

敵であった私たちが、御子の死によって神と和解させてい
ただいたのなら、和解させていただいた私たちが、御子のい
のちによって救われるのは、なおいっそう確かなことです。
それだけではなく、私たちの主イエス・キリストによって、
私たちは神を喜んでいます。(ロマ 5 · 10.11)

私たちの交わりとは、御父また御子イエス・キリストとの
交わりです。(Ⅰヨハ 1 · 3)

主イエス・キリストの恵み、神の愛、聖霊の交わりが、あ
なたがたすべてとともにありますように。(Ⅱコリ 13 · 13)

4 月 22 日 （朝）

そのささげ物が牛の全焼のささげ物である場合には、傷のない雄を献げなければならない。その人は自分が主の前に受け入れられるように、それを会見の天幕の入り口に連れて行き、その全焼のささげ物の頭に手を置く。それがその人のための宥(なだ)めとなり、彼は受け入れられる。(レビ 1・3, 4)

神ご自身が、全焼のささげ物の羊を備えてくださる。(創 22・8) 見よ、世の罪を取り除く神の子羊。(ヨハ 1・29) イエス・キリストのからだが、ただ一度だけ献げられたことにより、私たちは聖なるものとされています。(ヘブ 10・10) 多くの人のための贖いの代価。(マタ 20・28)

だれも、わたしからいのちを取りません。わたしが自分からいのちを捨てるのです。わたしには、それを捨てる権威があり、再び得る権威があります。(ヨハ 10・18) わたしは‥‥喜びをもって彼らを愛する。(ホセ 14・4) 私を愛し、私のためにご自分を与えてくださった、神の御子。(ガラ 2・20)

神は、罪を知らない方を私たちのために罪とされました。それは、私たちがこの方にあって神の義となるためです。(Ⅱコリ 5・21) 神がその愛する方にあって私たちに与えてくださった恵み。(エペ 1・6)

4 月 22 日 （夜）

あなたの恵みは私の上に大きく あなたが私のたまし
いを よみの深みから救い出してくださる。(詩86・13)

たましいもからだもゲヘナで滅ぼすことができる方を恐れ
なさい。(マタ10・28)

恐れるな。わたしがあなたを贖ったからだ。わたしはあな
たの名を呼んだ。あなたは、わたしのもの。わたし、このわ
たしが主であり、ほかに救い主はいない。わたし、このわた
しは、わたし自身のためにあなたの背きの罪をぬぐい去り、
もうあなたの罪を思い出さない。(イザ43・1.11.25) 兄弟さえも
人は贖い出すことができない。自分の身代金を神に払うこと
はできない。たましいの贖いの代価は高く 永久にあきらめ
なくてはならない。人は いつまでも生きられるだろうか。
墓を見ないでいられるだろうか。(詩49・7-9) わたしは身代金を
見出した。(ヨブ33・24) あわれみ豊かな神は、私たちを愛して
くださったその大きな愛のゆえに、背きの中に死んでいた私
たちを、キリストとともに生かしてくださいました。(エペ2・4.
5)

この方以外には、だれによっても救いはありません。天の
下でこの御名のほかに、私たちが救われるべき名は人間に与
えられていないからです。(使4・12)

4 月 23 日 （朝）

主は私の支えとなられました。(詩 18・18)

　まことに、もろもろの丘も、山の騒ぎも、偽りでした。確かに、私たちの神、主にイスラエルの救いがあります。(エレ 3・23) 主はわが巌　わが砦　わが救い主　身を避けるわが岩　わが神。わが盾　わが救いの角　わがやぐら。(詩 18・2) シオンに住む者よ。大声をあげて喜び歌え。イスラエルの聖なる方は、あなたの中におられる大いなる方。(イザ 12・6)

　主の使いは　主を恐れる者の周りに陣を張り　彼らを助け出される。苦しむ者が叫ぶと　主は聞かれ　そのすべての苦難から救い出してくださる。(詩 34・7.17) いにしえよりの神は、住まう家。下には永遠の腕がある。(申 33・27) ですから、私たちは確信をもって言います。「主は私の助け手。私は恐れない。人が私に何ができるだろうか。」(ヘブ 13・6) 主のほかに　だれが神でしょうか。私たちの神を除いて　だれが岩でしょうか。神は私に力を帯びさせ　私の道を全きものとされます。(詩 18・31.32)

　神の恵みによって、私は今の私になりました。(Ⅰコリ 15・10)

4 月 23 日 （夜）

**私たちはみな、羊のようにさまよい、それぞれ自分
勝手な道に向かって行った。**(イザ53・6)

もし自分には罪がないと言うなら、私たちは自分自身を欺
いており、私たちのうちに真理はありません。(Ⅰヨハ1・8) 義
人はいない。一人もいない。悟る者はいない。神を求める者
はいない。すべての者が離れて行き、だれもかれも無用の者
となった。(ロマ3・10-12)

あなたがたは羊のようにさまよっていた。しかし今や、自
分のたましいの牧者であり監督者である方のもとに帰った。
(Ⅰペテ2・25) 私は 滅びる羊のようにさまよっています。どう
かこのしもべを捜してください。私はあなたの仰せを忘れま
せん。(詩119・176)

主は私のたましいを生き返らせ 御名のゆえに 私を義の道
に導かれます。(詩23・3) わたしの羊たちはわたしの声を聞き
分けます。わたしもその羊たちを知っており、彼らはわたし
について来ます。わたしは彼らに永遠のいのちを与えます。
彼らは永遠に、決して滅びることがなく、また、だれも彼ら
をわたしの手から奪い去りはしません。(ヨハ10・27.28) あなた
がたのうちのだれかが羊を百匹持っていて、そのうちの一匹
をなくしたら、その人は九十九匹を野に残して、いなくなっ
た一匹を見つけるまで捜し歩かないでしょうか。(ルカ15・4)

4 月 24 日 （朝）

**主は約束したとおりに、サラを顧みられた。主は告げ
たとおりに、サラのために行われた。**(創21・1)

民よ どんなときにも神に信頼せよ。あなたがたの心を 神
の御前に注ぎ出せ。神はわれらの避け所である。(詩62・8) ダ
ビデは自分の神、主によって奮い立った。(Ⅰサム30・6) 神は必
ずあなたがたを顧みて、あなたがたをこの地から、アブラハ
ム、イサク、ヤコブに誓われた地へ上らせてくださいます。(創
50・24)「わたし(主)は、エジプトにいるわたしの民の苦しみを
確かに見た。また彼らのうめきを聞いた。だから、彼らを救
い出すために下って来たのだ。」‥‥この人(モーセ)が人々を
導き出し、エジプトの地で、紅海で、また四十年の間荒野で、
不思議としるしを行いました。(使7・34.36) 主がイスラエルの
家に告げられた良いことは、一つもたがわず、すべて実現し
た。(ヨシ21・45)

約束してくださった方は真実な方です。(ヘブ10・23) 神が仰
せられたら、実行されないだろうか。語られたら、成し遂げ
られないだろうか。(民23・19) 天地は消え去ります。しかし、
わたしのことばは決して消え去ることがありません。(マタ24・
35) 草はしおれ、花は散る。しかし、私たちの神のことばは
永遠に立つ。(イザ40・8)

4 月 24 日 （夜）

すべての目はあなたを待ち望んでいます。(詩 145・15)

神ご自身がすべての人に、いのちと息と万物を与えておられる。(使 17・25) 主はすべてのものにいつくしみ深く そのあわれみは 造られたすべてのものの上にあります。(詩 145・9) 空の鳥を見なさい。種蒔きもせず、刈り入れもせず、倉に納めることもしません。それでも、あなたがたの天の父は養っていてくださいます。(マタ 6・26)

同じ主がすべての人の主であり、ご自分を呼び求めるすべての人に豊かに恵みをお与えになる。(ロマ 10・12)

私は山に向かって目を上げる。私の助けは どこから来るのか。(詩 121・1) まことに しもべたちの目が主人の手に向けられ 仕える女たちの目が女主人の手に向けられるように 私たちの目は私たちの神 主に向けられています。主が私たちをあわれんでくださるまで。(詩 123・2)

主が義の神であるからだ。幸いなことよ、主を待ち望むすべての者は。(イザ 30・18) その日、人は言う。「見よ。この方こそ、待ち望んでいた私たちの神。私たちを救ってくださる。この方こそ、私たちが待ち望んでいた主。その御救いを楽しみ喜ぼう。」(イザ 25・9) 私たちはまだ見ていないものを望んでいるのですから、忍耐して待ち望みます。(ロマ 8・25)

4 月 25 日 （朝）

その名をイエスとつけなさい。この方がご自分の民を
その罪からお救いになるのです。(マタ1・21)

　あなたがたが知っているとおり、キリストは罪を取り除く
ために現れた。(Ⅰヨハ3・5) それは、私たちが罪を離れ、義の
ために生きるため。(Ⅰペテ2・24) ご自分によって神に近づく
人々を完全に救うことがおできになります。(ヘブ7・25)

　彼は私たちの背きのために刺され、私たちの咎のために砕
かれたのだ。彼への懲らしめが私たちに平安をもたらし、そ
の打ち傷のゆえに、私たちは癒やされた。‥‥主は私たちす
べての者の咎を彼に負わせた。(イザ53・5.6) キリストは苦しみ
を受け、‥‥その名によって、罪の赦しを得させる悔い改め
が、あらゆる国の人々に宣べ伝えられる。(ルカ24・46.47) キリ
ストはただ一度だけ、‥‥ご自分をいけにえとして罪を取り
除くために現れてくださいました。(ヘブ9・26)

　悔い改めさせ、罪の赦しを与えるために、このイエスを導
き手、また救い主として、ご自分の右に上げられました。(使5・
31) このイエスを通して罪の赦しが宣べ伝えられているので
す。また、モーセの律法を通しては義と認められることがで
きなかったすべてのことについて、この方によって、信じる
者はみな義と認められるのです。(使13・38.39) イエスの名に
よって、あなたがたの罪が赦された。(Ⅰヨハ2・12)

4 月 25 日 （夜）

私たちの主イエス・キリスト‥‥は富んでおられたの
に、あなたがたのために貧しくなられました。それは、
あなたがたが、キリストの貧しさによって富む者とな
るためです。(Ⅱコリ 8・9)

神は、ご自分の満ち満ちたものをすべて御子のうちに宿ら
せ‥‥ることを良しとしてくださった(コロ 1・19.20) 御子は神
の栄光の輝き、また神の本質の完全な現れであり、その力あ
るみことばによって万物を保っておられます。御子は罪のき
よめを成し遂げ、いと高き所で、大いなる方の右の座に着か
れました。御子が受け継いだ御名は、御使いたちの名よりも
すばらしく、それだけ御使いよりもすぐれた方となられまし
た。(ヘブ 1・3.4) キリストは、神の御姿であられるのに、神と
してのあり方を捨てられないとは考えず、ご自分を空しくし
て、‥‥。(ピリ 2・6.7)

狐には穴があり、空の鳥には巣があるが、人の子には枕す
る所もありません。(マタ 8・20)

すべては、あなたがたのものです。パウロであれ、アポロ
であれ、ケファであれ、また世界であれ、いのちであれ、死
であれ、また現在のものであれ、未来のものであれ、すべて
はあなたがたのもの、あなたがたはキリストのもの、キリス
トは神のものです。(Ⅰコリ 3・21-23)

4 月 26 日 （朝）

あの方の左の腕が私の頭の下にあって、右の腕が私を抱いてくださる。(雅2・6)

下には永遠の腕がある。(申33・27) (ペテロは)強風を見て怖くなり、沈みかけたので、「主よ、助けてください」と叫んだ。イエスはすぐに手を伸ばし、彼をつかんで言われた。「信仰の薄い者よ、なぜ疑ったのか。」(マタ14・30.31) 主によって 人の歩みは確かにされる。主はその人の道を喜ばれる。その人は転んでも 倒れ伏すことはない。主が その人の腕を支えておられるからだ。(詩37・23.24)

主に愛されている者。彼は安らかに主のそばに住まい、主はいつも彼をかばう。彼は主の背中に負われる。(申33・12) あなたがたの思い煩いを、いっさい神にゆだねなさい。神があなたがたのことを心配してくださるからです。(Ⅰペテ5・7) あなたがたに触れる者は、わたしの瞳に触れる者。(ゼカ2・8)

彼らは永遠に、決して滅びることがなく、また、だれも彼らをわたしの手から奪い去りはしません。わたしの父がわたしに与えてくださった者は、すべてにまさって大切です。(ヨハ10・28.29)

4 月 26 日 （夜）

このひとはだれでしょう。暁のように見下ろし、月の
ように美しく、太陽のように明るく、旗を掲げた軍勢
のように恐ろしい。(雅 6・10)

神がご自分の血をもって買い取られた神の教会。(使 20・28)

キリストが教会を愛し、教会のためにご自分を献げられた
‥‥のは、みことばにより、水の洗いをもって、教会をきよ
めて聖なるものとするためであり、ご自分で、しみや、しわ
や、そのようなものが何一つない、聖なるもの、傷のないも
のとなった栄光の教会を、ご自分の前に立たせるためです。
(エペ 5・25-27)

大きなしるしが天に現れた。一人の女が太陽をまとい
‥‥。(黙 12・1) 子羊の婚礼の時が来て、花嫁は用意ができた
のだから。花嫁は、輝くきよい亜麻布をまとうことが許され
た。その亜麻布とは、聖徒たちの正しい行いである。(黙 19・7.
8) イエス・キリストを信じることによって、信じるすべて
の人に与えられる神の義です。そこに差別はありません。(ロ
マ 3・22)

わたしは、あなたが下さった栄光を彼らに与えました。(ヨ
ハ 17・22)

4 月 27 日 （朝）

兄弟たち、‥‥時は短くなっています。（Ⅰコリ7・29）

女から生まれた人間は、その齢が短く、心乱されることで満ちています。花のように咲き出てはしおれ、影のように逃げ去り、とどまることがありません。（ヨブ14・1.2）世と、世の欲は過ぎ去ります。しかし、神のみこころを行う者は永遠に生き続けます。（Ⅰヨハ2・17）アダムにあってすべての人が死んでいるように、キリストにあってすべての人が生かされるのです。「死よ、おまえの勝利はどこにあるのか。」（Ⅰコリ15・22.55）生きるとすれば主のために生き、死ぬとすれば主のために死にます。ですから、生きるにしても、死ぬにしても、私たちは主のものです。（ロマ14・8）生きることはキリスト、死ぬことは益です。（ピリ1・21）

あなたがたの確信を投げ捨ててはいけません。その確信には大きな報いがあります。あなたがたが神のみこころを行って、約束のものを手に入れるために必要なのは、忍耐です。「もうしばらくすれば、来たるべき方が来られる。遅れることはない。」（ヘブ10・35-37）夜は深まり、昼は近づいて来ました。ですから私たちは、闇のわざを脱ぎ捨て、光の武具を身に着けようではありませんか。（ロマ13・12）万物の終わりが近づきました。ですから、祈りのために、心を整え身を慎みなさい。
（Ⅰペテ4・7）

4 月 27 日 （夜）

新しい名。(黙 2・17)

　弟子たちは、アンティオキアで初めて、キリスト者と呼ばれるようになった。(使 11・26) 主の御名を呼ぶ者はみな、不義を離れよ。(Ⅱテモ 2・19) キリスト・イエスにつく者は、自分の肉を、情欲や欲望とともに十字架につけたのです。(ガラ 5・24) あなたがたは、代価を払って買い取られたのです。ですから、自分のからだをもって神の栄光を現しなさい。(Ⅰコリ 6・20)

　私たちの主イエス・キリストの十字架以外に誇りとするものが、決してあってはなりません。この十字架につけられて、世は私に対して死に、私も世に対して死にました。割礼を受けているか受けていないかは、大事なことではありません。大事なのは新しい創造です。(ガラ 6・14.15)

　愛されている子どもらしく、神に倣う者となりなさい。また、愛のうちに歩みなさい。キリストも私たちを愛して、私たちのために、ご自分を神へのささげ物、またいけにえとし、芳ばしい香りを献げてくださいました。あなたがたの間では、聖徒にふさわしく、淫らな行いも、どんな汚れも、また貪りも、口にすることさえしてはいけません。あなたがたは‥‥今は、主にあって光となりました。光の子どもとして歩みなさい。(エペ 5・1-3.8)

4 月 28 日 （朝）

見よ、神の子羊。（ヨハ 1・36）

雄牛と雄やぎの血は罪を除くことができない‥‥。ですからキリストは、この世界に来てこう言われました。「あなたは、いけにえやささげ物をお求めにならないで、わたしに、からだを備えてくださいました。全焼のささげ物や罪のきよめのささげ物を あなたは、お喜びにはなりませんでした。そのとき、わたしは申しました。『今、わたしはここに来ております。巻物の書にわたしのことが書いてあります。神よ、あなたのみこころを行うために。』」（ヘブ 10・4-7）彼は痛めつけられ、苦しんだ。だが、口を開かない。屠（ほふ）り場に引かれて行く羊のように、毛を刈る者の前で黙っている雌羊のように、彼は口を開かない。（イザ 53・7）

あなたがたが‥‥贖い出されたのは、銀や金のような朽ちる物にはよらず、傷もなく汚れもない子羊のようなキリストの、尊い血によったのです。キリストは‥‥この終わりの時に、あなたがたのために現れてくださいました。あなたがたは‥‥神を、キリストによって信じる者です。‥‥あなたがたの信仰と希望は神にかかっています。（Ⅰペテ 1・18-21）

屠（ほふ）られた子羊は、力と富と知恵と勢いと誉れと栄光と賛美を受けるにふさわしい方です。（黙 5・12）

4 月 28 日 （夜）

私は 絶えずあなたを待ち望み いよいよ切に あなた を賛美します。(詩71・14)

私は、すでに得たのでもなく、すでに完全にされているの でもありません。(ピリ3・12) 私たちは、キリストについての初 歩の教えを後にして、成熟を目指して進もうではありません か。死んだ行いからの回心、神に対する信仰‥‥など、基礎 的なことをもう一度やり直したりしないようにしましょう。 (ヘブ6・1.2) 正しい人の進む道は、あけぼのの光のようだ。い よいよ輝きを増して真昼となる。(箴4・18)

私は主を愛している。主は私の声 私の願いを聞いてくだ さる。主が私に耳を傾けてくださるので 私は生きているか ぎり主を呼び求める。(詩116・1.2) 私はあらゆるときに 主をほ めたたえる。私の口には いつも主への賛美がある。(詩34・1)

神よ 御前には静けさがあり シオンには賛美があります。 (詩65・1) 昼も夜も休みなく言い続けていた。「聖なる、聖なる、 聖なる、主なる神、全能者。」(黙4・8) 感謝のいけにえを献げ る者は わたしをあがめる。(詩50・23) いつも喜んでいなさい。 絶えず祈りなさい。すべてのことにおいて感謝しなさい。こ れが、キリスト・イエスにあって神があなたがたに望んでお られることです。(Ⅰテサ5・16-18) いつも主にあって喜びなさ い。もう一度言います。喜びなさい。(ピリ4・4)

4 月 29 日 （朝）

**主がどれほど大いなることをあなたがたになさったか
を、よく見なさい。**（I サム 12・24）

　あなたの神、主がこの四十年の間、荒野であなたを歩ませ
られたすべての道を覚えていなければならない。それは、あ
なたを苦しめて、あなたを試し、あなたがその命令を守るか
どうか、あなたの心のうちにあるものを知るためであった。
あなたは、人がその子を訓練するように、あなたの神、主が
あなたを訓練されることを知らなければならない。（申 8・2.5）

　主よ　私は知っています。あなたのさばきが正しいことと
あなたが真実をもって私を苦しめられたことを。（詩 119・75）苦
しみにあったことは　私にとって幸せでした。それにより　私
はあなたのおきてを学びました。（詩 119・71）苦しみにあう前に
は　私は迷い出ていました。しかし今は　あなたのみことばを
守ります。（詩 119・67）主は私を厳しく懲らしめられた。しかし
私を死に渡されはしなかった。（詩 118・18）(主は)私たちの罪に
したがって私たちを扱うことをせず　私たちの咎にしたがっ
て私たちに報いをされることもない。天が地上はるかに高い
ように　御恵みは　主を恐れる者の上に大きい。主は　私たち
の成り立ちを知り　私たちが土のちりにすぎないことを心に
留めてくださる。（詩 103・10.11.14）

4 月 29 日 （夜）

祝福に満ちた望み、すなわち、大いなる神であり私
たちの救い主であるイエス・キリストの、栄光ある現
れ。(テト2・13)

この希望は、安全で確かな、たましいの錨のようなもので
あり、また幕の内側にまで入って行くものです。イエスは、
私たちのために先駆けとしてそこに入り、‥‥。(ヘブ6・19,
20) 万物が改まる時まで、天にとどまっていなければなりま
せん。(使3・21) その日に主イエスは来て、ご自分の聖徒たち
の間であがめられ、信じたすべての者たちの間で感嘆の的と
なられます。(Ⅱテサ1・10)

被造物のすべては、今に至るまで、ともにうめき、ともに
産みの苦しみをしています。それだけでなく、‥‥私たち自
身も、子にしていただくこと、すなわち、私たちのからだが
贖われることを待ち望みながら、心の中でうめいています。
(ロマ8・22.23) 愛する者たち、私たちは今すでに神の子どもで
す。やがてどのようになるのか、まだ明らかにされていませ
ん。しかし、私たちは、キリストが現れたときに、キリスト
に似た者になることは知っています。キリストをありのまま
に見るからです。(Ⅰヨハ3・2) あなたがたのいのちであるキリ
ストが現れると、そのときあなたがたも、キリストとともに
栄光のうちに現れます。(コロ3・4)

「しかり、わたしはすぐに来る。」アーメン。主イエスよ、
来てください。(黙22・20)

4 月 30 日 （朝）

だれでも神のみことばを守っているなら、その人のう
ちには神の愛が確かに全うされているのです。

（Ⅰヨハ2・5）

　永遠の契約の血による羊の大牧者、私たちの主イエスを、
死者の中から導き出された平和の神が、あらゆる良いものを
もって、あなたがたを整え、みこころを行わせてくださいま
すように。また、御前でみこころにかなうことを、イエス・
キリストを通して、私たちのうちに行ってくださいますよう
に。栄光が世々限りなくイエス・キリストにありますように。
アーメン。（ヘブ13・20.21）

　もし私たちが神の命令を守っているなら、それによって、
自分が神を知っていることが分かります。（Ⅰヨハ2・3）だれで
もわたしを愛する人は、わたしのことばを守ります。そうす
れば、わたしの父はその人を愛し、わたしたちはその人のと
ころに来て、その人とともに住みます。（ヨハ14・23）キリスト
にとどまる者はだれも、罪を犯しません。罪を犯す者はだれ
も、キリストを見たこともなく、知ってもいません。幼子た
ち、だれにも惑わされてはいけません。義を行う者は、キリ
ストが正しい方であられるように、正しい人です。（Ⅰヨハ3・6.
7）こうして、愛が私たちにあって全うされました。ですから、
私たちはさばきの日に確信を持つことができます。この世に
おいて、私たちもキリストと同じようであるからです。（Ⅰヨ
ハ4・17）

4 月 30 日 （夜）

怒りを遅くする者には豊かな英知がある。(箴14・29)

主は彼の前を通り過ぎるとき、こう宣言された。「主、主は、あわれみ深く、情け深い神。怒るのに遅く、恵みとまことに富む。」(出34・6) 主は、ある人たちが遅れていると思っているように、約束したことを遅らせているのではなく、あなたがたに対して忍耐しておられるのです。だれも滅びることがなく、すべての人が悔い改めに進むことを望んでおられるのです。(Ⅱペテ3・9)

愛されている子どもらしく、神に倣う者となりなさい。また、愛のうちに歩みなさい。(エペ5・1.2) 御霊の実は、愛、喜び、平安、寛容、親切、善意、誠実、柔和、自制です。このようなものに反対する律法はありません。(ガラ5・22.23) もしだれかが不当な苦しみを受けながら、神の御前における良心のゆえに悲しみに耐えるなら、それは神に喜ばれることです。‥‥善を行って苦しみを受け、それを耐え忍ぶなら、それは神の御前に喜ばれることです。‥‥キリストも、あなたがたのために苦しみを受け、その足跡に従うようにと、あなたがたに模範を残された。ののしられても、ののしり返さず、苦しめられても、脅すことをせず、正しくさばかれる方にお任せになった。(Ⅰペテ2・19-21.23)

怒っても、罪を犯してはなりません。(エペ4・26)

— 242 —

5 月 1 日 （朝）

御霊の実は‥‥平安。(ガラ5・22)

御霊の思いはいのちと平安です。(ロマ8・6)

神は、平和を得させようとして、あなたがたを召されたのです。(Ⅰコリ7・15) わたしはあなたがたに平安を残します。わたしの平安を与えます。わたしは、世が与えるのと同じようには与えません。あなたがたは心を騒がせてはなりません。ひるんではなりません。(ヨハ14・27) どうか、希望の神が、信仰によるすべての喜びと平安であなたがたを満たし、聖霊の力によって希望にあふれさせてくださいますように。(ロマ15・13)

私は自分が信じてきた方をよく知っており、また、その方は私がお任せしたものを、かの日まで守ることがおできになると確信している。(Ⅱテモ1・12) 志の堅固な者を、あなたは全き平安のうちに守られます。その人があなたに信頼しているからです。(イザ26・3)

義が平和をつくり出し、義がとこしえの平穏と安心をもたらすとき、私の民は、平和な住まい、安全な家、安らかな憩いの場に住む。(イザ32・17.18) わたしに聞き従う者は、安全に住み、わざわいを恐れることなく、安らかである。(箴1・33)

あなたのみおしえを愛する者には 豊かな平安があります。(詩119・165)

5 月 1 日 （夜）

主はそこにおられる［アドナイ・シャンマ］。(エゼ48・35)

見よ、神の幕屋が人々とともにある。神は人々とともに住み、人々は神の民となる。神ご自身が彼らの神として、ともにおられる。(黙21・3)

私は‥‥神殿を見なかった。全能の神である主と子羊が、都の神殿だからである。都は、これを照らす太陽も月も必要としない。神の栄光が都を照らし、子羊が都の明かりだからである。(黙21・22.23)

目覚めるとき　御姿に満ち足りるでしょう。(詩17・15) あなたのほかに　天では　私にだれがいるでしょう。地では　私はだれをも望みません。(詩73・25)

ユダは永遠に、エルサレムは代々にわたって人の住む所となる。わたしは彼らの血の復讐をし、罰せずにはおかない。主はシオンに住む。(ヨエ3・20.21) 娘シオンよ、喜び歌え。楽しめ。見よ。わたしは来て、あなたのただ中に住む。——主のことば——(ゼカ2・10) もはや、のろわれるものは何もない。神と子羊の御座が都の中にあり、神のしもべたちは神に仕える。(黙22・3)

５ 月 ２ 日 （朝）

**まことに主はこの場所におられる。それなのに、私は
それを知らなかった。**(創 28・16)

二人か三人がわたしの名において集まっているところに
は、わたしもその中にいるのです。(マタ 18・20) 見よ。わたし
は世の終わりまで、いつもあなたがたとともにいます。(マタ
28・20) わたしの臨在がともに行き、あなたを休ませる。(出 33・
14)

私はどこへ行けるでしょう。あなたの御霊から離れて。ど
こへ逃れられるでしょう。あなたの御前を離れて。たとえ
私が天に上っても そこにあなたはおられ 私がよみに床を設
けても そこにあなたはおられます。(詩 139・7.8) わたしは近く
にいれば、神なのか。――主のことば――遠くにいれば、神
ではないのか。人が隠れ場に身を隠したら、わたしはその人
を見ることができないのか。――主のことば――天にも地に
も、わたしは満ちているではないか。(エレ 23・23.24)

実に、天も、天の天も、あなたをお入れすることはできま
せん。まして私が建てたこの宮など、なおさらのことです。(Ⅰ
列 8・27) いと高くあがめられ、永遠の住まいに住み、その名
が聖である方が、こう仰せられる。「わたしは、高く聖なる
所に住み、砕かれた人、へりくだった人とともに住む。へり
くだった人たちの霊を生かし、砕かれた人たちの心を生かす
ためである。」(イザ 57・15) 私たちは生ける神の宮なのです。(Ⅱ
コリ 6・16)

5　月　2　日　(夜)

偶像から自分を守りなさい。(Ⅰヨハ5・21)

　わが子よ、あなたの心をわたしにゆだねよ。(箴23・26)上に
あるものを思いなさい。地にあるものを思ってはなりません。
(コロ3・2)

　人の子よ。これらの者たちは自分たちの偶像を心の中に秘
め、自分たちを不義に引き込むものを、顔の前に置いている。
わたしは、どうして彼らに応じられるだろうか。(エゼ14・3)地
にあるからだの部分、すなわち、淫らな行い、汚れ、情欲、
悪い欲、そして貪欲を殺してしまいなさい。貪欲は偶像礼拝
です。(コロ3・5)金持ちになりたがる人たちは、誘惑と罠‥‥
に陥ります。金銭を愛することが、あらゆる悪の根だからで
す。ある人たちは金銭を追い求めたために、信仰から迷い出
て、多くの苦痛で自分を刺し貫きました。しかし、神の人よ。
あなたはこれらのことを避け‥‥なさい。(Ⅰテモ6・9-11)

　富が増えても　それに心を留めるな。(詩62・10)わたしの果
実は黄金よりも、純金よりも良く、わたしの産物は選り抜き
の銀にまさる。(箴8・19)

　あなたの宝のあるところ、そこにあなたの心もあるのです。
(マタ6・21)主は心を見る。(Ⅰサム16・7)

5 月 3 日 （朝）

あなたがたの天の父が完全であるように、完全であ りなさい。(マタ5・48)

わたしは全能の神である。あなたはわたしの前に歩み、全き者であれ。(創17・1) あなたがたは、わたしにとって聖でなければならない。主であるわたしが聖だからである。わたしは、あなたがたをわたしのものにしようと、諸民族の中から選り分けたのである。(レビ20・26)

あなたがたは、代価を払って買い取られたのです。ですから、自分のからだをもって神の栄光を現しなさい。(Ⅰコリ6・20)

あなたがたは、キリストにあって満たされているのです。キリストはすべての支配と権威のかしらです。(コロ2・10) キリストは、私たちをすべての不法から贖い出す‥‥ためにご自分を献げられたのです。(テト2・14) しみも傷もない者として平安のうちに神に見出していただけるように努力しなさい。(Ⅱペテ3・14)

幸いなことよ 全き道を行く人々 主のみおしえに歩む人々。(詩119・1) 自由をもたらす完全な律法を一心に見つめて、それから離れない人は、すぐに忘れる聞き手にはならず、実際に行う人になります。(ヤコ1・25) 神よ 私を探り 私の心を知ってください。私を調べ 私の思い煩いを知ってください。私のうちに 傷のついた道があるかないかを見て 私をとこしえの道に導いてください。(詩139・23.24)

5 月 3 日 （夜）

神を恐れつつ聖さを全うしようではありませんか。

（Ⅱコリ7・1）

愛する者たち。・・・・肉と霊の一切の汚れから自分をきよめ・・・・ようではありませんか。（Ⅱコリ7・1）

あなたは心のうちの真実を喜ばれます。どうか私の心の奥に　知恵を教えてください。（詩51・6）不敬虔とこの世の欲を捨て、今の世にあって、慎み深く、正しく、敬虔に生活し、・・・・（テト2・12.13）あなたがたの光を人々の前で輝かせなさい。人々があなたがたの良い行いを見て、天におられるあなたがたの父をあがめるようになるためです。（マタ5・16）私は、すでに得たのでもなく、すでに完全にされているのでもありません。（ピリ3・12）

キリストにこの望みを置いている者はみな、キリストが清い方であるように、自分を清くします。（Ⅰヨハ3・3）

そうなるのにふさわしく私たちを整えてくださったのは、神です。神はその保証として御霊を下さいました。（Ⅱコリ5・5）それは、聖徒たちを整えて奉仕の働きをさせ、キリストのからだを建て上げるためです。私たちはみな、神の御子に対する信仰と知識において一つとなり、一人の成熟した大人となって、キリストの満ち満ちた身丈にまで達するのです。（エペ4・12.13）

5 月 4 日 （朝）

見よ。主の手が短くて救えないのではない。その耳
が遠くて聞こえないのではない。(イザ59・1)

私が呼んだその日に あなたは私に答え 私のたましいに力
を与えて強くされました。(詩138・3) 私がまだ祈りの中で語っ
ていたとき、私が初めに幻の中で見たあの人ガブリエルが、
すばやく飛んで来て私に近づいた。それは夕方のささげ物を
献げるころであった。(ダニ9・21)

どうか 御顔を私に隠さないでください。あなたのしもべ
を 怒って 押しのけないでください。あなたは私の助けです。
見放さないでください。見捨てないでください。私の救いの
神よ。(詩27・9) 主よ あなたは離れないでください。私の力よ
早く助けに来てください。(詩22・19)

ああ、神、主よ、ご覧ください。あなたは大いなる力と、
伸ばされた御腕をもって天と地を造られました。あなたに
とって不可能なことは一つもありません。(エレ32・17) 神は、
それほど大きな死の危険から私たちを救い出してくださいま
した。これからも救い出してくださいます。私たちはこの神
に希望を置いています。(Ⅱコリ1・10) 神は、昼も夜も神に叫び
求めている、選ばれた者たちのためにさばきを行わないで、
いつまでも放っておかれることがあるでしょうか。あなたが
たに言いますが、神は彼らのため、速やかにさばきを行って
くださいます。(ルカ18・7.8)

5 月 4 日 （夜）

わたしは地上であなたの栄光を現しました。(ヨハ17・4)

わたしの食べ物とは、わたしを遣わされた方のみこころを行い、そのわざを成し遂げることです。(ヨハ4・34) わたしたちは、わたしを遣わされた方のわざを、昼のうちに行わなければなりません。だれも働くことができない夜が来ます。(ヨハ9・4)

「わたしが自分の父の家にいるのは当然であることを、ご存じなかったのですか。」しかし両親には、イエスの語られたことばが理解できなかった。(ルカ2・49.50)「この病気は死で終わるものではなく、神の栄光のためのものです。それによって神の子が栄光を受けることになります。」(ヨハ11・4)「信じるなら神の栄光を見る、とあなたに言ったではありませんか。」(ヨハ11・40)

イエスは神と人とにいつくしまれ、知恵が増し加わり、背たけも伸びていった。(ルカ2・52) あなたはわたしの愛する子。わたしはあなたを喜ぶ。(ルカ3・22) 人々はみなイエスをほめ、その口から出て来る恵みのことばに驚いた。(ルカ4・22)

あなたは‥‥ふさわしい方です。あなたは屠られて、すべての部族、言語、民族、国民の中から、あなたの血によって人々を神のために贖い、私たちの神のために、彼らを王国とし、祭司とされました。彼らは地を治めるのです。(黙5・9.10)

5 月 5 日 （朝）

何を食べようか、何を飲もうか、何を着ようかと言って、心配しなくてよいのです。‥‥あなたがたにこれらのものすべてが必要であることは、あなたがたの天の父が知っておられます。(マタ6・31. 32)

主を恐れよ。主の聖徒たちよ。主を恐れる者には 乏しいことがないからだ。若い獅子も乏しくなり 飢える。しかし 主を求める者は 良いものに何一つ欠けることがない。(詩34・9. 10) 主は‥‥誠実に歩む者に良いものを拒まれません。万軍の主よ なんと幸いなことでしょう。あなたに信頼する人は。(詩84・11. 12)

あなたがたが思い煩わないように、と私は願います。(Iコリ7・32) 何も思い煩わないで、あらゆる場合に、感謝をもってささげる祈りと願いによって、あなたがたの願い事を神に知っていただきなさい。(ピリ4・6)

二羽の雀は一アサリオンで売られているではありませんか。そんな雀の一羽でさえ、あなたがたの父の許しなしに地に落ちることはありません。あなたがたの髪の毛さえも、すべて数えられています。ですから恐れてはいけません。あなたがたは多くの雀よりも価値があるのです。(マタ10・29-31) どうして怖がるのですか。まだ信仰がないのですか。(マル4・40) 神を信じなさい。(マル11・22)

5 月 5 日 （夜）

主は 雲を広げて仕切りの幕とし 夜には火を与えて照らされた。(詩105・39)

父がその子をあわれむように 主は ご自分を恐れる者をあわれまれる。主は 私たちの成り立ちを知り 私たちが土のちりにすぎないことを心に留めてくださる。(詩103・13.14)

昼も 日があなたを打つことはなく 夜も 月があなたを打つことはない。(詩121・6) その仮庵は昼に暑さを避ける陰となり、嵐と雨から逃れる避け所、また隠れ家となる。(イザ4・6)

主はあなたを守る方。主はあなたの右の手をおおう陰。主はあなたを 行くにも帰るにも 今よりとこしえまでも守られる。(詩121・5.8) 主は、昼は、途上の彼らを導くため雲の柱の中に、また夜は、彼らを照らすため火の柱の中にいて、彼らの前を進まれた。彼らが昼も夜も進んで行くためであった。昼はこの雲の柱が、夜はこの火の柱が、民の前から離れることはなかった。(出13・21.22)

イエス・キリストは、昨日も今日も、とこしえに変わることがありません。(ヘブ13・8)

5 月 6 日 （朝）

恵みとまことは ともに会い 義と平和は口づけします。

（詩85・10）

正しい神、救い主。(イザ45・21)

主はご自分の義のために望まれた。みおしえを広め、これを輝かすことを。(イザ42・21)

神はキリストにあって、この世をご自分と和解させ、背きの責任を人々に負わせず、‥‥(Ⅱコリ5・19) この方を、信仰によって受けるべき、血による宥めのささげ物として公に示されました。ご自分の義を明らかにされるためです。神は忍耐をもって、これまで犯されてきた罪を見逃してこられたのです。すなわち、ご自分が義であり、イエスを信じる者を義と認める方であることを示すため、今この時に、ご自分の義を明らかにされたのです。(ロマ3・25.26) 彼は私たちの背きのために刺され、私たちの咎のために砕かれたのだ。彼への懲らしめが私たちに平安をもたらし、その打ち傷のゆえに、私たちは癒やされた。(イザ53・5) だれが、神に選ばれた者たちを訴えるのですか。神が義と認めてくださるのです。(ロマ8・33) 働きがない人であっても、不敬虔な者を義と認める方を信じる人には、その信仰が義と認められます。(ロマ4・5)

5 月 6 日 （夜）

**死者はどのようにしてよみがえるのか。どのようなか
らだで来るのか。**（Ⅰコリ 15・35）

愛する者たち、私たちは今すでに神の子どもです。やがて
どのようになるのか、まだ明らかにされていません。しかし、
私たちは、キリストが現れたときに、キリストに似た者にな
ることは知っています。キリストをありのままに見るからで
す。（Ⅰヨハ 3・2）私たちは、土で造られた人のかたちを持って
いたように、天に属する方のかたちも持つことになるのです。
（Ⅰコリ 15・49）

キリストは、万物をご自分に従わせることさえできる御力
によって、私たちの卑しいからだを、ご自分の栄光に輝くか
らだと同じ姿に変えてくださいます。（ピリ 3・21）

イエスご自身が彼らの真ん中に立ち、「平安があなたがた
にあるように」と言われた。彼らはおびえて震え上がり、幽
霊を見ているのだと思った。（ルカ 24・36.37）ケファに現れ、そ
れから十二弟子に現れ‥‥その後、キリストは五百人以上の
兄弟たちに同時に現れました。（Ⅰコリ 15・5.6）

イエスを死者の中からよみがえらせた方の御霊が、あなた
がたのうちに住んでおられるなら、キリストを死者の中から
よみがえらせた方は、あなたがたのうちに住んでおられるご
自分の御霊によって、あなたがたの死ぬべきからだも生かし
てくださいます。（ロマ 8・11）

5 月 7 日 （朝）

**戦争や戦争のうわさを聞くことになりますが、気をつ
けて、うろたえないようにしなさい。**(マタ 24・6)

神は われらの避け所 また力。苦しむとき そこにある強
き助け。それゆえ われらは恐れない。たとえ地が変わり 山々
が揺れ 海のただ中に移るとも。たとえその水が立ち騒ぎ 泡
立っても その水かさが増し 山々が揺れ動いても。(詩 46・1-3)
さあ、私の民よ。あなたの部屋に入り、うしろの戸を閉じよ。
憤りが過ぎるまで、ほんのしばらく身を隠せ。それは、主が
まさにご自分のところから出て、地に住む者の咎を罰せられ
るからだ。(イザ 26・20. 21) 私は 滅びが過ぎ去るまで 御翼の陰
に身を避けます。(詩 57・1) あなたがたのいのちは、キリスト
とともに神のうちに隠されているのです。(コロ 3・3)

その人は悪い知らせを恐れず 主に信頼して 心は揺るがな
い。(詩 112・7)

これらのことをあなたがたに話したのは、あなたがたがわ
たしにあって平安を得るためです。世にあっては苦難があり
ます。しかし、勇気を出しなさい。わたしはすでに世に勝ち
ました。(ヨハ 16・33)

5 月 7 日 （夜）

彼らは あなたが打たれた者を迫害します。(詩69・26)

つまずきが起こるのは避けられませんが、つまずきをもたらす者はわざわいです。(ルカ17・1) 神が定めた計画と神の予知によって引き渡されたこのイエスを、あなたがたは律法を持たない人々の手によって十字架につけて殺したのです。(使2・23) 彼らはイエスの顔に唾をかけ、拳で殴った。また、ある者たちはイエスを平手で打って、「当ててみろ、キリスト。おまえを打ったのはだれだ」と言った。(マタ26・67.68) 同じように祭司長たちも、律法学者たち、長老たちと一緒にイエスを嘲って言った。「他人は救ったが、自分は救えない。彼はイスラエルの王だ。今、十字架から降りてもらおう。」(マタ27・41.42) 事実、ヘロデとポンティオ・ピラトは、異邦人たちやイスラエルの民とともに、あなたが油を注がれた、あなたの聖なるしもベイエスに逆らってこの都に集まり、あなたの御手とご計画によって、起こるように前もって定められていたことすべてを行いました。(使4・27.28)

まことに、彼は私たちの病を負い、私たちの痛みを担った。それなのに、私たちは思った。神に罰せられ、打たれ、苦しめられたのだと。(イザ53・4)

— 256 —

5 月 8 日 （朝）

彼を砕いて病を負わせることは主のみこころであった。(イザ53・10)

「今わたしの心は騒いでいる。何と言おうか。『父よ、この時からわたしをお救いください』と言おうか。いや、このためにこそ、わたしはこの時に至ったのだ。父よ、御名の栄光を現してください。」すると、天から声が聞こえた。「わたしはすでに栄光を現した。わたしは再び栄光を現そう。」(ヨハ12・27.28)「父よ、みこころなら、この杯をわたしから取り去ってください。しかし、わたしの願いではなく、みこころがなりますように。」(ルカ22・42.43)

キリストは‥‥人としての姿をもって現れ、自らを低くして、死にまで、それも十字架の死にまで従われました。(ピリ2・7.8) わたしが再びいのちを得るために自分のいのちを捨てるからこそ、父はわたしを愛してくださいます。(ヨハ10・17) わたしが天から下って来たのは、自分の思いを行うためではなく、わたしを遣わされた方のみこころを行うためです。(ヨハ6・38) 父がわたしに下さった杯を飲まずにいられるだろうか。(ヨハ18・11)

わたしを遣わした方は‥‥わたしを一人残されることはありません。わたしは、その方が喜ばれることをいつも行うからです。(ヨハ8・29) これはわたしの愛する子。わたしはこれを喜ぶ。(マタ3・17) わたしの心が喜ぶ、わたしの選んだ者。(イザ42・1)

5 月 8 日 （夜）

黙っていてはならない。思い起こしていただこうと主
に求める者たちよ。(イザ62・6)

あなたは‥‥私たちの神のために、彼らを王国とし、祭司
とされました。(黙5・9.10) 祭司であるアロンの子らがラッパを
吹かなければならない。これはあなたがたにとって、代々に
わたる永遠の掟である。また、あなたがたの地で、自分たち
を襲う侵略者との戦いに出るときには、ラッパを短く大きく
吹き鳴らす。あなたがたが、自分たちの神、主の前に覚えら
れ、敵から救われるためである。(民10・8.9)

彼らの声は聞き届けられ、彼らの祈りは、主の聖なる御住
まいである天に届いた。(Ⅱ歴30・27) 主の目は 正しい人たちの
上にあり 主の耳は 彼らの叫びに傾けられる。(詩34・15) 互い
のために祈りなさい。正しい人の祈りは、働くと大きな力が
あります。(ヤコ5・16)

主イエスよ、来てください。(黙22・20) わが神よ 遅れない
でください。(詩40・17)

神の日が来るのを待ち望み、到来を早めなければなりませ
ん。(Ⅱペテ3・12)

5 月 9 日 （朝）

**信仰は、望んでいることを保証し、目に見えないもの
を確信させるものです。**(ヘブ 11・1)

　もし私たちが、この地上のいのちにおいてのみ、キリスト
に望みを抱いているのなら、私たちはすべての人の中で一番
哀れな者です。(Ⅰコリ 15・19)

　目が見たことのないもの、耳が聞いたことのないもの、人
の心に思い浮かんだことがないものを、神は、神を愛する者
たちに備えてくださった。(Ⅰコリ 2・9) あなたがたも‥‥信じ
たことにより、約束の聖霊によって証印を押されました。聖
霊は私たちが御国を受け継ぐことの保証です。このことは、
私たちが贖われて神のものとされ、神の栄光がほめたたえら
れるためです。(エペ 1・13, 14)

　イエスは彼(トマス)に言われた。「あなたはわたしを見たか
ら信じたのですか。見ないで信じる人たちは幸いです。」(ヨハ
20・29) あなたがたはイエス・キリストを見たことはないけれ
ども愛しており、今見てはいないけれども信じており、こと
ばに尽くせない、栄えに満ちた喜びに躍っています。あなた
がたが、信仰の結果であるたましいの救いを得ているからで
す。(Ⅰペテ 1・8, 9)

　私たちは見えるものによらず、信仰によって歩んでいます。
(Ⅱコリ 5・7) ですから、あなたがたの確信を投げ捨ててはいけ
ません。その確信には大きな報いがあります。(ヘブ 10・35)

5 月 9 日 (夜)

わたしだ。恐れることはない。(ヨハ6・20)

この方を見たとき、私は死んだ者のように、その足もとに
倒れ込んだ。すると、その方は私の上に右手を置いて言われ
た。「恐れることはない。わたしは初めであり、終わりであり、
生きている者である。わたしは死んだが、見よ、世々限りな
く生きている。また、死とよみの鍵を持っている。」(黙1・17.
18) わたし、このわたしは、わたし自身のためにあなたの背
きの罪をぬぐい去り、もうあなたの罪を思い出さない。(イザ
43・25)

私(イザヤ)は言った。「ああ、私は滅んでしまう。‥‥万軍
の主である王をこの目で見たのだから。」すると、私のもと
にセラフィムのひとりが飛んで来た。その手には、祭壇の上
から火ばさみで取った、燃えさかる炭があった。彼は、私の
口にそれを触れさせて言った。「見よ。これがあなたの唇に
触れたので、あなたの咎は取り除かれ、あなたの罪も赦され
た。」(イザ6・5-7) わたしは、あなたの背きを雲のように、あな
たの罪をかすみのように消し去った。わたしに帰れ。わたし
があなたを贖ったからだ。(イザ44・22)

もしだれかが罪を犯したなら、私たちには、御父の前でと
りなしてくださる方、義なるイエス・キリストがおられます。
(Ⅰヨハ2・1)

5 月 10 日 （朝）

悪魔のわざを打ち破るために、神の御子が現れました。(Iヨハ3・8)

　私たちの格闘は血肉に対するものではなく、支配、力、この暗闇の世界の支配者たち、また天上にいるもろもろの悪霊に対するものです。(エペ6・12) 子たちがみな血と肉を持っているので、イエスもまた同じように、それらのものをお持ちになりました。それは、死の力を持つ者、すなわち、悪魔をご自分の死によって滅ぼすためでした。(ヘブ2・14.15) 様々な支配と権威の武装を解除し、それらをキリストの凱旋の行列に捕虜として加えて、さらしものにされました。(コロ2・15) 私は、大きな声が天でこう言うのを聞いた。「今や、私たちの神の救いと力と王国と、神のキリストの権威が現れた。私たちの兄弟たちの告発者、昼も夜も私たちの神の御前で訴える者が、投げ落とされたからである。兄弟たちは、子羊の血と、自分たちの証しのことばのゆえに竜に打ち勝った。彼らは死に至るまでも自分のいのちを惜しまなかった。」(黙12・10.11)

　神に感謝します。神は、私たちの主イエス・キリストによって、私たちに勝利を与えてくださいました。(Iコリ15・57)

5 月 10 日 （夜）

空の空。すべては空。(伝1・2)

　私たちは 自分の齢を一息のように 終わらせます。私たち
の齢は七十年。健やかであっても八十年。そのほとんどは
労苦とわざわいです。瞬く間に時は過ぎ 私たちは飛び去り
ます。(詩90・9.10)

　もし私たちが、この地上のいのちにおいてのみ、キリスト
に望みを抱いているのなら、私たちはすべての人の中で一番
哀れな者です。(Ⅰコリ15・19) 私たちは、いつまでも続く都を
この地上に持っているのではなく、むしろ来たるべき都を求
めているのです。(ヘブ13・14) 主であるわたしは変わること
がない。(マラ3・6) 私たちの国籍は天にあります。そこから主イ
エス・キリストが救い主として来られるのを、私たちは待ち
望んでいます。キリストは、万物をご自分に従わせることさ
えできる御力によって、私たちの卑しいからだを、ご自分の
栄光に輝くからだと同じ姿に変えてくださいます。(ピリ3・20.
21) 被造物が虚無に服したのは、自分の意志からではなく、
服従させた方によるものなので、彼らには望みがあるのです。
(ロマ8・20)

　イエス・キリストは、昨日も今日も、とこしえに変わるこ
とがありません。(ヘブ13・8) 聖なる、聖なる、聖なる、主なる
神、全能者。昔おられ、今もおられ、やがて来られる方。(黙4・
8)

5 月 11 日 (朝)

**目を覚まして正しい生活を送り、罪を犯さないように
しなさい。**(Ⅰコリ15・34)

あなたがたはみな、光の子ども、昼の子どもなのです。
‥‥ですから、ほかの者たちのように眠っていないで、目を
覚まし、身を慎んでいましょう。(Ⅰテサ5・5.6)

あなたがたが眠りからさめるべき時刻が、もう来ているの
です。私たちが信じたときよりも、今は救いがもっと私たち
に近づいているのですから。夜は深まり、昼は近づいて来ま
した。ですから私たちは、闇のわざを脱ぎ捨て、光の武具を
身に着けようではありませんか。(ロマ13・11.12) 邪悪な日に際
して対抗できるように、また、一切を成し遂げて堅く立つこ
とができるように、神のすべての武具を取りなさい。(エペ6・
13) あなたがたが行ったすべての背きを、あなたがたの中か
ら放り出せ。このようにして、新しい心と新しい霊を得よ。(エ
ゼ18・31) すべての汚れやあふれる悪を捨て去り、心に植えつ
けられたみことばを素直に受け入れなさい。みことばは、あ
なたがたのたましいを救うことができます。(ヤコ1・21) さあ、
子どもたち、キリストのうちにとどまりなさい。そうすれば、
キリストが現れるとき、私たちは確信を持つことができ、来
臨のときに御前で恥じることはありません。あなたがたは、
神が正しい方であると知っているなら、義を行う者もみな神
から生まれたことが分かるはずです。(Ⅰヨハ2・28.29)

5 月 11 日 （夜）

わたしの羊たちはわたしの声を聞き分けます。

(ヨハ 10・27)

見よ、わたしは戸の外に立ってたたいている。だれでも、わたしの声を聞いて戸を開けるなら、わたしはその人のところに入って彼とともに食事をし、彼もわたしとともに食事をする。(黙 3・20)

私は眠っていましたが、心は目覚めていました。すると声がしました。私の愛する方が戸をたたいています。「わが妹、わが愛する者よ。私の鳩よ。汚れのないひとよ。戸を開けておくれ。」(雅 5・2) 愛する方のために戸を開けると、愛する方は、背を向けて去って行きました。私は、あの方のことばで気を失うばかりでした。あの方を捜しても、見つけることができませんでした。あの方を呼んでも、あの方は答えられませんでした。(雅 5・6)

お話しください。しもべは聞いております。(Ⅰサム 3・10) イエスはその場所に来ると、上を見上げて彼に言われた。「ザアカイ、急いで降りて来なさい。わたしは今日、あなたの家に泊まることにしているから。」ザアカイは急いで降りて来て、喜んでイエスを迎えた。(ルカ 19・5.6) 聞かせてください。主である神の仰せを。主は 御民に 主にある敬虔な人たちに平和を告げられます。彼らが再び愚かさに戻らないように。

(詩 85・8)

5 月 12 日 （朝）

愛する者たち。私たちは互いに愛し合いましょう。愛は神から出ているのです。愛がある者はみな神から生まれ、神を知っています。(Ⅰヨハ4・7)

私たちに与えられた聖霊によって、神の愛が私たちの心に注がれている。(ロマ5・5) あなたがたは、人を再び恐怖に陥れる、奴隷の霊を受けたのではなく、子とする御霊を受けたのです。この御霊によって、私たちは「アバ、父」と叫びます。御霊ご自身が、私たちの霊とともに、私たちが神の子どもであることを証ししてくださいます。(ロマ8・15.16) 神の御子を信じる者は、その証しを自分のうちに持っています。(Ⅰヨハ5・10)

神はそのひとり子を世に遣わし、その方によって私たちにいのちを得させてくださいました。それによって神の愛が私たちに示されたのです。(Ⅰヨハ4・9) このキリストにあって、私たちはその血による贖い、背きの罪の赦しを受けています。これは神の豊かな恵みによることです。(エペ1・7) それは、キリスト・イエスにあって私たちに与えられた慈愛によって、この限りなく豊かな恵みを、来たるべき世々に示すためでした。(エペ2・7)

愛する者たち。神がこれほどまでに私たちを愛してくださったのなら、私たちもまた、互いに愛し合うべきです。(Ⅰヨハ4・11)

5 月 12 日 （夜）

嘲（あざけ）りが私の心を打ち砕き・・・・（詩 69・20）

この人は大工の息子ではないか。（マタ 13・55） ナザレから何か良いものが出るだろうか。（ヨハ 1・46） あなたはサマリア人で悪霊につかれている、と私たちが言うのも当然ではないか。（ヨハ 8・48） 彼は悪霊どものかしらによって悪霊どもを追い出しているのだ。（マタ 9・34） 私たちはあの人が罪人であることを知っているのだ。（ヨハ 9・24） この人は神を冒瀆している。（マタ 9・3） 見ろ、大食いの大酒飲み、取税人や罪人の仲間だ。（マタ 11・19）

弟子は師のように、しもべは主人のようになれば十分です。（マタ 10・25） もしだれかが不当な苦しみを受けながら、神の御前における良心のゆえに悲しみに耐えるなら、それは神に喜ばれることです。・・・・このためにこそ、あなたがたは召されました。キリストも、あなたがたのために苦しみを受け、その足跡に従うようにと、あなたがたに模範を残された。キリストは罪を犯したことがなく、その口には欺きもなかった。ののしられても、ののしり返さず、苦しめられても、脅すことをせず、正しくさばかれる方にお任せになった。（Ⅰ ペテ 2・19.21-23） もしキリストの名のためにののしられるなら、あなたがたは幸いです。（Ⅰ ペテ 4・14）

5 月 13 日 （朝）

**男たちは怒ったり言い争ったりせずに、どこででも、
きよい手を上げて祈りなさい。**（Ⅰテモ2・8）

　まことの礼拝者たちが、御霊と真理によって父を礼拝する
‥‥。父はそのような人たちを、ご自分を礼拝する者として
求めておられるのです。神は霊ですから、神を礼拝する人は、
御霊と真理によって礼拝しなければなりません。（ヨハ4・23.
24）あなたが呼ぶと主は答え、あなたが叫び求めると、「わた
しはここにいる」と主は言う。（イザ58・9）祈るために立ち上が
るとき、だれかに対し恨んでいることがあるなら、赦しなさ
い。（マル11・25）

　信仰がなければ、神に喜ばれることはできません。神に近
づく者は、神がおられることと、神がご自分を求める者には
報いてくださる方であることを、信じなければならないので
す。（ヘブ11・6）ただし、少しも疑わずに、信じて求めなさい。
疑う人は、風に吹かれて揺れ動く、海の大波のようです。そ
の人は、主から何かをいただけると思ってはなりません。（ヤ
コ1・6.7）

　もしも不義を　私が心のうちに見出すなら　主は聞き入れて
くださらない。（詩66・18）私の子どもたち。私がこれらのこと
を書き送るのは、あなたがたが罪を犯さないようになるため
です。しかし、もしだれかが罪を犯したなら、私たちには、
御父の前でとりなしてくださる方、義なるイエス・キリスト
がおられます。（Ⅰヨハ2・1）

5 月 13 日 （夜）

私の胸は激しく鼓動し 私の力は私を見捨てました。

(詩38・10)

神よ 私の叫びを聞き 私の祈りに耳を傾けてください。私の心が衰え果てるとき 私は地の果てから あなたを呼び求めます。どうか 及びがたいほど高い岩の上に 私を導いてください。(詩61・1.2)

主は、「わたしの恵みはあなたに十分である。わたしの力は弱さのうちに完全に現れるからである」と言われました。‥‥ですから私は、キリストのゆえに、弱さ、侮辱、苦悩、迫害、困難を喜んでいます。というのは、私が弱いときにこそ、私は強いからです。(Ⅱコリ12・9.10)

(ペテロは)強風を見て怖くなり、沈みかけたので、「主よ、助けてください」と叫んだ。イエスはすぐに手を伸ばし、彼をつかんで言われた。「信仰の薄い者よ、なぜ疑ったのか。」(マタ14・30.31)もしあなたが苦難の日に気落ちしたら、あなたの力は弱い。(箴24・10)(主は)疲れた者には力を与え、精力のない者には勢いを与えられる。(イザ40・29)いにしえよりの神は、住まう家。下には永遠の腕がある。(申33・27)神の栄光の支配により、あらゆる力をもって強くされ、どんなことにも忍耐し、寛容でいられますように。(コロ1・11)

5 月 14 日 （朝）

キリストの苦難にもあずかって‥‥(ピリ3・10)

弟子は師のように、しもべは主人のようになれば十分です。
(マタ10・25)

彼は蔑まれ、人々からのけ者にされ、悲しみの人で、病を
知っていた。人が顔を背けるほど蔑まれ、私たちも彼を尊ば
なかった。(イザ53・3) 世にあっては苦難があります。(ヨハ16・
33) あなたがたは世のものではありません。わたしが世から
あなたがたを選び出したのです。そのため、世はあなたがた
を憎むのです。(ヨハ15・19)

私が同情者を求めても それはなく‥‥(詩69・20) 私の最初
の弁明の際、だれも私を支持してくれず、みな私を見捨てて
しまいました。(Ⅱテモ4・16)

狐には穴があり、空の鳥には巣があるが、人の子には枕す
るところもありません。(マタ8・20) 私たちは、いつまでも続く
都をこの地上に持っているのではなく、むしろ来たるべき都
を求めているのです。(ヘブ13・14)

私たちも、‥‥自分の前に置かれている競走を、忍耐をもっ
て走り続けようではありませんか。信仰の創始者であり完成
者であるイエスから、目を離さないでいなさい。この方は、
ご自分の前に置かれた喜びのために、辱めをものともせずに
十字架を忍び、神の御座の右に着座されたのです。(ヘブ12・1.2)

5 月 14 日 （夜）

兄弟たちは、子羊の血‥‥のゆえに‥‥打ち勝った。

（黙 12・11）

　だれが、神に選ばれた者たちを訴えるのですか。神が義と
認めてくださるのです。（ロマ8・33）いのちとして宥（なだ）めを
行うのは血である。（レビ17・11）わたしは主である。その血は、
あなたがたがいる家の上で、あなたがたのためにしるしとな
る。わたしはその血を見て、あなたがたのところを過ぎ越す。
（出 12・12.13）

　こういうわけで、今や、キリスト・イエスにある者が罪に
定められることは決してありません。（ロマ8・1）

　「この白い衣を身にまとった人たちはだれですか。どこから
来たのですか。」‥‥「この人たちは大きな患難を経てきた
者たちで、その衣を洗い、子羊の血で白くしたのです。」（黙7・
13.14）

　私たちを愛し、その血によって私たちを罪から解き放ち、
また、ご自分の父である神のために、私たちを王国とし、祭
司としてくださった方に、栄光と力が世々限りなくあるよう
に。アーメン。（黙1・5.6）

5 月 15 日 （朝）

**神は彼らの目から涙をことごとくぬぐい取ってくださ
る。もはや死はなく、悲しみ‥‥もない。以前のも
のが過ぎ去ったからである。**(黙 21・4)

（主は）永久に死を呑み込まれる。神である主は、すべての顔
から涙をぬぐい取り、全地の上からご自分の民の恥辱を取り
除かれる。主がそう語られたのだ。(イザ 25・8) あなたの太陽は
もう沈むことがなく、あなたの月は陰ることがない。主があ
なたの永遠の光となり、あなたの嘆き悲しむ日が終わるから
である。(イザ 60・20) そこに住む者は「私は病気だ」とは言わず、
そこに住む民の咎は除かれる。(イザ 33・24) そこではもう、泣
き声も叫び声も聞かれない。(イザ 65・19) 悲しみと嘆きは逃げ
去る。(イザ 35・10)

わたしはよみの力から彼らを贖い出し、死から彼らを贖う。
死よ、おまえのとげはどこにあるのか。よみよ、おまえの針
はどこにあるのか。(ホセ 13・14) 最後の敵として滅ぼされるの
は、死です。(Ⅰコリ 15・26) そして、‥‥このように記された
みことばが実現します。「死は勝利に呑み込まれた。」(Ⅰコリ
15・54)

見えないものは永遠に続くからです。(Ⅱコリ 4・18)

— 271 —

5 月 15 日 （夜）

キリスト・イエスにあって、私たちをともによみがえら
せてくださいました。(エペ 2・6)

恐れることはない。わたしは‥‥生きている者である。(黙 1・
17.18) 父よ。わたしに下さったものについてお願いします。
わたしがいるところに、彼らもわたしとともにいるようにし
てください。(ヨハ 17・24)

私たちはキリストのからだの部分だからです。(エペ 5・30) 御
子はそのからだである教会のかしらです。御子は初めであり、
死者の中から最初に生まれた方です。(コロ 1・18) あなたがた
は、キリストにあって満たされているのです。キリストは
‥‥かしらです。(コロ 2・10)

子たちがみな血と肉を持っているので、イエスもまた同じ
ように、それらのものをお持ちになりました。それは、死の
力を持つ者、すなわち、悪魔をご自分の死によって滅ぼし、
死の恐怖によって一生涯奴隷としてつながれていた人々を解
放するためでした。(ヘブ 2・14.15)

朽ちるべきものが、朽ちないものを必ず着ることになり、
この死ぬべきものが、死なないものを必ず着ることになるか
らです。そして、この朽ちるべきものが朽ちないものを着て、
この死ぬべきものが死なないものを着るとき、このように記
されたみことばが実現します。「死は勝利に呑み込まれた。」
(I コリ 15・53.54)

5 月 16 日 （朝）

キリスト・イエスのしもべ。（ロマ1・1）

　あなたがたはわたしを「先生」とか「主」とか呼んでいます。そう言うのは正しいことです。そのとおりなのですから。（ヨハ13・13）わたしに仕えるというのなら、その人はわたしについて来なさい。わたしがいるところに、わたしに仕える者もいることになります。わたしに仕えるなら、父はその人を重んじてくださいます。（ヨハ12・26）わたしは心が柔和でへりくだっているから、あなたがたもわたしのくびきを負って、わたしから学びなさい。そうすれば、たましいに安らぎを得ます。わたしのくびきは負いやすく、わたしの荷は軽いからです。（マタ11・29.30）

　私は、自分にとって得であったこのようなすべてのものを、キリストのゆえに損と思うようになりました。（ピリ3・7）今は、罪から解放されて神の奴隷となり、聖潔に至る実を得ています。その行き着くところは永遠のいのちです。（ロマ6・22）

　わたしはもう、あなたがたをしもべとは呼びません。しもべなら主人が何をするのか知らないからです。わたしはあなたがたを友と呼びました。父から聞いたことをすべて、あなたがたには知らせたからです。（ヨハ15・15）あなたはもはや奴隷ではなく、子です。（ガラ4・7）

　キリストは、自由を得させるために私たちを解放してくださいました。ですから、あなたがたは堅く立って、再び奴隷のくびきを負わされないようにしなさい。‥‥兄弟たち。あなたがたは自由を与えられるために召されたのです。（ガラ5・1.13）

5 月 16 日 （夜）

私はほめたたえます。助言を下さる主を。（詩 16・7）

その名は「不思議な助言者」と呼ばれる。（イザ 9・6）摂理と知性はわたしのもの。わたしは英知であり、わたしには力がある。（箴 8・14）あなたのみことばは 私の足のともしび 私の道の光です。（詩 119・105）心を尽くして主に拠り頼め。自分の悟りに頼るな。あなたの行く道すべてにおいて、主を知れ。主があなたの進む道をまっすぐにされる。（箴 3・5.6）

主よ、私は知っています。人間の道はその人によるのではなく、歩むことも、その歩みを確かにすることも、人によるのではないことを。（エレ 10・23）あなたが右に行くにも左に行くにも、うしろから「これが道だ。これに歩め」と言うことばを、あなたの耳は聞く。（イザ 30・21）あなたのわざを主にゆだねよ。そうすれば、あなたの計画は堅く立つ。（箴 16・3）神は、私の行く道を知っておられる。（ヨブ 23・10）人の歩みは主によって定められる。人はどうして自分の道を悟ることができるだろう。（箴 20・24）

あなたは 私を諭して導き 後には栄光のうちに受け入れてくださいます。（詩 73・24）この方こそまさしく神。世々限りなく われらの神。神は 死を越えて私たちを導かれる。（詩 48・14）

5 月 17 日 （朝）

わたしがあなたがたの神、主である。わたしの掟に
従って歩み、わたしの定めを守り行え。(エゼ 20・19)

あなたがたを召された聖なる方に倣い、あなたがた自身、生活のすべてにおいて聖なる者となりなさい。(Ⅰペテ 1・15) 神のうちにとどまっていると言う人は、自分もイエスが歩まれたように歩まなければなりません。(Ⅰヨハ 2・6) あなたがたは、神が正しい方であると知っているなら、義を行う者もみな神から生まれたことが分かるはずです。(Ⅰヨハ 2・29) 割礼は取るに足りないこと、無割礼も取るに足りないことです。重要なのは神の命令を守ることです。(Ⅰコリ 7・19) 律法全体を守っても、一つの点で過ちを犯すなら、その人はすべてについて責任を問われるからです。(ヤコ 2・10)

何かを、自分が成したことだと考える資格は、私たち自身にはありません。私たちの資格は神から与えられるものです。(Ⅱコリ 3・5) 主よ あなたのおきての道を教えてください。(詩 119・33)

恐れおののいて自分の救いを達成するよう努めなさい。神はみこころのままに、あなたがたのうちに働いて志を立てさせ、事を行わせてくださる方です。(ピリ 2・12.13) 平和の神が、あらゆる良いものをもって、あなたがたを整え、みこころを行わせてくださいますように。また、御前でみこころにかなうことを、イエス・キリストを通して、私たちのうちに行ってくださいますように。(ヘブ 13・20.21)

5 月 17 日 （夜）

民の中から一人の若者を高く上げた。(詩89・19)

　イエスは御使いたちを助け出すのではなく、アブラハムの子孫を助け出してくださるのです。‥‥イエスはすべての点で兄弟たちと同じようにならなければなりませんでした。(ヘブ2・16.17) その王座に似たもののはるか上には、人間の姿に似たものがあった。(エゼ1・26) だれも天に上った者はいません。しかし、天から下って来た者、人の子は別です。(ヨハ3・13) わたしの手やわたしの足を見なさい。まさしくわたしです。わたしにさわって、よく見なさい。幽霊なら肉や骨はありません。見て分かるように、わたしにはあります。(ルカ24・39)

　(キリストは)ご自分を空しくして、しもべの姿をとり、人間と同じようになられました。人としての姿をもって現れ、自らを低くして、死にまで、それも十字架の死にまで従われました。それゆえ神は、この方を高く上げて、すべての名にまさる名を与えられました。それは、イエスの名によって、‥‥すべてが膝をかがめるためです。(ピリ2・7-11) 目を覚まし、死にかけている残りの者たちを力づけなさい。わたしは、あなたの行いがわたしの神の御前に完了したとは見ていない。(黙3・2)

5 月 18 日 （朝）

父がご自分のうちにいのちを持っておられるように、
子にも、自分のうちにいのちを持つようにしてくださっ
た。(ヨハ 5・26)

私たちの救い主キリスト・イエス‥‥は死を滅ぼし、福音
によっていのちと不滅を明らかに示されたのです。(Ⅱテモ 1・
10) わたしはよみがえりです。いのちです。(ヨハ 11・25) わたし
が生き、あなたがたも生きることになる。(ヨハ 14・19) 私たち
はキリストにあずかる者となっているのです。(ヘブ 3・14) 聖霊
にあずかる者。(ヘブ 6・4) 神のご性質にあずかる者。(Ⅱペテ 1・4)
「最初の人アダムは生きるものとなった。」しかし、最後のア
ダムはいのちを与える御霊となりました。(Ⅰコリ 15・45) 私は
あなたがたに奥義を告げましょう。私たちはみな眠るわけで
はありませんが、みな変えられます。終わりのラッパととも
に、たちまち、一瞬のうちに変えられます。ラッパが鳴ると、
死者は朽ちないものによみがえり、私たちは変えられるので
す。(Ⅰコリ 15・51.52)

「聖なる、聖なる、聖なる、主なる神、全能者。昔おられ、
今もおられ、やがて来られる方。」‥‥世々限りなく生きて
おられる方。(黙 4・8.9) 祝福に満ちた唯一の主権者、王の王、
主の主、死ぬことがない唯一の方。(Ⅰテモ 6・15.16) どうか、世々
の王、すなわち、朽ちることなく、目に見えない唯一の神に、
誉れと栄光が世々限りなくありますように。アーメン。(Ⅰテ
モ 1・17)

5 月 18 日 （夜）

うぬぼれて、互いに挑み合ったり、ねたみ合ったりし
ないようにしましょう。(ガラ5・26)

ギデオンは‥‥彼らに言った。「あなたがたに一つお願い
したい。各自の分捕り物の耳輪を私に下さい。」殺された者
たちはイシュマエル人で、金の耳輪をつけていた。彼らは「も
ちろん差し上げます」と答えて、上着を広げ、各自がその分
捕り物の耳輪をその中に投げ込んだ。‥‥ギデオンは、それ
でエポデを一つ作り、彼の町オフラにそれを置いた。イスラ
エルはみなそれを慕って、そこで淫行を行った。(士8・24.25.
27)

あなたは、自分のために大きなことを求めるのか。求める
な。(エレ45・5) 高慢にならないように、私は肉体に一つのとげ
を与えられました。(Ⅱコリ12・7)

何事も利己的な思いや虚栄からするのではなく、へりく
だって、互いに人を自分よりすぐれた者と思いなさい。(ピリ2・
3) 愛は‥‥人をねたみません。愛は自慢せず、高慢になり
ません。礼儀に反することをせず、自分の利益を求めず、
‥‥(Ⅰコリ13・4.5)

わたしのくびきを負って、わたしから学びなさい。(マタ11・
29)

5 月 19 日 （朝）

私の咎を 私からすっかり洗い去ってください。(詩51・2)

わたしは、彼らがわたしに犯したすべての咎から彼らをきよめ、彼らがわたしに犯し、わたしに背いたすべての咎を赦す。(エレ33・8) わたしがきよい水をあなたがたの上に振りかけるそのとき、あなたがたはすべての汚れからきよくなる。わたしはすべての偶像の汚れからあなたがたをきよめる。(エゼ 36・25)

人は、水と御霊によって生まれなければ、神の国に入ることはできません。(ヨハ3・5) 雄やぎと雄牛の血や、若い雌牛の灰を汚れた人々に振りかけると、それが聖なるものとする働きをして、からだをきよいものにするのなら、まして、キリストが傷のないご自分を、とこしえの御霊によって神にお献げになったその血は、どれだけ私たちの良心をきよめて死んだ行いから離れさせ、生ける神に仕える者にすることでしょうか。(ヘブ9・13.14)

主は 御名のゆえに 彼らを救われた。ご自分の力を知らせるために。(詩106・8) 私たちにではなく 主よ 私たちにではなく ただあなたの御名に 栄光を帰してください。あなたの恵みとまことのゆえに。(詩115・1)

5 月 19 日 （夜）

福音における交わり。（ピリ 1・5 英語欽定訳）

　からだが一つでも、多くの部分があり、からだの部分が多くても、一つのからだであるように、キリストもそれと同様です。私たちはみな、ユダヤ人もギリシア人も、奴隷も自由人も、一つの御霊によってバプテスマを受けて、一つのからだとなりました。そして、みな一つの御霊を飲んだのです。（Ⅰコリ 12・12.13）

　神は真実です。その神に召されて、あなたがたは神の御子、私たちの主イエス・キリストとの交わりに入れられたのです。（Ⅰコリ 1・9）私たちが見たこと、聞いたことを、あなたがたにも伝えます。あなたがたも私たちと交わりを持つようになるためです。私たちの交わりとは、御父また御子イエス・キリストとの交わりです。（Ⅰヨハ 1・3）

　もし私たちが、神が光の中におられるように、光の中を歩んでいるなら、互いに交わりを持ち、御子イエスの血がすべての罪から私たちをきよめてくださいます。（Ⅰヨハ 1・7）これらのことを話してから、イエスは‥‥言われた。「‥‥わたしは、ただこの人々のためだけでなく、彼らのことばによってわたしを信じる人々のためにも、お願いします。父よ。あなたがわたしのうちにおられ、わたしがあなたのうちにいるように、すべての人を一つにしてください。」（ヨハ 17・1.20.21）

5 月 20 日 （朝）

自分自身にも‥‥よく気をつけなさい。(Iテモ4・16)

競技をする人は、あらゆることについて節制します。彼らは朽ちる冠を受けるためにそうするのですが、私たちは朽ちない冠を受けるためにそうするのです。ですから、私は目標がはっきりしないような走り方はしません。空を打つような拳闘もしません。むしろ、私は自分のからだを打ちたたいて服従させます。ほかの人に宣べ伝えておきながら、自分自身が失格者にならないようにするためです。(Iコリ9・25-27) 悪魔の策略に対して堅く立つことができるように、神のすべての武具を身に着けなさい。私たちの格闘は血肉に対するものではなく、支配、力、この暗闇の世界の支配者たち、また天上にいるもろもろの悪霊に対するものです。(エペ6・11.12)

キリスト・イエスにつく者は、自分の肉を、情欲や欲望とともに十字架につけたのです。私たちは、御霊によって生きているのなら、御霊によって進もうではありませんか。(ガラ5・24.25) 神の御霊に導かれる人はみな、神の子どもです。(ロマ8・14) これらのことに心を砕き、ひたすら励みなさい。そうすれば、あなたの進歩はすべての人に明らかになるでしょう。(Iテモ4・15)

5 月 20 日 （夜）

イエスは彼女に言われた。「マリア。」(ヨハ20・16)

恐れるな。わたしがあなたを贖ったからだ。わたしはあなたの名を呼んだ。あなたは、わたしのもの。(イザ43・1) 羊たちはその声を聞き分けます。牧者は自分の羊たちを、それぞれ名を呼んで連れ出します。‥‥羊たちはついて行きます。彼の声を知っているからです。(ヨハ10・3.4)

見よ、わたしは手のひらにあなたを刻んだ。あなたの城壁は、いつもわたしの前にある。(イザ49・16)

神の堅固な土台は据えられていて、それに次のような銘が刻まれています。「主はご自分に属する者を知っておられる。」(Ⅱテモ2・19) 私たちには、もろもろの天を通られた、神の子イエスという偉大な大祭司がおられる。(ヘブ4・14)

二つの縞(しま)めのうを取り、その上にイスラエルの息子たちの名を刻む。‥‥アロンは主の前で、彼らの名が覚えられるように両肩に載せる。‥‥あなたはさばきの胸当てを意匠を凝らして作る。‥‥その中に宝石をはめ込み四列にする。‥‥これらの宝石はイスラエルの息子たちの名にちなむもので、彼らの名にしたがい十二個でなければならない。‥‥アロンが主の前に出るときに、それがアロンの胸の上にあるようにする。(出28・9.12.15.17.21.30)

5 月 21 日 （朝）

主にあって、その大能の力によって強められなさい。

（エペ 6・10）

「わたしの恵みはあなたに十分である。わたしの力は弱さの
うちに完全に現れるからである。」‥‥ですから私は、キリ
ストの力が私をおおうために、むしろ大いに喜んで自分の弱
さを誇りましょう。ですから私は、キリストのゆえに、弱さ、
侮辱、苦痛、迫害、困難を喜んでいます。というのは、私が
弱いときにこそ、私は強いからです。（Ⅱコリ 12・9.10）私はあな
たの力とともに行きます。あなたの ただあなたの義だけを
心に留めて。（詩 71・16）福音は‥‥救いをもたらす神の力です。

（ロマ 1・16）

　私を強くしてくださる方によって、私はどんなことでもで
きるのです。（ピリ 4・13）このために、私は自分のうちに力強く
働くキリストの力によって、労苦しながら奮闘しています。
（コロ 1・29）私たちは、この宝を土の器の中に入れています。
それは、この測り知れない力が神のものであって、私たちか
ら出たものではないことが明らかになるためです。（Ⅱコリ 4・7）

　主を喜ぶことは、あなたがたの力だ。（ネヘ 8・10）神の栄光の
支配により、あらゆる力をもって強くされ、どんなことにも
忍耐し、寛容でいられますように。（コロ 1・11）

5 月 21 日 （夜）

私たちの主イエス・キリスト。（Ⅰコリ1・9）

その名をイエスとつけなさい。この方がご自分の民をその罪からお救いになるのです。（マタ1・21）キリストは‥‥自らを低くして、死にまで、それも十字架の死にまで従われました。それゆえ神は、この方を高く上げて、すべての名にまさる名を与えられました。それは、イエスの名によって、天にあるもの、地にあるもの、地の下にあるもののすべてが膝をかがめるためです。（ピリ2・8-11）

キリストと呼ばれるメシア。（ヨハ4・25）貧しい人に良い知らせを伝えるため、心の傷ついた者を癒やすため、主はわたしに油を注ぎ、わたしを遣わされた。捕らわれ人には解放を、囚人には釈放を告げ、‥‥（イザ61・1）

最後のアダムはいのちを与える御霊となりました。‥‥第二の人は天から出た方です。（Ⅰコリ15・45.47）私の主、私の神よ。（ヨハ20・28）あなたがたはわたしを「先生」とか「主」とか呼んでいます。そう言うのは正しいことです。そのとおりなのですから。主であり、師であるこのわたしが、あなたがたの足を洗ったのであれば、あなたがたもまた、互いに足を洗い合わなければなりません。わたしがあなたがたにしたとおりに、あなたがたもするようにと、あなたがたに模範を示したのです。（ヨハ13・13-15）

5 月 22 日 （朝）

わたしはあなたがたに平安を残します。わたしの平安を与えます。わたしは、世が与えるのと同じようには与えません。(ヨハ14・27)

世と、世の欲は過ぎ去ります。(Ⅰヨハ2・17) まことに 人は幻のように歩き回り まことに 空しく立ち騒ぎます。人は蓄えるが だれのものになるのか知りません。(詩39・6) そのころ、あなたがたはどんな実を得ましたか。今では恥ずかしく思っているものです。それらの行き着くところは死です。(ロマ6・21)

マルタ、マルタ、あなたはいろいろなことを思い煩って、心を乱しています。しかし、必要なことは一つだけです。マリアはその良いほうを選びました。それが彼女から取り上げられることはありません。(ルカ10・41.42) あなたがたが思い煩わないように、と私は願います。(Ⅰコリ7・32)

これらのことをあなたがたに話したのは、あなたがたがわたしにあって平安を得るためです。世にあっては苦難があります。しかし、勇気を出しなさい。わたしはすでに世に勝ちました。(ヨハ16・33) どうか、平和の主ご自身が、どんな時にも、どんな場合にも、あなたがたに平和を与えてくださいますように。(Ⅱテサ3・16) 主があなたを祝福し、あなたを守られますように。主が御顔をあなたに照らし、あなたを恵まれますように。主が御顔をあなたに向け、あなたに平安を与えられますように。(民6・24-26)

5 月 22 日 （夜）

同じように御霊も、弱い私たちを助けてくださいます。

（ロマ8・26）

助け主、すなわち‥‥聖霊。(ヨハ14・26) あなたがたは知らないのですか。あなたがたのからだは、あなたがたのうちにおられる、神から受けた聖霊の宮であり、あなたがたはもはや自分自身のものではありません。(Ⅰコリ6・19)

私たちは、何をどう祈ったらよいか分からないのですが、御霊ご自身が、ことばにならないうめきをもって、とりなしてくださるのです。人間の心を探る方は、御霊の思いが何であるかを知っておられます。なぜなら、御霊は神のみこころにしたがって、聖徒たちのためにとりなしてくださるからです。(ロマ8・26.27)

主は 私たちの成り立ちを知り 私たちが土のちりにすぎないことを心に留めてくださる。(詩103・14) 傷んだ葦を折ることもなく、くすぶる灯芯を消すこともない。(イザ42・3)

霊は燃えていても肉は弱いのです。(マタ26・41)

主は私の羊飼い。私は乏しいことがありません。主は私を緑の牧場に伏させ いこいのみぎわに伴われます。(詩23・1.2)

5 月 23 日 （朝）

その二つの石をエポデの肩当てに付け、イスラエル
の息子たちが覚えられるための石とする。アロンは主
の前で、彼らの名が覚えられるように両肩に載せる。

（出 28・12）

イエスは永遠に存在されるので、変わることがない祭司職
を持っておられます。したがってイエスは、いつも生きてい
て、彼らのためにとりなしをしておられるので、ご自分によっ
て神に近づく人々を完全に救うことがおできになります。(ヘ
ブ7・24.25) あなたがたを、つまずかないように守ることがで
き、傷のない者として、大きな喜びとともに栄光の御前に立
たせることができる方。(ユダ24)

私たちには、もろもろの天を通られた、神の子イエスとい
う偉大な大祭司がおられるのですから、信仰の告白を堅く保
とうではありませんか。私たちの大祭司は、私たちの弱さに
同情できない方ではありません。罪は犯しませんでしたが、
すべての点において、私たちと同じように試みにあわれたの
です。ですから私たちは‥‥大胆に恵みの御座に近づこうで
はありませんか。(ヘブ4・14-16)

主に愛されている者。彼は安らかに主のそばに住まい、主
はいつも彼をかばう。彼は主の背中(直訳「肩の間」)に負われ
る。(申33・12)

5 月 23 日 （夜）

その夜、王は眠れなかった。(エス6・1)

あなたは 私のまぶたを閉じさせません。(詩77・4) だれが私たちの神 主のようであろうか。主は‥‥身を低くして 天と地をご覧になる。(詩113・5.6)

この方は、天の軍勢にも、地に住むものにも、みこころのままに報いる。(ダニ4・35) あなたの道は 海の中。その通り道は大水の中。あなたの足跡を見た者はいませんでした。(詩77・19) まことに 人の憤りまでもがあなたをたたえ あなたは あふれ出た憤りを身に帯びられます。(詩76・10)

主はその御目をもって全地を隅々まで見渡し、その心がご自分と全く一つになっている人々に御力を現してくださるのです。(Ⅱ歴16・9) 神を愛する人たち‥‥のためには、すべてのことがともに働いて益となることを、私たちは知っています。(ロマ8・28)

二羽の雀は一アサリオンで売られているではありませんか。そんな雀の一羽でさえ、あなたがたの父の許しなしに地に落ちることはありません。あなたがたの髪の毛さえも、すべて数えられています。(マタ10・29.30)

5 月 24 日 （朝）

神の聖霊を悲しませてはいけません。あなたがたは、
贖いの日のために、聖霊によって証印を押されている
のです。(エペ4・30)

御霊の愛。(ロマ15・30) 助け主、すなわち‥‥聖霊。(ヨハ14・
26) 彼らが苦しむときには、いつも主も苦しみ、主の臨在の
御使いが彼らを救った。その愛とあわれみによって、主は彼
らを贖い、昔からずっと彼らを背負い、担ってくださった。
しかし彼らは逆らって、主の聖なる御霊を悲しませたので、
主は彼らの敵となり、自ら彼らと戦われた。(イザ63・9.10)

神が私たちに御霊を与えてくださったことによって、私た
ちが神のうちにとどまり、神も私たちのうちにとどまってお
られることが分かります。(Ⅰヨハ4・13) あなたがたもまた、
‥‥信じたことにより、約束の聖霊によって証印を押されま
した。聖霊は私たちが御国を受け継ぐことの保証です。(エペ1・
13.14) 私は言います。御霊によって歩みなさい。そうすれば、
肉の欲望を満たすことは決してありません。肉が望むことは
御霊に逆らい、御霊が望むことは肉に逆らうからです。この
二つは互いに対立しているので、あなたがたは願っているこ
とができなくなります。(ガラ5・16.17)

御霊も、弱い私たちを助けてくださいます。(ロマ8・26)

5 月 24 日 （夜）

わたしは自分のところに戻っていよう。彼らが罰を受け、わたしの顔を慕い求めるまで。(ホセ5・15)

あなたがたの咎が、あなたがたと、あなたがたの神との仕切りとなり、あなたがたの罪が御顔を隠させ、聞いてくださらないようにしたのだ。(イザ59・2) 愛する方は、背を向けて去って行きました。‥‥あの方を捜しても、見つけることができませんでした。あの方を呼んでも、あの方は答えられませんでした。(雅5・6) わたしは顔を隠して彼を打ち、そして怒った。しかし彼はなお背いて、自分の思う道を行った。彼の道を見たが、それでもわたしは彼を癒やす。(イザ57・17.18) あなたの神、主があなたを道に進ませたとき、あなたが主を捨てたために、このことがあなたに起こったのではないか。(エレ2・17)

彼は立ち上がって、自分の父のもとへ向かった。ところが、まだ家までは遠かったのに、父親は彼を見つけて、かわいそうに思い、駆け寄って彼の首を抱き、口づけした。(ルカ15・20) わたしは彼らの背信を癒やし、喜びをもって彼らを愛する。わたしの怒りが彼らから離れ去ったからだ。(ホセ14・4)

もし私たちが自分の罪を告白するなら、神は真実で正しい方ですから、その罪を赦し、私たちをすべての不義からきよめてくださいます。(Iヨハ1・9)

5 月 25 日 （朝）

なんと大きいのでしょう。あなたのいつくしみは。あなたを恐れる者のために あなたはそれを蓄えられました。(詩 31・19)

とこしえから聞いたこともなく、耳にしたこともなく、目で見たこともありません。あなた以外の神が自分を待ち望む者のために、このようにするのを。(イザ 64・4)「目が見たことのないもの、耳が聞いたことのないもの、人の心に思い浮かんだことがないものを、神は、神を愛する者たちに備えてくださった」と書いてあるとおりでした。それを、神は私たちに御霊によって啓示してくださいました。(Ⅰコリ 2・9, 10) あなたは私に いのちの道を知らせてくださいます。満ち足りた喜びが あなたの御前にあり 楽しみが あなたの右にとこしえにあります。(詩 16・11)

神よ あなたの恵みはなんと尊いことでしょう。人の子らは 御翼の陰に身を避けます。彼らは あなたの家の豊かさに満たされ あなたは 楽しみの流れで潤してくださいます。いのちの泉はあなたとともにあり あなたの光のうちに 私たちは光を見るからです。(詩 36・7-9)

今のいのちと来たるべきいのちを約束する敬虔は、すべてに有益です。(Ⅰテモ 4・8)

5 月 25 日 （夜）

燃える炎のような目を持つ‥‥神の子。(黙2・18)

　人の心は何よりもねじ曲がっている。それは癒やしがたい。だれが、それを知り尽くすことができるだろうか。わたし、主が心を探り、心の奥を試し、それぞれその生き方により、行いの実にしたがって報いる。(エレ17・9.10) あなたは私たちの咎を御前に　私たちの秘め事を　御顔の光の中に置かれます。(詩90・8) 主は振り向いてペテロを見つめられた。ペテロは‥‥外に出て行って、激しく泣いた。(ルカ22・61.62)

　イエスご自身は、彼らに自分をお任せにならなかった。すべての人を知っていたので、人についてだれの証言も必要とされなかったからである。(ヨハ2・24.25) 主は　私たちの成り立ちを知り　私たちが土のちりにすぎないことを心に留めてくださる。(詩103・14) 傷んだ葦を折ることもなく、くすぶる灯芯を消すこともない。(イザ42・3)

　主はご自分に属する者を知っておられる。(Ⅱテモ2・19) わたしは良い牧者です。わたしはわたしのものを知っており、わたしのものは、わたしを知っています。(ヨハ10・14) わたしの羊たちはわたしの声を聞き分けます。わたしもその羊たちを知っており、彼らはわたしについて来ます。わたしは彼らに永遠のいのちを与えます。彼らは永遠に、決して滅びることがなく、また、だれも彼らをわたしの手から奪い去りはしません。(ヨハ10・27.28)

5 月 26 日 （朝）

羊の大牧者、私たちの主イエス。(ヘブ13・20)

大牧者。(Ⅰペテ5・4) わたしは良い牧者です。わたしはわたしのものを知っており、わたしのものは、わたしを知っています。‥‥わたしの羊たちはわたしの声を聞き分けます。わたしもその羊たちを知っており、彼らはわたしについて来ます。わたしは彼らに永遠のいのちを与えます。彼らは永遠に、決して滅びることがなく、また、だれも彼らをわたしの手から奪い去りはしません。(ヨハ10・14.27.28)

主は私の羊飼い。私は乏しいことがありません。主は私を緑の牧場に伏させ いこいのみぎわに伴われます。主は私のたましいを生き返らせ 御名のゆえに 私を義の道に導かれます。(詩23・1-3)

私たちはみな、羊のようにさまよい、それぞれ自分勝手な道に向かって行った。しかし、主は私たちのすべての者の咎を彼に負わせた。(イザ53・6) わたしは良い牧者です。良い牧者は羊たちのためにいのちを捨てます。(ヨハ10・11) わたしは失われたものを捜し、追いやられたものを連れ戻し、傷ついたものを介抱し、病気のものを力づける。(エゼ34・16) あなたがたは羊のようにさまよっていた。しかし今や、自分のたましいの牧者であり監督者である方のもとに帰った。(Ⅰペテ2・25)

5 月 26 日 （夜）

都は、これを照らす太陽も月も必要としない。神の栄
光が都を照らし、子羊が都の明かりだからである。

(黙 21・23)

　その途中のこと、‥‥私は天からの光を見ました。それは
太陽よりも明るく輝いて、私と私に同行していた者たちの周
りを照らしました。‥‥私が「主よ、あなたはどなたですか」
と言うと、主はこう言われました。「わたしは、あなたが迫
害しているイエスである。」(使 26・13.15) イエスはペテロとヤ
コブとその兄弟ヨハネだけを連れて、高い山に登られた。す
ると、弟子たちの目の前でその御姿が変わった。顔は太陽の
ように輝き、衣は光のように白くなった。(マタ 17・1.2) 太陽は
もはや、あなたの昼の光とはならず、月の明かりもあなたを
照らさない。主があなたの永遠の光となり、あなたの神があ
なたの輝きとなる。あなたの太陽はもう沈むことがなく、あ
なたの月は陰ることがない。主があなたの永遠の光となり、
あなたの嘆き悲しむ日が終わるからである。(イザ 60・19.20)

　あらゆる恵みに満ちた神、すなわち、あなたがたをキリス
トにあって永遠の栄光の中に招き入れてくださった神。(Ⅰペ
テ 5・10)

5 月 27 日 （朝）

主はいつくしみ深く、苦難の日の砦。ご自分に身を避ける者を知っていてくださる。(ナホ1・7)

万軍の主に感謝せよ。主はまことにいつくしみ深い。その恵みはとこしえまで。(エレ33・11) 神は われらの避け所 また力。苦しむとき そこにある強き助け。(詩46・1) 私は主に申し上げよう。「私の避け所 私の砦 私が信頼する私の神」と。(詩91・2) だれがあなたのような、主に救われた民であろうか。主はあなたを助ける盾、あなたの勝利の剣。(申33・29) 神、その道は完全。主のことばは純粋。主は、すべて主に身を避ける者の盾。主のほかに、だれが神でしょうか。私たちの神のほかに、だれが岩でしょうか。(Ⅱサム22・31.32)

だれかが神を愛するなら、その人は神に知られています。(Ⅰコリ8・3) 神の堅固な土台は据えられていて、そこに次のような銘が刻まれています。「主はご自分に属する者を知っておられる。」また、「主の御名を呼ぶ者はみな、不義を離れよ。」(Ⅱテモ2・19) まことに 正しい者の道は主が知っておられ 悪しき者の道は滅び去る。(詩1・6)

わたしは、あなたを名指して(直訳「名で知って」)選び出した。(出33・12)

5 月 27 日 （夜）

あなたがたが思い煩わないように、と私は願います。

（Ⅰコリ7・32）

神があなたがたのことを心配してくださるからです。（Ⅰペ
テ5・7）主はその御目をもって全地を隅々まで見渡し、その
心がご自分と全く一つになっている人々に御力を現してくだ
さるのです。（Ⅱ歴16・9）

味わい 見つめよ。主がいつくしみ深い方であることを。
幸いなことよ 主に身を避ける人は。若い獅子も乏しくなり
飢える。しかし 主を求める者は 良いものに何一つ欠けるこ
とがない。（詩34・8.10）わたしはあなたがたに言います。何を
食べようか何を飲もうかと、自分のいのちのことで心配した
り、何を着ようかと、自分のからだのことで心配したりする
のはやめなさい。いのちは食べ物以上のもの、からだは着る
物以上のものではありませんか。空の鳥を見なさい。種蒔き
もせず、刈り入れもせず、倉に納めることもしません。それ
でも、あなたがたの天の父は養っていてくださいます。あな
たがたはその鳥よりも、ずっと価値があるではありませんか。

（マタ6・25.26）

何も思い煩わないで、あらゆる場合に、感謝をもってささ
げる祈りと願いによって、あなたがたの願い事を神に知って
いただきなさい。そうすれば、すべての理解を超えた神の平
安が、あなたがたの心と思いをキリスト・イエスにあって
守ってくれます。（ピリ4・6.7）

5 月 28 日 （朝）

救い主‥‥を、私たちは待ち望んでいます。

（ピリ 3・20）

　すべての人に救いをもたらす神の恵みが現れたのです。その恵みは、私たちが不敬虔とこの世の欲を捨て、今の世にあって、慎み深く、正しく、敬虔に生活し、祝福に満ちた望み、すなわち、大いなる神であり私たちの救い主であるキリスト・イエスの、栄光ある現れを待ち望むように教えています。キリストは、私たちをすべての不法から贖い出し、良いわざに熱心な選びの民をご自分のものとしてきよめるため、私たちのためにご自分を献げられたのです。(テト 2・11-14) 私たちは、神の約束にしたがって、義の宿る新しい天と新しい地を待ち望んでいます。ですから、愛する者たち。これらのことを待ち望んでいるのなら、しみも傷もない者として平安のうちに神に見出していただけるように努力しなさい。(Ⅱペテ 3・13.14)

　キリストも、多くの人の罪を負うために一度ご自分を献げ、二度目には、罪を負うためではなく、ご自分を待ち望んでいる人々の救いのために現れてくださいます。(ヘブ 9・28) その日、人は言う。「見よ。この方こそ、待ち望んでいた私たちの神。私たちを救ってくださる。この方こそ、私たちが待ち望んでいた主。その御救いを楽しみ喜ぼう。」(イザ 25・9)

5 月 28 日 （夜）

賞を得られるように走りなさい。（Ⅰコリ9・24）

怠け者は言う。「獅子が通りにいる。私は広場で殺される」と。（箴22・13）一切の重荷とまとわりつく罪を捨てて、自分の前に置かれている競走を、忍耐をもって走り続けようではありませんか。信仰の創始者であり完成者であるイエスから、目を離さないでいなさい。（ヘブ12・1.2）

肉と霊の一切の汚れから自分をきよめ、神を恐れつつ聖さを全うしようではありませんか。（Ⅱコリ7・1）

目標を目指して走っているのです。（ピリ3・14）私は目標がはっきりしないような走り方はしません。空を打つような拳闘もしません。むしろ、私は自分のからだを打ちたたいて服従させます。ほかの人に宣べ伝えておきながら、自分自身が失格者にならないようにするためです。（Ⅰコリ9・26.27）

この世の有様は過ぎ去る。（Ⅰコリ7・31）

私たちは、神の約束にしたがって、義の宿る新しい天と新しい地を待ち望んでいます。ですから、愛する者たち。これらのことを待ち望んでいるのなら、‥‥努力しなさい。（Ⅱペテ3・13.14）心を引き締め、身を慎み、イエス・キリストが現れるときに与えられる恵みを、ひたすら待ち望みなさい。（Ⅰペテ1・13）

5 月 29 日 （朝）

肉のいのちは血の中にある。わたしは、祭壇の上であなたがたのたましいのために宥（なだ）めを行うよう、これをあなたがたに与えた。いのちとして宥めを行うのは血である。(レビ 17・11)

見よ、世の罪を取り除く神の子羊。(ヨハ 1・29) 子羊の血。(黙 7・14) 傷もなく汚れもない子羊のようなキリストの、尊い血。(Ⅰペテ 1・19) 血を流すことがなければ、罪の赦しはありません。(ヘブ 9・22) 御子イエスの血がすべての罪から私たちをきよめてくださいます。(Ⅰヨハ 1・7)

（キリストは）ご自分の血によって、ただ一度だけ聖所に入り、永遠の贖いを成し遂げられました。(ヘブ 9・12) 兄弟たち。私たちはイエスの血によって大胆に聖所に入ることができます。イエスはご自分の肉体という垂れ幕を通して、私たちのために、この新しい生ける道を開いてくださいました。‥‥全き信仰をもって真心から神に近づこうではありませんか。(ヘブ 10・19. 20. 22)

あなたがたは、代価を払って買い取られたのです。ですから、自分のからだをもって神の栄光を現しなさい。(Ⅰコリ 6・20)

5　月　29　日　（夜）

ああ　私に鳩のように翼があったなら。飛び去って　休むことができたなら。(詩55・6)

　太陽が昇ったとき、神は焼けつくような東風を備えられた。太陽がヨナの頭に照りつけたので、彼は弱り果て、自分の死を願って言った。「私は生きているより死んだほうがましだ。」(ヨナ4・8)

　ヨブは言った。「なぜ、苦悩する者に光が、心の痛んだ者にいのちが与えられるのか。彼らは死を待つが、死はやって来ない。隠された宝にまさって死を探し求めても。」(ヨブ3・2.20.21) 正しい人には苦しみが多い。しかし　主はそのすべてから救い出してくださる。(詩34・19)

　今わたしの心は騒いでいる。何と言おうか。「父よ、この時からわたしをお救いください」と言おうか。いや、このためにこそ、わたしはこの時に至ったのだ。(ヨハ12・27) 神に関わる事柄について、あわれみ深い、忠実な大祭司となるために、イエスはすべての点で兄弟たちと同じようにならなければなりませんでした。それで民の罪の宥めがなされたのです。イエスは、自ら試みを受けて苦しまれたからこそ、試みられている者たちを助けることができるのです。(ヘブ2・17.18)

5 月 30 日 （朝）

この安息に入るように努めようではありませんか。

(ヘブ4・11)

　狭い門から入りなさい。滅びに至る門は大きく、その道は広く、‥‥。いのちに至る門はなんと狭く、その道もなんと細いことでしょう。そして、それを見出す者はわずかです。(マタ7・13.14) 天の御国は激しく攻められています。そして、激しく攻める者たちがそれを奪い取っています。(マタ11・12) なくなってしまう食べ物のためではなく、いつまでもなくならない、永遠のいのちに至る食べ物のために働きなさい。それは、人の子が与える食べ物です。(ヨハ6・27) 自分たちの召しと選びを確かなものとするように、いっそう励みなさい。‥‥このようにして、私たちの主であり救い主であるイエス・キリストの永遠の御国に入る恵みを、豊かに与えられるのです。(Ⅱペテ1・10.11) あなたがたも賞を得られるように走りなさい。競技をする人は、あらゆることについて節制します。彼らは朽ちる冠を受けるためにそうするのですが、私たちは朽ちない冠を受けるためにそうするのです。(Ⅰコリ9・24.25)

　神の安息に入る人は、神がご自分のわざを休まれたように、自分のわざを休むのです。(ヘブ4・10) 主があなたの永遠の光となり、あなたの神があなたの輝きとなる。(イザ60・19)

5　月　30　日　（夜）

**父よ、‥‥あなたはいつでもわたしの願いを聞いてく
ださると、わたしは知っておりました。**(ヨハ11・41.42)

　イエスは目を上げて言われた。「父よ、わたしの願いを聞
いてくださったことを感謝します。」(ヨハ11・41)「父よ、御名
の栄光を現してください。」すると、天から声が聞こえた。「わ
たしはすでに栄光を現した。わたしは再び栄光を現そう。」(ヨ
ハ12・28)　今、わたしはここに来ております。‥‥神よ、あな
たのみこころを行うために。(ヘブ10・7)　わたしの願いではな
く、みこころがなりますように。(ルカ22・42)

　この世において、私たちもキリストと同じようである。(Ⅰ
ヨハ4・17)　何事でも神のみこころにしたがって願うなら、神
は聞いてくださるということ、これこそ神に対して私たちが
抱いている確信です。(Ⅰヨハ5・14)　求めるものを何でも神から
いただくことができます。私たちが神の命令を守り、神に喜
ばれることを行っているからです。(Ⅰヨハ3・22)

　信仰がなければ、神に喜ばれることはできません。神に近
づく者は、神がおられることと、神がご自分を求める者には
報いてくださる方であることを、信じなければならないので
す。(ヘブ11・6)

　私たちには、御父の前でとりなしてくださる方、義なるイ
エス・キリストがおられます。(Ⅰヨハ2・1)

5 月 31 日 （朝）

あなたの名は‥‥イスラエルだ。あなたが神と、また人と戦って、勝ったからだ。(創 32・28)

ヤコブは‥‥その力で神と争った。御使いと格闘して勝ったが、泣いてこれに願った。(ホセ 12・3.4)（アブラハムは）不信仰になって神の約束を疑うようなことはなく、かえって信仰が強められて、神に栄光を帰しました。(ロマ 4・20)

神を信じなさい。まことに、あなたがたに言います。この山に向かい、「立ち上がって、海に入れ」と言い、心の中で疑わずに、自分の言ったとおりになると信じる者には、そのとおりになります。ですから、あなたがたに言います。あなたがたが祈り求めるものは何でも、すでに得たと信じなさい。そうすれば、そのとおりになります。(マルコ 11・22-24) 信じる者には、どんなことでもできるのです。(マルコ 9・23) 主によって語られたことは必ず実現すると信じた人は、幸いです。(ルカ 1・45)

使徒たちは主に言った。「私たちの信仰を増し加えてください。」(ルカ 17・5)

5 月 31 日 （夜）

子どもたち、キリストのうちにとどまりなさい。

（Ⅰヨハ2・28）

私は驚いています。あなたがたが、キリストの恵みによって自分たちを召してくださった方から、このように急に離れて、ほかの福音に移って行くことに。ほかの福音といっても、もう一つ別に福音があるわけではありません。‥‥私たちであれ天の御使いであれ、もし私たちがあなたがたに宣べ伝えた福音に反することを、福音として宣べ伝えるなら、そのような者はのろわれるべきです。(ガラ1・6-8)

律法によって義と認められようとしているなら、あなたがたはキリストから離れ、恵みから落ちてしまったのです。‥‥あなたがたはよく走っていたのに、だれがあなたがたの邪魔をして、真理に従わないようにさせたのですか。(ガラ5・4.7)

枝がぶどうの木にとどまっていなければ、自分では実を結ぶことができないのと同じように、あなたがたもわたしにとどまっていなければ、実を結ぶことはできません。‥‥あなたがたがわたしにとどまり、わたしのことばがあなたがたにとどまっているなら、何でも欲しいものを求めなさい。そうすれば、それはかなえられます。(ヨハ15・4.7) 神の約束はことごとく、この方において「はい」となりました。それで私たちは、この方によって「アーメン」と言い、神に栄光を帰するのです。(Ⅱコリ1・20)

6 月 1 日 （朝）

御霊の実は‥‥寛容、親切です。(ガラ 5・22)

主、主は、あわれみ深く、情け深い神。怒るのに遅く、恵みとまことに富む。(出 34・6)

あなたがたは、召されたその召しにふさわしく歩みなさい。謙遜と柔和の限りを尽くし、寛容を示し、愛をもって互いに耐え忍び、‥‥(エペ 4・1.2) 互いに親切にし、優しい心で赦し合いなさい。神も、キリストにおいてあなたがたを赦してくださったのです。(エペ 4・32) 上からの知恵は、まず第一に清いものです。それから、平和で、優しく、協調性があり、あわれみと良い実に満ち、偏見がなく、偽善もありません。(ヤコ 3・17) 愛は寛容であり、愛は親切です。(Ⅰコリ 13・4)

あきらめずに続ければ、時が来て刈り取ることになります。(ガラ 6・9) 兄弟たち。主が来られる時まで耐え忍びなさい。見なさい。農夫は大地の貴重な実りを、初めの雨や後の雨が降るまで耐え忍んで待っています。あなたがたも耐え忍びなさい。心を強くしなさい。主が来られる時が近づいているからです。(ヤコ 5・7.8)

6 月 1 日 （夜）

インマヌエル‥‥「神が私たちとともにおられる」。

(マタ1・23)

　神は、はたして人間とともに地の上に住まわれるでしょうか。実に、天も、天の天も、あなたをお入れすることはできません。(Ⅱ歴6・18) ことばは人となって、私たちの間に住まわれた。私たちはこの方の栄光を見た。父のみもとから来られたひとり子としての栄光である。この方は恵みとまことに満ちておられた。(ヨハ1・14)

　この終わりの時には、御子にあって私たちに語られました。神は御子を万物の相続者と定め、御子によって世界を造られました。(ヘブ1・2)

　週の初めの日の夕方、弟子たちがいたところでは、‥‥戸に鍵がかけられていた。すると、イエスが来て彼らの真ん中に立たれた。‥‥弟子たちは主を見て喜んだ。‥‥八日後、弟子たちは再び家の中におり、トマスも彼らと一緒にいた。イエスが‥‥トマスに言われた。「あなたの指をここに当てて、わたしの手を見なさい。手を伸ばして、わたしの脇腹に入れなさい。信じない者ではなく、信じる者になりなさい。」トマスはイエスに答えた。「私の主、私の神よ。」(ヨハ20・19. 20.26-28) ひとりのみどりごが私たちのために生まれる。‥‥力ある神。(イザ9・6)

6 月 2 日 （朝）

あなたがたは、次のようにしてそれを食べなければ
ならない。腰の帯を固く締め、‥‥急いで食べる。
これは主への過越のいけにえである。(出12・11)

さあ、立ち去れ。ここは憩いの場所ではない。(ミカ2・10) 私
たちは、いつまでも続く都をこの地上に持っているのではな
く、むしろ来たるべき都を求めているのです。(ヘブ13・14) し
たがって、安息日の休みは、神の民のためにまだ残されてい
ます。(ヘブ4・9)

腰に帯を締め、明かりをともしていなさい。主人が婚礼か
ら帰って来て戸をたたいたら、すぐに戸を開けようと、その
帰りを待っている人たちのようでありなさい。帰って来た主
人に、目を覚ましているのを見てもらえるしもべたちは幸い
です。(ルカ12・35-37) 心を引き締め、身を慎み、イエス・キリ
ストが現れるときに与えられる恵みを、ひたすら待ち望みな
さい。(Iペテ1・13) ただ一つのこと、すなわち、うしろのもの
を忘れ、前のものに向かって身を伸ばし、キリスト・イエス
にあって神が上に召してくださるという、その賞をいただく
ために、目標を目指して走っているのです。ですから、大人
である人はみな、このように考えましょう。(ピリ3・13-15)

6 月 2 日 （夜）

主は私への割り当て分 また杯。(詩16・5)

　私たちは‥‥神の相続人であり、キリストとともに共同相続人なのです。(ロマ8・17) すべては、あなたがたのものです。(Ⅰコリ3・21) 私の愛する方は私のもの。(雅2・16) 私を愛し、私のためにご自分を与えてくださった、神の御子。(ガラ2・20)

　主はまたアロンに言われた。「あなたは彼らの地で相続地を持ってはならない。彼らのうちに何の割り当て地も所有してはならない。イスラエルの子らの中にあって、わたしがあなたへの割り当てであり、あなたへのゆずりである。」(民18・20)

　あなたのほかに 天では 私にだれがいるでしょう。地では私はだれをも望みません。この身も心も尽き果てるでしょう。しかし 神は私の心の岩 とこしえに 私が受ける割り当ての地。(詩73・25.26)

　たとえ 死の陰の谷を歩むとしても 私はわざわいを恐れません。あなたが ともにおられますから。あなたのむちとあなたの杖 それが私の慰めです。(詩23・4) 私は自分が信じてきた方をよく知っており、また、その方は私がお任せしたものを、かの日まで守ることがおできになると確信しているからです。(Ⅱテモ1・12)

　神よ あなたは私の神。私はあなたを切に求めます。水のない 衰え果てた乾いた地で 私のたましいは あなたに渇き私の身も あなたをあえぎ求めます。(詩63・1)

6 月 3 日 （朝）

**目を覚ましていなさい。その日、その時をあなたが
たは知らないのですから。**(マタ 25・13)

あなたがたの心が、放蕩や深酒や生活の思い煩いで押しつ
ぶされていて、その日が罠のように、突然あなたがたに臨む
ことにならないように、よく気をつけなさい。その日は、全
地の表に住むすべての人に突然臨むのです。しかし、あなた
がたは、必ず起こるこれらすべてのことから逃れて、人の子
の前に立つことができるように、いつも目を覚まして祈って
いなさい。(ルカ 21・34-36)

主の日は、盗人が夜やって来るように来る‥‥。人々が「平
和だ、安全だ」と言っているとき、妊婦に産みの苦しみが臨
むように、突然の破滅が彼らを襲います。それを逃れること
は決してできません。しかし、兄弟たち。あなたがたは暗闇
の中にいないので、その日が盗人のようにあなたがたを襲う
ことはありません。あなたがたはみな、光の子ども、昼の子
どもなのです。私たちは夜の者、闇の者ではありません。で
すから、ほかの者たちのように眠っていないで、目を覚まし、
身を慎んでいましょう。(Ⅰテサ 5・2-6)

6 月 3 日 （夜）

わたしは全能の神である。あなたはわたしの前に歩み、全き者であれ。(創 17・1)

　私は、すでに得たのでもなく、すでに完全にされているのでもありません。‥‥私は、自分がすでに捕えたなどと考えてはいません。ただ一つのこと、すなわち、うしろのものを忘れ、前のものに向かって身を伸ばし、キリスト・イエスにあって神が上に召してくださるという、その賞をいただくために、目標を目指して走っているのです。(ピリ 3・12-14)

　エノクは神とともに歩んだ。神が彼を取られたので、彼はいなくなった。(創 5・24) 私たちの主であり、救い主であるイエス・キリストの恵みと知識において成長しなさい。(Ⅱペテ 3・18) 私たちはみな、覆いを取り除かれた顔に、鏡のように主の栄光を映しつつ、栄光から栄光へと、主と同じかたちに姿を変えられていきます。これはまさに、御霊なる主の働きによるのです。(Ⅱコリ 3・18)

　イエスは‥‥言われた。‥‥「わたしがお願いすることは、あなたが彼らをこの世から取り去ることではなく、悪い者から守ってくださることです。‥‥わたしは彼らのうちにいて、あなたはわたしのうちにおられます。彼らが完全に一つになるためです。」(ヨハ 17・1. 15. 23)

この宮のこれから後の栄光は、先のものにまさる。

‥‥この場所にわたしは平和を与える。(ハガ2・9)

主のために建てる宮は、壮大なもので、全地で名声と栄誉を高めるものでなければならない。(Ⅰ歴22・5) 主の栄光が主の宮に満ちた。(Ⅱ歴7・2)

「この神殿を壊してみなさい。わたしは、三日でそれをよみがえらせる。」‥‥イエスはご自分のからだという神殿について語られたのであった。(ヨハ2・19.21) かつては栄光を受けたものが、それよりさらにすぐれた栄光のゆえに、栄光のないものになっているのです。(Ⅱコリ3・10) ことばは人となって、私たちの間に住まわれた。私たちはこの方の栄光を見た。父のみもとから来られたひとり子としての栄光である。この方は恵みとまことに満ちておられた。(ヨハ1・14) 神は‥‥この終わりの時には、御子にあって私たちに語られました。神は御子を万物の相続者と定め、御子によって世界を造られました。(ヘブ1・1.2)

いと高き所で、栄光が神にあるように。地の上で、平和がみこころにかなう人々にあるように。(ルカ2・14) 平和の君。(イザ9・6) キリストこそ私たちの平和です。(エペ2・14) すべての理解を超えた神の平安が、あなたがたの心と思いをキリスト・イエスにあって守ってくれます。(ピリ4・7)

6 月 4 日 （夜）

私たちは‥‥光の武具を身に着けようではありません か。(ロマ 13・12)

主イエス・キリストを着なさい。(ロマ 13・14) 私がキリスト を得て、キリストにある者と認められるようになるためです。 私は律法による自分の義ではなく、キリストを信じることに よる義、すなわち、信仰に基づいて神から与えられる義を持 つのです。(ピリ 3・8.9) イエス・キリストを信じることによっ て、信じるすべての人に与えられる神の義です。そこに差別 はありません。(ロマ 3・22)

主が私に‥‥正義の外套をまとわせてくださる。(イザ 61・ 10) 私はあなたの力とともに行きます。あなたの ただあなた の義だけを心に留めて。(詩 71・16)

あなたがたは以前は闇でしたが、今は、主にあって光とな りました。光の子どもとして歩みなさい。‥‥実を結ばない 暗闇のわざに加わらず、むしろ、それを明るみに出しなさい。 ‥‥すべてのものは光によって明るみに引き出され、明らか にされます。明らかにされるものはみな光だからです。それ で、こう言われています。「眠っている人よ、起きよ。死者 の中から起き上がれ。そうすれば、キリストがあなたを照ら される。」ですから、自分がどのように歩んでいるか、‥‥ 細かく注意を払いなさい。(エペ 5・8.11.13-15)

6 月 5 日 （朝）

あなたがたも、自分に命じられたことをすべて行ったら、「私たちは取るに足りないしもべです。‥‥」と言いなさい。(ルカ 17・10)

　それでは、私たちの誇りはどこにあるのでしょうか。それは取り除かれました。どのような種類の律法によってでしょうか。行いの律法でしょうか。いいえ、信仰の律法によってです。(ロマ 3・27) あなたには、何か、人からもらわなかったものがあるのですか。もしもらったのなら、なぜ、もらっていないかのように誇るのですか。(Ⅰコリ 4・7) この恵みのゆえに、あなたがたは信仰によって救われたのです。それはあなたがたから出たことではなく、神の賜物です。行いによるのではありません。だれも誇ることのないためです。実に、私たちは神の作品であって、良い行いをするためにキリスト・イエスにあって造られたのです。神は、私たちが良い行いに歩むように、その良い行いをあらかじめ備えてくださいました。(エペ 2・8-10)

　神の恵みによって、私は今の私になりました。そして、私に対するこの神の恵みは無駄にはならず、私はほかのすべての使徒たちよりも多く働きました。働いたのは私ではなく、私とともにあった神の恵みなのですが。(Ⅰコリ 15・10) すべてのものが神から発し、神によって成り、神に至るのです。(ロマ 11・36) 私たちは御手から出たものをあなたに献げたにすぎません。(Ⅰ歴 29・14)

　あなたのしもべをさばきにかけないでください。生ける者はだれ一人 あなたの前に正しいと認められないからです。(詩 143・2)

6 月 5 日 （夜）

主は 私たちの成り立ちを知り 私たちが土のちりにす
ぎないことを 心に留めてくださる。(詩103・14)

神である主は、その大地のちりで人を形造り、その鼻にい
のちの息を吹き込まれた。それで人は生きるものとなった。
(創2・7)

私は感謝します。あなたは私に奇しいことをなさって 恐
ろしいほどです。私のたましいは それをよく知っています。
私が隠れた所で造られ 地の深い所で織り上げられたとき 私
の骨組みはあなたに隠れてはいませんでした。あなたの目は
胎児の私を見られ あなたの書物にすべてが記されました。
私のために作られた日々が しかも その一日もないうちに。
(詩139・14-16)

私たちすべてには、唯一の父がいるではないか。唯一の神
が、私たちを創造されたではないか。(マラ2・10)「私たちは神
の中に生き、動き、存在している」のです。(使17・28)父がそ
の子をあわれむように 主は ご自分を恐れる者をあわれまれ
る。(詩103・13)

神はあわれみ深く 彼らの咎を赦して 滅ぼされなかった。
怒りを何度も抑えて憤りのすべてをかき立てられることはな
かった。神は心に留めておられた。彼らが肉にすぎないこと
を。吹けば戻らない風であることを。(詩78・38.39)

6 月 6 日 （朝）

主は‥‥その愛によってあなたに安らぎを与える。

（ゼパ3・17）

主があなたがたを慕い、あなたがたを選ばれたのは、あなたがたがどの民よりも数が多かったからではない。事実あなたがたは、あらゆる民のうちで最も数が少なかった。しかし、主があなたがたを愛された。（申7・7.8）私たちは愛しています。神がまず私たちを愛してくださったからです。（Ⅰヨハ4・19）今は、神が御子の肉のからだにおいて、その死によって、あなたがたをご自分と和解させてくださいました。あなたがたを聖なる者、傷のない者、責められるところのない者として御前に立たせるためです。（コロ1・22）

私たちが神を愛したのではなく、神が私たちを愛し、私たちの罪のために、宥めのささげ物としての御子を遣わされました。ここに愛があるのです。（Ⅰヨハ4・10）私たちがまだ罪人であったとき、キリストが私たちのために死なれたことによって、神は私たちに対するご自分の愛を明らかにしておられます。（ロマ5・8）

天から声があり、こう告げた。「これはわたしの愛する子。わたしはこれを喜ぶ。」（マタ3・17）わたしが再びいのちを得るために自分のいのちを捨てるからこそ、父はわたしを愛してくださいます。（ヨハ10・17）御子は神の栄光の輝き、また神の本質の完全な現れであり、その力あるみことばによって万物を保っておられます。御子は罪のきよめを成し遂げ、いと高き所で、大いなる方の右の座に着かれました。（ヘブ1・3）

6 月 6 日 （夜）

新しい生ける道。（ヘブ10・20）

　カインは主の前から出て行った。（創4・16）あなたがたの咎が、あなたがたと、あなたがたの神との仕切りとなり、あなたがたの罪が御顔を隠させ、聞いてくださらないようにしたのだ。（イザ59・2）聖さがなければ、だれも主を見ることができません。（ヘブ12・14）

　わたしが道であり、真理であり、いのちなのです。わたしを通してでなければ、だれも父のみもとに行くことはできません。（ヨハ14・6）私たちの救い主キリスト・イエス‥‥は死を滅ぼし、福音によっていのちと不滅を明らかに示されたのです。（Ⅱテモ1・10）

　聖霊は、次のことを示しておられます。すなわち、第一の幕屋が存続しているかぎり、聖所への道がまだ明らかにされていないということです。（ヘブ9・8）キリストこそ私たちの平和です。キリストは私たち二つのものを一つにし、ご自分の肉において、隔ての壁である敵意を打ち壊されました。（エペ2・14.15）神殿の幕が上から下まで真っ二つに裂けた。（マタ27・51）

　いのちに至る門はなんと狭く、その道もなんと細いことでしょう。そして、それを見出す者はわずかです。（マタ7・14）あなたは私に いのちの道を知らせてくださいます。満ち足りた喜びが あなたの御前にあり 楽しみが あなたの右にとこしえにあります。（詩16・11）

6 月 7 日 （朝）

いつでも祈るべきで、失望してはいけない。(ルカ18・1)

　あなたがたのうちのだれかに友だちがいて、その人のところに真夜中に行き、次のように言ったとします。「友よ、パンを三つ貸してくれないか。友人が旅の途中、私のところに来たのだが、出してやるものがないのだ。」すると、その友だちは家の中からこう答えるでしょう。「面倒をかけないでほしい。もう戸を閉めてしまったし、子どもたちも私と一緒に床に入っている。起きて、何かをあげることはできない。」あなたがたに言います。この人は、友だちだからというだけでは、起きて何かをあげることはしないでしょう。しかし、友だちのしつこさのゆえなら起き上がり、必要なものを何でもあげるでしょう。(ルカ11・5-8) あらゆる祈りと願いによって、どんなときにも御霊によって祈りなさい。そのために、目を覚ましていて、すべての聖徒のために、忍耐の限りを尽くして祈りなさい。(エペ6・18)

　ヤコブは言った。「私はあなたを去らせません。私を祝福してくださらなければ。」‥‥その人は言った。「‥‥あなたは神と、また人と戦って、勝った。」(創32・26.28) たゆみなく祈りなさい。感謝をもって祈りつつ、目を覚ましていなさい。(コロ4・2)

　イエスは祈るために山に行き、神に祈りながら夜を明かされた。(ルカ6・12)

6 月 7 日 （夜）

私のすべての罪を赦してください。(詩 25・18)

「さあ、来たれ。論じ合おう。──主は言われる──たとえ、あなたがたの罪が緋のように赤くても、雪のように白くなる。たとえ、紅のように赤くても、羊の毛のようになる。」(イザ 1・18)

しっかりしなさい。あなたの罪は赦された。(マタ 9・2) わたし、このわたしは、わたし自身のために あなたの背きの罪をぬぐい去り、もうあなたの罪を思い出さない。(イザ 43・25)

人の子は地上で罪を赦す権威を持っている。(マタ 9・6) このキリストにあって、私たちはその血による贖い、背きの罪の赦しを受けています。これは神の豊かな恵みによることです。(エペ 1・7) 神は、私たちが行った義のわざによってではなく、ご自分のあわれみによって、聖霊による再生と刷新の洗いをもって、私たちを救ってくださいました。神はこの聖霊を、私たちの救い主イエス・キリストによって、私たちに豊かに注いでくださったのです。(テト 3・5.6) 私たちのすべての背きを赦し、私たちに不利な、様々な規定で私たちを責め立てている債務証書を無効にし、それを十字架に釘付けにして取り除いてくださいました。(コロ 2・13.14)

わがたましいよ 主をほめたたえよ。‥‥主は あなたのすべての咎を赦される。(詩 103・2.3)

6 月 8 日 （朝）

主が彼（ヨセフ）のすることすべてを‥‥成功させてくだ
さる。（創 39・3）

　幸いなことよ　主を恐れ　主の道を歩むすべての人は。あな
たがその手で労した実りを食べること　それはあなたの幸い
あなたへの恵み。（詩 128・1.2）主に信頼し　善を行え。地に住み
誠実を養え。主を自らの喜びとせよ。主はあなたの心の願い
をかなえてくださる。（詩 37・3.4）恐れてはならない。おののい
てはならない。あなたが行くところどこででも、あなたの神、
主があなたとともにおられるのだから。（ヨシ 1・9）

　まず神の国と神の義を求めなさい。そうすれば、これらの
ものはすべて、それに加えて与えられます。（マタ 6・33）

　彼が主を求めていた間、神は彼を栄えるようにされた。（Ⅱ
歴 26・5）気をつけなさい。私が今日あなたに命じる、主の命
令と主の定めと主の掟を守らず、あなたの神、主を忘れるこ
とがないように。‥‥あなたは心のうちで、「私の力、私の
手の力がこの富を築き上げたのだ」と言わないように気をつ
けなさい。（申 8・11.17）

　あなたがたの神、主は、あなたがたとともにおられ、周囲
の者からあなたがたを守って安息を与えられたではないか。
（Ⅰ歴 22・18）

6 月 8 日 （夜）

なぜ、あなたがたは心の中でそんなことを考えているのか。(マル 2・8)

彼(アブラハム)は、およそ百歳になり、自分のからだがすでに死んだも同然であること、またサラの胎が死んでいることを認めても、その信仰は弱まりませんでした。不信仰になって神の約束を疑うようなことはなく、かえって信仰が強められて、神に栄光を帰しました。(ロマ 4・19, 20)

中風の人に「あなたの罪は赦された」と言うのと、「起きて、寝床をたたんで歩け」と言うのと、どちらが易しいか。(マル 2・9) できるなら、と言うのですか。信じる者には、どんなことでもできるのです。(マル 9・23)

わたしには天においても地においても、すべての権威が与えられています。(マタ 28・18) どうして怖がるのですか。まだ信仰がないのですか。(マル 4・40) 空の鳥を見なさい。‥‥あなたがたの天の父は養っていてくださいます。あなたがたはその鳥よりも、ずっと価値があるではありませんか。(マタ 6・26) 信仰の薄い人たち。パンがないからだなどと、なぜ論じ合っているのですか。‥‥五つのパンを五千人に分けて何かご集めたか、覚えていないのですか。(マタ 16・8.9)

私の神は、キリスト・イエスの栄光のうちにあるご自分の豊かさにしたがって、あなたがたの必要をすべて満たしてくださいます。(ピリ 4・19)

6 月 9 日 （朝）

これまで、あの人のように話した人はいませんでした。

(ヨハ7・46)

あなたは人の子らにまさって麗しい。あなたの唇からは優しさが流れ出る。神がとこしえにあなたを祝福しておられるからだ。(詩45・2) 神である主は、私に弟子の舌を与え、疲れた者をことばで励ますことを教えられる。(イザ50・4) その口は甘美そのもの。あの方のすべてがいとしい。これが私の愛する方、これが私の恋人です。(雅5・16)

人々はみなイエスをほめ、その口から出て来る恵みのことばに驚いた。(ルカ4・22) イエスが、彼らの律法学者たちのようにではなく、権威ある者として教えられたからである。(マタ7・29)

キリストのことばが、あなたがたのうちに豊かに住むようにしなさい。(コロ3・16) 御霊の剣、すなわち神のことば。(エペ6・17) 神のことばは生きていて、力があり、両刃の剣よりも鋭く、‥‥(ヘブ4・12) 私たちの戦いの武器は肉のものではなく、神のために要塞を打ち倒す力があるものです。私たちは様々な議論と、神の知識に逆らって立つあらゆる高ぶりを打ち倒し、また、すべてのはかりごとを取り押さえて、キリストに服従させます。(Ⅱコリ10・4.5)

6 月 9 日 （夜）

悪しき者の喜びは短い。(ヨブ20・5)

おまえは彼のかかとを打つ。(創3・15) 今はあなたがたの時、暗闇の力です。(ルカ22・53) 子たちがみな血と肉を持っているので、イエスもまた同じように、それらのものをお持ちになりました。それは、死の力を持つ者、すなわち、悪魔をご自分の死によって滅ぼすためでした。(ヘブ2・14) 様々な支配と権威の武装を解除し、それらをキリストの凱旋の行列に捕虜として加えて、さらしものにされました。(コロ2・15)

身を慎み、目を覚ましていなさい。あなたがたの敵である悪魔が、吼えたける獅子のように、だれかを食い尽くそうと探し回っています。堅く信仰に立って、この悪魔に対抗しなさい。(Ⅰペテ5・8.9) そうすれば、悪魔はあなたがたから逃げ去ります。(ヤコ4・7)

悪しき者は正しい人に敵対して事を謀り 彼に向かって歯をむき出す。主は悪しき者を笑われる。彼の日が来るのをご覧になるから。(詩37・12.13) 平和の神は、速やかに、あなたがたの足の下でサタンを踏み砕いてくださいます。(ロマ16・20) 悪魔は火と硫黄の池に投げ込まれた。‥‥彼らは昼も夜も、世々限りなく苦しみを受ける。(黙20・10)

6 月 10 日 （朝）

弟息子は‥‥遠い国に旅立った。そして、そこで放蕩して、財産を湯水のように使ってしまった。

(ルカ 15・13)

　あなたがたのうちのある人たちは、以前はそのような者でした。しかし、主イエス・キリストの御名と私たちの神の御霊によって、あなたがたは洗われ、聖なる者とされ、義と認められたのです。(Ⅰコリ 6・11) 私たちも‥‥ほかの人たちと同じように、生まれながら御怒りを受けるべき子らでした。しかし、あわれみ豊かな神は、私たちを愛してくださったその大きな愛のゆえに、背きの中に死んでいた私たちを、キリストとともに生かしてくださいました。あなたがたが救われたのは恵みによるのです。神はまた、キリスト・イエスにあって、私たちをともによみがえらせ、ともに天上に座らせてくださいました。(エペ 2・3-6)

　私たちが神を愛したのではなく、神が私たちを愛し、私たちの罪のために、宥めのささげ物としての御子を遣わされました。ここに愛があるのです。(Ⅰヨハ 4・10)

　私たちがまだ罪人であったとき、キリストが私たちのために死なれたことによって、神は私たちに対するご自分の愛を明らかにしておられます。‥‥敵であった私たちが、御子の死によって神と和解させていただいたのなら、和解させていただいた私たちが、御子のいのちによって救われるのは、なおいっそう確かなことです。(ロマ 5・8.10)

6 月 10 日 （夜）

**主があなたがたを赦してくださったように、あなたが
たもそうしなさい。**(コロ 3・13)

　ある金貸しから、二人の人が金を借りていた。一人は五百
デナリ、もう一人は五十デナリ。彼らは返すことができなかっ
たので、金貸しは二人とも借金を帳消しにしてやった。(ルカ 7・
41.42) おまえが私に懇願したから、私はおまえの負債をすべ
て免除してやったのだ。私がおまえをあわれんでやったよう
に、おまえも自分の仲間をあわれんでやるべきではなかった
のか。(マタ 18・32.33)

　祈るために立ち上がるとき、だれかに対し恨んでいること
があるなら、赦しなさい。そうすれば、天におられるあなた
がたの父も、あなたがたの過ちを赦してくださいます。しか
し、もし赦さないなら、あなたがたの天の父も、あなたがた
の過ちを赦してくださいません。(マル 11・25.26) 神に選ばれた
者、聖なる者、愛されている者として、深い慈愛の心、親切、
謙遜、柔和、寛容を着なさい。互いに忍耐し合い、だれかが
ほかの人に不満を抱いたとしても、互いに赦し合いなさい。
(コロ 3・12.13)

　「主よ。兄弟が私に対して罪を犯した場合、何回赦すべきで
しょうか。七回まででしょうか。」イエスは言われた。「わた
しは七回までとは言いません。七回を七十倍するまでです。」
(マタ 18・21.22)

6 月 11 日 （朝）

彼は立ち上がって、自分の父のもとへ向かった。とこ
ろが、まだ家までは遠かったのに、父親は彼を見つ
けて、かわいそうに思い、駆け寄って彼の首を抱き、
口づけした。(ルカ 15・20)

　主は あわれみ深く 情け深い。怒るのに遅く 恵み豊かで
ある。主は いつまでも争ってはおられない。とこしえに 怒っ
てはおられない。私たちの罪にしたがって 私たちを扱うこ
とをせず 私たちの咎にしたがって 私たちに報いをされるこ
ともない。天が地上はるかに高いように 御恵みは 主を恐れ
る者の上に大きい。東が西から遠く離れているように 主は
私たちの背きの罪を私たちから遠く離される。父がその子を
あわれむように 主は ご自分を恐れる者をあわれまれる。(詩
103・8-13)

　あなたがたは、‥‥子とする御霊を受けたのです。この御
霊によって、私たちは「アバ、父」と叫びます。御霊ご自身
が、私たちの霊とともに、私たちが神の子どもであることを
証ししてくださいます。(ロマ 8・15.16) かつては遠く離れてい
たあなたがたも、今では‥‥キリストの血によって近い者と
なりました。‥‥こういうわけで、あなたがたは、もはや他
国人でも寄留者でもなく、聖徒たちと同じ国の民であり、神
の家族なのです。(エペ 2・13.19)

6 月 11 日 (夜)

見よ、わたしはすべてを新しくする。(黙21・5)

人は、新しく生まれなければ、神の国を見ることはできません。(ヨハ3・3) だれでもキリストのうちにあるなら、その人は新しく造られた者です。古いものは過ぎ去って、見よ、すべてが新しくなりました。(Ⅱコリ5・17)

わたしは‥‥あなたがたに新しい心を与え、あなたがたのうちに新しい霊を与える。わたしはあなたがたのからだから石の心を取り除き、あなたがたに肉の心を与える。(エゼ36・25.26) 新しいこねた粉のままでいられるように、古いパン種をすっかり取り除きなさい。(Ⅰコリ5・7) 真理に基づく義と聖をもって、神にかたどり造られた新しい人を着ることでした。(エペ4・24)

あなたは新しい名で呼ばれる。主の御口が名づける名で。(イザ62・2)

見よ、わたしは新しい天と新しい地を創造する。先のことは思い出されず、心に上ることもない。(イザ65・17) これらすべてのものが崩れ去るのだとすれば、あなたがたは、どれほど聖なる敬虔な生き方をしなければならないことでしょう。(Ⅱペテ3・11)

6 月 12 日 （朝）

すべて火に耐えるものは、火の中を通せば、きよくなる。(民31・23)

あなたがたの神、主は、あなたがたが心を尽くし、いのちを尽くして、本当にあなたがたの神、主を愛しているかどうかを知ろうとして、あなたがたを試みておられるからである。(申13・3) この方は、銀を精錬する者、きよめる者として座に着き、レビの子らをきよめて、金や銀にするように、彼らを純粋にする。彼らは主にとって、義によるささげ物を献げる者となる。(マラ3・3) それぞれの働きは明らかになります。「その日」がそれを明るみに出すのです。その日は火とともに現れ、この火が、それぞれの働きがどのようなものかを試すからです。(Ⅰコリ3・13)

わが手をおまえに対して向け、おまえの金かすを灰汁(あく)のように溶かし、その浮きかすをみな除く。(イザ1・25) わたしは彼らを精錬して試す。(エレ9・7)

神よ まことに あなたは私たちを試し 銀を精錬するように 私たちを錬られました。‥‥私たちは 火の中 水の中を通りました。しかし あなたは私たちを 豊かな所へ導き出してくださいました。(詩66・10.12)

火の中を歩いても、あなたは焼かれず、炎はあなたに燃えつかない。(イザ43・2)

6 月 12 日 （夜）

私たちが罪を離れ、義のために生きるため。

（Ⅰペテ2・24）

　その教えとは、あなたがたの以前の生活について言えば、人を欺く情欲によって腐敗していく古い人を、あなたがたが脱ぎ捨てること、また、あなたがたが霊と心において新しくされ続け、真理に基づく義と聖をもって、神にかたどり造られた新しい人を着ることでした。（エペ4・22-24）

　あなたがたはすでに死んでいて、あなたがたのいのちは、キリストとともに神のうちに隠されているのです。（コロ3・3）キリストが御父の栄光によって死者の中からよみがえられたように、私たちも、新しいいのちに歩むためです。‥‥私たちは知っています。私たちの古い人がキリストとともに十字架につけられたのは、罪のからだが滅ぼされて、私たちがもはや罪の奴隷でなくなるためです。死んだ者は、罪から解放されているのです。‥‥同じように、あなたがたもキリスト・イエスにあって、自分は罪に対して死んだ者であり、神に対して生きている者だと、認めなさい。ですから、あなたがたの死ぬべきからだを罪に支配させて、からだの欲望に従ってはいけません。‥‥むしろ、死者の中から生かされた者としてあなたがた自身を神に献げ、また、あなたがたの手足を義の道具として神に献げなさい。（ロマ6・4.6.7.11-13）

6 月 13 日 （朝）

**わたしにとどまりなさい。わたしもあなたがたの中に
とどまります。**(ヨハ 15・4)

私はキリストとともに十字架につけられました。もはや私
が生きているのではなく、キリストが私のうちに生きておら
れるのです。今私が肉において生きているいのちは、私を愛
し、私のためにご自分を与えてくださった、神の御子に対す
る信仰によるのです。(ガラ 2・19.20)

私は、自分のうちに、すなわち、自分の肉のうちに善が住
んでいないことを知っています。私には良いことをしたいと
いう願いがいつもあるのに、実行できないからです。‥‥私
は本当にみじめな人間です。だれがこの死のからだから、私
を救い出してくれるのでしょうか。私たちの主イエス・キリ
ストを通して、神に感謝します。(ロマ 7・18.24.25) キリストが
あなたがたのうちにおられるなら、からだは罪のゆえに死ん
でいても、御霊が義のゆえにいのちとなっています。(ロマ 8・
10) あなたがたは信仰に土台を据え、堅く立ち、聞いている
福音の望みから外れることなく、信仰にとどまらなければな
りません。(コロ 1・23)

子どもたち、キリストのうちにとどまりなさい。そうすれ
ば、キリストが現れるとき、私たちは確信を持つことができ、
来臨のときに御前で恥じることはありません。(Ⅰヨハ 2・28) 神
のうちにとどまっていると言う人は、自分もイエスが歩まれ
たように歩まなければなりません。(Ⅰヨハ 2・6)

6 月 13 日 （夜）

あなたは人の子を信じますか。(ヨハ9・35)

主よ、私が信じることができるように教えてください。その人はどなたですか。(ヨハ9・36)

御子は神の栄光の輝き、また神の本質の完全な現れ。(ヘブ1・3) 祝福に満ちた唯一の主権者、王の王、主の主、死ぬことがない唯一の方、近づくこともできない光の中に住まわれ、人間がだれ一人見たことがなく、見ることもできない方。この方に誉れと永遠の支配がありますように。アーメン。(Ⅰテモ6・15.16) 神である主、今おられ、昔おられ、やがて来られる方、全能者がこう言われる。「わたしはアルファであり、オメガである。」(黙1・8)

主よ、信じます。(ヨハ9・38) 私は自分が信じてきた方をよく知っており、また、その方は私がお任せしたものを、かの日まで守ることがおできになると確信している。(Ⅱテモ1・12)

見よ、わたしはシオンに、選ばれた石、尊い要石を据える。この方に信頼する者は 決して失望させられることがない。

(Ⅰペテ2・6)

6 月 14 日 （朝）

**私たちにキリストの苦難があふれているように、キリス
トによって私たちの慰めもあふれている。**（Ⅱコリ1・5）

キリストの苦難にあずかればあずかるほど、いっそう喜び
なさい。キリストの栄光が現れるときにも、歓喜にあふれて
喜ぶためです。（Ⅰペテ4・13）私たちが、キリストとともに死ん
だのなら、キリストとともに生きるようになる。（Ⅱテモ2・11）
子どもであるなら、相続人でもあります。私たちはキリスト
と、栄光をともに受けるために苦難をともにしているのです
から、神の相続人であり、キリストとともに共同相続人なの
です。（ロマ8・17）

神は、約束の相続者たちに、ご自分の計画が変わらないこ
とをさらにはっきり示そうと思い、誓いをもって保証されま
した。それは、前に置かれている希望を捕らえようとして逃
れて来た私たちが、約束と誓いという変わらない二つのもの
によって、力強い励ましを受けるためです。その二つについ
て、神が偽ることはあり得ません。（ヘブ6・17.18）どうか、私
たちの主イエス・キリストと、私たちの父なる神、すなわち、
私たちを愛し、永遠の慰めとすばらしい望みを恵みによって
与えてくださった方ご自身が、あなたがたの心を慰め、強め
て、あらゆる良いわざとことばに進ませてくださいますよう
に。（Ⅱテサ2・16.17）

6 月 14 日 （夜）

**マルタ、マルタ、あなたはいろいろなことを思い煩っ
て、心を乱しています。**(ルカ 10・41)

　烏のことをよく考えなさい。種蒔きもせず、刈り入れもせ
ず、納屋も倉もありません。‥‥草花がどのようにして育つ
のか、よく考えなさい。働きもせず、紡ぎもしません。‥‥
信仰の薄い人たちよ。何を食べたらよいか、何を飲んだらよ
いかと、心配するのをやめ、気をもむのをやめなさい。‥‥
これらのものがあなたがたに必要であることは、あなたがた
の父が知っておられます。(ルカ 12・24.27-30)

　衣食があれば、それで満足すべきです。金持ちになりたが
る人たちは、誘惑と罠と、また人を滅びと破滅に沈める、愚
かで有害な多くの欲望に陥ります。金銭を愛することが、あ
らゆる悪の根だからです。ある人たちは金銭を追い求めたた
めに、信仰から迷い出て、多くの苦痛で自分を刺し貫きまし
た。(Ⅰテモ 6・8-10)

　この世の思い煩いや、富の惑わし、そのほかいろいろな欲
望が入り込んでみことばをふさぐので、実を結ぶことができ
ません。(マル 4・19)

　一切の重荷とまとわりつく罪を捨てて、自分の前に置かれ
ている競走を、忍耐をもって走り続けようではありませんか。
(ヘブ 12・1)

6 月 15 日 （朝）

隠されていることは、私たちの神、主のものである。
しかし現されたことは永遠に私たち‥‥のものであ
る。(申 29・29)

主よ 私の心はおごらず 私の目は高ぶりません。及びもつかない大きなことや奇しいことに 私は足を踏み入れません。まことに私は 私のたましいを和らげ 静めました。乳離れした子が母親とともにいるように 乳離れした子のように 私のたましいは私とともにあります。(詩 131・1.2)

主は ご自身を恐れる者と親しく交わり その契約を彼らにお知らせになる。(詩 25・14) 天に秘密を明らかにするひとりの神がおられます。(ダニ 2・28) 見よ、これらは神のみわざの外側にすぎない。私たちは神についてささやきしか聞いていない。(ヨブ 26・14)

わたしはもう、あなたがたをしもべとは呼びません。しもべなら主人が何をするのか知らないからです。わたしはあなたがたを友と呼びました。父から聞いたことをすべて、あなたがたには知らせたからです。(ヨハ 15・15) もしわたしを愛しているなら、あなたがたはわたしの戒めを守るはずです。そしてわたしが父にお願いすると、父はもう一人の助け主をお与えくださり、その助け主がいつまでも、あなたがたとともにいるようにしてくださいます。この方は真理の御霊です。(ヨハ 14・15-17)

6 月 15 日 （夜）

**御霊は神のみこころにしたがって、聖徒たちのために
とりなしてくださる。**(ロマ8・27)

まことに、まことに、あなたがたに言います。わたしの名
によって父に求めるものは何でも、父はあなたがたに与えて
くださいます。今まで、あなたがたは、わたしの名によって
何も求めたことがありません。求めなさい。そうすれば受け
ます。あなたがたの喜びが満ちあふれるようになるためです。
(ヨハ16・23.24) あらゆる祈りと願いによって、どんなときにも
御霊によって祈りなさい。(エペ6・18)

何事でも神のみこころにしたがって願うなら、神は聞いて
くださるということ、これこそ神に対して私たちが抱いてい
る確信です。私たちが願うことは何でも神が聞いてくださる
と分かるなら、私たちは、神に願い求めたことをすでに手に
していると分かります。(Ⅰヨハ5・14.15) 神のみこころは、あな
たがたが聖なる者となることです。(Ⅰテサ4・3)

神が私たちを召されたのは、汚れたことを行わせるためで
はなく、聖さにあずからせるためです。(Ⅰテサ4・7) あなたが
たにご自分の聖霊を与えてくださる神。(Ⅰテサ4・8)。

いつも喜んでいなさい。絶えず祈りなさい。すべてのこと
において感謝しなさい。これが、キリスト・イエスにあって
神があなたがたに望んでおられることです。(Ⅰテサ5・16-18)

6 月 16 日 （朝）

知恵のない者としてではなく、知恵のある者として、
機会を十分に活かしなさい。悪い時代だからです。

(エペ5・15.16)

命令と律法をよく守り行い、あなたがたの神、主を愛し、そのすべての道に歩み、その命令を守り、主にすがり、心を尽くし、いのちを尽くして主に仕えなさい。(ヨシ22・5) 外部の人たちに対しては、機会を十分に活かし、知恵をもって行動しなさい。あなたがたのことばが、いつも親切で、塩味の効いたものであるようにしなさい。そうすれば、一人ひとりにどのように答えたらよいかが分かります。(コロ4・5.6) あらゆる形の悪から離れなさい。(Ⅰテサ5・22)

花婿が来るのが遅くなったので、娘たちはみな眠くなり寝入ってしまった。ところが夜中になって、「さあ、花婿だ。迎えに出なさい」と叫ぶ声がした。‥‥ですから、目を覚ましていなさい。その日、その時をあなたがたは知らないのですから。(マタ25・5.6.13)

兄弟たち。自分たちの召しと選びを確かなものとするように、いっそう励みなさい。これらのことを行っているなら、決してつまずくことはありません。(Ⅱペテ1・10) 帰って来た主人に、目を覚ましているのを見てもらえるしもべたちは幸いです。(ルカ12・37)

6 月 16 日 （夜）

あなたは、自分の冠をだれにも奪われないように、持っているものをしっかり保ちなさい。(黙3・11)

この方の衣に触れさえすれば、私は救われる。(マタ9・21)「主よ、お心一つで私をきよくすることがおできになります。」‥‥「わたしの心だ。きよくなれ。」(マタ8・2.3) からし種ほどの信仰。(マタ17・20)

あなたがたの確信を投げ捨ててはいけません。その確信には大きな報いがあります。(ヘブ10・35) 恐れおののいて自分の救いを達成するよう努めなさい。神はみこころのままに、あなたがたのうちに働いて志を立てさせ、事を行わせてくださる方です。(ピリ2・12.13)

初めに苗、次に穂、次に多くの実が穂にできます。(マル4・28) 私たちは知ろう。主を知ることを切に追い求めよう。(ホセ6・3) 天の御国は激しく攻められています。そして、激しく攻める者たちがそれを奪い取っています。(マタ11・12) あなたがたも賞を得られるように走りなさい。(Ⅰコリ9・24)

私は勇敢に戦い抜き、走るべき道のりを走り終え、信仰を守り通しました。あとは、義の栄冠が私のために用意されているだけです。その日には、正しいさばき主である主が、それを私に授けてくださいます。(Ⅱテモ4・7.8)

6 月 17 日 （朝）

あらゆる場合に、感謝をもってささげる祈りと願いによって、あなたがたの願い事を神に知っていただきなさい。(ピリ 4・6)

私は主を愛している。主は私の声 私の願いを聞いてくださる。主が私に耳を傾けてくださるので 私は生きているかぎり主を呼び求める。(詩 116・1.2)

祈るとき、異邦人のように、同じことばをただ繰り返してはいけません。彼らは、ことば数が多いことで聞かれると思っているのです。(マタ 6・7) 御霊も、弱い私たちを助けてくださいます。私たちは、何をどう祈ったらよいか分からないのですが、御霊ご自身が、ことばにならないうめきをもって、とりなしてくださるのです。(ロマ 8・26)

男たちは怒ったり言い争ったりせずに、どこででも、きよい手を上げて祈りなさい。(Ⅰテモ 2・8) あらゆる祈りと願いによって、どんなときにも御霊によって祈りなさい。そのために、目を覚ましていて、すべての聖徒のために、忍耐の限りを尽くして祈りなさい。(エペ 6・18)

あなたがたのうちの二人が、どんなことでも地上で心を一つにして祈るなら、天におられるわたしの父はそれをかなえてくださいます。(マタ 18・19)

6 月 17 日 （夜）

主よ あなたが造られたすべてのものは あなたに感謝し あなたにある敬虔な者たちは あなたをほめたたえます。(詩 145・10)

わがたましいよ 主をほめたたえよ。私のうちにあるすべてのものよ 聖なる御名をほめたたえよ。わがたましいよ 主をほめたたえよ。主が良くしてくださったことを何一つ忘れるな。(詩 103・1.2) 私はあらゆるときに 主をほめたたえる。私の口には いつも主への賛美がある。(詩 34・1) 日ごとにあなたをほめたたえ あなたの御名を世々限りなく賛美します。(詩 145・2)

あなたの恵みは いのちにもまさるゆえ 私の唇は あなたを賛美します。それゆえ私は 生きるかぎりあなたをほめたたえ あなたの御名により 両手を上げて祈ります。脂肪と髄をふるまわれたかのように 私のたましいは満ち足りています。喜びにあふれた唇で 私の口はあなたを賛美します。(詩 63・3-5)

私のたましいは主をあがめ、私の霊は私の救い主である神をたたえます。(ルカ 1・46.47)

主よ、私たちの神よ。あなたこそ栄光と誉れと力を受けるにふさわしい方。あなたが万物を創造されました。みこころのゆえに、それらは存在し、また創造されたのです。(黙 4・11)

その「宥めの蓋」(なだめのふた)を箱の上に載せる。‥‥
わたしはそこであなたと会見する。(出 25 · 21. 22)

聖所への道がまだ明らかにされていない。(ヘブ 9 · 8) イエス
は再び大声で叫んで霊を渡された。すると見よ、神殿の幕が
上から下まで真っ二つに裂けた。(マタ 27 · 50.51)

兄弟たち。私たちはイエスの血によって大胆に聖所に入る
ことができます。イエスはご自分の肉体という垂れ幕を通し
て、私たちのために、この新しい生ける道を開いてください
ました。‥‥ですから、心に血が振りかけられて、邪悪な良
心をきよめられ、からだをきよい水で洗われ、全き信仰をもっ
て真心から神に近づこうではありませんか。(ヘブ 10 · 19-22) 私
たちは、あわれみを受け、また恵みをいただいて、折にかなっ
た助けを受けるために、大胆に恵みの御座に近づこうではあ
りませんか。(ヘブ 4 · 16)

神はこの方を、信仰によって受けるべき、血による宥めの
ささげ物として公に示されました。(ロマ 3 · 25) このキリストを
通して、私たち二つのものが、一つの御霊によって御父に近
づくことができるのです。(エペ 2 · 18)

6 月 18 日 （夜）

からし種ほどの信仰。(マタ17・20)

バラクは彼女(デボラ)に言った。「もしあなたが私と一緒に行ってくださるなら、行きましょう。しかし、もしあなたが私と一緒に行ってくださらないなら、行きません。」‥‥神は、その日、イスラエル人の前でカナンの王ヤビンを屈服させた。(士4・8.23) ギデオンは‥‥主が言われたとおりに行った。しかし、彼は父の家の者や、町の人々を恐れたので、昼間はそれをせず、夜に行った。‥‥ギデオンは神に言った。「もしあなたが言われたとおり、私の手によってイスラエルを救おうとされるのなら、‥‥私にもう一度だけ言わせてください。‥‥」神はその夜、そのようにされた。(士6・27.36.39.40)

あなたには少しばかりの力があって、わたしのことばを守り、わたしの名を否まなかった。(黙3・8) だれが、その日を小さなこととして蔑むのか。人々はゼルバベルの手にある重り縄を見て喜ぶ。(ゼカ4・10)

兄弟たち。あなたがたについて、私たちはいつも神に感謝しなければなりません。それは当然のことです。あなたがたの信仰が大いに成長しているからです。(Ⅱテサ1・3) 私たちの信仰を増し加えてください。(ルカ17・5) わたしはイスラエルにとって露のようになる。彼はゆりのように花咲き、レバノン杉のように根を張る。その若枝は伸び、その輝きはオリーブの木のように、その香りはレバノン杉のようになる。(ホセ14・5.6)

6 月 19 日 （朝）

聖さがなければ、だれも主を見ることができません。

(ヘブ 12・14)

人は、新しく生まれなければ、神の国を見ることはできません。(ヨハ 3・3) すべての汚れたもの‥‥は、決して都に入れない。(黙 21・27) あなたには何の汚れもない。(雅 4・7)

あなたがたは聖なる者でなければならない。あなたがたの神、主であるわたしが聖だからである。(レビ 19・2) 従順な子どもとなり、以前、無知であったときの欲望に従わず、むしろ、あなたがたを召された聖なる方に倣い、あなたがた自身、生活のすべてにおいて聖なる者となりなさい。「あなたがたは聖なる者でなければならない。わたしが聖だからである」と書いてあるからです。また、人をそれぞれのわざにしたがって公平にさばかれる方を父と呼んでいるのなら、この世に寄留している時を、恐れつつ過ごしなさい。(Iペテ 1・14-17) その教えとは、あなたがたの以前の生活について言えば、人を欺く情欲によって腐敗していく古い人を、あなたがたが脱ぎ捨てること、また、あなたがたが霊と心において新しくされ続け、真理に基づく義と聖をもって、神にかたどり造られた新しい人を着ることでした。(エペ 4・22-24) 神は、世界の基が据えられる前から、この方にあって私たちを選び、御前に聖なる、傷のない者にしようとされたのです。(エペ 1・4)

6 月 19 日 （夜）

火で精錬された金。（黙3・18）

　わたしのために、また福音のために、家、兄弟、姉妹、母、父、子ども、畑を捨てた者は、今この世で、迫害とともに、家、兄弟、姉妹、母、子ども、畑を百倍受け、来たるべき世で永遠のいのちを受けます。（マルコ10・29, 30）

　愛する者たち。あなたがたを試みるためにあなたがたの間で燃えさかる試練を、何か思いがけないことが起こったかのように、不審に思ってはいけません。（Iペテ4・12）あなたがたは大いに喜んでいます。今しばらくの間、様々な試練の中で悲しまなければならないのですが、試練で試されたあなたがたの信仰は、火で精錬されてもなお朽ちていく金よりも高価であり、イエス・キリストが現れるとき、称賛と栄光と誉れをもたらします。（Iペテ1・6, 7）

　あらゆる恵みに満ちた神、すなわち、あなたがたをキリストにあって永遠の栄光の中に招き入れてくださった神ご自身が、あなたがたをしばらくの苦しみの後で回復させ、堅く立たせ、強くし、不動の者としてくださいます。（Iペテ5・10）世にあっては苦難があります。しかし、勇気を出しなさい。わたしはすでに世に勝ちました。（ヨハ16・33）

6 月 20 日 （朝）

この子を連れて行き、私に代わって乳を飲ませてください。私が賃金を払いましょう。(出 2・9)

あなたがたもぶどう園に行きなさい。相当の賃金を払うから。(マタ 20・4) あなたがたがキリストに属する者だということで、あなたがたに一杯の水を飲ませてくれる人は、決して報いを失うことがありません。(マル 9・41) おおらかな人は豊かにされ、他人を潤す人は自分も潤される。(箴 11・25) 神は不公平な方ではありませんから、あなたがたの働きや愛を忘れたりなさいません。あなたがたは、これまで聖徒たちに仕え、今も仕えることによって、神の御名のために愛を示しました。(ヘブ 6・10)

それぞれ自分の労苦に応じて自分の報酬を受けるのです。(Ⅰコリ 3・8)

「主よ。いつ私たちはあなたが空腹なのを見て食べさせ、渇いているのを見て飲ませて差し上げたでしょうか。いつ、旅人であるのを見て宿を貸し、裸なのを見て着せて差し上げたでしょうか。」‥‥すると、王は彼らに答えます。「まことに、あなたがたに言います。あなたがたが、これらのわたしの兄弟たち、それも最も小さい者たちの一人にしたことは、わたしにしたのです。」(マタ 25・37.38.40)「さあ、わたしの父に祝福された人たち。世界の基が据えられたときから、あなたがたのために備えられていた御国を受け継ぎなさい。」(マタ 25・34)

6 月 20 日 （夜）

あなたは私が歩くのも伏すのも見守り 私の道のすべてを知り抜いておられます。(詩139・3)

ヤコブは眠りから覚めて、言った。「まことに主はこの場所におられる。それなのに、私はそれを知らなかった。」彼は恐れて言った。「この場所は、なんと恐れ多いところだろう。ここは神の家にほかならない。ここは天の門だ。」(創28・16.17)

主はその御目をもって全地を隅々まで見渡し、その心がご自分と全く一つになっている人々に御力を現してくださるのです。(Ⅱ歴16・9)

平安のうちに私は身を横たえ すぐ眠りにつきます。主よただあなただけが 安らかに 私を住まわせてくださいます。(詩4・8)

それは わが避け所 主を いと高き方を あなたが自分の住まいとしたからである。わざわいは あなたに降りかからず 疫病も あなたの天幕に近づかない。主が あなたのために御使いたちに命じて あなたのすべての道で あなたを守られるからだ。(詩91・9-11) 横たわるとき、あなたに恐れはない。休むとき、眠りは心地よい。(箴3・24) 主は愛する者に眠りを与えてくださる。(詩127・2)

6 月 21 日 （朝）

**キリストも、あなたがたのために苦しみを受け、その
足跡に従うようにと、あなたがたに模範を残された。**

（Ⅰペテ2・21）

人の子も、仕えられるためではなく仕えるために‥‥来た
のです。（マルコ10・45）あなたがたの間で先頭に立ちたいと思う
者は、皆のしもべになりなさい。（マルコ10・44）

イエスは巡り歩いて良いわざを行われました。（使10・38）互
いの重荷を負い合いなさい。そうすれば、キリストの律法を
成就することになります。（ガラ6・2）

キリストの柔和と優しさ。（Ⅱコリ10・1）へりくだって、互
いに人を自分よりすぐれた者と思いなさい。（ピリ2・3）

父よ、彼らをお赦しください。彼らは、自分が何をしてい
るのかが分かっていないのです。（ルカ23・34）互いに親切にし、
優しい心で赦し合いなさい。神も、キリストにおいてあなた
がたを赦してくださったのです。（エペ4・32）

神のうちにとどまっていると言う人は、自分もイエスが歩
まれたように歩まなければなりません。（Ⅰヨハ2・6）信仰の創
始者であり完成者であるイエスから、目を離さないでいなさ
い。この方は、ご自分の前に置かれた喜びのために、辱めを
ものともせずに十字架を忍び、神の御座の右に着座されたの
です。（ヘブ12・2）

6 月 21 日 （夜）

あの方を捜しても、見つけることができませんでした。
あの方を呼んでも、あの方は答えられませんでした。

（雅 5・6）

「ああ、主よ。イスラエルが敵の前に背を見せた今となって
は、何を申し上げることができるでしょう。」‥‥主はヨシュ
アに告げられた。「立て。なぜ、あなたはひれ伏しているのか。
イスラエルは罪ある者となった。‥‥聖絶の物の一部を取り、
‥‥それを自分のものの中に入れることまでした。」(ヨシ7・8.
10.11)

　見よ。主の手が短くて救えないのではない。その耳が遠く
て聞こえないのではない。むしろ、あなたがたの咎が、あな
たがたと、あなたがたの神との仕切りとなり、あなたがたの
罪が御顔を隠させ、聞いてくださらないようにしたのだ。(イ
ザ59・1.2)

　もしも不義を　私が心のうちに見出すなら　主は聞き入れて
くださらない。(詩66・18)

　愛する者たち。自分の心が責めないなら、私たちは神の御
前に確信を持つことができます。そして、求めるものを何で
も神からいただくことができます。私たちが神の命令を守り、
神に喜ばれることを行っているからです。(Ⅰヨハ3・21.22)

6 月 22 日 （朝）

あなたがたはすでに死んでいて、あなたがたのいの
ちは、キリストとともに神のうちに隠されているのです。

（コロ 3・3）

罪に対して死んだ私たちが、どうしてなおも罪のうちに生
きていられるでしょうか。(ロマ6・2) もはや私が生きているの
ではなく、キリストが私のうちに生きておられるのです。今
私が肉において生きているいのちは、私を愛し、私のために
ご自分を与えてくださった、神の御子に対する信仰によるの
です。(ガラ2・20) キリストはすべての人のために死なれまし
た。それは、生きている人々が、もはや自分のためにではな
く、自分のために死んでよみがえった方のために生きるため
です。(Ⅱコリ5・15) だれでもキリストのうちにあるなら、その
人は新しく造られた者です。古いものは過ぎ去って、見よ、
すべてが新しくなりました。(Ⅱコリ5・17)

私たちは真実な方のうちに、その御子イエス・キリストの
うちにいるのです。(Ⅰヨハ5・20) 父よ。あなたがわたしのうちに
おられ、わたしがあなたのうちにいるように、すべての人を
一つにしてください。(ヨハ17・21) あなたがたはキリストのから
だであって、一人ひとりはその部分です。(Ⅰコリ12・27) わたし
が生き、あなたがたも生きることになるからです。(ヨハ14・19)

勝利を得る者には、わたしは隠されているマナを与える。
また、白い石を与える。その石には、それを受ける者のほか
はだれも知らない、新しい名が記されている。(黙2・17)

6 月 22 日 （夜）

ご覧なさい。どんなにラザロを愛しておられたことか。

（ヨハ 11・36）

キリストはすべての人のために死なれました。（Ⅱコリ 5・15）人が自分の友のためにいのちを捨てること、これよりも大きな愛はだれも持っていません。（ヨハ 15・13）

イエスは、いつも生きていて、彼らのためにとりなしをしておられる。（ヘブ 7・25）あなたがたのために場所を用意しに行く。（ヨハ 14・2）

また来て、あなたがたをわたしのもとに迎えます。わたしがいるところに、あなたがたもいるようにするためです。（ヨハ 14・3）父よ。わたしに下さったものについてお願いします。わたしがいるところに、彼らもわたしとともにいるようにしてください。（ヨハ 17・24）世にいるご自分の者たちを愛してきたイエスは、彼らを最後まで愛された。（ヨハ 13・1）

私たちは愛しています。神がまず私たちを愛してくださったからです。（Ⅰヨハ 4・19）キリストの愛が私たちを捕らえているからです。私たちはこう考えました。一人の人がすべての人のために死んだ以上、すべての人が死んだのである、と。キリストはすべての人のために死なれました。それは、生きている人々が、もはや自分のためにではなく、自分のために死んでよみがえった方のために生きるためです。（Ⅱコリ 5・14.15）

わたしがわたしの父の戒めを守って、父の愛にとどまっているのと同じように、あなたがたもわたしの戒めを守るなら、わたしの愛にとどまっているのです。（ヨハ 15・10）

6 月 23 日 （朝）

わたしが父にお願いすると、父はもう一人の助け主を
お与えくださり、その助け主がいつまでも、あなたが
たとともにいるようにしてくださいます。この方は真理
の御霊です。(ヨハ 14・16, 17)

　わたしが去って行くことは、あなたがたの益になるのです。
去って行かなければ、あなたがたのところに助け主はおいで
になりません。でも、行けば、わたしはあなたがたのところ
に助け主を遣わします。(ヨハ 16・7)

　御霊ご自身が、私たちの霊とともに、私たちが神の子ども
であることを証ししてくださいます。(ロマ 8・16) あなたがた
は、人を再び恐怖に陥れる、奴隷の霊を受けたのではなく、
子とする御霊を受けたのです。この御霊によって、私たちは
「アバ、父」と叫びます。(ロマ 8・15) 御霊も、弱い私たちを助
けてくださいます。私たちは、何をどう祈ったらよいか分か
らないのですが、御霊ご自身が、ことばにならないうめきを
もって、とりなしてくださるのです。(ロマ 8・26)

　どうか、希望の神が、信仰によるすべての喜びと平安であ
なたがたを満たし、聖霊の力によって希望にあふれさせてく
ださいますように。(ロマ 15・13) この希望は失望に終わること
がありません。なぜなら、私たちに与えられた聖霊によって、
神の愛が私たちの心に注がれているからです。(ロマ 5・5)

　神が私たちに御霊を与えてくださったことによって、私た
ちが神のうちにとどまり、神も私たちのうちにとどまってお
られることが分かります。(Ⅰヨハ 4・13)

6 月 23 日 （夜）

**あなたが幸せになるために、身の落ち着き所を私が
探してあげなければなりません。**(ルツ 3・1)

安息日の休みは、神の民のためにまだ残されています。(ヘ
ブ 4・9) 私の民は、平和な住まい、安全な家、安らかな憩い
の場に住む。(イザ 32・18) かしこでは、悪しき者は荒れ狂うの
をやめ、かしこでは、力の萎えた者は憩う。(ヨブ 3・17) その人
たちは、その労苦から解き放たれて安らぐことができる。(黙
14・13)

イエスは、私たちのために先駆けとしてそこに入り、メル
キゼデクの例に倣って、とこしえに大祭司となられたのです。
(ヘブ 6・20)

すべて疲れた人、重荷を負っている人はわたしのもとに来
なさい。わたしがあなたがたを休ませてあげます。わたしは
心が柔和でへりくだっているから、あなたがたもわたしのく
びきを負って、わたしから学びなさい。そうすれば、たまし
いに安らぎを得ます。わたしのくびきは負いやすく、わたし
の荷は軽いからです。(マタ 11・28-30) 立ち返って落ち着いてい
れば、あなたがたは救われ、静かにして信頼すれば、あなた
がたは力を得る。(イザ 30・15)

主は私の羊飼い。私は乏しいことがありません。主は私を
緑の牧場に伏させ いこいのみぎわに伴われます。(詩 23・1.2)

6 月 24 日 （朝）

主の契約の箱は‥‥彼らの先に立って進み、彼らが
休息する場所を探した。(民10・33)

私の時は御手の中にあります。(詩31・15) 主は 私たちのた
めに選んでくださる。私たちの受け継ぐ地を。(詩47・4) 主よ
私を待ち伏せている者がいますから あなたの義によって私
を導いてください。私の前に あなたの道をまっすぐにして
ください。(詩5・8)

あなたの道を主にゆだねよ。主に信頼せよ。主が成し遂げ
てくださる。(詩37・5) あなたの行く道すべてにおいて、主を
知れ。主があなたの進む道をまっすぐにされる。(箴3・6) あな
たが右に行くにも左に行くにも、うしろから「これが道だ。
これに歩め」と言うことばを、あなたの耳は聞く。(イザ30・21)

主は私の羊飼い。私は乏しいことがありません。主は私を
緑の牧場に伏させ いこいのみぎわに伴われます。(詩23・1.2)
父がその子をあわれむように 主は ご自分を恐れる者をあわ
れまれる。主は 私たちの成り立ちを知り 私たちが土のちり
にすぎないことを 心に留めてくださる。(詩103・13.14) あなた
がたにこれらのものすべてが必要であることは、あなたがた
の天の父が知っておられます。(マタ6・32) あなたがたの思い煩
いを、いっさい神にゆだねなさい。神があなたがたのことを
心配してくださるからです。(Ⅰペテ5・7)

6 月 24 日 （夜）

「ラビ、‥‥どこにお泊まりですか。」イエスは彼らに
言われた。「来なさい。そうすれば分かります。」

（ヨハ 1・38, 39）

わたしの父の家には住む所がたくさんあります。そうでな
かったら、あなたがたのために場所を用意しに行く、と言っ
たでしょうか。‥‥場所を用意したら、また来て、あなたが
たをわたしのもとに迎えます。わたしがいるところに、あな
たがたもいるようにするためです。（ヨハ 14・2, 3）勝利を得る者
を、わたしとともにわたしの座に着かせる。（黙 3・21）

いと高くあがめられ、永遠の住まいに住み、その名が聖で
ある方が、こう仰せられる。「わたしは、高く聖なる所に住み、
砕かれた人、へりくだった人とともに住む。へりくだった人
たちの霊を生かし、砕かれた人たちの心を生かすためであ
る。」（イザ 57・15）

見よ、わたしは戸の外に立ってたたいている。だれでも、
わたしの声を聞いて戸を開けるなら、わたしはその人のとこ
ろに入って彼とともに食事をし、彼もわたしとともに食事を
する。（黙 3・20）

見よ。わたしは世の終わりまで、いつもあなたがたととも
にいます。（マタ 28・20）神よ あなたの恵みはなんと尊いことで
しょう。人の子らは 御翼の陰に身を避けます。（詩 36・7）

6 月 25 日 （朝）

> 私たちは、キリストが現れたときに、キリストに似た者
> になることは知っています。キリストをありのままに見
> るからです。(Ⅰヨハ3・2)

この方を受け入れた人々、すなわち、その名を信じた人々
には、神の子どもとなる特権をお与えになった。(ヨハ1・12) 尊
く大いなる約束が私たちに与えられています。それは、その
約束によってあなたがたが、欲望がもたらすこの世の腐敗を
免れ、神のご性質にあずかる者となるためです。(Ⅱペテ1・4)

とこしえから聞いたこともなく、耳にしたこともなく、目
で見たこともありません。あなた以外の神が自分を待ち望む
者のために、このようにするのを。(イザ64・4)

今、私たちは鏡にぼんやり映るものを見ていますが、その
ときには顔と顔を合わせて見ることになります。今、私は一
部分しか知りませんが、そのときには、私が完全に知られて
いるのと同じように、私も完全に知ることになります。(Ⅰコ
リ13・12) キリストは、万物をご自分に従わせることさえでき
る御力によって、私たちの卑しいからだを、ご自分の栄光に
輝くからだと同じ姿に変えてくださいます。(ピリ3・21) 私は
義のうちに御顔を仰ぎ見 目覚めるとき 御姿に満ち足りるで
しょう。(詩17・15)

6 月 25 日 （夜）

わたしの仲間に向かえ——万軍の主のことば——。

（ゼカ 13・7）

キリストのうちにこそ、神の満ち満ちたご性質が形をとって宿っています。（コロ2・9）わたしは 一人の勇士に助けを与え 民の中から一人の若者を高く上げた。（詩89・19）わたしはひとりでぶどう踏みをした。諸国の民のうちで、事をともにする者はだれもいなかった。（イザ63・3）

この敬虔の奥義は偉大です。「キリストは肉において現れ、‥‥」（Ⅰテモ3・16）ひとりのみどりごが私たちのために生まれる。ひとりの男の子が私たちに与えられる。主権はその肩にあり、その名は「不思議な助言者、力ある神、永遠の父、平和の君」と呼ばれる。（イザ9・6）

御子は神の栄光の輝き、また神の本質の完全な現れであり、その力あるみことばによって万物を保っておられます。御子は罪のきよめを成し遂げ、いと高き所で、大いなる方の右の座に着かれました。‥‥御子については、こう言われました。「神よ。あなたの王座は世々限りなく、‥‥」（ヘブ1・3.8）

神のすべての御使いよ、彼にひれ伏せ。（ヘブ1・6）

王の王、主の主。（黙19・16）

6 月 26 日 （朝）

**ヤベツはイスラエルの神に呼び求めて言った。「私を
大いに祝福し、‥‥わざわいから遠ざけてください。」
神は彼の願ったことをかなえられた。**(Ⅰ歴4・10)

人を富ませるのは主の祝福。人の苦労は何も増し加えない。
(箴10・22) 神が黙っておられるなら、だれがとがめることが
できるだろうか。神が御顔を隠しておられるなら、だれが神
を認めることができるだろうか。(ヨブ34・29)

救いは主にあります。あなたの民に あなたの祝福があり
ますように。(詩3・8) なんと大きいのでしょう。あなたのいつ
くしみは。あなたを恐れる者のために あなたはそれを蓄え
あなたに身を避ける者のために 人の子らの目の前で それを
備えられました。(詩31・19) わたしがお願いすることは、あな
たが彼らをこの世から取り去ることではなく、悪い者から
守ってくださることです。(ヨハ17・15)

求めなさい。そうすれば与えられます。探しなさい。そう
すれば見出します。たたきなさい。そうすれば開かれます。
だれでも、求める者は受け、探す者は見出し、たたく者には
開かれます。(マタ7・7.8) 主は そのしもべのたましいを贖い出
される。主に身を避ける人は だれも責めを負わない。(詩34・
22)

6 月 26 日 （夜）

**それは、彼らをエジプトの地から導き出すために、主
が寝ずの番をされた夜であった。それでこの夜、イ
スラエルの子らはみな、代々にわたり、主のために
寝ずの番をするのである。**(出 12・42)

主イエスは渡される夜、パンを取り、感謝の祈りをささげ
た後それを裂き、こう言われました。「これはあなたがたの
ための、わたしのからだです。わたしを覚えて、これを行い
なさい。」食事の後、同じように杯を取って言われました。「こ
の杯は、わたしの血による新しい契約です。飲むたびに、わ
たしを覚えて、これを行いなさい。」(Ⅰコリ 11・23-25)

（イエスは）ひざまずいて祈られた。‥‥苦しみもだえて、い
よいよ切に祈られた。汗が血のしずくのように地に落ちた。
(ルカ 22・41.44)

その日は過越の備え日で、時はおよそ第六の時であった。
‥‥イエスは‥‥「どくろの場所」と呼ばれるところに出て
行かれた。そこは、ヘブル語ではゴルゴタと呼ばれている。
彼らはその場所でイエスを十字架につけた。(ヨハ 19・14.17.18)

私たちの過越の子羊キリストは、すでに屠られたのです。
ですから、‥‥祭りをしようではありませんか。(Ⅰコリ 5・7.8)

6 月 27 日 （朝）

だれがそれに耐えられよう。(黙6・17)

　だれが、この方の来られる日に耐えられよう。だれが、この方の現れるとき立っていられよう。まことに、この方は、精錬する者の火、布をさらす者の灰汁（あく）のようだ。(マラ3・2)

　私は見た。すると見よ。すべての国民、部族、民族、言語から、だれも数えきれないほどの大勢の群衆が御座の前と子羊の前に立ち、白い衣を身にまとい、手になつめ椰子の枝を持っていた。‥‥「この人たちは大きな患難を経てきた者たちで、その衣を洗い、子羊の血で白くしたのです。‥‥彼らは、もはや飢えることも渇くこともなく、太陽もどんな炎熱も、彼らを襲うことはない。御座の中央におられる子羊が彼らを牧し、いのちの水の泉に導かれる。また、神は彼らの目から涙をことごとくぬぐい取ってくださる。」(黙7・9.14.16.17)

　今や、キリスト・イエスにある者が罪に定められることは決してありません。(ロマ8・1)　キリストは、自由を得させるために私たちを解放してくださいました。(ガラ5・1)

6 月 27 日 （夜）

あなたのしもべをさばきにかけないでください。生ける者はだれ一人 あなたの前に正しいと認められないからです。(詩 143・2)

さあ、来たれ。論じ合おう。――主は言われる――たとえ、あなたがたの罪が緋のように赤くても、雪のように白くなる。たとえ、紅のように赤くても、羊の毛のようになる。(イザ1・18)

もしわたしという砦に頼りたければ、わたしと和を結ぶがよい。和をわたしと結ぶがよい。(イザ27・5) さあ、あなたは神と和らぎ、平安を得よ。(ヨブ22・21)

私たちは信仰によって義と認められたので、私たちの主イエス・キリストによって、神との平和を持っています。(ロマ5・1) 人は律法を行うことによってではなく、ただイエス・キリストを信じることによって義と認められる。(ガラ2・16) 律法を行うことによっては神の前に義と認められないからです。(ロマ3・20)

モーセの律法を通しては義と認められることができなかったすべてのことについて、この方(イエス)によって、信じる者はみな義と認められるのです。(使13・38.39)

神に感謝します。神は、私たちの主イエス・キリストによって、私たちに勝利を与えてくださいました。(Ⅰコリ15・57)

6 月 28 日 （朝）

私は知っている。私を贖う方は生きておられることを。

（ヨブ 19・25）

　敵であった私たちが、御子の死によって神と和解させていただいたのなら、和解させていただいた私たちが、御子のいのちによって救われるのは、なおいっそう確かなことです。(ロマ5・10) イエスは永遠に存在されるので、変わることがない祭司職を持っておられます。したがってイエスは、いつも生きていて、彼らのためにとりなしをしておられるので、ご自分によって神に近づく人々を完全に救うことがおできになります。(ヘブ7・24.25)

　わたしが生き、あなたがたも生きることになる。(ヨハ14・19) もし私たちが、この地上のいのちにおいてのみ、キリストに望みを抱いているのなら、私たちはすべての人の中で一番哀れな者です。しかし、今やキリストは、眠った者の初穂として死者の中からよみがえられました。(Ⅰコリ15・19.20)

「シオンには贖い主として来る。ヤコブの中の、背きから立ち返る者のところに。──主のことば。」(イザ59・20) このキリストにあって、私たちはその血による贖い、背きの罪の赦しを受けています。これは神の豊かな恵みによることです。(エペ1・7) あなたがたが先祖伝来のむなしい生き方から贖い出されたのは、銀や金のような朽ちる物にはよらず、傷もなく汚れもない子羊のようなキリストの、尊い血によったのです。

（Ⅰペテ1・18.19）

6 月 28 日 （夜）

御霊が明らかに言われるように、後の時代になると、
ある人たちは惑わす霊と悪霊の教えとに心を奪われ、
信仰から離れるようになります。(Ⅰテモ4・1)

聞き方に注意しなさい。(ルカ8・18) キリストのことばが、あなたがたのうちに豊かに住むようにしなさい。(コロ3・16) これらすべての上に、信仰の盾を取りなさい。それによって、悪い者が放つ火矢をすべて消すことができます。(エペ6・16)

あなたのみおしえを愛する者には 豊かな平安があり つまずきがありません。(詩119・165) あなたのみことばは 私の上あごになんと甘いことでしょう。蜜よりも私の口に甘いのです。私にはあなたの戒めがあり 見極めができます。それゆえ 私は偽りの道をことごとく憎みます。(詩119・103,104)

あなたのみことばは 私の足のともしび 私の道の光です。(詩119・105) 私には 私のすべての師にまさる賢さがあります。あなたのさとしが私の思いだからです。(詩119・99)

サタンでさえ光の御使いに変装します。(Ⅱコリ11・14) 私たちであれ天の御使いであれ、もし私たちがあなたがたに宣べ伝えた福音に反することを、福音として宣べ伝えるなら、そのような者はのろわれるべきです。(ガラ1・8)

6 月 29 日 （朝）

神の命令は重荷とはなりません。（Ⅰヨハ5・3）

わたしの父のみこころは、子を見て信じる者がみな永遠のいのちを持つことなのです。（ヨハ6・40）求めるものを何でも神からいただくことができます。（Ⅰヨハ3・22）

わたしのくびきは負いやすく、わたしの荷は軽い。（マタ11・30）もしわたしを愛しているなら、あなたがたはわたしの戒めを守るはずです。‥‥わたしの戒めを保ち、それを守る人は、わたしを愛している人です。わたしを愛している人はわたしの父に愛され、わたしもその人を愛し、わたし自身をその人に現します。（ヨハ14・15.21）

幸いなことよ、知恵を見出す人、英知をいただく人は。‥‥知恵の道は楽しい道。その通り道はみな平安である。（箴3・13.17）あなたのみおしえを愛する者には 豊かな平安がありつまずきがありません。（詩119・165）私は、内なる人としては、神の律法を喜んでいます。（ロマ7・22）

私たちが御子イエス・キリストの名を信じ、キリストが命じられたとおりに互いに愛し合うこと、それが神の命令です。（Ⅰヨハ3・23）愛は隣人に対して悪を行いません。それゆえ、愛は律法の要求を満たすものです。（ロマ13・10）

6 月 29 日 （夜）

**私の若いころの罪や背きを思い起こさないでくださ
い。**(詩 25・7)

　わたしは、あなたの背きを雲のように、あなたの罪をかす
みのように消し去った。(イザ 44・22) わたし、このわたしは、
わたし自身のために あなたの背きの罪をぬぐい去り、もう
あなたの罪を思い出さない。(イザ 43・25) さあ、来たれ。論じ
合おう。――主は言われる――たとえ、あなたがたの罪が緋
のように赤くても、雪のように白くなる。たとえ、紅のよう
に赤くても、羊の毛のようになる。(イザ 1・18) わたしが彼らの
不義を赦し、もはや彼らの罪を思い起こさないからだ。(エレ
31・34) 私たちの‥‥すべての罪を海の深みに投げ込んでくだ
さい。(ミカ 7・19)

　あなたは私のたましいを慕い、滅びの穴から引き離されま
した。あなたは私のすべての罪を、あなたのうしろに投げや
られました。(イザ 38・17) あなたのような神が、ほかにあるで
しょうか。あなたは咎を除き、‥‥背きを見過ごしてくださ
る神。いつまでも怒り続けることはありません。神は、恵み
を喜ばれるからです。(ミカ 7・18) 私たちを愛し、その血によっ
て私たちを罪から解き放って‥‥くださった方に、栄光と力
が世々限りなくあるように。アーメン。(黙 1・5.6)

6　月　30　日　（朝）

わたしは愛する者をみな、叱ったり懲らしめたりする。

(黙 3・19)

　わが子よ、主の訓練を軽んじてはならない。主に叱られて気落ちしてはならない。主はその愛する者を訓練し、受け入れるすべての子に、むちを加えられるのだから。(ヘブ 12・5.6) 父がいとしい子を叱るように、主は愛する者を叱る。(箴 3・12) 神は傷つけるが、その傷を包み、打ち砕くが、御手で癒やしてくださるからだ。(ヨブ 5・18) あなたがたは神の力強い御手の下にへりくだりなさい。神は、ちょうど良い時に、あなたがたを高く上げてくださいます。(Ⅰペテ 5・6) わたしは苦しみの炉であなたを試した。(イザ 48・10)

　主が人の子らを、意味もなく、苦しめ悩ませることはない。(哀 3・33) (主は)私たちの罪にしたがって　私たちを扱うことをせず　私たちの咎にしたがって　私たちに報いをされることもない。天が地上はるかに高いように　御恵みは　主を恐れる者の上に大きい。東が西から遠く離れているように　主は　私たちの背きの罪を私たちから遠く離される。父がその子をあわれむように　主は　ご自分を恐れる者をあわれまれる。主は私たちの成り立ちを知り　私たちが土のちりにすぎないことを　心に留めてくださる。(詩 103・10-14)

6 月 30 日 （夜）

**神は天におられ、あなたは地にいる。‥‥だから、
ことばを少なくせよ。**(伝5・2)

祈るとき、異邦人のように、同じことばをただ繰り返して
はいけません。彼らは、ことば数が多いことで聞かれると思っ
ているのです。ですから、彼らと同じようにしてはいけませ
ん。あなたがたの父は、あなたがたが求める前から、あなた
がたに必要なものを知っておられるのです。(マタ6・7.8)

彼らは‥‥朝から真昼までバアルの名を呼んだ。「バアル
よ、私たちに答えてください。」(I 列18・26)

二人の人が祈るために宮に上って行った。一人はパリサイ
人で、もう一人は取税人であった。パリサイ人は立って、心
の中でこんな祈りをした。「神よ。私がほかの人たちのように、
奪い取る者、不正な者、姦淫する者でないこと、あるいは、
この取税人のようでないことを感謝します。‥‥」一方、取
税人は遠く離れて立ち、目を天に向けようともせず、自分の
胸をたたいて言った。「神様、罪人の私をあわれんでくださ
い。」あなたがたに言いますが、義と認められて家に帰った
のは、あのパリサイ人ではなく、この人です。(ルカ18・10.11.
13.14)

主よ。‥‥私たちにも祈りを教えてください。(ルカ11・1)

7 月 1 日 （朝）

御霊の実は‥‥善意です。(ガラ5・22)

愛されている子どもらしく、神に倣う者となりなさい。(エペ5・1) 自分の敵を愛し、自分を迫害する者のために祈りなさい。天におられるあなたがたの父の子どもになるためです。父はご自分の太陽を悪人にも善人にも昇らせ、正しい者にも正しくない者にも雨を降らせてくださるからです。(マタ5・44.45) あなたがたの父があわれみ深いように、あなたがたも、あわれみ深くなりなさい。(ルカ6・36)

あらゆる善意と正義と真実のうちに、光は実を結ぶのです。(エペ5・9)

私たちの救い主である神のいつくしみと人に対する愛が現れたとき、神は、私たちが行った義のわざによってではなく、ご自分のあわれみによって、聖霊による再生と刷新の洗いをもって、私たちを救ってくださいました。神はこの聖霊を、私たちの救い主イエス・キリストによって、私たちに豊かに注いでくださったのです。(テト3・4-6) 主はすべてのものにいつくしみ深く そのあわれみは 造られたすべてのものの上にあります。(詩145・9) 私たちすべてのために、ご自分の御子さえも惜しむことなく死に渡された神が、どうして、御子とともにすべてのものを、私たちに恵んでくださらないことがあるでしょうか。(ロマ8・32)

7 月 1 日 （夜）

エベン・エゼル‥‥「ここまで主が私たちを助けてくださった。」（Ⅰサム 7・12）

主は‥‥私がおとしめられたとき 私を救ってくださった。（詩116・6）ほむべきかな 主。主は私の願いの声を聞かれた。主は私の力 私の盾。私の心は主に拠り頼み 私は助けられた。私の心は喜び躍り 私は歌をもって主に感謝しよう。（詩28・6.7）

主に身を避けることは 人に信頼するよりも良い。主に身を避けることは 君主たちに信頼するよりも良い。（詩118・8.9）幸いなことよ ヤコブの神を助けとし その神 主に望みを置く人。（詩146・5）（主は）彼らをまっすぐな道に導き 人が住む町へ向かわせた。（詩107・7）主がイスラエルの家に告げられた良いことは、一つもたがわず、すべて実現した。（ヨシ21・45）

「わたしがあなたがたを、財布も袋も履き物も持たせずに遣わしたとき、何か足りない物がありましたか。」彼らは、「いいえ、何もありませんでした」と答えた。（ルカ22・35）まことに あなたは私の助けでした。御翼の陰で 私は喜び歌います。（詩63・7）

7 月 2 日 （朝）

**過越に関する掟は次のとおりである。異国人はだれ
も、これにあずかってはならない。**(出 12・43)

　私たちには一つの祭壇があります。幕屋で仕えている者た
ちには、この祭壇から食べる権利がありません。(ヘブ 13・10)
人は、新しく生まれなければ、神の国を見ることはできませ
ん。(ヨハ 3・3) そのころは、キリストから遠く離れ、イスラエ
ルの民から除外され、約束の契約については他国人でした。
しかし、‥‥今ではキリスト・イエスにあって、キリストの
血によって近い者となりました。(エペ 2・12. 13)

　実に、キリストこそ私たちの平和です。キリストは私たち
二つのものを一つにし、‥‥敵意を打ち壊し、様々な規定か
ら成る戒めの律法を廃棄されました。こうしてキリストは、
この二つをご自分において新しい一人の人に造り上げて平和
を実現されました。(エペ 2・14. 15)

　あなたがたは、もはや他国人でも寄留者でもなく、聖徒た
ちと同じ国の民であり、神の家族なのです。(エペ 2・19)

　見よ、わたしは戸の外に立ってたたいている。だれでも、
わたしの声を聞いて戸を開けるなら、わたしはその人のとこ
ろに入って彼とともに食事をし、彼もわたしとともに食事を
する。(黙 3・20)

7 月 2 日 （夜）

イエスは‥‥もう一度同じことばで三度目の祈りをされた。（マタ26・44）

キリストは、肉体をもって生きている間、自分を死から救い出すことができる方に向かって、大きな叫び声と涙をもって祈りと願いをささげ、その敬虔のゆえに聞き入れられました。（ヘブ5・7）

私たちは知ろう。主を知ることを切に追い求めよう。（ホセ6・3）ひたすら祈りなさい。（ロマ12・12）あらゆる祈りと願いによって、どんなときにも御霊によって祈りなさい。そのために、目を覚ましていて、すべての聖徒のために、忍耐の限りを尽くして祈りなさい。（エペ6・18）あらゆる場合に、感謝をもってささげる祈りと願いによって、あなたがたの願い事を神に知っていただきなさい。そうすれば、すべての理解を超えた神の平安が、あなたがたの心と思いをキリスト・イエスにあって守ってくれます。（ピリ4・6.7）

わたしが望むようにではなく、あなたが望まれるままに、なさってください。（マタ26・39）何事でも神のみこころにしたがって願うなら、神は聞いてくださるということ、これこそ神に対して私たちが抱いている確信です。（Ⅰヨハ5・14）

主を自らの喜びとせよ。主はあなたの心の願いをかなえてくださる。あなたの道を主にゆだねよ。主に信頼せよ。主が成し遂げてくださる。（詩37・4.5）

7 月 3 日 （朝）

子どもであるなら、相続人でもあります。私たちは
‥‥神の相続人であり、キリストとともに共同相続人
なのです。(ロマ8・17)

　あなたがたがキリストのものであれば、アブラハムの子孫
であり、約束による相続人なのです。(ガラ3・29)

　私たちが神の子どもと呼ばれるために、御父がどんなにす
ばらしい愛を与えてくださったかを、考えなさい。事実、私
たちは神の子どもです。(Ⅰヨハ3・1)あなたはもはや奴隷では
なく、子です。子であれば、神による相続人です。(ガラ4・7)
神は、みこころの良しとするところにしたがって、私たちを
イエス・キリストによってご自分の子にしようと、愛をもっ
てあらかじめ定めておられました。(エペ1・5)

　父よ。わたしに下さったものについてお願いします。わた
しがいるところに、彼らもわたしとともにいるようにしてく
ださい。わたしの栄光を、彼らが見るためです。(ヨハ17・24)

　勝利を得る者、最後までわたしのわざを守る者には、諸国
の民を支配する権威を与える。(黙2・26) 勝利を得る者を、わ
たしとともにわたしの座に着かせる。それは、わたしが勝利
を得て、わたしの父とともに父の御座に着いたのと同じであ
る。(黙3・21)

7 月 3 日 （夜）

見下されている者、すなわち無に等しい者を神は選ばれたのです。（Ⅰコリ1・28）

見なさい。話しているこの人たちはみな、ガリラヤの人ではないか。（使2・7）

イエスは‥‥二人の兄弟、ペテロと呼ばれるシモンとその兄弟アンデレが、湖で網を打っているのをご覧になった。彼らは漁師であった。イエスは彼らに言われた。「わたしについて来なさい。」（マタ4・18.19）彼らはペテロとヨハネの大胆さを見、また二人が無学な普通の人であるのを知って驚いた。また、二人がイエスとともにいたのだということも分かってきた。（使4・13）

私のことばと私の宣教は、説得力のある知恵のことばによるものではなく、御霊と御力の現れによるものでした。それは、あなたがたの信仰が、人間の知恵によらず、神の力によるものとなるためだったのです。（Ⅰコリ2・4.5）

あなたがたがわたしを選んだのではなく、わたしがあなたがたを選び、あなたがたを任命しました。それは、あなたがたが行って実を結び、その実が残るようになるためです。（ヨハ15・16）人がわたしにとどまり、わたしもその人にとどまっているなら、その人は多くの実を結びます。わたしを離れては、あなたがたは何もすることができないのです。（ヨハ15・5）私たちは、この宝を土の器の中に入れています。それは、この測り知れない力が神のものであって、私たちから出たものではないことが明らかになるためです。（Ⅱコリ4・7）

7 月 4 日 （朝）

弟子の一人がイエスの胸のところで横になっていた。
イエスが愛しておられた弟子である。(ヨハ13・23)

母に慰められる者のように、わたしはあなたがたを慰める。
(イザ66・13) イエスに触れていただこうと、人々が子どもたち
を連れて来た。‥‥イエスは子どもたちを抱き、彼らの上に
手を置いて祝福された。(マル10・13, 16) イエスは弟子たちを呼
んで言われた。「かわいそうに、この群衆はすでに三日間わ
たしとともにいて、食べる物を持っていないのです。空腹の
まま帰らせたくはありません。途中で動けなくなるといけな
いから。」(マタ15・32) 私たちの大祭司は、私たちの弱さに同情
できない方ではありません。(ヘブ4・15) その愛とあわれみに
よって、主は彼らを贖ってくださった。(イザ63・9)

わたしは、あなたがたを捨てて孤児にはしません。あなた
がたのところに戻って来ます。(ヨハ14・18) 女が自分の乳飲み
子を忘れるだろうか。自分の胎の子をあわれまないだろうか。
たとえ女たちが忘れても、このわたしは、あなたを忘れない。
(イザ49・15)

御座の中央におられる子羊が彼らを牧し、いのちの水の泉
に導かれる。また、神は彼らの目から涙をことごとくぬぐい
取ってくださる。(黙7・17)

7 月 4 日 （夜）

**義なるイエス・キリスト‥‥この方こそ、私たちの罪
のための‥‥宥(なだ)めのささげ物です。**(Ⅰヨハ2・1.2)

　ケルビムの顔が「宥めの蓋」の方を向くようにする。その
「宥めの蓋」を箱の上に載せる。箱の中には、わたしが与え
るさとしの板を納める。わたしはそこであなたと会見し、
‥‥その「宥めの蓋」の上から‥‥あなたに語る。(出25・20-
22)

　確かに　御救いは主を恐れる者たちに近い。‥‥恵みとま
ことは　ともに会い　義と平和は口づけします。(詩85・9.10)

　主よ　あなたがもし　不義に目を留められるなら　主よ　だれ
が御前に立てるでしょう。しかし　あなたが赦してくださる
ゆえに　あなたは人に恐れられます。(詩130・3.4) イスラエルよ
主を待て。主には恵みがあり　豊かな贖いがある。主は　すべ
ての不義からイスラエルを贖い出される。(詩130・7.8) すべて
の人は罪を犯して、神の栄光を受けることができず、神の恵
みにより、キリスト・イエスによる贖いを通して、価なしに
義と認められるからです。神はこの方を、信仰によって受け
るべき、血による宥めのささげ物として公に示されました。
ご自分の義を明らかにされるためです。(ロマ3・23-25)

7 月 5 日 （朝）

私たちは自分たちに対する神の愛を知り、また信じています。（Ⅰヨハ4・16）

あわれみ豊かな神は、私たちを愛してくださったその大きな愛のゆえに、背きの中に死んでいた私たちを、キリストとともに生かしてくださいました。あなたがたが救われたのは恵みによるのです。神はまた、キリスト・イエスにあって、私たちをともによみがえらせ、ともに天上に座らせてくださいました。それは、キリスト・イエスにあって私たちに与えられた慈愛によって、この限りなく豊かな恵みを、来たるべき世々に示すためでした。（エペ2・4-7）

神は、実に、そのひとり子をお与えになったほどに世を愛された。それは御子を信じる者が、一人として滅びることなく、永遠のいのちを持つためである。（ヨハ3・16）私たちすべてのために、ご自分の御子さえも惜しむことなく死に渡された神が、どうして、御子とともにすべてのものを、私たちに恵んでくださらないことがあるでしょうか。（ロマ8・32）主はすべてのものにいつくしみ深く そのあわれみは 造られたすべてのものの上にあります。（詩145・9）

私たちは愛しています。神がまず私たちを愛してくださったからです。（Ⅰヨハ4・19）

主によって語られたことは必ず実現すると信じた人は、幸いです。（ルカ1・45）

7 月 5 日 （夜）

**思い上がることなく、むしろ身分の低い人たちと交わ
りなさい。**(ロマ12・16)

　私の兄弟たち。あなたがたは、私たちの主、栄光のイエス・
キリストへの信仰を持っていながら、人をえこひいきするこ
とがあってはなりません。‥‥神は、この世の貧しい人たち
を選んで信仰に富む者とし、神を愛する者に約束された御国
を受け継ぐ者とされたではありませんか。(ヤコ2・1.5)

　だれでも、自分の利益を求めず、ほかの人の利益を求めな
さい。(Ⅰコリ10・24) 衣食があれば、それで満足すべきです。
金持ちになりたがる人たちは、誘惑と罠と、また人を滅びと
破滅に沈める、愚かで有害な多くの欲望に陥ります。(Ⅰテモ6・
8.9)

　神は、知恵ある者を恥じ入らせるために、この世の愚かな
者を選び、強い者を恥じ入らせるために、この世の弱い者を
選ばれました。有るものを無いものとするために、この世の
取るに足りない者や見下されている者、すなわち無に等しい
者を神は選ばれたのです。肉なる者がだれも神の御前で誇る
ことがないようにするためです。(Ⅰコリ1・27-29)

　主よ　私の心はおごらず　私の目は高ぶりません。(詩131・1)

7 月 6 日 （朝）

あなたがたのことばが、いつも親切で、塩味の効い
たものであるようにしなさい。(コロ4・6)

時宜にかなって語られることばは、銀の彫り物にはめられ
た金のりんご。知恵をもって叱責する者は、聞く者の耳にとっ
て金の耳輪、黄金の飾り。(箴25・11.12) 悪いことばを、いっさ
い口から出してはいけません。むしろ、必要なときに、人の
成長に役立つことばを語り、聞く人に恵みを与えなさい。(エ
ペ4・29) 良い人は良い倉から良い物を取り出し、悪い者は悪
い倉から悪い物を取り出します。‥‥あなたは自分のことば
によって義とされるのです。(マタ12・35.37) 知恵のある人の舌
は人を癒やす。(箴12・18)

主を恐れる者たちが互いに語り合った。主は耳を傾けて、
これを聞かれた。主を恐れ、主の御名を尊ぶ者たちのために、
主の前で記憶の書が記された。(マラ3・16)

もし、あなたが、卑しいことではなく、高貴なことを語る
なら、あなたはわたしの口のようになる。(エレ15・19) あなた
がたはすべてのことに、すなわち、信仰にも、ことばにも、
知識にも、あらゆる熱心にも、私たちからあなたがたが受け
た愛にもあふれています。そのように、この恵みのわざにも
あふれるようになってください。(Ⅱコリ8・7)

7 月 6 日 （夜）

あなたの恵みは 私の目の前にありました。(詩26・3)

主は情け深く あわれみ深く 怒るのに遅く 恵みに富んでおられます。(詩145・8) 天におられるあなたがたの父の子どもになるためです。父はご自分の太陽を悪人にも善人にも昇らせ、正しい者にも正しくない者にも雨を降らせてくださるからです。(マタ5・45)

愛されている子どもらしく、神に倣う者となりなさい。また、愛のうちに歩みなさい。キリストも私たちを愛して、私たちのために、ご自分を神へのささげ物、またいけにえとし、芳ばしい香りを献げてくださいました。(エペ5・1.2) 互いに親切にし、優しい心で赦し合いなさい。神も、キリストにおいてあなたがたを赦してくださったのです。(エペ4・32) あなたがたは真理に従うことによって、たましいを清め、偽りのない兄弟愛を抱くようになったのですから、きよい心で互いに熱く愛し合いなさい。(Ⅰペテ1・22) キリストの愛が私たちを捕らえている。(Ⅱコリ5・14)

あなたがたは自分の敵を愛しなさい。彼らに良くしてやり、返してもらうことを考えずに貸しなさい。そうすれば、あなたがたの受ける報いは多く、あなたがたは、いと高き方の子どもになります。いと高き方は、恩知らずな者にも悪人にもあわれみ深いからです。あなたがたの父があわれみ深いように、あなたがたも、あわれみ深くなりなさい。(ルカ6・35.36)

７ 月 ７ 日 （朝）

イエスは、悪魔の試みを受けるために、御霊に導かれて荒野に上って行かれた。(マタ4・1)

キリストは、肉体をもって生きている間、自分を死から救い出すことができる方に向かって、大きな叫び声と涙をもって祈りと願いをささげ、その敬虔のゆえに聞き入れられました。キリストは御子であられるのに、お受けになった様々な苦しみによって従順を学び、完全な者とされ、ご自分に従うすべての人にとって永遠の救いの源となられました。(ヘブ5・7-9) 私たちの大祭司は、私たちの弱さに同情できない方ではありません。罪は犯しませんでしたが、すべての点において、私たちと同じように試みにあわれたのです。(ヘブ4・15)

あなたがたが経験した試練はみな、人の知らないものではありません。神は真実な方です。あなたがたを耐えられない試練にあわせることはなさいません。むしろ、耐えられるように、試練とともに脱出の道も備えていてくださいます。(Ⅰコリ10・13) 主は、「わたしの恵みはあなたに十分である。わたしの力は弱さのうちに完全に現れるからである」と言われました。(Ⅱコリ12・9)

7 月 7 日 （夜）

人の子は‥‥多くの人のための贖いの代価として、自分のいのちを与えるために来た。(マタ 20・28)

雄やぎと雄牛の血や、若い雌牛の灰を汚れた人々に振りかけると、それが聖なるものとする働きをして、からだをきよいものにするのなら、まして、キリストが傷のないご自分を、とこしえの御霊によって神にお献げになったその血は、どれだけ私たちの良心をきよめて死んだ行いから離れさせ、生ける神に仕える者にすることでしょうか。(ヘブ 9・13.14)

屠り場に引かれて行く羊のように、‥‥(イザ 53・7) わたしは羊たちのために自分のいのちを捨てます。‥‥だれも、わたしからいのちを取りません。わたしが自分からいのちを捨てるのです。わたしには、それを捨てる権威があり、再び得る権威があります。(ヨハ 10・15.18)

肉のいのちは血の中にある。わたしは、祭壇の上であなたがたのたましいのために宥めを行うよう、これをあなたがたに与えた。いのちとして宥めを行うのは血である。(レビ 17・11) 血を流すことがなければ、罪の赦しはありません。(ヘブ 9・22)

私たちがまだ罪人であったとき、キリストが私たちのために死なれた。‥‥ですから、今、キリストの血によって義と認められた私たちが、この方によって神の怒りから救われるのは、なおいっそう確かなことです。(ロマ 5・8.9)

7 月 8 日 （朝）

**もし私たちが自分の罪を告白するなら、神は真実で
正しい方ですから、その罪を赦し、私たちをすべての
不義からきよめてくださいます。**（Ⅰヨハ1・9）

まことに 私は自分の背きを知っています。私の罪は いつ
も私の目の前にあります。私はあなたに ただあなたの前に
罪ある者です。私はあなたの目に 悪であることを行いまし
た。（詩51・3.4）

彼は立ち上がって、自分の父のもとへ向かった。ところが、
まだ家までは遠かったのに、父親は彼を見つけて、かわいそ
うに思い、駆け寄って彼の首を抱き、口づけした。（ルカ15・
20）わたしは、あなたの背きを雲のように、あなたの罪をか
すみのように消し去った。わたしに帰れ。わたしがあなたを
贖ったからだ。（イザ44・22）イエスの名によって、あなたがた
の罪が赦された。（Ⅰヨハ2・12）神も、キリストにおいてあなた
がたを赦してくださったのです。（エペ4・32）ご自分が義であ
り、イエスを信じる者を義と認める方であることを示すため、
今この時に、ご自分の義を明らかにされたのです。（ロマ3・26）

わたしがきよい水をあなたがたの上に振りかけるそのと
き、あなたがたはすべての汚れからきよくなる。（エゼ36・25）
彼らは白い衣を着て、わたしとともに歩む。彼らがそれにふ
さわしい者たちだからである。（黙3・4）

この方は、水と血によって来られた方、イエス・キリストです。
水によるだけではなく、水と血によって来られました。（Ⅰヨハ5・6）

7 月 8 日 （夜）

破滅をもたらす法廷が あなたを仲間に加えるでしょう
か。おきてに従いながら 邪悪なことを謀る者どもが。

(詩 94・20)

　私たちの交わりとは、御父また御子イエス・キリストとの
交わりです。(Ⅰヨハ1・3) 愛する者たち、私たちは今すでに神
の子どもです。やがてどのようになるのか、まだ明らかにさ
れていません。しかし、私たちは、キリストが現れたときに、
キリストに似た者になることは知っています。キリストをあ
りのままに見るからです。キリストにこの望みを置いている
者はみな、キリストが清い方であるように、自分を清くしま
す。(Ⅰヨハ3・2.3)

　この世を支配する者が来る‥‥‥。彼はわたしに対して何も
することができません。(ヨハ14・30) 敬虔で、悪も汚れもない
‥‥‥大祭司。(ヘブ7・26)

　私たちの格闘は血肉に対するものではなく、支配、力、こ
の暗闇の世界の支配者たち、また天上にいるもろもろの悪霊
に対するものです。(エペ6・12) 空中の権威を持つ支配者、すな
わち、不従順の子らの中に今も働いている霊。(エペ2・2)

　神から生まれた者はみな罪を犯さないこと、神から生まれ
た方がその人を守っておられ、悪い者はその人に触れること
ができないことを、私たちは知っています。私たちは神に属
していますが、世全体は悪い者の支配下にあることを、私た
ちは知っています。(Ⅰヨハ5・18.19)

7 月 9 日 （朝）

見よ、わたしはあなたの咎を除いた。あなたに礼服を着せよう。(ゼカ3・4)

幸いなことよ その背きを赦され 罪をおおわれた人は。(詩32・1) 私たちはみな、汚れた者のようになり、その義はみな、不潔な衣のようです。(イザ64・6) 私は、自分のうちに、すなわち、自分の肉のうちに善が住んでいないことを知っています。(ロマ7・18)

キリストにつくバプテスマを受けたあなたがたはみな、キリストを着たのです。(ガラ3・27) あなたがたは古い人をその行いとともに脱ぎ捨てて、新しい人を着たのです。新しい人は、それを造られた方のかたちにしたがって新しくされ続け、真の知識に至ります。(コロ3・9.10) 律法による自分の義ではなく、‥‥信仰に基づいて神から与えられる義。(ピリ3・9)

一番良い衣を持って来て、この子に着せなさい。(ルカ15・22) その亜麻布とは、聖徒たちの正しい行いである。(黙19・8) 私は主にあって大いに楽しみ、私のたましいも私の神にあって喜ぶ。主が私に救いの衣を着せ、正義の外套をまとわせてくださるからだ。(イザ61・10)

7 月 9 日 （夜）

「その日」がそれを明るみに出すのです。その日は
火とともに現れるからです。(Ⅰコリ 3・13)

主が来られるまでは、何についても先走ってさばいてはい
けません。主は、闇に隠れたことも明るみに出し、心の中の
はかりごとも明らかにされます。そのときに、神からそれぞ
れの人に称賛が与えられるのです。(Ⅰコリ 4・5)

あなたはどうして、自分の兄弟をさばくのですか。どうし
て、自分の兄弟を見下すのですか。私たちはみな、神のさば
きの座に立つことになるのです。(ロマ 14・10)

ですから、私たちはそれぞれ自分について、神に申し開き
をすることになります。こういうわけで、私たちはもう互い
にさばき合わないようにしましょう。(ロマ 14・12.13)

神がキリスト・イエスによって、人々の隠された事柄をさ
ばかれるその日。(ロマ 2・16) 父はだれをもさばかず、すべての
さばきを子に委ねられました。……父は、さばきを行う権威
を子に与えてくださいました。子は人の子だからです。(ヨハ 5・
22.27)

あなたは……大いなる力強い神、その名は万軍の主。その
ご計画は大きく、みわざには力があります。御目は人の子ら
のすべての行いに開いていて、それぞれにその生き方にした
がい、行いの結ぶ実にしたがって報いをされます。(エレ 32・18.
19)

7 月 10 日 （朝）

弟子は師以上の者では‥‥‥ありません。（マタ 10・24）

あなたがたはわたしを「先生」とか「主」とか呼んでいます。そう言うのは正しいことです。そのとおりなのですから。（ヨハ 13・13）

弟子は師のように、しもべは主人のようになれば十分です。（マタ 10・25）人々がわたしを迫害したのであれば、あなたがたも迫害します。彼らがわたしのことばを守ったのであれば、あなたがたのことばも守ります。（ヨハ 15・20）わたしは彼らにあなたのみことばを与えました。世は彼らを憎みました。わたしがこの世のものでないように、彼らもこの世のものではないからです。（ヨハ 17・14）

あなたがたは、罪人たちの、ご自分に対するこのような反抗を耐え忍ばれた方のことを考えなさい。あなたがたの心が元気を失い、疲れ果ててしまわないようにするためです。あなたがたは、罪と戦って、まだ血を流すまで抵抗したことがありません。（ヘブ 12・3.4）

自分の前に置かれている競争を、忍耐をもって走り続けようではありませんか。信仰の創始者であり完成者であるイエスから、目を離さないでいなさい。この方は、ご自分の前に置かれた喜びのために、辱めをものともせずに十字架を忍び、神の御座の右に着座されたのです。（ヘブ 12・1.2）キリストは肉において苦しみを受けられたのですから、あなたがたも同じ心構えで自分自身を武装しなさい。（Ⅰペテ 4・1）

7 月 10 日 （夜）

わが子よ、あなたの心をわたしにゆだねよ。(箴23・26)

彼らの心がこのようであって、いつまでも、わたしを恐れ、わたしのすべての命令を守るようになってほしい。そうすれば、彼らもその子孫も永久に幸せになる。(申5・29)

おまえの心は神の前に正しくない。(使8・21) 肉の思いは神に敵対するからです。それは神の律法に従いません。いや、従うことができないのです。肉のうちにある者は神を喜ばせることができません。(ロマ8・7.8)

まず自分自身を主に献げ、‥‥(Ⅱコリ8・5) 彼(ヒゼキヤ)が始めたすべてのわざにおいて、‥‥彼は神を求め、心を尽くして行い、これを成し遂げた。(Ⅱ歴31・21)

何を見張るよりも、あなたの心を見守れ。いのちの泉はこれから湧く。(箴4・23)

何をするにも、人に対してではなく、主に対してするように、心から行いなさい。(コロ3・23) キリストのしもべとして心から神のみこころを行い、人にではなく主に仕えるように、喜んで仕えなさい。(エペ6・6.7)

私はあなたの仰せの道を走ります。あなたが私の心を広くしてくださるからです。(詩119・32)

7 月 11 日 （朝）

わたしがあなたとともにいて、あなたを救い、あなた
を助け出す。(エレ 15・20)

奪われた物を勇士から取り戻せるだろうか。捕らわれ人を
横暴な者から救い出せるだろうか。まことに、主はこう言わ
れる。「捕らわれ人は勇士から取り戻され、奪われた物も横
暴な者から奪い返される。あなたが争う者と、このわたしが
争う。‥‥すべての肉なる者が、わたしが主、あなたの救い
主、あなたの贖い主、ヤコブの力強き者であることを知る。」
(イザ 49・24-26) 恐れるな。わたしはあなたとともにいる。たじ
ろぐな。わたしがあなたの神だから。わたしはあなたを強く
し、あなたを助け、わたしの義の右の手で、あなたを守る。(イ
ザ 41・10)

私たちの大祭司は、私たちの弱さに同情できない方ではあ
りません。罪は犯しませんでしたが、すべての点において、
私たちと同じように試みにあわれたのです。(ヘブ 4・15) イエス
は、自ら試みを受けて苦しまれたからこそ、試みられている
者たちを助けることができるのです。(ヘブ 2・18) 主によって
人の歩みは確かにされる。主はその人の道を喜ばれる。その
人は転んでも 倒れ伏すことはない。主が その人の腕を支え
ておられるからだ。(詩 37・23, 24)

7 月 11 日 （夜）

まことに主は 渇いたたましいを満ち足らせ 飢えたたましいを良いもので満たされた。（詩107・9）

あなたがたは、主がいつくしみ深い方であることを、確かに味わいました。（Ⅰペテ2・3）

神よ あなたは私の神。私はあなたを切に求めます。水のない 衰え果てた乾いた地で 私のたましいは あなたに渇き 私の身も あなたをあえぎ求めます。私は あなたの力と栄光を見るために こうして聖所で あなたを仰ぎ見ています。（詩63・1.2）私のたましいは 主の大庭を恋い慕って 絶え入るばかりです。私の心も身も 生ける神に喜びの歌を歌います。（詩84・2）私の願いは、世を去ってキリストとともにいることです。そのほうが、はるかに望ましいのです。（ピリ1・23）

私は‥‥目覚めるとき 御姿に満ち足りるでしょう。（詩17・15）彼らは、もはや飢えることも渇くこともなく、太陽もどんな炎熱も、彼らを襲うことはない。御座の中央におられる子羊が彼らを牧し、いのちの水の泉に導かれる。また、神は彼らの目から涙をことごとくぬぐい取ってくださる。（黙7・16.17）彼らは あなたの家の豊かさに満たされ あなたは 楽しみの流れで潤してくださいます。（詩36・8）わたしの民は、わたしの恵みに満ち足りる。──主のことば。（エレ31・14）

7 月 12 日 （朝）

わたしの臨在がともに行き、あなたを休ませる。

(出 33・14)

　強くあれ。雄々しくあれ。彼らを恐れてはならない。おののいてはならない。あなたの神、主ご自身があなたとともに進まれるからだ。‥‥主ご自身があなたに先立って進まれる。主があなたとともにおられる。主はあなたを見放さず、あなたを見捨てない。恐れてはならない。おののいてはならない。(申 31・6.8) わたしはあなたに命じたではないか。強くあれ。雄々しくあれ。恐れてはならない。おののいてはならない。あなたが行くところどこででも、あなたの神、主があなたとともにおられるのだから。(ヨシ 1・9) あなたの行く道すべてにおいて、主を知れ。主があなたの進む道をまっすぐにされる。(箴 3・6)

　主ご自身が「わたしは決してあなたを見放さず、あなたを見捨てない」と言われたからです。ですから、私たちは確信をもって言います。「主は私の助け手。私は恐れない。人が私に何ができるだろうか。」(ヘブ 13・5.6) 私たちの資格は神から与えられるものです。(Ⅱコリ 3・5)

　私たちを試みにあわせないで‥‥ください。(マタ 6・13) 主よ、私は知っています。人間の道はその人によるのではなく、歩むことも、その歩みを確かにすることも、人によるのではないことを。(エレ 10・23) 私の時は御手の中にあります。(詩 31・15)

7 月 12 日 （夜）

愛と善行を促すために、互いに注意を払おうではありませんか。(ヘブ10・24)

真っ直ぐなことば。(ヨブ6・25) これらの手紙により、私はあなたがたの記憶を呼び覚まして、純真な心を奮い立たせたいのです。(Ⅱペテ3・1)

主を恐れる者たちが互いに語り合った。主は耳を傾けて、これを聞かれた。主を恐れ、主の御名を尊ぶ者たちのために、主の前で記憶の書が記された。(マラ3・16) あなたがたのうちの二人が、どんなことでも地上で心を一つにして祈るなら、天におられるわたしの父はそれをかなえてくださいます。(マタ18・19)

神である主は言われた。「人がひとりでいるのは良くない。」(創2・18) 二人は一人よりもまさっている。二人の労苦には、良い報いがあるからだ。どちらかが倒れるときには、一人がその仲間を起こす。倒れても起こしてくれる者のいないひとりぼっちの人はかわいそうだ。(伝4・9.10)

兄弟に対して妨げになるもの、つまずきになるものを置くことはしないと決心しなさい。(ロマ14・13) 互いの重荷を負い合いなさい。そうすれば、キリストの律法を成就することになります。(ガラ6・2) 自分自身も誘惑に陥らないように気をつけなさい。(ガラ6・1)

7 月 13 日 （朝）

私は、私の愛する方のもの。あの方は私を恋い慕う。

（雅 7・10）

　私は自分が信じてきた方をよく知っており、また、その方は私がお任せしたものを、かの日まで守ることがおできになると確信している。(Ⅱテモ 1・12) 死も、いのちも、御使いたちも、支配者たちも、今あるものも、後に来るものも、力あるものも、高いところにあるものも、深いところにあるものも、そのほかのどんな被造物も、私たちの主キリスト・イエスにある神の愛から、私たちを引き離すことはできません。(ロマ 8・38. 39) わたしは……彼らを守りました。わたしが彼らを保ったので、彼らのうちだれも滅びた者はなく、……(ヨハ 17・12)

　主はご自分の民を愛される。(詩 149・4) (主は) 人の子らを喜んだ。(箴 8・31) 私たちを愛してくださったその大きな愛。(エペ 2・4) 人が自分の友のためにいのちを捨てること、これよりも大きな愛はだれも持っていません。(ヨハ 15・13)

　あなたがたは、代価を払って買い取られたのです。ですから、自分のからだをもって神の栄光を現しなさい。(Ⅰコリ 6・20) 私たちは、生きるとすれば主のために生き、死ぬとすれば主のために死にます。ですから、生きるにしても、死ぬにしても、私たちは主のものです。(ロマ 14・8)

7 月 13 日 （夜）

主の書物を調べて読め。(イザ 34・16)

　わたしのこのことばを心とたましいに刻み、それをしるしとして手に結び付け、記章として額の上に置きなさい。(申 11・18) このみおしえの書をあなたの口から離さず、昼も夜もそれを口ずさめ。そのうちに記されていることすべてを守り行うためである。そのとき、あなたは自分がすることで繁栄し、そのとき、あなたは栄えるからである。(ヨシ 1・8)

　その心には　彼の神のみおしえがあり　彼の歩みはよろけることがない。(詩 37・31) 人としての行いは　あなたの唇のことばに従い　無法者が行く道を避けました。(詩 17・4) 私はあなたのみことばを心に蓄えます。あなたの前に罪ある者とならないために。(詩 119・11)

　私たちは、さらに確かな預言のみことばを持っています。夜が明けて、明けの明星があなたがたの心に昇るまでは、暗い所を照らすともしびとして、それに目を留めているとよいのです。(Ⅱペテ 1・19) それは、聖書が与える忍耐と励ましによって、私たちが希望を持ち続けるためです。(ロマ 15・4)

7 月 14 日 （朝）

心に満ちていることを口が話すのです。(マタ 12・34)

キリストのことばが、あなたがたのうちに豊かに住むようにしなさい。(コロ 3・16)

何を見張るよりも、あなたの心を見守れ。いのちの泉はこれから湧く。(箴 4・23) 死と生は舌に支配される。(箴 18・21) 正しい人の口は知恵を語り その舌は義を告げる。その心には 彼の神のみおしえがあり 彼の歩みはよろけることがない。(詩 37・30.31) 悪いことばを、いっさい口から出してはいけません。むしろ、必要なときに、人の成長に役立つことばを語り、聞く人に恵みを与えなさい。(エペ 4・29)

私たちは、自分たちが見たことや聞いたことを話さないわけにはいきません。(使 4・20) 私は信じています。まことに私は語ります。私は大いに苦しんでいました。(詩 116・10)

だれでも人々の前でわたしを認めるなら、わたしも、天におられるわたしの父の前でその人を認めます。(マタ 10・32) 人は心に信じて義と認められ、口で告白して救われるのです。(ロマ 10・10)

7 月 14 日 （夜）

近いうちにあなたに会いたいと思います。そうしたら、
直接話し合いましょう。(Ⅲヨハ14)

あなたが天を裂いて降りて来られると、山々はあなたの御前で揺れ動きます。(イザ64・1) 鹿が谷川の流れを慕いあえぐように 神よ 私のたましいはあなたを慕いあえぎます。私のたましいは 神を 生ける神を求めて 渇いています。いつになれば 私は行って 神の御前に出られるのでしょうか。(詩42・1.2) 私の愛する方よ、急いでください。かもしかのように、若い鹿のようになって、香料の山々へと。(雅8・14)

私たちの国籍は天にあります。そこから主イエス・キリストが救い主として来られるのを、私たちは待ち望んでいます。(ピリ3・20) 大いなる神であり私たちの救い主であるイエス・キリストの、栄光ある現れを待ち望む。(テト2・13) 私たちの救い主である神と、私たちの望みであるキリスト・イエス。(Ⅰテモ1・1) あなたがたはイエス・キリストを見たことはないけれども愛しており、‥‥(Ⅰペテ1・8)

これらのことを証しする方が言われる。「しかり、わたしはすぐに来る。」アーメン。主イエスよ、来てください。(黙22・20) その日、人は言う。「見よ。この方こそ、待ち望んでいた私たちの神。私たちを救ってくださる。この方こそ、私たちが待ち望んでいた主。その御救いを楽しみ喜ぼう。」(イザ25・9)

7 月 15 日 （朝）

**みこころが天で行われるように、地でも行われますよ
うに。**(マタ6・10)

主をほめたたえよ　主の御使いたちよ。みことばの声に聞
き従い　みことばを行う　力ある勇士たちよ。主をほめたたえ
よ　主のすべての軍勢よ。主のみこころを行い　主に仕える者
たちよ。(詩103・20.21)

わたしが天から下って来たのは、自分の思いを行うためで
はなく、わたしを遣わされた方のみこころを行うためです。
(ヨハ6・38)　わが神よ　私は　あなたのみこころを行うことを喜
びとします。あなたのみおしえは　私の心のうちにあります。
(詩40・8)　わが父よ。わたしが飲まなければこの杯が過ぎ去ら
ないのであれば、あなたのみこころがなりますように。(マタ
26・42)

わたしに向かって「主よ、主よ」と言う者がみな天の御国
に入るのではなく、天におられるわたしの父のみこころを行
う者が入るのです。(マタ7・21)　律法を聞く者が神の前に正しい
のではなく、律法を行う者が義と認められる。(ロマ2・13)　これ
らのことが分かっているなら、そして、それを行うなら、あ
なたがたは幸いです。(ヨハ13・17)　なすべき良いことを知ってい
ながら行わないなら、それはその人には罪です。(ヤコ4・17)

この世と調子を合わせてはいけません。むしろ、心を新た
にすることで、自分を変えていただきなさい。(ロマ12・2)

耳はことばを聞き分け、口は食物を味わうからだ。

(ヨブ34・3)

愛する者たち、霊をすべて信じてはいけません。偽預言者がたくさん世に出て来たので、その霊が神からのものかどうか、吟味しなさい。(Ⅰヨハ4・1) うわべで人をさばかないで、正しいさばきを行いなさい。(ヨハ7・24) 私は賢い人たちに話すように話します。私の言うことを判断してください。(Ⅰコリ10・15) キリストのことばが、あなたがたのうちに豊かに住むようにしなさい。(コロ3・16)

耳のある者は、御霊が‥‥告げることを聞きなさい。(黙2・29) 御霊を受けている人はすべてのことを判断します。(Ⅰコリ2・15)

聞いていることに注意しなさい。(マル4・24) わたしは、あなたの行い、あなたの労苦と忍耐を知っている。また、‥‥使徒と自称しているが実はそうでない者たちを試して、彼らを偽り者だと見抜いたことも知っている。(黙2・2) すべてを吟味し、良いものはしっかり保ちなさい。(Ⅰテサ5・21)

牧者は自分の羊たちを、それぞれ名を呼んで連れ出します。羊たちをみな外に出すと、牧者はその先頭に立って行き、羊たちはついて行きます。彼の声を知っているからです。しかし、ほかの人には決してついて行かず、逃げて行きます。ほかの人たちの声は知らないからです。(ヨハ10・3-5)

7 月 16 日 （朝）

あなたがたは、わたしにとって祭司の王国、聖なる国民となる。(出 19・6)

あなたは屠られて、すべての部族、言語、民族、国民の中から、あなたの血によって人々を神のために贖い、私たちの神のために、彼らを王国とし、祭司とされました。(黙 5・9, 10) あなたがたは選ばれた種族、王である祭司、聖なる国民、神のものとされた民です。それは、あなたがたを闇の中から、ご自分の驚くべき光の中に召してくださった方の栄誉を、あなたがたが告げ知らせるためです。(Ⅰペテ 2・9)

あなたがたは主の祭司と呼ばれ、われわれの神に仕える者と言われる。(イザ 61・6) 神とキリストの祭司となる。(黙 20・6)

天の召しにあずかっている聖なる兄弟たち。私たちが告白する、使徒であり大祭司であるイエスのことを考えなさい。(ヘブ 3・1) 私たちはイエスを通して、賛美のいけにえ、御名をたたえる唇の果実を、絶えず神にささげようではありませんか。(ヘブ 13・15)

私たちは神の作品であって、良い行いをするためにキリスト・イエスにあって造られたのです。(エペ 2・10) 神の宮は聖なるもの‥‥。あなたがたは、その宮です。(Ⅰコリ 3・17)

7 月 16 日 （夜）

**私たちは、私たちの神に祈り、彼らに備えて昼も夜も
見張りを置いた。**(ネヘ4・9)

誘惑に陥らないように、目を覚まして祈っていなさい。(マタ26・41) たゆみなく祈りなさい。感謝をもって祈りつつ、目を覚ましていなさい。(コロ4・2) あなたがたの思い煩いを、いっさい神にゆだねなさい。神があなたがたのことを心配してくださるからです。身を慎み、目を覚ましていなさい。あなたがたの敵である悪魔が、吼えたける獅子のように、だれかを食い尽くそうと探し回っています。堅く信仰に立って、この悪魔に対抗しなさい。(Iペテ5・7-9)

なぜあなたがたは、わたしを「主よ、主よ」と呼びながら、わたしの言うことを行わないのですか。(ルカ6・46) みことばを行う人になりなさい。自分を欺いて、ただ聞くだけの者となってはいけません。(ヤコ1・22)

なぜ、あなたはわたしに向かって叫ぶのか。イスラエルの子らに、前進するように言え。(出14・15)

何も思い煩わないで、あらゆる場合に、感謝をもってささげる祈りと願いによって、あなたがたの願い事を神に知っていただきなさい。そうすれば、すべての理解を超えた神の平安が、あなたがたの心と思いをキリスト・イエスにあって守ってくれます。(ピリ4・6.7)

7 月 17 日 （朝）

情け深くあわれみ深い神であり、怒るのに遅く、恵み
豊かで、わざわいを思い直される方。(ヨナ 4・2)

どうか今、あなたが語られたように、わが主の大きな力を
現してください。あなたは言われました。「主は怒るのに遅く、
恵み豊かであり、咎と背きを赦す。しかし、罰すべき者を必
ず罰し、父の咎を子に報い、三代、四代に及ぼす」と。(民 14・
17. 18)

先祖たちの咎を 私たちのものとして思い出さないでくだ
さい。あなたのあわれみが 速やかに私たちを迎えるように
してください。……私たちの救いの神よ 私たちを助けてく
ださい。御名の栄光のために。私たちを救い出し 私たちの
罪をお赦しください。御名のゆえに。(詩 79・8. 9) 私たちの咎が、
私たちに不利な証言をしても、主よ、あなたの御名のために
事をなしてください。まことに私たちの背信は大きく、私た
ちはあなたの御前で罪の中にいます。……主よ、私たちは自
分たちの悪と、先祖の咎をよく知っています。本当に私たち
は、あなたの御前で罪の中にあります。(エレ 14・7. 20)

主よ あなたがもし 不義に目を留められるなら 主よ だれ
が御前に立てるでしょう。しかし あなたが赦してくださる
ゆえに あなたは人に恐れられます。(詩 130・3. 4)

7 月 17 日 （夜）

御霊による聖別と、真理に対する信仰。(Ⅱテサ2・13)

北風よ、起きなさい。南風よ、吹きなさい。私の庭に吹いて、その香りを漂わせておくれ。(雅4・16)

見なさい。神のみこころに添って悲しむこと、そのことが、あなたがたに、どれほどの熱心をもたらしたことでしょう。そればかりか、どれほどの弁明、憤り、恐れ、慕う思い、熱意、処罰をもたらしたことでしょう。(Ⅱコリ7・11) あらゆる善意と正義と真実のうちに、光は実を結ぶのです。何が主に喜ばれることなのかを吟味しなさい。(エペ5・9, 10)

父はもう一人の助け主をお与えくださる。(ヨハ14・16) 助け主、すなわち、‥‥聖霊。(ヨハ14・26) 私たちに与えられた聖霊によって、神の愛が私たちの心に注がれている。(ロマ5・5)

御霊の実は、愛、喜び、平安。(ガラ5・22)

彼らの満ちあふれる喜びと極度の貧しさは、苦しみによる激しい試練の中にあってもあふれ出て、惜しみなく施す富となりました。(Ⅱコリ8・2)

同じ一つの御霊がこれらすべてのことをなさるのであり、御霊は、みこころのままに、一人ひとりそれぞれに賜物を分け与えてくださるのです。(Ⅰコリ12・11)

7 月 18 日 （朝）

牧者は自分の羊たちを、それぞれ名を呼んで連れ出します。（ヨハ10・3）

　神の堅固な土台は据えられていて、そこに次のような銘が刻まれています。「主はご自分に属する者を知っておられる。」また、「主の御名を呼ぶ者はみな、不義を離れよ。」（IIテモ2・19）その日には多くの者がわたしに言うでしょう。「主よ、主よ。私たちはあなたの名によって預言し、あなたの名によって悪霊を追い出し、あなたの名によって多くの奇跡を行ったではありませんか。」しかし、わたしはそのとき、彼らにはっきりと言います。「わたしはおまえたちを全く知らない。不法を行う者たち、わたしから離れて行け。」（マタ7・22,23）まことに　正しい者の道は主が知っておられ　悪しき者の道は滅び去る。（詩1・6）

　見よ、わたしは手のひらにあなたを刻んだ。あなたの城壁は、いつもわたしの前にある。（イザ49・16）封印のように、私をあなたの胸に、封印のように、あなたの腕に押印してください。（雅8・6）主はいつくしみ深く、苦難の日の砦。ご自分に身を避ける者を知っていてくださる。（ナホ1・7）

　わたしが行って、あなたがたに場所を用意したら、また来て、あなたがたをわたしのもとに迎えます。わたしがいるところに、あなたがたもいるようにするためです。（ヨハ14・3）

7 月 18 日 （夜）

彼女は、自分にできることをしたのです。(マル 14・8)

　この貧しいやもめは、だれよりも多くを投げ入れました。(ルカ 21・3) まことに、あなたがたに言います。あなたがたがキリストに属する者だということで、あなたがたに一杯の水を飲ませてくれる人は、決して報いを失うことがありません。(マル 9・41) 喜んでする思いがあるなら、持っていないものに応じてではなく、持っているものに応じて受け入れられるのです。(Ⅱコリ 8・12)

　私たちは、ことばや口先だけではなく、行いと真実をもって愛しましょう。(Ⅰヨハ 3・18) 兄弟か姉妹に着る物がなく、毎日の食べ物にも事欠いているようなときに、あなたがたのうちのだれかが、その人たちに、「安心して行きなさい。温まりなさい。満腹になるまで食べなさい」と言っても、からだに必要な物を与えなければ、何の役に立つでしょう。(ヤコ 2・15.16) 豊かに蒔く者は豊かに刈り入れます。一人ひとり、いやいやながらでなく、強いられてでもなく、心で決めたとおりにしなさい。神は、喜んで与える人を愛してくださるのです。(Ⅱコリ 9・6.7)

　同じようにあなたがたも、自分に命じられたことをすべて行ったら、「私たちは取るに足りないしもべです。なすべきことをしただけです」と言いなさい。(ルカ 17・10)

7 月 19 日 （朝）

**力ある方が、私に大きなことをしてくださったからで
す。その御名は聖なるもの。**(ルカ1・49)

主よ、神々のうちに、だれかあなたのような方がいるでしょ
うか。だれがあなたのように、聖であって輝き、たたえられ
つつ恐れられ、奇しいわざを行う方がいるでしょうか。(出15・
11) 主よ 神々のうちであなたに並ぶ者はなく あなたのみわ
ざに比べられるものはありません。(詩86・8) 主よ、あなたを
恐れず、御名をあがめない者がいるでしょうか。あなただけ
が聖なる方です。(黙15・4) 御名が聖なるものとされますよう
に。(マタ6・9)

ほむべきかな、イスラエルの神、主。主はその御民を顧み
て、贖いをなされた。(ルカ1・68)

「エドムから来るこの方はだれだろう。ボツラから深紅の衣
を着て来る方は。その装いには威光があり、大いなる力をもっ
て進んで来る。」「わたしは正義をもって語り、救いをもたら
す大いなる者。」(イザ63・1) わたしは 一人の勇士に助けを与え
民の中から一人の若者を高く上げた。(詩89・19)

どうか、私たちのうちに働く御力によって、私たちが願う
ところ、思うところのすべてをはるかに超えて行うことので
きる方に、‥‥栄光が‥‥ありますように。(エペ3・20.21)

7 月 19 日 （夜）

ヘルモンからシオンの山々に降りる露。(詩 133・3)

　シーオン山、すなわちヘルモン。(申 4・48) 主がそこに　とこしえのいのちの祝福を命じられた。(詩 133・3) わたしはイスラエルにとって露のようになる。彼はゆりのように花咲き、レバノン杉のように根を張る。(ホセ 14・5)

　私のおしえは雨のように下り、私のことばは露のように滴る。若草の上の小雨のように。青草の上の夕立のように。(申 32・2) 雨や雪は、天から降って、もとに戻らず、地を潤して物を生えさせ、芽を出させて、種蒔く人に種を与え、食べる人にパンを与える。そのように、わたしの口から出るわたしのことばも、わたしのところに、空しく帰って来ることはない。それは、わたしが望むことを成し遂げ、わたしが言い送ったことを成功させる。(イザ 55・10.11)

　神が御霊を限りなくお与えになる。(ヨハ 3・34) 私たちはみな、この方の満ち満ちた豊かさの中から、恵みの上にさらに恵みを受けた。(ヨハ 1・16) それは　頭に注がれた貴い油のようだ。それは　ひげに　アロンのひげに流れて　衣の端にまで流れ滴る。(詩 133・2)

7 月 20 日 （朝）

わたしがこの世のものでないように、彼らもこの世の
ものではありません。(ヨハ 17・16)

彼は蔑まれ、人々からのけ者にされ、悲しみの人で、病を
知っていた。(イザ 53・3) 世にあっては苦難があります。しかし、
勇気を出しなさい。わたしはすでに世に勝ちました。(ヨハ 16・
33)

敬虔で、悪も汚れもなく、罪人から離され、また天よりも
高く上げられた大祭司こそ、私たちにとってまさに必要な方
です。(ヘブ 7・26) それは、あなたがたが、非難されるところの
ない純真な者となり、また、曲がった邪悪な世代のただ中に
あって傷のない神の子どもとなるためです。(ピリ 2・15)

イエスは巡り歩いて良いわざを行い、悪魔に虐げられてい
る人たちをみな癒やされました。それは神がイエスとともに
おられたからです。(使 10・38) 私たちは機会があるうちに、す
べての人に、特に信仰の家族に善を行いましょう。(ガラ 6・10)

すべての人を照らすそのまことの光が、世に来ようとして
いた。(ヨハ 1・9) あなたがたは世の光です。山の上にある町は
隠れることができません。‥‥このように、あなたがたの光
を人々の前で輝かせなさい。人々があなたがたの良い行いを
見て、天におられるあなたがたの父をあがめるようになるた
めです。(マタ 5・14.16)

7 月 20 日 （夜）

心に楽しみのある人には毎日が祝宴。(箴 15・15)

主を喜ぶことは、あなたがたの力だからだ。(ネヘ 8・10) 神の国は食べたり飲んだりすることではなく、聖霊による義と平和と喜びだからです。(ロマ 14・17) 御霊に満たされなさい。詩と賛美と霊の歌をもって互いに語り合い、主に向かって心から賛美し、歌いなさい。いつでも、すべてのことについて、私たちの主イエス・キリストの名によって、父である神に感謝しなさい。(エペ 5・18-20)

私たちはイエスを通して、賛美のいけにえ、御名をたたえる唇の果実を、絶えず神にささげようではありませんか。(ヘブ 13・15)

いちじくの木は花を咲かせず、ぶどうの木には実りがなく、オリーブの木も実がなく、畑は食物を生み出さない。羊は囲いから絶え、牛は牛舎にいなくなる。しかし、私は主にあって喜び躍り、わが救いの神にあって楽しもう。(ハバ 3・17, 18) 悲しんでいるようでも、いつも喜んでおり、……(Ⅱコリ 6・10) 苦難さえも喜んでいます。(ロマ 5・3)

7 月 21 日 （朝）

割礼に何の益があるのですか。(ロマ3・1)

あらゆる点から見て、それは大いにあります。(ロマ3・2) 主のために割礼を受け、心の包皮を取り除け。(エレ4・4) 彼らの無割礼の心がへりくだるなら、そのとき自分たちの咎の償いをすることになる。わたしはヤコブとのわたしの契約を思い起こす。またイサクとのわたしの契約を、さらにはアブラハムとのわたしの契約をも思い起こす。わたしはその地を思い起こす。(レビ26・41.42)

キリストは、神の真理を現すために、割礼のある者たちのしもべとなられました。父祖たちに与えられた約束を確証するためです。(ロマ15・8) キリストにあって、あなたがたは人の手によらない割礼を受けました。肉のからだを脱ぎ捨てて、キリストの割礼を受けたのです。(コロ2・11) 背きのうちにあり、また肉の割礼がなく、死んだ者であったあなたがたを、神はキリストとともに生かしてくださいました。(コロ2・13)

その教えとは、あなたがたの以前の生活について言えば、人を欺く情欲によって腐敗していく古い人を、あなたがたが脱ぎ捨てること、また、あなたがたが霊と心において新しくされ続け、真理に基づく義と聖をもって、神にかたどり造られた新しい人を着ることでした。(エペ4・22-24)

7 月 21 日 （夜）

神殿の幕が上から下まで真っ二つに裂けた。

（マタ 27・51）

主イエスは渡される夜、パンを取り、感謝の祈りをささげた後それを裂き、こう言われました。「これはあなたがたのための、わたしのからだです。わたしを覚えて、これを行いなさい。」（Ⅰコリ 11・23.24）わたしが与えるパンは、世のいのちのための、わたしの肉です。（ヨハ 6・51）

人の子の肉を食べ、その血を飲まなければ、あなたがたのうちに、いのちはありません。わたしの肉を食べ、わたしの血を飲む者は、永遠のいのちを持っています。‥‥わたしの肉を食べ、わたしの血を飲む者は、わたしのうちにとどまり、わたしもその人のうちにとどまります。生ける父がわたしを遣わし、わたしが父によって生きているように、わたしを食べる者も、わたしによって生きるのです。‥‥わたしの話があなたがたをつまずかせるのか。それなら、人の子がかつていたところに上るのを見たら、どうなるのか。いのちを与えるのは御霊です。肉は何の益ももたらしません。（ヨハ 6・53.54. 56.57.61-63）

イエスはご自分の肉体という垂れ幕を通して、私たちのために、この新しい生ける道を開いてくださいました。（ヘブ 10・20）

7 月 22 日 （朝）

キリストが死なれたのは、ただ一度罪に対して死なれたのであり、キリストが生きておられるのは、神に対して生きておられるのだからです。(ロマ6・10)

背いた者たちとともに数えられた。(イザ53・12) キリストも、多くの人の罪を負うために一度ご自分を献げ、……(ヘブ9・28) キリストは自ら十字架の上で、私たちの罪をその身に負われた。それは、私たちが罪を離れ、義のために生きるため。(Ⅰペテ2・24) キリストは聖なるものとされる人々を、一つのささげ物によって永遠に完成されたからです。(ヘブ10・14)

イエスは永遠に存在されるので、変わることがない祭司職を持っておられます。したがってイエスは、いつも生きていて、彼らのためにとりなしをしておられるので、ご自分によって神に近づく人々を完全に救うことがおできになります。(ヘブ7・24.25) 私たちがまだ罪人であったとき、キリストが私たちのために死なれたことによって、神は私たちに対するご自分の愛を明らかにしておられます。ですから、今、キリストの血によって義と認められた私たちが、この方によって神の怒りから救われるのは、なおいっそう確かなことです。(ロマ5・8.9)

キリストは肉において苦しみを受けられたのですから、あなたがたも同じ心構えで自分自身を武装しなさい。肉において苦しみを受けた人は、罪との関わりを断っているのです。それは、あなたがたが地上での残された時を、もはや人間の欲望にではなく、神のみこころに生きるようになるためです。(Ⅰペテ4・1.2)

神の愛のうちに自分自身を保ちなさい。(ユダ21)

わたしにとどまりなさい。わたしもあなたがたの中にとどまります。枝がぶどうの木にとどまっていなければ、自分では実を結ぶことができないのと同じように、あなたがたもわたしにとどまっていなければ、実を結ぶことはできません。わたしはぶどうの木、あなたがたは枝です。人がわたしにとどまり、わたしもその人にとどまっているなら、その人は多くの実を結びます。わたしを離れては、あなたがたは何もすることができないのです。(ヨハ 15・4, 5)

御霊の実は、愛です。(ガラ 5・22)

あなたがたが多くの実を結び、わたしの弟子となることによって、わたしの父は栄光をお受けになります。父がわたしを愛されたように、わたしもあなたがたを愛しました。わたしの愛にとどまりなさい。わたしがわたしの父の戒めを守って、父の愛にとどまっているのと同じように、あなたがたもわたしの戒めを守るなら、わたしの愛にとどまっているのです。(ヨハ 15・8-10) だれでも神のことばを守っているなら、その人のうちには神の愛が確かに全うされているのです。(Ⅰヨハ2・5)

わたしがあなたがたを愛したように、あなたがたも互いに愛し合うこと、これがわたしの戒めです。(ヨハ 15・12) 私たちがまだ罪人であったとき、キリストが私たちのために死なれたことによって、神は私たちに対するご自身の愛を明らかにしておられます。(ロマ5・8) 神は愛です。愛のうちにとどまる人は神のうちにとどまり、神もその人のうちにとどまっておられます。(Ⅰヨハ4・16)

7 月 23 日 （朝）

それから終わりが来ます。(Ⅰコリ 15・24)

　その日、その時がいつなのかは、だれも知りません。天の御使いたちも子も知りません。父だけが知っておられます。気をつけて、目を覚ましていなさい。その時がいつなのか、あなたがたは知らないからです。……わたしがあなたがたに言っていることは、すべての人に言っているのです。目を覚ましていなさい。(マル 13・32.33.37) 主は、ある人たちが遅れていると思っているように、約束したことを遅らせているのではなく、あなたがたに対して忍耐しておられるのです。だれも滅びることがなく、すべての人が悔い改めに進むことを望んでおられるのです。(Ⅱペテ 3・9) 主が来られる時が近づいている。……さばきを行う方が戸口のところに立っておられます。(ヤコ 5・8.9) しかり、わたしはすぐに来る。(黙 22・20)

　このように、これらすべてのものが崩れ去るのだとすれば、あなたがたは、どれほど聖なる敬虔な生き方をしなければならないことでしょう。(Ⅱペテ 3・11)

　万物の終わりが近づきました。ですから、祈りのために、心を整え身を慎みなさい。(Ⅰペテ 4・7) 腰に帯を締め、明かりをともしていなさい。主人が婚礼から帰って来て戸をたたいたら、すぐに戸を開けようと、その帰りを待っている人たちのようでありなさい。(ルカ 12・35.36)

7 月 23 日 （夜）

兄弟たち、私たちのためにも祈ってください。

（Ⅰテサ5・25）

あなたがたのうちに病気の人がいれば、教会の長老たちを招き、‥‥祈ってもらいなさい。信仰による祈りは、病んでいる人を救います。主はその人を立ち上がらせてくださいます。‥‥あなたがたは癒やされるために、‥‥互いのために祈りなさい。正しい人の祈りは、働くと大きな力があります。エリヤは私たちと同じ人間でしたが、雨が降らないように熱心に祈ると、三年六か月の間、雨は地に降りませんでした。それから彼は再び祈りました。すると、天は雨を降らせ、地はその実を実らせました。（ヤコ5・14-18）

あらゆる祈りと願いによって、どんなときにも御霊によって祈りなさい。そのために、目を覚ましていて、すべての聖徒のために、忍耐の限りを尽くして祈りなさい。（エペ6・18）

私は絶えずあなたがたのことを思い、祈る‥‥（ロマ1・9、10）あなたがたが神のみこころのすべてを確信し、成熟した者として堅く立つことができるように、あなたがたのために祈りに励んでいます。（コロ4・12）

7 月 24 日 (朝)

苦難に耐えなさい。(ロマ12・12)

その方は主だ。主が御目にかなうことをなさるように。(Iサム3・18) たとえ私が正しくても、答えることはできない。私をさばく方に対して、あわれみを乞うだけだ。(ヨブ9・15) 主は与え、主は取られる。主の御名はほむべきかな。(ヨブ1・21) 私たちは幸いを神から受けるのだから、わざわいも受けるべきではないか。(ヨブ2・10)

イエスは涙を流された。(ヨハ11・35) 彼は蔑まれ、人々からのけ者にされ、悲しみの人で、病を知っていた。‥‥まことに、彼は私たちの病を負い、私たちの痛みを担った。(イザ53・3.4)

主はその愛する者を訓練し、受け入れるすべての子に、むちを加えられる。‥‥すべての訓練は、そのときは喜ばしいものではなく、かえって苦しく思われるものですが、後になると、これによって鍛えられた人々に、義という平安の実を結ばせます。(ヘブ12・6.11) 神の栄光の支配により、あらゆる力をもって強くされ、どんなことにも忍耐し、寛容でいられますように。(コロ1・11) 世にあっては苦難があります。しかし、勇気を出しなさい。わたしはすでに世に勝ちました。(ヨハ16・33)

7 月 24 日 （夜）

不信仰になって神の約束を疑うようなことはなく、

・・・・(ロマ 4・20)

　神を信じなさい。・・・・・この山に向かい、「立ち上がって、海に入れ」と言い、心の中で疑わずに、自分の言ったとおりになると信じる者には、そのとおりになります。ですから、あなたがたに言います。あなたがたが祈り求めるものは何でも、すでに得たと信じなさい。そうすれば、そのとおりになります。(マル 11・22-24) 信仰がなければ、神に喜ばれることはできません。神に近づく者は、神がおられることと、神がご自分を求める者には報いてくださる方であることを、信じなければならないのです。(ヘブ 11・6)

　約束を受けていた彼が、自分のただひとりの子を献げようとしたのです。神はアブラハムに「イサクにあって、あなたの子孫が起こされる」と言われましたが、彼は、神には人を死者の中からよみがえらせることもできると考えました。(ヘブ 11・17-19) 神には約束したことを実行する力がある、と確信していました。(ロマ 4・21)

　主にとって不可能なことがあるだろうか。(創 18・14) 神にはどんなことでもできます。(マタ 19・26) 私たちの信仰を増し加えてください。(ルカ 17・5)

7 月 25 日 （朝）

**私たちは、自分が死からいのちに移ったことを知って
います。**（Ⅰヨハ3・14）

わたしのことばを聞いて、わたしを遣わされた方を信じる
者は、永遠のいのちを持ち、さばきにあうことがなく、死か
らいのちに移っています。（ヨハ5・24）御子を持つ者はいのちを
持っており、神の御子を持たない者はいのちを持っていませ
ん。（Ⅰヨハ5・12）

私たちをあなたがたと一緒にキリストのうちに堅く保ち、
私たちに油を注がれた方は神です。神はまた、私たちに証印
を押し、保証として御霊を私たちの心に与えてくださいまし
た。（Ⅱコリ1・21.22）私たちは自分が真理に属していることを知
り、神の御前に心安らかでいられます。‥‥愛する者たち。
自分の心が責めないなら、私たちは神の御前に確信を持つこ
とができます。（Ⅰヨハ3・19.21）私たちは神に属していますが、
世全体は悪い者の支配下にあることを、私たちは知っていま
す。（Ⅰヨハ5・19）

あわれみ豊かな神は、‥‥背きの中に死んでいた私たちを、
キリストとともに生かしてくださいました。（エペ2・4.5）御父
は、私たちを暗闇の力から救い出して、愛する御子のご支配
の中に移してくださいました。（コロ1・13）

7 月 25 日 （夜）

あなたは私に いのちの道を知らせてくださいます。

(詩 16・11)

主はこう言われる。見よ、わたしはあなたがたの前に、いのちの道と死の道を置く。(エレ 21・8) 私はあなたがたに、良い正しい道を教えよう。(I サム 12・23) わたしが道であり、真理であり、いのちなのです。わたしを通してでなければ、だれも父のみもとに行くことはできません。(ヨハ 14・6) わたしについて来なさい。(マタ 4・19)

人の目にはまっすぐに見えるが、その終わりが死となる道がある。(箴 14・12) 滅びに至る門は大きく、その道は広く、そこから入って行く者が多いのです。いのちに至る門はなんと狭く、その道もなんと細いことでしょう。そして、それを見出す者はわずかです。(マタ 7・13.14)

そこに大路があり、その道は「聖なる道」と呼ばれる。汚れた者はそこを通れない。これは、その道を行く者たちのもの。そこを愚か者がさまようことはない。(イザ 35・8) 私たちは知ろう。主を知ることを切に追い求めよう。(ホセ 6・3)

わたしの父の家には住む所がたくさんあります。そうでなかったら、あなたがたのために場所を用意しに行く、と言ったでしょうか。(ヨハ 14・2)

7 月 26 日 （朝）

> 信仰によって、アブラハムは相続財産として受け取る
> べき地に出て行くようにと召しを受けたときに、それに
> 従い、どこに行くのかを知らずに出て行きました。
>
> （ヘブ 11・8）

主は 私たちのために選んでくださる。私たちの受け継ぐ
地を。(詩 47・4) 主は‥‥これ(イスラエル)を抱き、世話をし、
ご自分の瞳のように守られた。鷲が巣のひなを呼び覚まし、
そのひなの上を舞い、翼を広げてこれを取り、羽に乗せて行
くように。ただ主だけでこれを導き、主とともに異国の神は
いなかった。(申 32・10-12)

わたしはあなたの神、主である。わたしはあなたに益にな
ることを教え、あなたの歩むべき道にあなたを導く。(イザ 48・
17) 神のような教師が、だれかいるだろうか。(ヨブ 36・22)

私たちは見えるものによらず、信仰によって歩んでいます。
(Ⅱコリ 5・7) 私たちは、いつまでも続く都をこの地上に持って
いるのではなく、むしろ来たるべき都を求めているのです。
(ヘブ 13・14) 愛する者たち、私は勧めます。あなたがたは旅人、
寄留者なのですから、たましいに戦いを挑む肉の欲を避けな
さい。(Ⅰペテ 2・11) さあ、立ち去れ。ここは憩いの場所ではな
い。ここは汚れで滅ぼされるからだ。それはひどい滅びだ。(ミ
カ 2・10)

7 月 26 日 （夜）

その聖なる御名に感謝せよ。(詩 97・12)

天も神の目には清くない。まして忌み嫌うべき腐り果てた者、不正を水のように飲む人間は、なおさらだ。(ヨブ 15・15.16) 神の目には‥‥星も清くない。まして、うじ虫でしかない人間、虫けらでしかない人の子はなおさらだ。(ヨブ 25・5.6)

主よ、神々のうちに、だれかあなたのような方がいるでしょうか。だれがあなたのように、聖であって輝き、‥‥(出 15・11) 聖なる、聖なる、聖なる、万軍の主。(イザ 6・3)

あなたがたを召された聖なる方に倣い、あなたがた自身、生活のすべてにおいて聖なる者となりなさい。「あなたがたは聖なる者でなければならない。わたしが聖だからである」と書いてあるからです。(Ⅰペテ 1・15.16) 私たちをご自分の聖さにあずからせようとして訓練されるのです。(ヘブ 12・10)

神の宮は聖なるもの‥‥。あなたがたは、その宮です。(Ⅰコリ 3・17) あなたがたは、どれほど聖なる敬虔な生き方をしなければならないことでしょう。(Ⅱペテ 3・11)

悪いことばを、いっさい口から出してはいけません。むしろ、必要なときに、人の成長に役立つことばを語り、聞く人に恵みを与えなさい。神の聖霊を悲しませてはいけません。あなたがたは、贖いの日のために、聖霊によって証印を押されているのです。(エペ 4・29.30)

7 月 27 日 （朝）

神のかたちであるキリスト。（Ⅱコリ 4・4）

主の栄光が現されると、すべての肉なる者がともにこれを見る。（イザ40・5）いまだかつて神を見た者はいない。父のふところにおられるひとり子の神が、神を説き明かされたのである。（ヨハ1・18）私たちはこの方の栄光を見た。父のみもとから来られたひとり子としての栄光である。この方は恵みとまことに満ちておられた。（ヨハ1・14）わたしを見た人は、父を見たのです。（ヨハ14・9）御子は神の栄光の輝き、また神の本質の完全な現れ。（ヘブ1・3）

この御子にあって、私たちは、贖い、すなわち罪の赦しを得ているのです。御子は、見えない神のかたちであり、すべての造られたものより先に生まれた方です。（コロ1・14.15）神は、あらかじめ知っている人たちを、御子のかたちと同じ姿にあらかじめ定められたのです。それは、多くの兄弟たちの中で御子が長子となるためです。（ロマ8・29）

私たちは、土で造られた人のかたちを持っていたように、天に属する方のかたちも持つことになるのです。（Ⅰコリ15・49）

7 月 27 日 （夜）

あなたは 戦いのために私に力を帯びさせました。

（詩 18・39）

私が弱いときにこそ、私は強い。（Ⅱコリ 12・10）

アサは自分の神、主を呼び求めて言った。「主よ、力の強い者を助けるのも、力のない者を助けるのも、あなたには変わりはありません。私たちの神、主よ、私たちを助けてください。私たちはあなたに拠り頼み、御名によってこの大軍に向かって来ました。主よ、あなたは私たちの神です。人間が、あなたに力を行使することのないようにしてください。」（Ⅱ歴 14・11）ヨシャファテが助けを叫び求めたので、主は彼を助けられた。（Ⅱ歴 18・31）

主に身を避けることは 人に信頼するよりも良い。主に身を避けることは 君主たちに信頼するよりも良い。（詩 118・8. 9）王は 軍勢の大きさでは救われない。勇者は 力の大きさでは救い出されない。軍馬も勝利の頼みにはならず 軍勢の大きさも救いにはならない。（詩 33・16. 17）

私たちの格闘は血肉に対するものではなく、支配、力、この暗闇の世界の支配者たち、また天上にいるもろもろの悪霊に対するものです。ですから、‥‥神のすべての武具を取りなさい。（エペ 6・12. 13）

7 月 28 日 （朝）

愛のうちに歩みなさい。（エペ5・2）

わたしはあなたがたに新しい戒めを与えます。互いに愛し合いなさい。わたしがあなたがたを愛したように、あなたがたも互いに愛し合いなさい。（ヨハ13・34）何よりもまず、互いに熱心に愛し合いなさい。愛は多くの罪をおおうからです。（Ⅰペテ4・8）愛はすべての背きをおおう。（箴10・12）

祈るために立ち上がるとき、だれかに対し恨んでいることがあるなら、赦しなさい。そうすれば、天におられるあなたがたの父も、あなたがたの過ちを赦してくださいます。（マル11・25）自分の敵を愛しなさい。彼らに良くしてやり、返してもらうことを考えずに貸しなさい。（ルカ6・35）あなたの敵が倒れるとき、喜んではならない。彼がつまずくとき、心躍らせてはならない。（箴24・17）悪に対して悪を返さず、侮辱に対して侮辱を返さず、逆に祝福しなさい。あなたがたは祝福を受け継ぐために召されたのです。（Ⅰペテ3・9）自分に関することについては、できる限り、すべての人と平和を保ちなさい。（ロマ12・18）互いに親切にし、優しい心で赦し合いなさい。神も、キリストにおいてあなたがたを赦してくださったのです。（エペ4・32）

子どもたち。私たちは、ことばや口先だけではなく、行いと真実をもって愛しましょう。（Ⅰヨハ3・18）

7 月 28 日 （夜）

あなたがたの願い事を神に知っていただきなさい。

（ピリ 4・6）

アバ、父よ、あなたは何でもおできになります。どうか、この杯をわたしから取り去ってください。しかし、わたしの望むことではなく、あなたがお望みになることが行われますように。（マル 14・36）私は肉体に一つのとげを与えられました。‥‥私から去らせてくださるようにと、私は三度、主に願いました。しかし主は、「わたしの恵みはあなたに十分である。わたしの力は弱さのうちに完全に現れるからである」と言われました。ですから私は、キリストの力が私をおおうために、むしろ大いに喜んで自分の弱さを誇りましょう。（Ⅱコリ 12・7-9）

私は御前に自分の嘆きを注ぎ出し 私の苦しみを御前に言い表します。（詩 142・2）ハンナの心は痛んでいた。彼女は激しく泣いて、主に祈った。そして誓願を立てて言った。「万軍の主よ。もし、あなたがはしための苦しみをご覧になり、‥‥男の子を下さるなら、私はその子を一生の間、主にお渡しします。」‥‥主は彼女を心に留められた。（Ⅰサム 1・10.11.19）

私たちは、何をどう祈ったらよいか分からないのですが、‥‥（ロマ 8・26）主は 私たちのために選んでくださる。私たちの受け継ぐ地を。（詩 47・4）

7 月 29 日 （朝）

ああ、あなたが天を裂いて降りて来られる。(イザ64・1)

　私の愛する方よ、急いでください。かもしかのように、若い鹿のようになって、香料の山々へと。(雅8・14) 私たち自身も、子にしていただくこと、すなわち、私たちのからだが贖われることを待ち望みながら、心の中でうめいています。(ロマ8・23) 主よ あなたの天を押し曲げて降りて来てください。山々に触れて 噴煙を上げさせてください。(詩144・5)

　あなたがたを離れて天に上げられたこのイエスは、天に上って行くのをあなたがたが見たのと同じ有様で、またおいでになります。(使1・11) 二度目には、罪を負うためではなく、ご自分を待ち望んでいる人々の救いのために現れてくださいます。(ヘブ9・28) その日、人は言う。「見よ。この方こそ、待ち望んでいた私たちの神。私たちを救ってくださる。この方こそ、私たちが待ち望んでいた主。その御救いを楽しみ喜ぼう。」(イザ25・9)

　これらのことを証しする方が言われる。「しかり、わたしはすぐに来る。」アーメン。主イエスよ、来てください。(黙22・20) 祝福に満ちた望み、すなわち、大いなる神であり私たちの救い主であるイエス・キリストの、栄光ある現れ。(テト2・13) 私たちの国籍は天にあります。(ピリ3・20)

7 月 29 日 （夜）

あなたは‥‥御名を恐れる者の受け継ぐ地を 私に
下さいました。(詩61・5)

あなたを攻めるために作られる武器は、どれも役に立たな
くなる。また、あなたを責め立てるどんな舌も、さばきのと
きに、あなたがそれを不義に定める。これが、主のしもべた
ちの受け継ぐ分、わたしから受ける彼らの義である。——主
のことば。(イザ54・17)

主の使いは 主を恐れる者の周りに陣を張り 彼らを助け出
される。味わい 見つめよ。主がいつくしみ深い方であるこ
とを。幸いなことよ 主に身を避ける人は。主を恐れよ。主
の聖徒たちよ。主を恐れる者には 乏しいことがないからだ。
若い獅子も乏しくなり 飢える。しかし 主を求める者は 良
いものに何一つ欠けることがない。(詩34・7-10) 割り当ての地
は定まりました。私の好む所に。実にすばらしい 私へのゆ
ずりの地です。(詩16・6)

あなたがた、わたしの名を恐れる者には、義の太陽が昇る。
その翼には癒やしがある。あなたがたは外に出て、牛舎の子
牛のように跳ね回る。(マラ4・2) 私たちすべてのために、ご自
分の御子さえも惜しむことなく死に渡された神が、どうして、
御子とともにすべてのものを、私たちに恵んでくださらない
ことがあるでしょうか。(ロマ8・32)

7 月 30 日 (朝)

**上にあるものを求めなさい。そこでは、キリストが神
の右の座に着いておられます。**(コロ3・1)

知恵を得よ。悟りを得よ。(箴4・5) 上からの知恵。(ヤコ3・17)
深淵は言う。「私の中にはそれはない。」海は言う。「私のと
ころにはない。」(ヨブ28・14) 私たちは、キリストの死にあずか
るバプテスマによって、キリストとともに葬られたのです。
それは、ちょうどキリストが御父の栄光によって死者の中か
らよみがえられたように、私たちも、新しいいのちに歩むた
めです。私たちがキリストの死と同じようになって、キリス
トと一つになっているなら、キリストの復活とも同じように
なるからです。(ロマ6・4,5)

私たちも、一切の重荷とまとわりつく罪を捨てて、自分の
前に置かれている競争を、忍耐をもって走り続けようではあ
りませんか。(ヘブ12・1) 神は‥‥私たちを、キリストとともに
生かしてくださいました。‥‥キリスト・イエスにあって、
私たちをともによみがえらせ、ともに天上に座らせてくださ
いました。(エペ2・4-6)

そのように言っている人たちは、自分の故郷を求めている
ことを明らかにしています。(ヘブ11・14) 主のさばきを行う柔
和な者たちよ、主を尋ね求めよ。義を尋ね求めよ。柔和さを
尋ね求めよ。(ゼパ2・3)

イエスのもとに来たことのあるニコデモ。(ヨハ7・50)

ペテロは、遠くからイエスの後について‥‥行った。(マタ26・58) 議員たちの中にもイエスを信じた者が多くいた。ただ、会堂から追放されないように、パリサイ人たちを気にして、告白しなかった。彼らは、神からの栄誉よりも、人からの栄誉を愛したのである。(ヨハ12・42.43) 人を恐れると罠にかかる。しかし、主に信頼する者は高い所にかくまわれる。(箴29・25)

わたしのもとに来る者を、わたしは決して外に追い出したりはしません。(ヨハ6・37) 傷んだ葦を折ることもなく、くすぶる灯芯を消すこともない。(イザ42・3) からし種ほどの信仰。(マタ17・20)

神は私たちに、臆病の霊ではなく、力と愛と慎みの霊を与えてくださいました。ですからあなたは、私たちの主を証しすることや、私が主の囚人であることを恥じてはいけません。(Ⅱテモ1・7.8) さあ、子どもたち、キリストのうちにとどまりなさい。そうすれば、キリストが現れるとき、私たちは確信を持つことができ、来臨のときに御前で恥じることはありません。(Ⅰヨハ2・28) だれでも人々の前でわたしを認めるなら、わたしも、天におられるわたしの父の前でその人を認めます。(マタ10・32)

7 月 31 日 （朝）

キリスト・イエスの立派な兵士として、私と苦しみをともにしてください。(Ⅱテモ2・3)

わたしは彼を諸国の民への証人とし、諸国の民の君主とし、司令官とした。(イザ55・4) 多くの子たちを栄光に導くために、彼らの救いの創始者を多くの苦しみを通して完全な者とされたのは、万物の存在の目的であり、また原因でもある神に、ふさわしいことであったのです。(ヘブ2・10) 私たちは、神の国に入るために、多くの苦しみを経なければならない。(使14・22)

私たちの格闘は血肉に対するものではなく、支配、力、この暗闇の世界の支配者たち、また天上にいるもろもろの悪霊に対するものです。ですから、邪悪な日に際して対抗できるように、また、一切を成し遂げて堅く立つことができるように、神のすべての武具を取りなさい。(エペ6・12.13) 私たちは‥‥肉に従って戦ってはいません。私たちの戦いの武器は肉のものではなく、神のために要塞を打ち倒す力があるものです。(Ⅱコリ10・3.4)

あらゆる恵みに満ちた神、すなわち、あなたがたをキリストにあって永遠の栄光の中に招き入れてくださった神ご自身が、あなたがたをしばらくの苦しみの後で回復させ、堅く立たせ、強くし、不動の者としてくださいます。(Ⅰペテ5・10)

7 月 31 日 （夜）

御霊による一致。(エペ4・3)

　からだは一つ、御霊は一つです。(エペ4・4) このキリストを
通して、私たち二つのものが、一つの御霊によって御父に近
づくことができるのです。こういうわけで、あなたがたは、
もはや他国人でも寄留者でもなく、聖徒たちと同じ国の民で
あり、神の家族なのです。使徒たちや預言者たちという土台
の上に建てられていて、キリスト・イエスご自身がその要の
石です。このキリストにあって、建物の全体が組み合わされ
て成長し、主にある聖なる宮となります。あなたがたも、こ
のキリストにあって、ともに築き上げられ、御霊によって神
の御住まいとなるのです。(エペ2・18-22)

　見よ。なんという幸せ なんという楽しさだろう。兄弟た
ちが一つになって ともに生きることは。それは 頭に注がれ
た貴い油のようだ。それは ひげに アロンのひげに流れて
衣の端にまで流れ滴る。(詩133・1.2)

　あなたがたは真理に従うことによって、たましいを清め、
偽りのない兄弟愛を抱くようになったのですから、きよい心
で互いに熱く愛し合いなさい。(Ⅰペテ1・22)

8 月 1 日 （朝）

御霊の実は‥‥誠実です。(ガラ5・22)

この恵みのゆえに、あなたがたは信仰によって救われたのです。それはあなたがたから出たことではなく、神の賜物です。(エペ2・8) 信仰がなければ、神に喜ばれることはできません。(ヘブ11・6) 御子を信じる者はさばかれない。信じない者はすでにさばかれている。神のひとり子の名を信じなかったからである。(ヨハ3・18) 信じます。不信仰な私をお助けください。(マル9・24)

だれでも神のことばを守っているなら、その人のうちには神の愛が確かに全うされているのです。それによって、自分が神のうちにいることが分かります。(Ⅰヨハ2・5) 愛によって働く信仰。(ガラ5・6) 信仰も行いを欠いては死んでいるのです。(ヤコ2・26)

私たちは見えるものによらず、信仰によって歩んでいます。(Ⅱコリ5・7) 私はキリストとともに十字架につけられました。もはや私が生きているのではなく、キリストが私のうちに生きておられるのです。今私が肉において生きているいのちは、私を愛し、私のためにご自分を与えてくださった、神の御子に対する信仰によるのです。(ガラ2・19・20) あなたがたはイエス・キリストを見たことはないけれども愛しており、今見てはいないけれども信じており、ことばに尽くせない、栄えに満ちた喜びに躍っています。あなたがたが、信仰の結果であるたましいの救いを得ているからです。(Ⅰペテ1・8.9)

8 月 1 日 （夜）

主は慈愛に富み、あわれみに満ちておられます。

（ヤコ 5・11）

父がその子をあわれむように 主は ご自分を恐れる者をあわれまれる。（詩 103・13）主は情け深く あわれみ深い。‥‥ご自分の契約をとこしえに覚えておられる。（詩 111・4.5）

あなたを守る方は まどろむこともない。見よ イスラエルを守る方は まどろむこともなく 眠ることもない。（詩 121・3.4）鷲が巣のひなを呼び覚まし、そのひなの上を舞い、翼を広げてこれを取り、羽に乗せて行くように。ただ主だけでこれを導き、主とともに異国の神はいなかった。（申 32・11.12）

主のあわれみが尽きないからだ。それは朝ごとに新しい。「あなたの真実は偉大です。」（哀 3・22.23）

イエスは舟から上がり、大勢の群衆をご覧になった。そして彼らを深くあわれんで、彼らの中の病人たちを癒やされた。（マタ 14・14）イエス・キリストは、昨日も今日も、とこしえに変わることがありません。（ヘブ 13・8）

あなたがたの頭の毛さえも、すべて数えられています。（マタ 10・30）二羽の雀は一アサリオンで売られているではありませんか。そんな雀の一羽でさえ、あなたがたの父の許しなしに地に落ちることはありません。‥‥ですから恐れてはいけません。あなたがたは多くの雀よりも価値があるのです。（マタ 10・29-31）

8 月 2 日 (朝)

屠(ほふ)られた子羊。(黙13・8)

あなたがたの羊は、傷のない一歳の雄でなければならない。‥‥イスラエルの会衆の集会全体は夕暮れにそれを屠り、その血を取り、羊を食べる家々の二本の門柱と鴨居に塗らなければならない。‥‥わたしはその血を見て、あなたがたのところを過ぎ越す。(出12・5-7.13) 注ぎかけられたイエスの血。(ヘブ12・24) 私たちの過越の子羊キリストは、すでに屠られたのです。(Ⅰコリ5・7) 神が定めた計画と神の予知によって引き渡されたこのイエス。(使2・23) ご自分の計画と恵み‥‥。この恵みは、キリスト・イエスにおいて、私たちに永遠の昔に与えられ、今、私たちの救い主キリスト・イエスの現れによって明らかにされました。(Ⅱテモ1・9)

このキリストにあって、私たちはその血による贖い、背きの罪の赦しを受けています。(エペ1・7)

キリストは肉において苦しみを受けられたのですから、あなたがたも同じ心構えで自分自身を武装しなさい。‥‥それは、あなたがたが地上での残された時を、もはや人間の欲望にではなく、神のみこころに生きるようになるためです。(Ⅰペテ4・1.2)

8 月 2 日 （夜）

わたしはひとりでぶどう踏みをした。(イザ63・3)

主よ、神々のうちに、だれかあなたのような方がいるでしょ
うか。だれがあなたのように、聖であって輝き、たたえられ
つつ恐れられ、奇しいわざを行う方がいるでしょうか。(出15・
11) 主は人がいないのを見て、とりなす者がいないことに啞
然とされた。それで、ご自分の御腕で救いをもたらし、ご自
分の義を支えとされた。(イザ59・16) キリストは自ら十字架の
上で、私たちの罪をその身に負われた。(Ⅰペテ2・24) キリスト
は、ご自分が私たちのためにのろわれた者となることで、私
たちを律法ののろいから贖い出してくださいました。(ガラ3・
13)

新しい歌を主に歌え。主は 奇しいみわざを行われた。主
の右の御手 聖なる御腕が 主に勝利をもたらしたのだ。(詩98・
1) そして、様々な支配と権威の武装を解除し、それらをキ
リストの凱旋の行列に捕虜として加えて、さらしものにされ
ました。(コロ2・15) 彼は自分のたましいの激しい苦しみのあと
を見て、満足する。わたしの正しいしもべは、その知識によっ
て多くの人を義とし、彼らの咎を負う。(イザ53・11)

わがたましいよ、力強く進め。(士5・21) 私たちを愛してく
ださった方によって、私たちは圧倒的な勝利者です。(ロマ8・
37) 兄弟たちは、子羊の血と、自分たちの証しのことばのゆ
えに竜に打ち勝った。(黙12・11)

8 月 3 日 （朝）

主のあわれみは、代々にわたって 主を恐れる者に及びます。（ルカ 1・50）

なんと大きいのでしょう。あなたのいつくしみは。あなたを恐れる者のために あなたはそれを蓄え あなたに身を避ける者のために 人の子らの目の前で それを備えられました。あなたは 彼らを人のそしりから 御顔の前にひそかにかくまい 舌の争いから 隠れ場に隠されます。（詩 31・19.20）

人をそれぞれのわざにしたがって公平にさばかれる方を父と呼んでいるのなら、この世に寄留している時を、恐れつつ過ごしなさい。（Ⅰペテ 1・17）まことをもって主を呼び求める者すべてに 主は近くあられます。また 主を恐れる者の願いをかなえ 彼らの叫びを聞いて 救われます。（詩 145・18.19）

あなたは心を痛めて主の前にへりくだり、自分の衣を引き裂いてわたしの前で泣いたので、わたしもまた、あなたの願いを聞き入れる――主のことば――。（Ⅱ列 22・19）わたしが目を留める者、それは、貧しい者、霊の砕かれた者、わたしのことばにおののく者だ。（イザ 66・2）主は心の打ち砕かれた者の近くにおられ 霊の砕かれた者を救われる。（詩 34・18）

8 月 3 日 （夜）

わたしを重んじる者をわたしは重んじる。（Ⅰサム2・30）

　だれでも人々の前でわたしを認めるなら、わたしも、天におられるわたしの父の前でその人を認めます。（マタ10・32）わたしよりも父や母を愛する者は、わたしにふさわしい者ではありません。わたしよりも息子や娘を愛する者は、わたしにふさわしい者ではありません。自分の十字架を負ってわたしに従って来ない者は、わたしにふさわしい者ではありません。自分のいのちを得る者はそれを失い、わたしのために自分のいのちを失う者は、それを得るのです。（マタ10・37-39）

　試練に耐える人は幸いです。耐え抜いた人は、神を愛する者たちに約束された、いのちの冠を受けるからです。（ヤコ1・12）

　あなたが受けようとしている苦しみを、何も恐れることはない。‥‥死に至るまで忠実でありなさい。そうすれば、わたしはあなたにいのちの冠を与える。（黙2・10）

　私たちの一時の軽い苦難は、それとは比べものにならないほど重い永遠の栄光を、私たちにもたらすのです。（Ⅱコリ4・17）イエス・キリストが現れるとき、称賛と栄光と誉れをもたらします。（Ⅰペテ1・7）

8 月 4 日 (朝)

イエスは‥‥「完了した」と言われた。そして、頭を垂れて霊をお渡しになった。(ヨハ 19・30)

　信仰の創始者であり完成者であるイエス。(ヘブ 12・2) わたしが行うようにと、あなたが与えてくださったわざを成し遂げて、わたしは地上であなたの栄光を現しました。(ヨハ 17・4) イエス・キリストのからだが、ただ一度だけ献げられたことにより、私たちは聖なるものとされています。さらに、祭司がみな、毎日立って礼拝の務めをなし、同じいけにえを繰り返し献げても、それらは決して罪を除き去ることができませんが、キリストは、罪のために一つのいけにえを献げた後、永遠に神の右の座に着き、あとは、敵がご自分の足台とされるのを待っておられます。なぜなら、キリストは聖なるものとされる人々を、一つのささげ物によって永遠に完成されたからです。(ヘブ 10・10-14) 私たちに不利な、様々な規定で私たちを責め立てている債務証書を無効にし、それを十字架に釘付けにして取り除いてくださいました。(コロ 2・14)

　だれも、わたしからいのちを取りません。わたしが自分からいのちを捨てるのです。わたしには、それを捨てる権威があり、再び得る権威があります。(ヨハ 10・18) 人が自分の友のためにいのちを捨てること、これよりも大きな愛はだれも持っていません。(ヨハ 15・13)

8 月 4 日 （夜）

**主は　いと高き所から御手を伸ばして私を捕らえ　大水
から私を引き上げられました。**(詩 18・16)

　滅びの穴から　泥沼から　主は私を引き上げてくださった。
私の足を巌に立たせ　私の歩みを確かにされた。(詩 40・2) あな
たがたは自分の背きと罪の中に死んでいた者であり、かつて
は、それらの罪の中にあってこの世の流れに従い、‥‥歩ん
でいました。私たちもみな、不従順の子らの中にあって、か
つては自分の肉の欲のままに生き、肉と心の望むことを行い、
‥‥(エペ 2・1-3)

　神よ　私の叫びを聞き　私の祈りに耳を傾けてください。私
の心が衰え果てるとき　私は地の果てから　あなたを呼び求め
ます。(詩 61・1.2) よみの腹から私が叫び求めると、あなたは私
の声を聞いてくださいました。あなたは私を深いところに、
海の真中に投げ込まれました。潮の流れが私を囲み、あなた
の波、あなたの大波がみな、私の上を越えて行きました。(ヨ
ナ 2・2.3) 私たちは　火の中　水の中を通りました。しかし　あ
なたは私たちを豊かな所へ導き出してくださいました。(詩 66・
12)

　あなたが水の中を過ぎるときも、わたしは、あなたととも
にいる。川を渡るときも、あなたは押し流されず、火の中を
歩いても、あなたは焼かれず、炎はあなたに燃えつかない。(イ
ザ 43・2)

8 月 5 日 （朝）

新しいいのちに歩む。(ロマ6・4)

あなたがたの肉の弱さのために、私は人間的な言い方をしています。以前あなたがたは、自分の手足を汚れと不法の奴隷として献げて、不法に進みました。同じように、今はその手足を義の奴隷として献げて、聖潔に進みなさい。(ロマ6・19) 兄弟たち、私は神のあわれみによって、あなたがたに勧めます。あなたがたのからだを、神に喜ばれる、聖なる生きたささげ物として献げなさい。それこそ、あなたがたにふさわしい礼拝です。この世と調子を合わせてはいけません。むしろ、心を新たにすることで、自分を変えていただきなさい。(ロマ12・1.2)

だれでもキリストのうちにあるなら、その人は新しく造られた者です。古いものは過ぎ去って、見よ、すべてが新しくなりました。(Ⅱコリ5・17) 割礼を受けているか受けていないかは、大事なことではありません。大事なのは新しい創造です。この基準にしたがって進む人々の上に、そして神のイスラエルの上に、平安とあわれみがありますように。(ガラ6・15.16) 主にあって厳かに勧めます。あなたがたはもはや、異邦人がむなしい心で歩んでいるように歩んではなりません。‥‥あなたがたは、キリストをそのように学んだのではありません。ただし、本当にあなたがたがキリストについて聞き、キリストにあって教えられているとすれば、です。真理はイエスにあるのですから。その教えとは、‥‥真理に基づく義と聖をもって、神にかたどり造られた新しい人を着ることでした。(エペ4・17.20-22.24)

8 月 5 日 （夜）

みこころがなりますように。(マタ 26・42)

　主よ、私は知っています。人間の道はその人によるのではなく、歩むことも、その歩みを確かにすることも、人によるのではないことを。(エレ 10・23) わたしが望むようにではなく、あなたが望まれるままに、なさってください。(マタ 26・39) まことに私は　私のたましいを和らげ　静めました。乳離れした子が母親とともにいるように　乳離れした子のように　私のたましいは私とともにあります。(詩 131・2)

　私たちは、何をどう祈ったらよいか分からないのですが、御霊ご自身が、ことばにならないうめきをもって、とりなしてくださるのです。人間の心を探る方は、御霊の思いが何であるかを知っておられます。なぜなら、御霊は神のみこころにしたがって、聖徒たちのためにとりなしてくださるからです。(ロマ 8・26, 27)

　あなたがたは自分が何を求めているのか分かっていません。(マタ 20・22) 主は彼らにその欲するものを与え　彼らのいのちを衰えさせた。(詩 106・15) これらのことは、私たちを戒める実例として起こったのです。彼らが貪ったように、私たちが悪を貪ることのないようにするためです。(Ⅰコリ 10・6)

　あなたがたが思い煩わないように、と私は願います。(Ⅰコリ 7・32) 志の堅固な者を、あなたは全き平安のうちに守られます。その人があなたに信頼しているからです。(イザ 26・3)

8 月 6 日 （朝）

主は愛する者を叱る。(箴3・12)

　今、見よ、わたし、わたしこそがそれである。わたしのほかに神はいない。わたしは殺し、また生かす。わたしは傷つけ、また癒やす。わたしの手からは、だれも救い出せない。(申32・39) わたし自身、あなたがたのために立てている計画をよく知っている——主のことば——。それはわざわいではなく平安を与える計画であり、あなたがたに将来と希望を与えるためのものだ。(エレ29・11) わたしの思いは、あなたがたの思いと異なり、あなたがたの道は、わたしの道と異なるからだ。——主のことば——(イザ55・8)

　見よ、わたしは彼女を誘い、荒野に連れて行って 優しく彼女に語ろう。(ホセ2・14) 人がその子を訓練するように、あなたの神、主があなたを訓練される。(申8・5) すべての訓練は、そのときは喜ばしいものではなく、かえって苦しく思われるものですが、後になると、これによって鍛えられた人々に、義という平安の実を結ばせます。(ヘブ12・11) ですから、あなたがたは神の力強い御手の下にへりくだりなさい。神は、ちょうど良い時に、あなたがたを高く上げてくださいます。(Ⅰペテ5・6)

　主よ 私は知っています。あなたのさばきが正しいこととあなたが真実をもって私を苦しめられたことを。(詩119・75)

8 月 6 日 （夜）

地とそこに満ちているもの‥‥それは主のもの。(詩24・1)

しかし彼女は知らない。このわたしが、穀物と新しいぶど
う酒と油を彼女に与えたのを。わたしが銀と金を多く与える
と、彼らはそれをバアルに造り上げたのだ。それゆえ、わた
しはその時になれば、わたしの穀物を取り返す。その時期に
なれば、わたしの新しいぶどう酒を。また、彼女の裸をおおっ
ている わたしの羊毛と麻をはぎ取る。(ホセ2・8.9)

すべてはあなたから出たのであり、私たちは御手から出た
ものをあなたに献げたにすぎません。私たちは、父祖たちが
みなそうであったように、あなたの前では寄留者であり、居
留している者です。地上での私たちの日々は影のようなもの
で、望みもありません。私たちの神、主よ。‥‥この多くの
ものすべては、あなたの御手から出たものであり、すべては
あなたのものです。(Ⅰ歴29・14-16) すべてのものが神から発し、
神によって成り、神に至るのです。この神に、栄光がとこし
えにありますように。アーメン。(ロマ11・36)

私たちにすべての物を豊かに与えて楽しませてくださる神。
(Ⅰテモ6・17) 神が造られたものはすべて良いもので、感謝して
受けるとき、捨てるべきものは何もありません。神のことば
と祈りによって、聖なるものとされるからです。(Ⅰテモ4・4.5)

私の神は、キリスト・イエスの栄光のうちにあるご自分の
豊かさにしたがって、あなたがたの必要をすべて満たしてく
ださいます。(ピリ4・19)

8 月 7 日 （朝）

**助け主、すなわち、父がわたしの名によってお遣わ
しになる聖霊。**(ヨハ 14・26)

　もしあなたが神の賜物を知り、また、水を飲ませてくださ
いとあなたに言っているのがだれなのかを知っていたら、あ
なたのほうからその人に求めていたでしょう。そして、その
人はあなたに生ける水を与えたことでしょう。(ヨハ 4・10) あな
たがたは悪い者であっても、自分の子どもたちには良いもの
を与えることを知っています。それならなおのこと、天の父
はご自分に求める者たちに聖霊を与えてくださいます。(ルカ
11・13) まことに、まことに、あなたがたに言います。わたし
の名によって父に求めるものは何でも、父はあなたがたに与
えてくださいます。今まで、あなたがたは、わたしの名によっ
て何も求めたことがありません。求めなさい。そうすれば受
けます。あなたがたの喜びが満ちあふれるようになるためで
す。(ヨハ 16・23.24) 自分のものにならないのは、あなたがたが
求めないからです。(ヤコ 4・2)

　真理の御霊が来ると、あなたがたをすべての真理に導いて
くださいます。御霊は自分から語るのではなく、聞いたことを
すべて語り、これから起こることをあなたがたに伝えてくださ
います。御霊はわたしの栄光を現されます。わたしのものを
受けて、あなたがたに伝えてくださるのです。(ヨハ 16・13.14)

　彼らは逆らって、主の聖なる御霊を悲しませましたので、主は
彼らの敵となり、自ら彼らと戦われた。(イザ 63・10)

8 月 7 日 （夜）

あなたがたはキリストについてどう思いますか。

（マタ 22・42）

門よ おまえたちの頭を上げよ。永遠の戸よ 上がれ。栄光
の王が入って来られる。栄光の王 それはだれか。万軍の主
この方こそ栄光の王。(詩 24・9. 10) その衣と、もものところに
は、「王の王、主の主」という名が記されていた。(黙 19・16)

この石は、信じているあなたがたには尊いものですが、信
じていない人々にとっては、「家を建てる者たちが捨てた石、
それが要の石となった」のであり、それは「つまずきの石、
妨げの岩」なのです。(Ⅰペテ 2・7) 十字架につけられたキリス
ト‥‥。ユダヤ人にとってはつまずき、異邦人にとっては愚
かなことですが、ユダヤ人であってもギリシア人であっても、
召された者たちにとっては、神の力、神の知恵であるキリスト
です。(Ⅰコリ 1・23. 24)

私の主であるキリスト・イエスを知っていることのすばら
しさのゆえに、私はすべてを損と思っています。私はキリス
トのゆえにすべてを失いましたが、それらはちりあくただと
考えています。(ピリ 3・8) 主よ、あなたはすべてをご存じです。
あなたは、私があなたを愛していることを知っておられます。

（ヨハ 21・17）

８ 月 ８ 日 （朝）

**正しい人の進む道は、あけぼのの光のようだ。いよ
いよ輝きを増して真昼となる。**(箴4・18)

　私は、すでに得たのでもなく、すでに完全にされているの
でもありません。ただ捕らえようとして追求しているのです。
そして、それを得るようにと、キリスト・イエスが私を捕ら
えてくださったのです。(ピリ3・12) 私たちは知ろう。主を知る
ことを切に追い求めよう。(ホセ6・3)

　そのとき、正しい人たちは彼らの父の御国で太陽のように
輝きます。(マタ13・43) 私たちはみな、覆いを取り除かれた顔
に、鏡のように主の栄光を映しつつ、栄光から栄光へと、主
と同じかたちに姿を変えられていきます。これはまさに、御
霊なる主の働きによるのです。(Ⅱコリ3・18) 完全なものが現れ
たら、部分的なものはすたれるのです。‥‥今、私たちは鏡
にぼんやり映るものを見ていますが、そのときには顔と顔を
合わせて見ることになります。今、私は一部分しか知りませ
んが、そのときには、私が完全に知られているのと同じよう
に、私も完全に知ることになります。(Ⅰコリ13・10.12) 愛する
者たち、私たちは今すでに神の子どもです。やがてどのよう
になるのか、まだ明らかにされていません。しかし、私たち
は、キリストが現れたときに、キリストに似た者になること
は知っています。キリストをありのままに見るからです。キ
リストにこの望みを置いている者はみな、キリストが清い方
であるように、自分を清くします。(Ⅰヨハ3・2.3)

8 月 8 日 （夜）

主の御名を呼び求める者はみな救われる。(ロマ 10・13)

わたしのもとに来る者を、わたしは決して外に追い出したりはしません。(ヨハ 6・37)「イエス様。あなたが御国に入られるときには、私を思い出してください。」イエスは彼に言われた。「まことに、あなたに言います。あなたは今日、わたしとともにパラダイスにいます。」(ルカ 23・42.43)「わたしに何をしてほしいのですか。」彼らは言った。「主よ、目を開けていただきたいのです。」イエスは深くあわれんで、彼らの目に触れられた。すると、すぐに彼らは見えるようになり、イエスについて行った。(マタ 20・32-34)

あなたがたは悪い者であっても、自分の子どもたちには良いものを与えることを知っています。それならなおのこと、天の父はご自分に求める者たちに聖霊を与えてくださいます。(ルカ 11・13) わたしの霊をあなたがたのうちに授ける。(エゼ 36・27) 神である主はこう言われる。「わたしはイスラエルの家の求めに応じ、このことを彼らのためにする。」(エゼ 36・37)

何事でも神のみこころにしたがって願うなら、神は聞いてくださるということ、これこそ神に対して私たちが抱いている確信です。私たちが願うことは何でも神が聞いてくださると分かるなら、私たちは、神に願い求めたことをすでに手にしていると分かります。(Ⅰヨハ 5・14.15)

8 月 9 日 （朝）

わが愛する者よ。あなたのすべては美しく、あなたには何の汚れもない。(雅4・7)

頭は残すところなく病み、心臓もすべて弱っている。足の裏から頭まで健全なところはなく、傷、打ち傷、生傷。絞り出してももらえず、包んでももらえず、油で和らげてももらえない。(イザ1・5,6) 私たちはみな、汚れた者のようになり、その義はみな、不潔な衣のようです。(イザ64・6) 私は、自分のうちに、すなわち、自分の肉のうちに善が住んでいないことを知っています。(ロマ7・18)

主イエス・キリストの御名と私たちの神の御霊によって、あなたがたは洗われ、聖なる者とされ、義と認められたのです。(Ⅰコリ6・11) 王の娘は 奥にいて栄華を極めている。(詩45・13) あなたの美しさ‥‥は、わたしがあなたにまとわせた、わたしの飾り物が完全であったからだ——神である主のことば。(エゼ16・14)

私たちの神 主の慈愛が 私たちの上にありますように。(詩90・17)

この人たちは‥‥その衣を洗い、子羊の血で白くしたのです。(黙7・14) しみや、しわや、そのようなものが何一つない、聖なるもの、傷のないものとなった栄光の教会。(エペ5・27) あなたがたは、キリストにあって満たされているのです。(コロ2・10)

8 月 9 日 （夜）

水を溜めることのできない、壊れた水溜め。(エレ 2・13)

彼女(エバ)は身ごもってカインを産み、「私は、主によって一人の男子を得た」と言った。(創 4・1)

「さあ、われわれは自分たちのために、町と、頂が天に届く塔を建てて、名をあげよう。‥‥」主が彼らをそこから地の全面に散らされた。(創 11・4.8) ロトは‥‥ヨルダンの低地全体を選んだ。そしてロトは東へ移動した。(創 13・11) 主の園のように、‥‥どこもよく潤っていた。‥‥ところが、ソドムの人々は邪悪で、主に対して甚だしく罪深い者たちであった。(創 13・10.13)

私は、知恵と知識を、狂気と愚かさを知ろうと心に決めた。それもまた、風を追うようなものであることを知った。実に、知恵が多くなれば悩みも多くなり、知識が増す者には苛立ちも増す。(伝 1・17.18) 私は自分の事業を拡張し、自分のために邸宅を建て、いくつものぶどう畑を設けた。‥‥私はまた、自分のために銀や金も集めた。しかし、‥‥見よ。すべては空しく、風を追うようなものだ。(伝 2・4.8.11)

だれでも渇いているなら、わたしのもとに来て飲みなさい。(ヨハ 7・37) まことに主は 渇いたたましいを満ち足らせ 飢えたたましいを良いもので満たされた。(詩 107・9)

上にあるものを思いなさい。地にあるものを思ってはなりません。(コロ 3・2)

8 月 10 日 （朝）

わたしがお願いすることは、あなたが彼らをこの世か
ら取り去ることではなく、悪い者から守ってくださるこ
とです。(ヨハ 17・15)

あなたがたが、非難されるところのない純真な者となり、
また、曲がった邪悪な世代のただ中にあって傷のない神の子
どもとなり、‥‥彼らの間で世の光として輝くためです。(ピ
リ 2・15.16) あなたがたは地の塩です。‥‥あなたがたは世の
光です。‥‥あなたがたの光を人々の前で輝かせなさい。人々
があなたがたの良い行いを見て、天におられるあなたがたの
父をあがめるようになるためです。(マタ 5・13.14.16)

わたしも、あなたがわたしの前に罪ある者とならないよう
にした。(創 20・6)

主は真実な方です。あなたがたを強くし、悪い者から守っ
てくださいます。(Ⅱテサ 3・3) 私は神を恐れて、そのようなこ
とはしなかった。(ネヘ 5・15) キリストは、今の悪の時代から私
たちを救い出すために、私たちの罪のためにご自分を与えて
くださいました。私たちの父である神のみこころにしたがっ
たのです。(ガラ 1・4)

あなたがたを、つまずかないように守ることができ、傷のな
い者として、大きな喜びとともに栄光の御前に立たせることが
できる方、私たちの救い主である唯一の神に、私たちの主イエ
ス・キリストを通して、栄光、威厳、支配、権威が、永遠の昔
も今も、世々限りなくありますように。アーメン。(ユダ 24.25)

8 月 10 日 （夜）

主に信頼する者は高い所にかくまわれる。(箴29・25)

　主はいと高き方で、高い所に住まわれる。(イザ33・5) 主はすべての国々の上に高くおられ その栄光は天の上にある。主は弱い者をちりから起こし 貧しい人をあくたから引き上げ 彼らを 高貴な人々とともに‥‥座に着かせられる。(詩113・4. 7.8)

　あわれみ豊かな神は、私たちを愛してくださったその大きな愛のゆえに、背きの中に死んでいた私たちを、キリストとともに生かしてくださいました。あなたがたが救われたのは恵みによるのです。神はまた、キリスト・イエスにあって、私たちをともによみがえらせ、ともに天上に座らせてくださいました。(エペ2・4-6)

　私たちすべてのために、ご自分の御子さえも惜しむことなく死に渡された神が、どうして、御子とともにすべてのものを、私たちに恵んでくださらないことがあるでしょうか。(ロマ8・32) 私はこう確信しています。死も、いのちも、御使いたちも、支配者たちも、今あるものも、後に来るものも、力あるものも、高いところにあるものも、深いところにあるものも、そのほかのどんな被造物も、私たちの主キリスト・イエスにある神の愛から、私たちを引き離すことはできません。(ロマ8・38.39)

8 月 11 日 （朝）

死の力を持つ者、すなわち、悪魔をご自分の死によっ
て滅ぼし、‥‥(ヘブ2・14)

　私たちの救い主キリスト・イエス‥‥は死を滅ぼし、福音によっていのちと不滅を明らかに示されたのです。(Ⅱテモ1・10)(主は)永久に死を呑み込まれる。神である主は、すべての顔から涙をぬぐい取り、全地の上からご自分の民の恥辱を取り除かれる。主がそう語られたのだ。(イザ25・8)この朽ちるべきものが朽ちないものを着て、この死ぬべきものが死なないものを着るとき、このように記されたみことばが実現します。「死は勝利に呑み込まれた。」「死よ、おまえの勝利はどこにあるのか。死よ、おまえのとげはどこにあるのか。」死のとげは罪であり、罪の力は律法です。しかし、神に感謝します。神は、私たちの主イエス・キリストによって、私たちに勝利を与えてくださいました。(Ⅰコリ15・54-57)

　神は私たちに、臆病の霊ではなく、力と愛と慎みの霊を与えてくださいました。(Ⅱテモ1・7)たとえ 死の陰の谷を歩むとしても 私はわざわいを恐れません。あなたが ともにおられますから。あなたのむちとあなたの杖 それが私の慰めです。(詩23・4)

8 月 11 日 （夜）

光の住む所への道はどこか。（ヨブ38・19）

神は光であり、神には闇が全くない。（Ⅰヨハ1・5）わたしが世にいる間は、わたしが世の光です。（ヨハ9・5）

もし私たちが、神と交わりがあると言いながら、闇の中を歩んでいるなら、私たちは偽りを言っているのであり、真理を行っていません。もし私たちが、神が光の中におられるように、光の中を歩んでいるなら、互いに交わりを持ち、御子イエスの血がすべての罪から私たちをきよめてくださいます。（Ⅰヨハ1・6,7）光の中にある、聖徒の相続分にあずかる資格をあなたがたに与えてくださった御父に、喜びをもって感謝をささげることができますように。御父は、私たちを暗闇の力から救い出して、愛する御子のご支配の中に移してくださいました。この御子にあって、私たちは、贖い、すなわち罪の赦しを得ているのです。（コロ1・12-14）

あなたがたはみな、光の子ども、昼の子どもなのです。私たちは夜の者、闇の者ではありません。（Ⅰテサ5・5）あなたがたは世の光です。山の上にある町は隠れることができません。‥‥あなたがたの光を人々の前で輝かせなさい。人々があなたがたの良い行いを見て、天におられるあなたがたの父をあがめるようになるためです。（マタ5・14.16）

8 月 12 日 （朝）

主は、いつまでも見放してはおられない。主は、た
とえ悲しみを与えたとしても、‥‥人をあわれまれる。

（哀 3・31.32）

恐れるな。——主のことば——わたしが、あなたとともに
いるからだ。わたしは‥‥あなたを滅ぼし尽くすことはない。
ただし、さばきによってあなたを懲らしめる。（エレ 46・28）わ
たしはほんの少しの間、あなたを見捨てたが、大いなるあわ
れみをもって、あなたを集める。怒りがあふれて、少しの間、
わたしは、顔をあなたから隠したが、永遠の真実の愛をもっ
て、あなたをあわれむ。——あなたを贖う方、主は言われる。
‥‥たとえ山が移り、丘が動いても、わたしの真実の愛はあ
なたから移らず、わたしの平和の契約は動かない。——あな
たをあわれむ方、主は言われる。苦しめられ、嵐にもてあそ
ばれ、慰められなかった女よ。見よ。わたしはアンチモンで
あなたの石をおおい、サファイアであなたの基を定める。（イ
ザ 54・7.8.10.11）

私は主の激しい怒りを身に受けている。私が主の前に罪あ
る者だからだ。しかし、それは、主が私の訴えを取り上げ、
私を正しくさばいてくださるまでだ。主は私を光に連れ出し
てくださる。私は、その義を見る。（ミカ 7・9）

8 月 12 日 （夜）

**神は‥‥強い者を恥じ入らせるために、この世の弱
い者を選ばれました。**（Ⅰコリ1・27）

　イスラエルの子らが主に叫び求めたとき、主は彼らのため
に、一人の救助者を起こされた。‥‥左利きのエフデである。
‥‥エフデの後に‥‥シャムガルが起こり、牛を追う棒でペ
リシテ人六百人を打ち殺した。彼もまた、イスラエルを救っ
た。（士3・15.31）

　主は彼（ギデオン）の方を向いて言われた。「行け、あなたの
その力で。‥‥わたしがあなたを遣わすのではないか。」ギ
デオンは言った。「ああ、主よ。どうすれば私はイスラエル
を救えるでしょうか。ご存じのように、私の氏族はマナセの
中で最も弱く、そして私は父の家で一番若いのです。」（士6・
14.15）

　主はギデオンに言われた。「あなたと一緒にいる兵は多す
ぎる。‥‥イスラエルが『自分の手で自分を救った』と言っ
て、わたしに向かって誇るといけないからだ。」（士7・2）

「権力によらず、能力によらず、わたしの霊によって」と万
軍の主は言われる。（ゼカ4・6）主にあって、その大能の力によっ
て強められなさい。（エペ6・10）

8 月 13 日 （朝）

神が彼らのために都を用意されたのです。(ヘブ11・16)

わたしが行って、あなたがたに場所を用意したら、また来て、あなたがたをわたしのもとに迎えます。わたしがいるところに、あなたがたもいるようにするためです。(ヨハ14・3)（神は）朽ちることも、汚れることも、消えて行くこともない資産を受け継ぐようにしてくださいました。これらは、あなたがたのために天に蓄えられています。(Ⅰペテ1・4) 私たちは、いつまでも続く都をこの地上に持っているのではなく、むしろ来たるべき都を求めているのです。(ヘブ13・14)

あなたがたを離れて天に上げられたこのイエスは、天に上って行くのをあなたがたが見たのと同じ有様で、またおいでになります。(使1・11) ですから、兄弟たち。主が来られる時まで耐え忍びなさい。見なさい。農夫は大地の貴重な実りを、初めの雨や後の雨が降るまで耐え忍んで待っています。あなたがたも耐え忍びなさい。心を強くしなさい。主が来られる時が近づいているからです。(ヤコ5・7.8) もうしばらくすれば、来たるべき方が来られる。遅れることはない。(ヘブ10・37)

生き残っている私たちが、彼らと一緒に雲に包まれて引き上げられ、空中で主と会うのです。こうして私たちは、いつまでも主とともにいることになります。ですから、これらのことばをもって互いに励まし合いなさい。(Ⅰテサ4・17.18)

8 月 13 日 （夜）

この世の取るに足りない者‥‥を神は選ばれたので
す。(Ⅰコリ1・28)

　淫らな行いをする者、偶像を拝む者、姦淫をする者、男娼
となる者、男色をする者、盗む者、貪欲な者、酒におぼれる
者、そしる者、奪い取る者はみな、神の国を相続することが
できません。あなたがたのうちのある人たちは、以前はその
ような者でした。しかし、主イエス・キリストの御名と私た
ちの神の御霊によって、あなたがたは洗われ、聖なる者とさ
れ、義と認められたのです。(Ⅰコリ6・9-11)

　あなたがたは自分の背きと罪の中に死んでいた者であり、
かつては、それらの罪の中にあってこの世の流れ‥‥に従っ
て歩んでいました。私たちもみな、不従順の子らの中にあっ
て、かつては自分の肉の欲のままに生き、肉と心の望むこと
を行い、‥‥(エペ2・1-3)

　神は‥‥ご自分のあわれみによって、聖霊による再生と刷
新の洗いをもって、私たちを救ってくださいました。神はこ
の聖霊を、私たちの救い主イエス・キリストによって、私た
ちに豊かに注いでくださったのです。(テト3・5.6)

　わたしの思いは、あなたがたの思いと異なり、あなたがた
の道は、わたしの道と異なるからだ。――主のことば――(イ
ザ55・8)

8 月 14 日 （朝）

主を喜ぶことは、あなたがたの力だからだ。

(ネヘ 8・10)

天よ、喜びの声をあげよ。地よ、小躍りせよ。山々よ、歓喜の声をあげよ。主がご自分の民を慰め、その苦しむ者をあわれまれるからだ。(イザ 49・13) 見よ、神は私の救い。私は信頼して恐れない。ヤハ、主は私の力、私のほめ歌。私のために救いとなられた。(イザ 12・2) 主は私の力 私の盾。私の心は主に拠り頼み 私は助けられた。私の心は喜び躍り 私は歌をもって主に感謝しよう。(詩 28・7) 私は主にあって大いに楽しみ、私のたましいも私の神にあって喜ぶ。主が私に救いの衣を着せ、正義の外套をまとわせ、花婿のように栄冠をかぶらせ、花嫁のように宝玉で飾ってくださるからだ。(イザ 61・10)

私たちの主イエス・キリストによって、私たちは神を喜んでいます。キリストによって、今や、私たちは和解させていただいたのです。(ロマ 5・11) 私は主にあって喜び躍り、わが救いの神にあって楽しもう。(ハバ 3・18)

8 月 14 日 (夜)

神が永遠の契約を私と立てられたからだ。それは、
すべてのことにおいて備えられ、また守られる。

（Ⅱサム 23・5）

私は自分が信じてきた方をよく知っており、また、その方
は私がお任せしたものを、かの日まで守ることがおできにな
ると確信している。（Ⅱテモ 1・12）

私たちの主イエス・キリストの父である神がほめたたえら
れますように。神はキリストにあって、天上にあるすべての
霊的祝福をもって私たちを祝福してくださいました。すなわ
ち神は、世界の基が据えられる前から、この方にあって私た
ちを選び、御前に聖なる、傷のない者にしようとされたので
す。神は、みこころの良しとするところにしたがって、私た
ちをイエス・キリストによってご自分の子にしようと、愛を
もってあらかじめ定めておられました。（エペ 1・3-5）

神を愛する人たち、すなわち、神のご計画にしたがって召
された人たちのためには、すべてのことがともに働いて益と
なることを、私たちは知っています。神は、あらかじめ知っ
ている人たちを、御子のかたちと同じ姿にあらかじめ定めら
れたのです。‥‥神は、あらかじめ定めた人たちをさらに召
し、召した人たちをさらに義と認め、義と認めた人たちには
さらに栄光をお与えになりました。（ロマ 8・28-30）

8 月 15 日 （朝）

平和の神が‥‥あなたがたを整え、みこころを行わせてくださいますように。(ヘブ 13・20. 21)

完全になりなさい。慰めを受けなさい。思いを一つにしなさい。平和を保ちなさい。そうすれば、愛と平和の神はあなたがたとともにいてくださいます。(Ⅱコリ 13・11)

この恵みのゆえに、あなたがたは信仰によって救われたのです。それはあなたがたから出たことではなく、神の賜物です。行いによるのではありません。だれも誇ることのないためです。(エペ 2・8.9) すべての良い贈り物、またすべての完全な賜物は、上からのものであり、光を造られた父から下って来るのです。父には、移り変わりや、天体の運行によって生じる影のようなものはありません。(ヤコ 1・17)

恐れおののいて自分の救いを達成するよう努めなさい。神はみこころのままに、あなたがたのうちに働いて志を立てさせ、事を行わせてくださる方です。(ピリ 2・12.13) 心を新たにすることで、自分を変えていただきなさい。そうすれば、神のみこころは何か、すなわち、何が良いことで、神に喜ばれ、完全であるのかを見分けるようになります。(ロマ 12・2) イエス・キリストによって与えられる義の実に満たされて、神の栄光と誉れが現されますように。(ピリ 1・11)

何かを、自分が成したことだと考える資格は、私たち自身にはありません。私たちの資格は神から与えられるものです。(Ⅱコリ 3・5)

8 月 15 日 （夜）

わたしは彼女を誘い、荒野に連れて行って 優しく彼女に語ろう。(ホセ2・14)

彼らの中から出て行き、彼らから離れよ。――主は言われる――汚れたものに触れてはならない。そうすればわたしは、あなたがたを受け入れ、わたしはあなたがたの父となり、あなたがたはわたしの息子、娘となる。――全能の主は言われる。(Ⅱコリ6・17.18) 愛する者たち。このような約束を与えられているのですから、肉と霊の一切の汚れから自分をきよめ、神を恐れつつ聖さを全うしようではありませんか。(Ⅱコリ7・1)

イエスも、ご自分の血によって民を聖なるものとするために、門の外で苦しみを受けられました。ですから私たちは、イエスの辱めを身に負い、宿営の外に出て、みもとに行こうではありませんか。(ヘブ13・12.13)

イエスは彼らに言われた。「さあ、あなたがただけで、寂しいところへ行って、しばらく休みなさい。」(マル6・31) 主は私の羊飼い。私は乏しいことがありません。主は私を緑の牧場に伏させ いこいのみぎわに伴われます。主は私のたましいを生き返らせ 御名のゆえに 私を義の道に導かれます。(詩23・1-3)

8 月 16 日 （朝）

**主のために建てる宮は、壮大なもので、全地で名声
と栄誉を高めるものでなければならない。**（I歴22・5）

あなたがた自身も生ける石として霊の家に築き上げられ、
神に喜ばれる霊のいけにえをイエス・キリストを通して献げ
る、聖なる祭司となります。（Iペテ2・5）あなたがたは、自分が
神の宮であり、神の御霊が自分のうちに住んでおられることを
知らないのですか。もし、だれかが神の宮を壊すなら、神が
その人を滅ぼされます。神の宮は聖なるものだからです。あ
なたがたは、その宮です。（Iコリ3・16.17）あなたがたは知らない
のですか。あなたがたのからだは、あなたがたのうちにおら
れる、神から受けた聖霊の宮であり、あなたがたはもはや自
分自身のものではありません。あなたがたは、代価を払って
買い取られたのです。ですから、自分のからだをもって神の
栄光を現しなさい。（Iコリ6・19.20）神の宮と偶像に何の一致があ
るでしょう。私たちは生ける神の宮なのです。神がこう言われ
るとおりです。「わたしは彼らの間に住み、また歩む。わたし
は彼らの神となり、彼らはわたしの民となる。」（IIコリ6・16）

使徒たちや預言者たちという土台の上に建てられていて、
キリスト・イエスご自身がその要の石です。このキリストに
あって、建物の全体が組み合わされて成長し、主にある聖な
る宮となります。あなたがたも、このキリストにあって、と
もに築き上げられ、御霊によって神の御住まいとなるのです。
（エペ2・20-22）

8 月 16 日 （夜）

御子は万物に先立って存在し、‥‥(コロ 1・17)

アーメンである方、‥‥神による創造の源である方。(黙 3・14) 御子は初めであり、死者の中から最初に生まれた方です。こうして、すべてのことにおいて第一の者となられました。(コロ 1・18)

主は、ご自分の働きのはじめに、そのみわざの最初に、わたしを得ておられた。わたしは、大昔に、初めに、大地の始まりの前に、立てられていた。‥‥主が天を堅く立てられたとき、わたしはそこにいた。主が深淵の面に円を描かれたとき、上の方に大空を固め、深淵の源を堅く定められたとき、海にその境界を置き、その水が主の仰せを越えないようにし、地の基を定められたとき、わたしは神の傍らで、これを組み立てる者であった。わたしは毎日喜び、いつも御前で楽しんでいた。(箴 8・22.23.27-30) これから後もわたしは神だ。(イザ 43・13)

屠られた子羊。(黙 13・8) 信仰の創始者であり完成者であるイエスから、目を離さないでいなさい。この方は、ご自分の前に置かれた喜びのために、辱めをものともせずに十字架を忍び、神の御座の右に着座されたのです。(ヘブ 12・2)

8 月 17 日 （朝）

癒やされるために、‥‥互いのために祈りなさい。

（ヤコ 5・16）

アブラハムは答えた。「ご覧ください。私はちりや灰にすぎませんが、あえて、わが主に申し上げます。もしかすると、五十人の正しい者に五人不足しているかもしれません。その五人のために、あなたは町のすべてを滅ぼされるのでしょうか。」主は言われた。「いや、滅ぼしはしない。もし、そこに四十五人を見つけたら。」(創 18・27.28)

父よ、彼らをお赦しください。彼らは、自分が何をしているのかが分かっていないのです。(ルカ 23・34) 自分を迫害する者のために祈りなさい。(マタ 5・44)

わたしは彼らのためにお願いします。世のためにではなく、あなたがわたしに下さった人たちのためにお願いします。彼らはあなたのものですから。‥‥わたしは、ただこの人々のためだけでなく、彼らのことばによってわたしを信じる人々のためにも、お願いします。(ヨハ 17・9.20) 互いの重荷を負い合いなさい。そうすれば、キリストの律法を成就することになります。(ガラ 6・2)

正しい人の祈りは、働くと大きな力があります。エリヤは私たちと同じ人間でしたが、雨が降らないように熱心に祈ると、三年六か月の間、雨は地に降りませんでした。(ヤコ 5・16.17)

8 月 17 日 （夜）

人 その一生は草のよう。人は咲く。野の花のように。
風がそこを過ぎると それはもはやない。その場所さ
えも それを知らない。(詩103・15.16)

どうか教えてください。自分の日を数えることを。そうし
て私たちに 知恵の心を得させてください。(詩90・12) 人は、
たとえ全世界を手に入れても、自分のいのちを失ったら、何
の益があるでしょうか。(マルコ8・36)

まことに民は草だ。草はしおれ、花は散る。しかし、私た
ちの神のことばは永遠に立つ。(イザ40・7.8) 世と、世の欲は過
ぎ去ります。しかし、神のみこころを行う者は永遠に生き続
けます。(Ⅰヨハ2・17)

見よ、今は恵みの時、今は救いの日です。(Ⅱコリ6・2) 世と
関わる人は関わりすぎないようにしなさい。この世の有様は
過ぎ去るからです。(Ⅰコリ7・31) 愛と善行を促すために、互い
に注意を払おうではありませんか。ある人たちの習慣に倣っ
て自分たちの集まりをやめたりせず、むしろ励まし合いま
しょう。その日が近づいていることが分かっているのですか
ら、ますます励もうではありませんか。(ヘブ10・24.25)

8 月 18 日 （朝）

**あなたのわざ、あなたの力あるわざのようなことが
できる神が、天あるいは地にいるでしょうか。**(申3・24)

いったい 雲の上では だれが主と並び得るでしょう。力ある者の子らの中でだれが主に似ているでしょう。‥‥万軍の神 主よ。だれがあなたのように力があるでしょう。主よ。あなたの真実はあなたを取り囲んでいます。(詩89・6.8) 主よ 神々のうちであなたに並ぶ者はなく あなたのみわざに比べられるものはありません。(詩86・8) あなたは、ご自分のみことばのゆえに、そしてみこころのままに、この大いなることのすべてを行い、あなたのしもべに知らせてくださいました。それゆえ、申し上げます。神、主よ、あなたは大いなる方です。まことに、私たちが耳にするすべてにおいて、あなたのような方はほかになく、あなたのほかに神はいません。(Ⅱサム7・21.22)

「目が見たことのないもの、耳が聞いたことのないもの、人の心に思い浮かんだことがないものを、神は、神を愛する者たちに備えてくださった。」‥‥それを、神は私たちに御霊によって啓示してくださいました。(Ⅰコリ2・9.10) 隠されていることは、私たちの神、主のものである。しかし現されたことは永遠に私たちと私たちの子孫のものであり、それは私たちがこのみおしえのすべてのことばを行うためである。(申29・29)

8 月 18 日 （夜）

誇る者は主を誇れ。（Ⅰコリ1・31）

知恵ある者は自分の知恵を誇るな。力ある者は自分の力を誇るな。富ある者は自分の富を誇るな。誇る者は、ただ、これを誇れ。悟りを得て、わたしを知っていることを。（エレ9・23、24）

私の主であるキリスト・イエスを知っていることのすばらしさのゆえに、私はすべてを損と思っています。私はキリストのゆえにすべてを失いましたが、それらはちりあくただと考えています。（ピリ3・8）私は福音を恥としません。福音は、・・・・信じるすべての人に救いをもたらす神の力です。（ロマ1・16）神に関わることについて、私はキリスト・イエスにあって誇りを持っています。（ロマ15・17直訳）

天では 私にだれがいるでしょう。地では 私はだれをも望みません。（詩73・25）私の心は主にあって大いに喜びます。・・・・私があなたの救いを喜ぶからです。（Ⅰサム2・1）

私たちにではなく 主よ 私たちにではなく ただあなたの御名に 栄光を帰してください。（詩115・1）

8 月 19 日 （朝）

あなたがたを召された聖なる方に倣い、あなたがた
自身、生活のすべてにおいて聖なる者となりなさい。
（Ⅰペテ 1・15）

あなたがたが知っているとおり、‥‥あなたがた一人ひと
りに、ご自分の御国と栄光にあずかるようにと召してくださ
る神にふさわしく歩むよう、勧め、‥‥厳かに命じました。（Ⅰ
テサ 2・11.12）あなたがたを闇の中から、ご自分の驚くべき光
の中に召してくださった方の栄誉を、あなたがたが告げ知ら
せるためです。（Ⅰペテ 2・9）

あなたがたは以前は闇でしたが、今は、主にあって光とな
りました。光の子どもとして歩みなさい。あらゆる善意と正
義と真実のうちに、光は実を結ぶのです。何が主に喜ばれる
ことなのかを吟味しなさい。実を結ばない暗闇のわざに加わ
らず、むしろ、それを明るみに出しなさい。（エペ 5・8-11）イエ
ス・キリストによって与えられる義の実に満たされて、神の
栄光と誉れが現されますように。（ピリ 1・11）

あなたがたの光を人々の前で輝かせなさい。人々があなた
がたの良い行いを見て、天におられるあなたがたの父をあが
めるようになるためです。（マタ 5・16）あなたがたは、食べるに
も飲むにも、何をするにも、すべて神の栄光を現すためにし
なさい。（Ⅰコリ 10・31）

8 月 19 日 （夜）

主はこう言われる。「これから起こることを、わたしに
尋ねよ。わたしの子たちについて、またわたしの手
のわざについて‥‥」(イザ45・11)

「あなたがたに新しい心を与え、あなたがたのうちに新しい
霊を与える。わたしはあなたがたのからだから石の心を取り
除き、あなたがたに肉の心を与える。わたしの霊をあなたが
たのうちに授けて、わたしの掟に従って歩み、わたしの定め
を守り行うようにする。‥‥」神である主はこう言われる。
「わたしはイスラエルの家の求めに応じ、このことを彼らの
ためにする。」(エゼ36・26. 27. 37)

あなたがたのうちの二人が、どんなことでも地上で心を一
つにして祈るなら、天におられるわたしの父はそれをかなえ
てくださいます。二人か三人がわたしの名において集まって
いるところには、わたしもその中にいるのです。(マタ18・19.
20)

神を信じなさい。まことに、あなたがたに言います。この
山に向かい、「立ち上がって、海に入れ」と言い、心の中で
疑わずに、自分の言ったとおりになると信じる者には、その
とおりになります。(マル11・22. 23)

8 月 20 日 （朝）

**神は人ではないから、偽りを言うことがない。人の子
ではないから、悔いることがない。**(民23・19)

光を造られた父‥‥には、移り変わりや、天体の運行によって
生じる影のようなものはありません。(ヤコ1・17) イエス・キ
リストは、昨日も今日も、とこしえに変わることがありませ
ん。(ヘブ13・8)

主の真実は大盾 また砦。(詩91・4)

神は、約束の相続者たちに、ご自分の計画が変わらないこ
とをさらにはっきり示そうと思い、誓いをもって保証されま
した。それは、前に置かれている希望を捕らえようとして逃
れて来た私たちが、約束と誓いという変わらない二つのもの
によって、力強い励ましを受けるためです。その二つについ
て、神が偽ることはあり得ません。(ヘブ6・17.18)

あなたの神、主だけが神であることをよく知らなければな
らない。主は信頼すべき神であり、ご自分を愛し、ご自分の
命令を守る者には恵みの契約を千代までも守られる。(申7・9)
主の道はみな恵みとまことです。主の契約とさとしを守る者
には。(詩25・10) 幸いなことよ ヤコブの神を助けとし その神
主に望みを置く人。主は‥‥とこしえまでも真実を守る方。
(詩146・5.6)

8 月 20 日 （夜）

もしあなたが苦難の日に気落ちしたら、あなたの力は弱い。(箴 24・10)

疲れた者には力を与え、精力のない者には勢いを与えられる。(イザ 40・29) わたしの恵みはあなたに十分である。わたしの力は弱さのうちに完全に現れるからである。(Ⅱコリ 12・9) 彼がわたしを呼び求めれば わたしは彼に答える。わたしは苦しみのときに彼とともにいて 彼を救い 彼に誉れを与える。(詩 91・15) いにしえよりの神は、住まう家。下には永遠の腕がある。神はあなたの前から敵を追い払われた。(申 33・27)

私が同情を求めても それはなく 慰める者たちを求めても見つけられません。(詩 69・20)

大祭司はみな、人々の中から選ばれ、人々のために神に仕えるように‥‥任命されています。大祭司は、‥‥無知で迷っている人々に優しく接することができます。‥‥同様にキリストも、‥‥御子であられるのに、お受けになった様々な苦しみによって従順を学び、完全な者とされ、ご自分に従うすべての人にとって永遠の救いの源となり、‥‥神によって大祭司と呼ばれました。(ヘブ 5・1.2.5.8-10) まことに、彼は私たちの病を負い、私たちの痛みを担った。(イザ 53・4)

8 月 21 日 （朝）

主は私への割り当てです。(詩 119・57)

　すべては、あなたがたのものです。‥‥あなたがたはキリストのもの、キリストは神のものです。(Ⅰコリ 3・21.23) 私たちの救い主であるイエス・キリスト‥‥は、私たちのためにご自分を献げられたのです。(テト 2・13.14) 神は‥‥キリストを、すべてのものの上に立つかしらとして教会に与えられました。(エペ 1・22) キリストが教会を愛し、教会のためにご自分を献げられた‥‥のは、‥‥しみや、しわや、そのようなものが何一つない、聖なるもの、傷のないものとなった栄光の教会を、ご自分の前に立たせるためです。(エペ 5・25.27)

　私のたましいは主を誇る。(詩 34・2) 私は主にあって大いに楽しみ、私のたましいも私の神にあって喜ぶ。主が私に救いの衣を着せ、正義の外套をまとわせてくださるからだ。(イザ 61・10)

　あなたのほかに 天では 私にだれがいるでしょう。地では私はだれをも望みません。この身も心も尽き果てるでしょう。しかし 神は私の心の岩 とこしえに 私が受ける割り当ての地。(詩 73・25.26) 私は主に申し上げます。「あなたこそ 私の主。‥‥」主は私への割り当て分 また杯。あなたは 私の受ける分を堅く保たれます。割り当ての地は定まりました。私の好む所に。実にすばらしい 私へのゆずりの地です。(詩 16・2.5.6)

8 月 21 日 （夜）

人の目にはまっすぐに見えるが、その終わりが死とな
る道がある。(箴14・12)

自分の心に頼る者は愚かな者。(箴28・26)

あなたのみことばは 私の足のともしび 私の道の光です。
(詩119・105) 人としての行いは あなたの唇のことばに従い 無
法者が行く道を避けました。(詩17・4)

あなたがたのうちに預言者または夢見る者が現れ、‥‥「さ
あ、あなたが知らなかったほかの神々に従い、これに仕えよ
う」と言っても、その預言者、夢見る者のことばに聞き従っ
てはならない。あなたがたの神、主は、あなたがたが心を尽
くし、いのちを尽くして、本当にあなたがたの神、主を愛し
ているかどうかを知ろうとして、あなたがたを試みておられ
るからである。あなたがたの神、主に従って歩み、主を恐れ
なければならない。主の命令を守り、御声に聞き従い、主に
仕え、主にすがらなければならない。(申13・1-4)

私は あなたが行く道で あなたを教え あなたを諭そう。
あなたに目を留め 助言を与えよう。(詩32・8)

8 月 22 日 （朝）

**私たちの中でだれ一人、自分のために生きている人
はなく、自分のために死ぬ人もいないからです。**

（ロマ 14・7）

　私たちは、生きるとすれば主のために生き、死ぬとすれば
主のために死にます。ですから、生きるにしても、死ぬにし
ても、私たちは主のものです。（ロマ14・8）だれでも、自分の利
益を求めず、ほかの人の利益を求めなさい。（Ⅰコリ10・24）あ
なたがたは、代価を払って買い取られたのです。ですから、
自分のからだをもって神の栄光を現しなさい。（Ⅰコリ6・20）

　生きるにしても死ぬにしても、私の身によってキリストが
あがめられること‥‥。私にとって生きることはキリスト、
死ぬことは益です。しかし、肉体において生きることが続く
なら、私の働きが実を結ぶことになるので、どちらを選んだ
らよいか、私には分かりません。私は、その二つのことの間
で板ばさみとなっています。私の願いは、世を去ってキリス
トとともにいることです。そのほうが、はるかに望ましいの
です。（ピリ1・20-23）

　私は、神に生きるために、律法によって律法に死にました。
私はキリストとともに十字架につけられました。もはや私が
生きているのではなく、キリストが私のうちに生きておられ
るのです。今 私が肉において生きているいのちは、私を愛し、
私のためにご自分を与えてくださった、神の御子に対する信
仰によるのです。（ガラ2・19.20）

8 月 22 日 （夜）

神は、ソロモンに‥‥海辺の砂浜のように広い心を与えられた。（Ⅰ列4・29）

見なさい。ここにソロモンにまさるものがあります。（マタ12・42）平和の君。（イザ9・6）

正しい人のためであっても、死ぬ人はほとんどいません。善良な人のためなら、進んで死ぬ人がいるかもしれません。しかし、私たちがまだ罪人であったとき、キリストが私たちのために死なれたことによって、神は私たちに対するご自分の愛を明らかにしておられます。（ロマ5・7.8）キリストは、神の御姿であられるのに、神としてのあり方を捨てられないとは考えず、ご自分を空しくして、しもべの姿をとり、人間と同じようになられました。人としての姿をもって現れ、自らを低くして、死にまで、それも十字架の死にまで従われました。（ピリ2・6-8）人知をはるかに超えたキリストの愛。（エペ3・19）

神の力、神の知恵であるキリスト。（Ⅰコリ1・24）このキリストのうちに、知恵と知識の宝がすべて隠されています。（コロ2・3）キリストの測り知れない富。（エペ3・8）あなたがたは神によってキリスト・イエスのうちにあります。キリストは、私たちにとって神からの知恵、すなわち、義と聖と贖いになられました。（Ⅰコリ1・30）

8 月 23 日 （朝）

永遠の愛をもって、わたしはあなたを愛した。それゆ
え、わたしはあなたに真実の愛を尽くし続けた。

(エレ 31・3)

主に愛されている兄弟たち。私たちはあなたがたのことに
ついて、いつも神に感謝しなければなりません。神が、御霊
による聖別と、真理に対する信仰によって、あなたがたを初
穂として救いに選ばれたからです。そのために神は、私たち
の福音によってあなたがたを召し、私たちの主イエス・キリ
ストの栄光にあずからせてくださいました。(Ⅱテサ2・13.14) 神
は私たちを救い、また、聖なる招きをもって召してください
ましたが、それは私たちの働きによるのではなく、ご自分の
計画と恵みによるものでした。この恵みは、キリスト・イエ
スにおいて、私たちに永遠の昔に与えられました。(Ⅱテモ1・9、
10) あなたの目は胎児の私を見られ あなたの書物にすべてが
記されました。私のために作られた日々が しかも その一日
もないうちに。(詩139・16)

神は、実に、そのひとり子をお与えになったほどに世を愛
された。それは御子を信じる者が、一人として滅びることな
く、永遠のいのちを持つためである。(ヨハ3・16)

私たちが神を愛したのではなく、神が私たちを愛し、私た
ちの罪のために、宥(なだ)めのささげ物としての御子を遣わ
されました。ここに愛があるのです。(Ⅰヨハ4・10)

8 月 23 日 （夜）

**胎内にいたときから担がれ、生まれる前から運ばれ
た者よ。**(イザ46・3)

　だが今、主はこう言われる。ヤコブよ、あなたを創造した
方、イスラエルよ、あなたを形造った方が。「恐れるな。わ
たしがあなたを贖ったからだ。わたしはあなたの名を呼んだ。
あなたは、わたしのもの。あなたが水の中を過ぎるときも、
わたしは、あなたとともにいる。川を渡るときも、あなたは
押し流されない。」(イザ43・1.2) あなたがたが年をとっても、
わたしは同じようにする。あなたがたが白髪になっても、わ
たしは背負う。(イザ46・4)

　鷲が巣のひなを呼び覚まし、そのひなの上を舞い、翼を広
げてこれを取り、羽に乗せて行くように。ただ主だけでこれ
を導き、‥‥(申32・11.12) 昔からずっと彼らを背負い、担っ
てくださった。(イザ63・9)

　イエス・キリストは、昨日も今日も、とこしえに変わるこ
とがありません。(ヘブ13・8) 私はこう確信しています。‥‥高
いところにあるものも、深いところにあるものも、そのほか
のどんな被造物も、私たちの主キリスト・イエスにある神の
愛から、私たちを引き離すことはできません。(ロマ8・38.39)

　女が自分の乳飲み子を忘れるだろうか。自分の胎の子をあ
われまないだろうか。たとえ女たちが忘れても、このわたし
は、あなたを忘れない。(イザ49・15)

8 月 24 日 （朝）

わたしは彼らの痛みを確かに知っている。（出 3・7）

彼は‥‥悲しみの人で、病を知っていた。（イザ 53・3）私たちの弱さに同情できない方ではありません。（ヘブ 4・15）

彼は私たちのわずらいを担い、私たちの病を負った。（マタ 8・17）イエスは旅の疲れから、その井戸の傍らに、ただ座っておられた。（ヨハ 4・6）

イエスは、彼女が泣き、一緒に来たユダヤ人たちも泣いているのをご覧になった。そして、霊に憤りを覚え、心を騒がせて、‥‥。イエスは涙を流された。（ヨハ 11・33.35）イエスは、自ら試みを受けて苦しまれたからこそ、試みられている者たちを助けることができるのです。（ヘブ 2・18）

主は その聖なるいと高き所から見下ろし 天から地の上に目を注がれました。捕らわれ人のうめきを聞き 死に定められた者たちを解き放つために。（詩 102・19.20）神は、私の行く道を知っておられる。私は試されると、金のようになって出て来る。（ヨブ 23・10）私の霊が私のうちで衰え果てたときにもあなたは 私の道をよく知っておられます。（詩 142・3）

あなたがたに触れる者は、わたしの瞳に触れる者。（ゼカ 2・8）彼らが苦しむときには、いつも主も苦しみ、主の臨在の御使いが彼らを救った。（イザ 63・9）

8 月 24 日 （夜）

わたしたちは、わたしを遣わされた方のわざを、昼のうちに行わなければなりません。(ヨハ9・4)

怠け者の心は欲を起こしても何も得ない。勤勉な者の心は豊かに満たされる。(箴13・4) 他人を潤す人は自分も潤される。(箴11・25)

わたしの食べ物とは、わたしを遣わされた方のみこころを行い、そのわざを成し遂げることです。あなたがたは、「まだ四か月あって、それから刈り入れだ」と言ってはいませんか。しかし、あなたがたに言います。目を上げて畑を見なさい。色づいて、刈り入れるばかりになっています。すでに、刈る者は報酬を受け、永遠のいのちに至る実を集めています。それは蒔く者と刈る者がともに喜ぶためです。(ヨハ4・34-36) 天の御国は、自分のぶどう園で働く者を雇うために朝早く出かけた、家の主人のようなものです。彼は労働者たちと一日一デナリの約束をすると、彼らをぶどう園に送った。(マタ20・1.2)

みことばを宣べ伝えなさい。時が良くても悪くてもしっかりやりなさい。(Ⅱテモ4・2) 私が帰って来るまで、これで商売をしなさい。(ルカ19・13)

私はほかのすべての使徒たちよりも多く働きました。働いたのは私ではなく、私とともにあった神の恵みなのですが。(Ⅰコリ15・10)

8 月 25 日 （朝）

あなたがたが切り出された岩、掘り出された穴に目を留めよ。(イザ51・1)

ご覧ください。私は咎ある者として生まれました。(詩51・5)だれも‥‥あなたに同情しようとはしなかった。あなたの生まれた日に、あなたは嫌われ、野に捨てられた。わたしがあなたのそばを通りかかったとき、あなたが自分の血の中でもがいているのを見て、わたしは血に染まったあなたに「生きよ」と言った。(エゼ16・5.6)

滅びの穴から 泥沼から 主は私を引き上げてくださった。私の足を巌に立たせ 私の歩みを確かにされた。主はこの口に授けてくださった。新しい歌を 私たちの神への賛美を。(詩40・2.3)

キリストは、私たちがまだ弱かったころ、定められた時に、不敬虔な者たちのために死んでくださいました。正しい人のためであっても、死ぬ人はほとんどいません。善良な人のためなら、進んで死ぬ人がいるかもしれません。しかし、私たちがまだ罪人であったとき、キリストが私たちのために死なれたことによって、神は私たちに対するご自分の愛を明らかにしておられます。(ロマ5・6-8)あわれみ豊かな神は、私たちを愛してくださったその大きな愛のゆえに、背きの中に死んでいた私たちを、キリストとともに生かしてくださいました。(エペ2・4.5)

8 月 25 日 （夜）

私は主にあって大いに楽しみ、わたしのたましいも私
の神にあって喜ぶ。(イザ61・10)

私はあらゆるときに 主をほめたたえる。私の口には いつ
も主への賛美がある。私のたましいは主を誇る。貧しい者は
それを聞いて喜ぶ。私とともに主をほめよ。一つになって
御名をあがめよう。(詩34・1-3) 主は恵みと栄光を与え 誠実に
歩む者に良いものを拒まれません。万軍の主よ なんと幸い
なことでしょう。あなたに信頼する人は。(詩84・11.12) わがた
ましいよ 主をほめたたえよ。私のうちにあるすべてのもの
よ 聖なる御名をほめたたえよ。(詩103・1)

喜んでいる人がいれば、その人は賛美しなさい。(ヤコ5・13)
御霊に満たされなさい。詩と賛美と霊の歌をもって互いに語
り合い、主に向かって心から賛美し、歌いなさい。いつでも、
すべてのことについて、私たちの主イエス・キリストの名に
よって、父である神に感謝しなさい。(エペ5・18-20) 感謝をもっ
て心から神に向かって歌いなさい。(コロ3・16)

真夜中ごろ、パウロとシラスは祈りつつ、神を賛美する歌
を歌っていた。ほかの囚人たちはそれに聞き入っていた。(使
16・25) いつも主にあって喜びなさい。もう一度言います。喜
びなさい。(ピリ4・4)

8 月 26 日 （朝）

純金の札を作り、その上に印章を彫るように「主の聖なるもの」と彫る。(出 28・36)

聖さがなければ、だれも主を見ることができません。(ヘブ 12・14) 神は霊ですから、神を礼拝する人は、御霊と真理によって礼拝しなければなりません。(ヨハ 4・24) 私たちはみな、汚れた者のようになり、その義はみな、不潔な衣のようです。(イザ 64・6) わたしに近くある者たちによって、わたしは自分が聖であることを示し、民全体に向けて わたしは自分の栄光を現す。(レビ 10・3)

神殿に関するおしえは次のとおりである。山の頂の周囲全体は最も聖なる所である。(エゼ 43・12) 聖なることが あなたの家にはふさわしいのです。主よ いつまでも。(詩 93・5)

わたしは彼らのため、わたし自身を聖別します。彼ら自身も真理によって聖別されるためです。(ヨハ 17・19) 私たちには、もろもろの天を通られた、神の子イエスという偉大な大祭司がおられるのですから、‥‥ 私たちは、あわれみを受け、また恵みをいただいて、折にかなった助けを受けるために、大胆に恵みの御座に近づこうではありませんか。(ヘブ 4・14.16)

8 月 26 日 （夜）

私の杯は あふれています。(詩 23・5)

味わい 見つめよ。主がいつくしみ深い方であることを。幸いなことよ 主に身を避ける人は。主を恐れよ。主の聖徒たちよ。主を恐れる者には 乏しいことがないからだ。若い獅子も乏しくなり 飢える。しかし 主を求める者は 良いものに何一つ欠けることがない。(詩 34・8-10) 主のあわれみが尽きないからだ。それは朝ごとに新しい。「あなたの真実は偉大です。」(哀 3・22.23)

主は私への割り当て分 また杯。あなたは 私の受ける分を堅く保たれます。割り当ての地は定まりました。私の好む所に。実にすばらしい 私へのゆずりの地です。(詩 16・5.6) 世界であれ、いのちであれ、死であれ、また現在のものであれ、未来のものであれ、すべてはあなたがたのものです。(Ⅰコリ 3・22) 私たちの主イエス・キリストの父である神がほめたたえられますように。神はキリストにあって、天上にあるすべての霊的祝福をもって私たちを祝福してくださいました。(エペ 1・3)

私は、どんな境遇にあっても満足することを学びました。(ピリ 4・11) 満ち足りる心を伴う敬虔こそが、大きな利益を得る道です。(Ⅰテモ 6・6) 私の神は、キリスト・イエスの栄光のうちにあるご自分の豊かさにしたがって、あなたがたの必要をすべて満たしてくださいます。(ピリ 4・19)

8 月 27 日 （朝）

あなたのみことばは 私の足のともしび 私の道の光です。(詩119・105)

人としての行いは あなたの唇のことばに従い 無法者が行く道を避けました。私の歩みは あなたの道を堅く守り 私の足は揺るぎませんでした。(詩17・4.5) あなたが歩くときには、それがあなたを導き、寝ているときには、あなたを見守り、目覚めるときには、あなたに話しかける。命令はともしび、おしえは光‥‥‥であるからだ。(箴6・22.23) あなたが右に行くにも左に行くにも、うしろから「これが道だ。これに歩め」と言うことばを、あなたの耳は聞く。(イザ30・21)

わたしは世の光です。わたしに従う者は、決して闇の中を歩むことがなく、いのちの光を持ちます。(ヨハ8・12) 私たちは、さらに確かな預言のみことばを持っています。‥‥‥暗い所を照らすともしびとして、それに目を留めているとよいのです。(Ⅱペテ1・19) 今、私たちは鏡にぼんやり映るものを見ていますが、そのときには顔と顔を合わせて見ることになります。今、私は一部分しか知りませんが、そのときには、私が完全に知られているのと同じように、私も完全に知ることになります。(Ⅰコリ13・12) 神である主が彼らを照らされるので、ともしびの光も太陽の光もいらない。彼らは世々限りなく王として治める。(黙22・5)

8 月 27 日 （夜）

いったいどうしたのか。眠りこけているとは。起きて、
あなたの神に願いなさい。(ヨナ1・6)

ここは憩いの場所ではない。ここは汚れで滅ぼされるから
だ。(ミカ2・10) 上にあるものを思いなさい。地にあるものを
思ってはなりません。(コロ3・2) 富がふえても それに心を留
めるな。(詩62・10) あなたがたは心とたましいを傾けて、あな
たがたの神、主を求めよ。(Ⅰ歴22・19)

どうして眠っているのか。誘惑に陥らないように、起きて
祈っていなさい。(ルカ22・46) あなたがたの心が、放蕩や深酒
や生活の思い煩いで押しつぶされていて、その日が罠のよう
に、突然あなたがたに臨むことにならないように、よく気を
つけなさい。(ルカ21・34)

花婿が来るのが遅くなったので、娘たちはみな眠くなり寝
入ってしまった。(マタ25・5) もうしばらくすれば、来たるべき
方が来られる。遅れることはない。(ヘブ10・37) あなたがたが
眠りからさめるべき時刻が、もう来ているのです。私たちが
信じたときよりも、今は救いがもっと私たちに近づいている
のですから。(ロマ13・11) 目を覚ましていなさい。家の主人が
いつ帰って来るのか、夕方なのか、夜中なのか、鶏の鳴くこ
ろなのか、明け方なのか、分からないからです。主人が突然
帰って来て、あなたがたが眠っているのを見ることがないよ
うにしなさい。(マル13・35.36)

8 月 28 日 （朝）

私たちの兄弟たちの告発者、昼も夜も私たちの神の
御前で訴える者が、投げ落とされたからである。

(黙 12・10)

兄弟たちは、子羊の血と、自分たちの証しのことばのゆえ
に竜に打ち勝った。(黙 12・11) だれが、神に選ばれた者たちを
訴えるのですか。神が義と認めてくださるのです。だれが、
私たちを罪ありとするのですか。死んでくださった方、いや、
よみがえられた方であるキリスト・イエスが、神の右の座に
着き、しかも私たちのために、とりなしていてくださるので
す。(ロマ 8・33.34)

様々な支配と権威の武装を解除し、それらをキリストの凱
旋の行列に捕虜として加えて、さらしものにされました。(コ
ロ 2・15) 死の力を持つ者、すなわち、悪魔をご自分の死によっ
て滅ぼし、死の恐怖によって一生涯奴隷としてつながれてい
た人々を解放するためでした。(ヘブ 2・14.15) これらすべてに
おいても、私たちを愛してくださった方によって、私たちは
圧倒的な勝利者です。(ロマ 8・37) 悪魔の策略に対して堅く立つ
ことができるように、神のすべての武具を身に着けなさい。
‥‥救いのかぶとをかぶり、御霊の剣、すなわち神のことば
を取りなさい。(エペ 6・11.17) 神に感謝します。神は、私たち
の主イエス・キリストによって、私たちに勝利を与えてくだ
さいました。(Ⅰコリ 15・57)

8 月 28 日 （夜）

いのちの木。(創 2・9)

　神が私たちに永遠のいのちを与えてくださった‥‥そのいのちが御子のうちにある‥‥。(Ⅰヨハ 5・11) 神は、実に、そのひとり子をお与えになった‥‥。それは御子を信じる者が、一人として滅びることなく、永遠のいのちを持つためである。(ヨハ 3・16) 父が死人をよみがえらせ、いのちを与えられるように、子もまた、与えたいと思う者にいのちを与えます。‥‥それは、父がご自分のうちにいのちを持っておられるように、子にも、自分のうちにいのちを持つようにしてくださったからです。(ヨハ 5・21.26)

　勝利を得る者には、わたしはいのちの木から食べることを許す。それは神のパラダイスにある。(黙 2・7) いのちの水の川は‥‥都の大通りの中央を流れていた。こちら側にも、あちら側にも、十二の実をならせるいのちの木があって、毎月一つの実を結んでいた。その木の葉は諸国の民を癒やした。(黙 22・1.2)

　幸いなことよ、知恵を見出す人。‥‥知恵の右の手には長寿があり、‥‥知恵は、これを握りしめる者にはいのちの木。これをつかんでいる者は幸いである。(箴 3・13.16.18) キリストは、私たちにとって神からの知恵、すなわち、義と聖と贖いになられました。(Ⅰコリ 1・30)

8 月 29 日 （朝）

主に拠り頼む者は幸いである。(箴 16・20)

（アブラハムは）不信仰になって神の約束を疑うようなことはなく、かえって信仰が強められて、神に栄光を帰し、神には約束したことを実行する力がある、と確信していました。(ロマ 4・20.21) ユダ人は勝利を得た。彼らがその父祖の神、主に拠り頼んだからである。(Ⅱ歴 13・18)

神は われらの避け所 また力。苦しむとき そこにある強き助け。それゆえ われらは恐れない。たとえ地が変わり 山々が揺れ 海のただ中に移るとも。(詩 46・1.2) 主に身を避けることは 人に信頼するよりも良い。主に身を避けることは 君主たちに信頼するよりも良い。(詩 118・8.9) 主によって 人の歩みは確かにされる。主はその人の道を喜ばれる。その人は転んでも 倒れ伏すことはない。主が その人の腕を支えておられるからだ。(詩 37・23.24)

味わい 見つめよ。主がいつくしみ深い方であることを。幸いなことよ 主に身を避ける人は。主を恐れよ。主の聖徒たちよ。主を恐れる者には 乏しいことがないからだ。(詩 34・8.9)

8 月 29 日 （夜）

　平安のうちに私は身を横たえ すぐ眠りにつきます。主
よ ただあなただけが安らかに 私を住まわせてくださ
います。(詩 4 · 8)

　あなたは恐れない。夜襲の恐怖も。(詩 91 · 5) 主は ご自分の
羽であなたをおおい あなたは その翼の下に身を避ける。(詩
91 · 4) めんどりがひなを翼の下に集めるように、‥‥(マタ 23 ·
37) 主は あなたの足をよろけさせず あなたを守る方は まど
ろむこともない。見よ イスラエルを守る方は まどろむこと
もなく 眠ることもない。主はあなたを守る方。主はあなた
の右手をおおう陰。(詩 121 · 3-5)

　私は あなたの幕屋にいつまでも住み 御翼の陰に身を避け
ます。(詩 61 · 4) あなたにとっては 闇も暗くなく 夜は昼のよ
うに明るいのです。暗闇も光も同じことです。(詩 139 · 12)

　私たちすべてのために、ご自分の御子さえも惜しむことな
く死に渡された神が、どうして、御子とともにすべてのもの
を、私たちに恵んでくださらないことがあるでしょうか。(ロ
マ 8 · 32) あなたがたはキリストのもの、キリストは神のもの
です。(Ⅰ コリ 3 · 23) 私は信頼して恐れない。(イザ 12 · 2)

8 月 30 日 （朝）

王は手にしている金の笏(しゃく)をエステルに差し伸ば
した。エステルは近寄って、その笏の先に触れた。
(エス 5・2)

彼がわたしに向かって叫ぶとき、わたしはそれを聞き入れ
る。わたしは情け深いからである。(出 22・27)

私たちは自分たちに対する神の愛を知り、また信じていま
す。神は愛です。愛のうちにとどまる人は神のうちにとどま
り、神もその人のうちにとどまっておられます。こうして、
愛が私たちにあって全うされました。ですから、私たちはさ
ばきの日に確信を持つことができます。この世において、私
たちもキリストと同じようであるからです。愛には恐れがあ
りません。全き愛は恐れを締め出します。恐れには罰が伴い、
恐れる者は、愛において全きものとなっていないのです。私
たちは愛しています。神がまず私たちを愛してくださったか
らです。(Ⅰヨハ 4・16-19)

心に血が振りかけられて、邪悪な良心をきよめられ、から
だをきよい水で洗われ、全き信仰をもって真心から神に近づ
こうではありませんか。(ヘブ 10・22) キリストを通して、‥‥
一つの御霊によって御父に近づくことができるのです。(エペ
2・18) 私たちはこのキリストにあって、キリストに対する信
仰により、確信をもって大胆に神に近づくことができます。
(エペ 3・12) ですから私たちは、あわれみを受け、また恵みを
いただいて、折にかなった助けを受けるために、大胆に恵み
の御座に近づこうではありませんか。(ヘブ 4・16)

8 月 30 日 （夜）

イスラエルの子らはこれを見て、「これは何だろう」と
言い合った。それが何なのかを知らなかったからで
あった。(出 16・15)

この敬虔の奥義は偉大です。「キリストは肉において現れ、
‥‥」(I テモ 3・16) 神のパンは、天から下って来て、世にいの
ちを与えるものなのです。(ヨハ 6・33)

あなたがたの先祖たちは荒野でマナを食べたが、死にまし
た。‥‥わたしは、天から下って来た生けるパンです。だれ
でもこのパンを食べるなら、永遠に生きます。そして、わた
しが与えるパンは、世のいのちのための、わたしの肉です。
‥‥わたしの肉はまことの食べ物、わたしの血はまことの飲
み物なのです。(ヨハ 6・49.51.55)

イスラエルの子らは‥‥ある者はたくさん、ある者は少し
だけ集めた。‥‥たくさん集めた人にも余ることはなく、少
しだけ集めた人にも足りないことはなかった。‥‥彼らは朝
ごとに、各自が食べる分量を集めた。(出 16・17.18.21)

何を食べようか、何を飲もうか‥‥と言って、心配しなく
てよいのです。‥‥あなたがたにこれらのものすべてが必要
であることは、あなたがたの天の父が知っておられます。ま
ず神の国と神の義を求めなさい。そうすれば、これらのもの
はすべて、それに加えて与えられます。(マタ 6・31-33)

8 月 31 日 （朝）

恵みの場合は、多くの違反が義と認められる。

(ロマ5・16)

たとえ、あなたがたの罪が緋のように赤くても、雪のように白くなる。たとえ、紅のように赤くても、羊の毛のようになる。(イザ1・18) わたし、このわたしは、わたし自身のためにあなたの背きの罪をぬぐい去り、もうあなたの罪を思い出さない。わたしに思い出させよ。ともにさばきに向かおう。あなたが正しいとされるために、あなたのほうから申し立てよ。(イザ43・25.26) わたしは、あなたの背きを雲のように、あなたの罪をかすみのように消し去った。わたしに帰れ。わたしがあなたを贖ったからだ。(イザ44・22)

神は、実に、そのひとり子をお与えになったほどに世を愛された。それは御子を信じる者が、一人として滅びることなく、永遠のいのちを持つためである。(ヨハ3・16) 恵みの賜物は違反の場合と違います。もし一人の違反によって多くの人が死んだのなら、神の恵みと、一人の人イエス・キリストの恵みによる賜物は、なおいっそう、多くの人に満ちあふれるのです。(ロマ5・15) あなたがたのうちのある人たちは、以前はそのような者でした。しかし、主イエス・キリストの御名と私たちの神の御霊によって、あなたがたは洗われ、聖なる者とされ、義と認められたのです。(Ⅰコリ6・11)

8 月 31 日 （夜）

私が帰って来るまで、これで商売をしなさい。

（ルカ 19・13）

　それはちょうど、旅に出る人のようです。家を離れるとき、しもべたちそれぞれに、仕事を割り当てて責任を持たせ、門番には目を覚ましているように命じます。（マルコ 13・34）彼はそれぞれその能力に応じて、一人には五タラント、一人には二タラント、もう一人には一タラントを渡して旅に出かけた。（マタ 25・15）

　わたしたちは、わたしを遣わされた方のわざを、昼のうちに行わなければなりません。だれも働くことができない夜が来ます。（ヨハ 9・4）わたしが自分の父の家にいるのは当然であることを、ご存じなかったのですか。（ルカ 2・49）その足跡に従うようにと、あなたがたに模範を残された。（Ⅰペテ 2・21）

　みことばを宣べ伝えなさい。時が良くても悪くてもしっかりやりなさい。忍耐の限りを尽くし、絶えず教えながら、責め、戒め、また勧めなさい。（Ⅱテモ 4・2）それぞれの働きは明らかになります。「その日」がそれを明るみに出すのです。（Ⅰコリ 3・13）ですから、私の愛する兄弟たち。堅く立って、動かされることなく、いつも主のわざに励みなさい。あなたがたは、自分たちの労苦が主にあって無駄でないことを知っているのですから。（Ⅰコリ 15・58）

9 月 1 日 （朝）

御霊の実は‥‥柔和です。（ガラ5・22.23）

柔和な者は主によってますます喜び、貧しい者はイスラエルの聖なる方によって楽しむ。（イザ29・19）まことに、あなたがたに言います。向きを変えて子どもたちのようにならなければ、決して天の御国に入れません。ですから、だれでもこの子どものように自分を低くする人が、天の御国で一番偉いのです。（マタ18・3.4）柔和で穏やかな霊という朽ちることのないものを持つ、心の中の隠れた人を飾りとしなさい。それこそ、神の御前で価値あるものです。（Ⅰペテ3・4）愛は自慢せず、高慢になりません。（Ⅰコリ13・4）

柔和を追い求めなさい。（Ⅰテモ6・11）わたしは心が柔和でへりくだっているから、あなたがたもわたしのくびきを負って、わたしから学びなさい。（マタ11・29）彼は痛めつけられ、苦しんだ。だが、口を開かない。屠（ほふ）り場に引かれて行く羊のように、毛を刈る者の前で黙っている雌羊のように、彼は口を開かない。（イザ53・7）キリストも、あなたがたのために苦しみを受け、その足跡に従うようにと、あなたがたに模範を残された。キリストは罪を犯したことがなく、その口には欺きもなかった。ののしられても、ののしり返さず、‥‥正しくさばかれる方にお任せになった。（Ⅰペテ2・21-23）

9 月 1 日 （夜）

だれでもわたしについて来たいと思うなら、自分を捨て、日々自分の十字架を負って、わたしに従って来なさい。(ルカ9・23)

ほめられたりそしられたり、悪評を受けたり好評を博したり‥‥。(Ⅱコリ6・8) キリスト・イエスにあって敬虔に生きようと願う者はみな、迫害を受けます。(Ⅱテモ3・12) 十字架のつまずき。(ガラ5・11)

もし今なお人々を喜ばせようとしているのなら、私はキリストのしもべではありません。(ガラ1・10)

もしキリストの名のためにののしられるなら、あなたがたは幸いです。‥‥あなたがたのうちのだれも、人殺し、盗人、危害を加える者、他人のことに干渉する者として、苦しみにあうことがないようにしなさい。しかし、キリスト者として苦しみを受けるのなら、恥じることはありません。かえって、このことのゆえに神をあがめなさい。(Ⅰペテ4・14-16)

あなたがたがキリストのために受けた恵みは、キリストを信じることだけでなく、キリストのために苦しむことでもあるのです。(ピリ1・29) 一人の人がすべての人のために死んだ以上、すべての人が死んだのである‥‥。キリストはすべての人のために死なれました。それは、生きている人々が、もはや自分のためにではなく、自分のために死んでよみがえった方のために生きるためです。(Ⅱコリ5・14.15) 耐え忍んでいるなら、キリストとともに王となる。(Ⅱテモ2・12)

9 月 2 日 （朝）

待ち望め　主を。雄々しくあれ。心を強くせよ。待ち望め　主を。(詩 27・14)

　あなたは知らないのか。聞いたことがないのか。主は永遠の神、地の果てまで創造した方。疲れることなく、弱ることなく、‥‥疲れた者には力を与え、精力のない者には勢いを与えられる。(イザ 40・28.29) 恐れるな。わたしはあなたとともにいる。たじろぐな。わたしがあなたの神だから。わたしはあなたを強くし、あなたを助け、わたしの義の右の手で、あなたを守る。(イザ 41・10) あなたは弱っている者の砦、貧しい者の、苦しみのときの砦、嵐のときの避け所、暑さを避ける陰となられました。横暴な者たちの息は、壁に吹きつける嵐のようです。(イザ 25・4)

　信仰が試されると忍耐が生まれます。その忍耐を完全に働かせなさい。そうすれば、あなたがたは何一つ欠けたところのない、成熟した、完全な者となります。(ヤコ 1・3.4) ですから、あなたがたの確信を投げ捨ててはいけません。その確信には大きな報いがあります。あなたがたが神のみこころを行って、約束のものを手に入れるために必要なのは、忍耐です。(ヘブ 10・35.36)

9 月 2 日 （夜）

主は私を緑の牧場に伏させ‥‥。(詩 23・2)

悪しき者は荒れ狂う海のようだ。まことに、それは静まることができない。悪しき者には平安がない。── 私の神はそう仰せられる。(イザ 57・20.21)

すべて疲れた人、重荷を負っている人はわたしのもとに来なさい。わたしがあなたがたを休ませてあげます。(マタ 11・28) 主の御霊が彼らを憩わせた。(イザ 63・14) 神の安息に入る人は、神がご自分のわざを休まれたように、自分のわざを休むのです。(ヘブ 4・10)

様々な異なった教えによって迷わされてはいけません。‥‥恵みによって心を強くするのは良いことです。(ヘブ 13・9) 私たちはもはや子どもではなく、人の悪巧みや人を欺く悪賢い策略から出た、どんな教えの風にも、吹き回されたり、もてあそばれたりすることがなく、むしろ、愛をもって真理を語り、あらゆる点において、かしらであるキリストに向かって成長するのです。(エペ 4・14.15)

その木陰に私は心地よく座り、その実は私の口に甘いのです。あの方は私を酒宴の席に伴ってくださいました。私の上に翻る、あの方の旗じるしは愛でした。(雅 2・3.4)

9 月 3 日 （朝）

あなたの土地のどこにおいても、あなたのところにパン種があってはならない。(出13・7)

主を恐れることは悪を憎むこと。(箴8・13) 悪を憎みなさい。(ロマ12・9) あらゆる形の悪から離れなさい。(Ⅰテサ5・22) だれも神の恵みから落ちないように、また、苦い根が生え出て悩ませたり、これによって多くの人が汚されたりしないように、気をつけなさい。(ヘブ12・15)

もしも不義を 私が心のうちに見出すなら 主は聞き入れてくださらない。(詩66・18)

わずかなパン種が、こねた粉全体をふくらませることを、あなたがたは知らないのですか。新しいこねた粉のままでいられるように、古いパン種をすっかり取り除きなさい。あなたがたは種なしパンなのですから。私たちの過越の子羊キリストは、すでに屠(ほふ)られたのです。ですから、古いパン種を用いたり、悪意と邪悪のパン種を用いたりしないで、誠実と真実の種なしパンで祭りをしようではありませんか。(Ⅰコリ5・6-8) だれでも、自分自身を吟味して、そのうえでパンを食べ、杯を飲みなさい。(Ⅰコリ11・28)

主の御名を呼ぶ者はみな、不義を離れよ。(Ⅱテモ2・19) 敬虔で、悪も汚れもなく、罪人から離され、また天よりも高く上げられた大祭司こそ、私たちにとってまさに必要な方です。(ヘブ7・26) この方のうちに罪はありません。(Ⅰヨハ3・5)

9 月 3 日 （夜）

蛇は女に言った。「あなたがたは決して死にません。
‥‥目が開かれて、あなたがたが神のようになって
善悪を知る者となることを、神は知っているのです。」

(創3・4.5)

　蛇が悪巧みによってエバを欺いたように、あなたがたの思いが汚されて、キリストに対する真心と純潔から離れてしまうのではないかと、私は心配しています。(Ⅱコリ11・3)

　主にあって、その大能の力によって強められなさい。悪魔の策略に対して堅く立つことができるように、神のすべての武具を身に着けなさい。‥‥邪悪な日に際して対抗できるように、また、一切を成し遂げて堅く立つことができるように、神のすべての武具を取りなさい。そして、堅く立ちなさい。腰には真理の帯を締め、胸には正義の胸当てを着け、足には平和の福音の備えをはきなさい。これらすべての上に、信仰の盾を取りなさい。それによって、悪い者が放つ火矢をすべて消すことができます。救いのかぶとをかぶり、御霊の剣、すなわち神のことばを取りなさい。(エペ6・10.11.13-17) それは、私たちがサタンに乗じられないようにするためです。私たちはサタンの策略を知らないわけではありません。(Ⅱコリ2・11)

9 月 4 日 （朝）

**娘よ、このことがどう収まるか分かるまで待っていな
さい。**(ルツ3・18)

気を確かに持ち、落ち着いていなさい。恐れてはならない。
(イザ7・4) やめよ。知れ。わたしこそ神。(詩46・10) 信じるなら
神の栄光を見る、とあなたに言ったではありませんか。(ヨハ
11・40) その日には、人間の高ぶりはかがめられ、人々の思い
上がりは低くされ、主おひとりだけが高く上げられる。(イザ2・
17)

(マリアは)主の足もとに座って、主のことばに聞き入ってい
た。‥‥「マリアはその良いほうを選びました。それが彼女
から取り上げられることはありません。」(ルカ10・39.42) 立ち
返って落ち着いていれば、あなたがたは救われ、静かにして
信頼すれば、あなたがたは力を得る。(イザ30・15) 心の中で語
り 床の上で静まれ。(詩4・4)

主の前に静まり 耐え忍んで主を待て。その道が栄えてい
る者や 悪意を遂げようとする者に腹を立てるな。(詩37・7)

その人は悪い知らせを恐れず 主に信頼して 心は揺るがな
い。その心は堅固で 恐れることなく 自分の敵を平然と見る
までになる。(詩112・7.8)

これに信頼する者は慌てふためくことがない。(イザ28・16)

９　月　４　日　（夜）

わたしがしていることは、今は分からなくても、後で
分かるようになります。（ヨハ 13・7）

あなたの神、主がこの四十年の間、荒野であなたを歩ませ
られたすべての道を覚えていなければならない。それは、あ
なたを苦しめて、あなたを試し、あなたがその命令を守るか
どうか、あなたの心のうちにあるものを知るためであった。
（申 8・2）

わたしがそばを通りかかってあなたを見ると、ちょうど、
あなたは恋をする年ごろになっていた。‥‥わたしはあなた
に誓って、あなたと契りを結んだ——神である主のことば
——。そして、あなたはわたしのものとなった。（エゼ 16・8）主
はその愛する者を訓練し、受け入れるすべての子に、むちを
加えられる。（ヘブ 12・6）

愛する者たち。あなたがたを試みるためにあなたがたの間
で燃えさかる試練を、何か思いがけないことが起こったかの
ように、不審に思ってはいけません。むしろ、キリストの苦
難にあずかればあずかるほど、いっそう喜びなさい。キリス
トの栄光が現れるときにも、歓喜にあふれて喜ぶためです。
（Ⅰペテ 4・12.13）私たちの一時の軽い苦難は、それとは比べも
のにならないほど重い永遠の栄光を、私たちにもたらすので
す。私たちは見えるものにではなく、見えないものに目を留
めます。（Ⅱコリ 4・17.18）

9 月 5 日 （朝）

**からだの部分が多くても、一つのからだであるように、
キリストもそれと同様です。**(I コリ 12・12)

御子はそのからだである教会のかしらです。(コロ 1・18) 神は
・・・・キリストを、すべてのものの上に立つかしらとして教会
に与えられました。教会はキリストのからだであり、すべて
のものをすべてのもので満たす方が満ちておられるところで
す。(エペ 1・22.23) 私たちはキリストのからだの部分だからで
す。(エペ 5・30)

あなたは・・・・わたしに、からだを備えてくださいました。
(ヘブ 10・5) あなたの目は胎児の私を見られ あなたの書物にす
べてが記されました。私のために作られた日々が しかも そ
の一日もないうちに。(詩 139・16)

彼らはあなたのものでしたが、あなたはわたしに委ねてく
ださいました。(ヨハ 17・6) 神は、世界の基が据えられる前から、
この方にあって私たちを選び、・・・・(エペ 1・4) あらかじめ知っ
ている人たちを、御子のかたちと同じ姿にあらかじめ定めら
れたのです。(ロマ 8・29)

あらゆる点において、かしらであるキリストに向かって成
長するのです。キリストによって、からだ全体は、あらゆる
節々を支えとして組み合わされ、つなぎ合わされ、それぞれ
の部分がその分に応じて働くことにより成長して、愛のうち
に建てられることになります。(エペ 4・15.16)

9 月 5 日 （夜）

いのちの水の泉。(エレ 2・13)

　神よ　あなたの恵みはなんと尊いことでしょう。人の子らは　御翼の陰に身を避けます。彼らは　あなたの家の豊かさに満たされ　あなたは　楽しみの流れで潤してくださいます。いのちの泉はあなたとともにあり　あなたの光のうちに　私たちは光を見るからです。(詩 36・7-9)

　神である主はこう言われる。「見よ、わたしのしもべたちは食べる。しかし、おまえたちは飢える。見よ、わたしのしもべたちは飲む。しかし、おまえたちは渇く。」(イザ 65・13) わたしが与える水を飲む人は、いつまでも決して渇くことがありません。わたしが与える水は、その人の内で泉となり、永遠のいのちへの水が湧き出ます。(ヨハ 4・14) イエスは、ご自分を信じる者が受けることになる御霊について、こう言われたのである。(ヨハ 7・39)

　ああ、渇いている者はみな、水を求めて出て来るがよい。(イザ 55・1) 御霊と花嫁が言う。「来てください。」これを聞く者も「来てください」と言いなさい。渇く者は来なさい。いのちの水が欲しい者は、ただで受けなさい。(黙 22・17)

9 月 6 日 （朝）

自分たちの心を、両手とともに、天におられる神に向けて上げよう。(哀3・41)

だれが 私たちの神 主のようであろうか。主は高い御位に座し 身を低くして天と地をご覧になる。(詩113・5.6) 主よ あなたを わがたましいは仰ぎ求めます。(詩25・1) あなたに向かって 私は手を伸べ広げ 私のたましいは 乾ききった地のように あなたを慕います。‥‥どうか 御顔を私に隠さないでください。私が穴に下る者と等しくならないように。朝にあなたの恵みを聞かせてください。私はあなたに信頼していますから。行くべき道を知らせてください。私のたましいはあなたを仰いでいますから。(詩143・6-8)

あなたの恵みは いのちにもまさるゆえ 私の唇は あなたを賛美します。それゆえ私は 生きるかぎりあなたをほめたたえ あなたの御名により 両手を上げて祈ります。(詩63・3.4) このしもべのたましいを喜ばせてください。主よ 私のたましいはあなたを仰ぎ求めています。主よ まことにあなたはいつくしみ深く 赦しに富み あなたを呼び求める者すべてに恵み豊かであられます。(詩86・4.5)

わたしは、あなたがたがわたしの名によって求めることは、何でもそれをしてあげます。(ヨハ14・13)

9 月 6 日 （夜）

夜回りよ、今は夜の何時か。(イザ 21・11)

　あなたがたが眠りからさめるべき時刻が、もう来ているのです。私たちが信じたときよりも、今は救いがもっと私たちに近づいているのですから。夜は深まり、昼は近づいて来ました。ですから私たちは、闇のわざを脱ぎ捨て、光の武具を身に着けようではありませんか。(ロマ 13・11.12)

　いちじくの木から教訓を学びなさい。枝が柔らかになって葉が出て来ると、夏が近いことが分かります。同じように、これらのことをすべて見たら、あなたがたは人の子が戸口まで近づいていることを知りなさい。(マタ 24・32.33) 天地は消え去ります。しかし、わたしのことばは決して消え去ることがありません。(マタ 24・35)

　私は主を待ち望みます。私のたましいは待ち望みます。主のみことばを私は待ちます。私のたましいは 夜回りが夜明けを まことに 夜回りが夜明けを待つのにまさって 主を待ちます。(詩 130・5.6)

　これらのことを証しする方が言われる。「しかり、わたしはすぐに来る。」アーメン。主イエスよ、来てください。(黙 22・20)

　ですから、目を覚ましていなさい。その日、その時をあなたがたは知らないのですから。(マタ 25・13)

9 月 7 日 （朝）

望みを抱いて喜びなさい。（ロマ 12・12）

あなたがたのために天に蓄えられている望み。（コロ 1・5）もし私たちが、この地上のいのちにおいてのみ、キリストに望みを抱いているのなら、私たちはすべての人の中で一番哀れな者です。（Ⅰコリ 15・19）私たちは、神の国に入るために、多くの苦しみを経なければならない。（使 14・22）自分の十字架を負ってわたしについて来ない者は、わたしの弟子になることはできません。（ルカ 14・27）このような苦難の中にあっても、だれも動揺することがないようにするためでした。‥‥私たちはこのような苦難にあうように定められているのです。（Ⅰテサ 3・3）

いつも主にあって喜びなさい。もう一度言います。喜びなさい。（ピリ 4・4）どうか、希望の神が、信仰によるすべての喜びと平安であなたがたを満たし、聖霊の力によって希望にあふれさせてくださいますように。（ロマ 15・13）私たちの主イエス・キリストの父である神がほめたたえられますように。神は、ご自分の大きなあわれみのゆえに、イエス・キリストが死者の中からよみがえられたことによって、私たちを新しく生まれさせ、生ける望みを持たせてくださいました。‥‥あなたがたはイエス・キリストを見たことはないけれども愛しており、今 見てはいないけれども信じており、ことばに尽くせない、栄えに満ちた喜びに躍っています。（Ⅰペテ 1・3.8）キリストによって私たちは、信仰によって、今 立っているこの恵みに導き入れられました。そして、神の栄光にあずかる望みを喜んでいます。（ロマ 5・2）

9 月 7 日 （夜）

**私は苦しむ者 貧しい者です。主が私を顧みてくださ
いますように。**(詩40・17)

わたし自身、あなたがたのために立てている計画をよく
知っている──主のことば──。それはわざわいではなく平
安を与える計画である。(エレ29・11) わたしの思いは、あなた
がたの思いと異なり、あなたがたの道は、わたしの道と異な
るからだ。──主のことば──天が地よりも高いように、わた
しの道は、あなたがたの道よりも高く、わたしの思いは、
あなたがたの思いよりも高い。(イザ55・8.9)

神よ あなたの御思いを知るのは なんと難しいことでしょ
う。そのすべては なんと多いことでしょう。数えようとし
ても それは砂よりも数多いのです。私が目覚めるとき 私は
なおも あなたとともにいます。(詩139・17.18) 主よ あなたの
みわざは なんと大きいことでしょう。あなたの御思いは あ
まりにも深いのです。(詩92・5) わが神 主よ なんと多いこと
でしょう。あなたがなさった奇しいみわざと 私たちへの計
らいは。あなたに並ぶ者はありません。(詩40・5)

自分たちの召しのことを考えてみなさい。‥‥力ある者も
多くはなく、身分の高い者も多くはありません。(Ⅰコリ1・26)
神は、この世の貧しい人たちを選んで信仰に富む者とし、
‥‥御国を受け継ぐ者とされたではありませんか。(ヤコ2・5)
何も持っていないようでも、すべてのものを持っています。
(Ⅱコリ6・10) キリストの測り知れない富。(エペ3・8)

9 月 8 日 （朝）

あなたが秤で量られて、目方の足りないことが分かった。(ダニ 5・27)

まことに主は、すべてを知る神。(Iサム 2・3) 人々の間で尊ばれるものは、神の前では忌み嫌われるものなのです。(ルカ 16・15) わたしは‥‥人が見るようには見ないからだ。人はうわべを見るが、主は心を見る。(Iサム 16・7) 思い違いをしてはいけません。神は侮られるような方ではありません。人は種を蒔けば、刈り取りもすることになります。自分の肉に蒔く者は、肉から滅びを刈り取り、御霊に蒔く者は、御霊から永遠のいのちを刈り取るのです。(ガラ 6・7.8)

人は、たとえ全世界を手に入れても、自分のいのちを失ったら何の益があるでしょうか。そのいのちを買い戻すのに、人は何を差し出せばよいのでしょうか。(マタ 16・26) 私は、自分にとって得であったこのようなすべてのものを、キリストのゆえに損と思うようになりました。(ピリ 3・7)

確かに あなたは心のうちの真実を喜ばれます。(詩 51・6) あなたは私の心を調べ 夜 私を問いただされました。私を炉で試されましたが 何も見つかりません。(詩 17・3)

9 月 8 日 （夜）

初穂であるキリスト。（Ⅰコリ15・23）

一粒の麦は、地に落ちて死ななければ、一粒のままです。しかし、死ぬなら、豊かな実を結びます。（ヨハ12・24）麦の初穂が聖なるものであれば、こねた粉もそうなのです。根が聖なるものであれば、枝もそうなのです。（ロマ11・16）今やキリストは、眠った者の初穂として死者の中からよみがえられました。（Ⅰコリ15・20）キリストは、万物をご自分に従わせることさえできる御力によって、私たちの卑しいからだを、ご自分の栄光に輝くからだと同じ姿に変えてくださいます。（ピリ3・21）私たちがキリストの死と同じようになって、キリストと一つになっているなら、キリストの復活とも同じようになるからです。（ロマ6・5）

死者の中から最初に生まれた方。（コロ1・18）イエスを死者の中からよみがえらせた方の御霊が、あなたがたのうちに住んでおられるなら、キリストを死者の中からよみがえらせた方は、あなたがたのうちに住んでおられるご自分の御霊によって、あなたがたの死ぬべきからだも生かしてくださいます。（ロマ8・11）

わたしはよみがえりです。いのちです。わたしを信じる者は死んでも生きるのです。（ヨハ11・25）

9 月 9 日 （朝）

（主は）飢えた者を良いもので満ち足らせ、富む者を何も持たせずに追い返されました。(ルカ1・53)

あなたは、自分は富んでいる、豊かになった、足りないものは何もないと言っているが、実はみじめで、哀れで、貧しくて、盲目で、裸であることが分かっていない。わたしはあなたに忠告する。豊かな者となるために、火で精錬された金をわたしから買いなさい。‥‥わたしは愛する者をみな、叱ったり懲らしめたりする。だから熱心になって悔い改めなさい。(黙3・17-19)

義に飢え渇く者は幸いです。その人たちは満ち足りるからです。(マタ5・6) 苦しむ者や貧しい者が水を求めても それはなく、その舌は渇きで干からびる。わたし、主は彼らに答え、イスラエルの神は彼らを見捨てない。(イザ41・17) わたしは あなたの神 主である。わたしが あなたをエジプトの地から連れ上った。あなたの口を大きく開けよ。わたしが それを満たそう。(詩81・10)

なぜ、あなたがたは、食糧にもならないもののために金を払い、腹を満たさないもののために労するのか。わたしによく聞き従い、良いものを食べよ。そうすれば、あなたがたは脂肪で元気づく。(イザ55・2) わたしがいのちのパンです。(ヨハ6・35)

9 月 9 日 （夜）

この私は 足がつまずきそうで 私の歩みは滑りかけ
た。(詩73・2)

「私の足はよろけています」と私が言ったなら 主よ あなた
の恵みで 私を支えてください。(詩94・18)

シモン、シモン。見なさい。サタンがあなたがたを麦のよ
うにふるいにかけることを願って、聞き届けられました。し
かし、わたしはあなたのために、あなたの信仰がなくならな
いように祈りました。(ルカ22・31.32)

正しい人は七度倒れても、また起き上がる。(箴24・16) その
人は転んでも 倒れ伏すことはない。主が その人の腕を支え
ておられるからだ。(詩37・24)

私の敵よ、私のことで喜ぶな。私は倒れても起き上がる。
私は闇の中に座しても、主が私の光だ。(ミカ7・8) 六つの苦し
みから、神はあなたを救い出し、七つの中でも、わざわいは
あなたに触れない。(ヨブ5・19)

もしだれかが罪を犯したなら、私たちには、御父の前でと
りなしてくださる方、義なるイエス・キリストがおられます。
(Ⅰヨハ2・1) イエスは、いつも生きていて、彼らのためにとり
なしをしておられるので、ご自分によって神に近づく人々を
完全に救うことがおできになります。(ヘブ7・25)

9 月 10 日 （朝）

> わたしは、彼らと彼らの後の子孫の幸せのために、
> わたしをいつも恐れるよう、彼らに一つの心と一つの
> 道を与える。(エレ 32・39)

あなたがたに新しい心を与え、あなたがたのうちに新しい霊を与える。(エゼ 36・26) 主は いつくしみ深く正しくあられます。それゆえ 罪人に道をお教えになります。主は貧しい者を正義に歩ませ 貧しい者にご自分の道をお教えになります。主の道はみな恵みとまことです。主の契約とさとしを守る者には。(詩 25・8-10)

父よ。あなたがわたしのうちにおられ、わたしがあなたのうちにいるように、すべての人を一つにしてください。彼らもわたしたちのうちにいるようにしてください。あなたがわたしを遣わされたことを、世が信じるようになるためです。
(ヨハ 17・21)

私はあなたがたに勧めます。あなたがたは、召されたその召しにふさわしく歩みなさい。謙遜と柔和の限りを尽くし、‥‥平和の絆で結ばれて、御霊による一致を熱心に保ちなさい。あなたがたが召された、その召しの望みが一つであったのと同じように、からだは一つ、御霊は一つです。主はひとり、信仰は一つ、バプテスマは一つです。すべてのものの上にあり、すべてのものを貫き、すべてのもののうちにおられる、すべてのものの父である神はただひとりです。(エペ 4・1-6)

9 月 10 日 （夜）

主を待ち望む者は新しく力を得る。(イザ 40・31)

　私が弱いときにこそ、私は強い。(Ⅱコリ 12・10) 私の神は私の力となられた。(イザ 49・5) 主は、「わたしの恵みはあなたに十分である。わたしの力は弱さのうちに完全に現れるからである」と言われました。ですから私は、キリストの力が私をおおうために、むしろ大いに喜んで自分の弱さを誇りましょう。(Ⅱコリ 12・9) わたしという砦に頼りたければ、わたしと和を結ぶがよい。(イザ 27・5)

　あなたの重荷を主にゆだねよ。主があなたを支えてくださる。(詩 55・22) ヤコブの力強き方の手。(創 49・24)

　私はあなたを去らせません。私を祝福してくださらなければ。(創 32・26)

　おまえは、剣と槍と投げ槍を持って私に向かって来るが、私は、おまえがそしったイスラエルの戦陣の神、万軍の主の御名によって、おまえに立ち向かう。(Ⅰサム 17・45) 主よ　私と争う者と争い　私と戦う者と戦ってください。盾と大盾を手に取って　私を助けに来てください。(詩 35・1.2)

9 月 11 日 （朝）

この世と調子を合わせてはいけません。むしろ、心を
新たにすることで、自分を変えていただきなさい。

（ロマ 12・2）

多数に従って悪の側に立ってはならない。（出 23・2）

世を愛することは神に敵対することだと分からないのです
か。世の友となりたいと思う者はだれでも、自分を神の敵と
しているのです。（ヤコ 4・4）

正義と不法に何の関わりがあるでしょう。光と闇に何の交
わりがあるでしょう。キリストとベリアルに何の調和がある
でしょう。信者と不信者が何を共有しているでしょう。神の
宮と偶像に何の一致があるでしょう。（Ⅱコリ 6・14-16）世も世に
あるものも、愛してはいけません。もしだれかが世を愛して
いるなら、その人のうちに御父の愛はありません。‥‥世と、
世の欲は過ぎ去ります。しかし、神のみこころを行う者は永
遠に生き続けます。（Ⅰヨハ 2・15.17）

あなたがたは‥‥かつては‥‥この世の流れに従い、空中
の権威を持つ支配者、すなわち、不従順の子らの中に今も働
いている霊に従って歩んでいました。（エペ 2・1.2）あなたがた
は、キリストをそのように学んだのではありません。ただし、
本当にあなたがたがキリストについて聞き、キリストにあっ
て教えられているとすれば、です。真理はイエスにあるので
すから。（エペ 4・20.21）

9 月 11 日 （夜）

人は 自分の仕事に出て行き 夕暮れまでその働きに
つきます。(詩 104・23)

あなたは、顔に汗を流して糧を得、ついにはその大地に帰
る。(創 3・19) 働きたくない者は食べるな、と私たちは命じま
した。(Ⅱテサ 3・10) 落ち着いた生活をし、自分の仕事に励み、
自分の手で働くことを名誉としなさい。(Ⅰテサ 4・11)

あなたの手がなし得ると分かったことはすべて、自分の力
でそれをせよ。あなたが行こうとしているよみには、わざも
道理も知識も知恵もないからだ。(伝 9・10) だれも働くことが
できない夜が来ます。(ヨハ 9・4)

失望せずに善を行いましょう。あきらめずに続ければ、時
が来て刈り取ることになります。(ガラ 6・9) いつも主のわざに
励みなさい。あなたがたは、自分たちの労苦が主にあって無
駄でないことを知っているのですから。(Ⅰコリ 15・58)

安息日の休みは、神の民のためにまだ残されています。(ヘ
ブ 4・9) 一日の労苦と焼けるような暑さを辛抱した私たち。(マ
タ 20・12) ここに憩いがある。疲れた者を憩わせよ。ここに休
息がある。(イザ 28・12)

9 月 12 日 （朝）

彼の道を見たが、それでもわたしは彼を癒やす。

（イザ 57・18）

わたしは主、あなたを癒やす者だからである。(出 15・26) 主よ あなたは私を探り 知っておられます。あなたは 私の座るのも立つのも知っておられ 遠くから私の思いを読み取られます。あなたは私が歩くのも伏すのも見守り 私の道のすべてを知り抜いておられます。(詩 139・1-3) あなたは私たちの咎を御前に 私たちの秘め事を 御顔の光の中に置かれます。(詩 90・8) 神の目にはすべてが裸であり、さらけ出されています。(ヘブ 4・13)

「さあ、来たれ。論じ合おう。」——主は言われる——たとえ、あなたがたの罪が緋のように赤くても、雪のように白くなる。たとえ、紅のように赤くても、羊の毛のようになる。(イザ 1・18) 神は彼をあわれんで仰せられる。「彼を救って、滅びの穴に下って行かないようにせよ。わたしは身代金を見出した」と。(ヨブ 33・24) 彼は私たちの背きのために刺され、私たちの咎のために砕かれたのだ。彼への懲らしめが私たちに平安をもたらし、その打ち傷のゆえに、私たちは癒やされた。(イザ 53・5) 心の傷ついた者を癒やすため、主は‥‥わたしを遣わされた。(イザ 61・1) あなたの信仰があなたを救ったのです。安心して行きなさい。苦しむことなく、健やかでいなさい。(マル 5・34)

9 月 12 日 （夜）

主は私の味方。(詩118・7)

　苦難の日に 主があなたにお答えになりますように。ヤコブの神の御名が あなたを高く上げますように。主が聖所からあなたに助けを送り シオンからあなたを支えられますように。‥‥私たちは あなたの勝利を喜び歌い 私たちの神の御名により 旗を高く掲げます。‥‥ある者は戦車を ある者は馬を求める。しかし私たちは 私たちの神 主の御名を呼び求める。彼らは膝をつき 倒れた。しかし私たちは まっすぐに立ち上がった。(詩20・1.2.5.7.8)

　あなたがたが経験した試練はみな、人の知らないものではありません。神は真実な方です。あなたがたを耐えられない試練にあわせることはなさいません。むしろ、耐えられるように、試練とともに脱出の道も備えてくださいます。(Ⅰコリ10・13)

　神が私たちの味方であるなら、だれが私たちに敵対できるでしょう。(ロマ8・31) 主は私の味方。私は恐れない。(詩118・6)

　私たちが仕える神は、火の燃える炉から私たちを救い出すことができます。(ダニ3・17)

9 月 13 日 （朝）

だれでも渇いているなら、わたしのもとに来て飲みなさい。（ヨハ7・37）

　私のたましいは　主の大庭を恋い慕って　絶え入るばかりです。私の心も身も　生ける神に喜びの歌を歌います。（詩84・2）神よ　あなたは私の神。私はあなたを切に求めます。水のない　衰え果てた乾いた地で　私のたましいは　あなたに渇き　私の身も　あなたをあえぎ求めます。私は　あなたの力と栄光を見るために　こうして聖所で　あなたを仰ぎ見ています。（詩63・1.2）

　ああ、渇いている者はみな、水を求めて出て来るがよい。金のない者も。さあ、穀物を買って食べよ。さあ、金を払わないで、穀物を買え。代価を払わないで、ぶどう酒と乳を。（イザ55・1）御霊と花嫁が言う。「来てください。」これを聞く者も「来てください」と言いなさい。渇く者は来なさい。いのちの水が欲しい者は、ただで受けなさい。（黙22・17）わたしが与える水を飲む人は、いつまでも決して渇くことがありません。わたしが与える水は、その人の内で泉となり、永遠のいのちへの水が湧き出ます。（ヨハ4・14）わたしの血はまことの飲み物なのです。（ヨハ6・55）

　食べよ。友たちよ、飲め。愛に酔え。（雅5・1）

9 月 13 日 （夜）

あなたがたは地の塩です。(マタ5・13)

朽ちることのないもの。(Iペテ3・4) あなたがたが新しく生まれたのは、朽ちる種からではなく朽ちない種からであり、生きた、いつまでも残る、神のことばによるのです。(Iペテ1・23) わたしを信じる者は死んでも生きるのです。(ヨハ11・25) 復活の子として神の子なのです。(ルカ20・36) 朽ちない神。(ロマ1・23)

キリストの御霊を持っていない人がいれば、その人はキリストのものではありません。キリストがあなたがたのうちにおられるなら、からだは罪のゆえに死んでいても、御霊が義のゆえにいのちとなっています。イエスを死者の中からよみがえらせた方の御霊が、あなたがたのうちに住んでおられるなら、キリストを死者の中からよみがえらせた方は、あなたがたのうちに住んでおられるご自分の御霊によって、あなたがたの死ぬべきからだも生かしてくださいます。(ロマ8・9-11) 朽ちるもので蒔かれ、朽ちないものによみがえらされるのです。(Iコリ15・42)

あなたがたは自分自身のうちに塩気を保ち、互いに平和に過ごしなさい。(マル9・50) 悪いことばを、いっさい口から出してはいけません。むしろ、必要なときに、人の成長に役立つことばを語り、聞く人に恵みを与えなさい。(エペ4・29)

9 月 14 日 （朝）

わたしこそ、あなたがたを慰める者。(イザ 51・12)

　私たちの主イエス・キリストの父である神、あわれみ深い父、あらゆる慰めに満ちた神がほめたたえられますように。神は、どのような苦しみのときにも、私たちを慰めてくださいます。それで私たちも、自分たちが神から受ける慰めによって、あらゆる苦しみの中にある人たちを慰めることができます。(Ⅱコリ 1・3.4) 父がその子をあわれむように 主は ご自分を恐れる者をあわれまれる。主は 私たちの成り立ちを知り 私たちが土のちりにすぎないことを 心に留めてくださる。(詩 103・13.14) 母に慰められる者のように、わたしはあなたがたを慰める。(イザ 66・13) あなたがたの思い煩いを、いっさい神にゆだねなさい。神があなたがたのことを心配してくださるからです。(Ⅰペテ 5・7)

　主よ あなたはあわれみ深く 情け深い神。怒るのに遅く恵みとまことに富んでおられます。(詩 86・15)

　もう一人の助け主‥‥‥この方は真理の御霊です。(ヨハ 14・16.17) 同じように御霊も、弱い私たちを助けてくださいます。(ロマ 8・26)

　神は彼らの目から涙をことごとくぬぐい取ってくださる。もはや死はなく、悲しみも、叫び声も、苦しみもない。以前のものが過ぎ去ったからである。(黙 21・4)

9 月 14 日 （夜）

神に召されて、あなたがたは神の御子、私たちの主
イエス・キリストとの交わりに入れられたのです。

（Ⅰコリ1・9）

この方が父なる神から誉れと栄光を受けられたとき、厳か
な栄光の中から、このような御声がありました。「これはわ
たしの愛する子。わたしはこれを喜ぶ。」（Ⅱペテ1・17）私たち
が神の子どもと呼ばれるために、御父がどんなにすばらしい
愛を与えてくださったかを、考えなさい。（Ⅰヨハ3・1）

愛されている子どもらしく、神に倣う者となりなさい。（エペ
5・1）子どもであるなら、相続人でもあります。‥‥神の相続
人であり、キリストとともに共同相続人なのです。（ロマ8・17）

御子は神の栄光の輝き、また神の本質の完全な現れ。（ヘブ1・
3）あなたがたの光を人々の前で輝かせなさい。人々があな
たがたの良い行いを見て、天におられるあなたがたの父をあ
がめるようになるためです。（マタ5・16）

信仰の創始者であり完成者であるイエス‥‥。この方は、
ご自分の前に置かれた喜びのために、辱めをものともせずに
十字架を忍ばれたのです。（ヘブ12・2）世にあってこれらのこと
を話しているのは、わたしの喜びが彼らのうちに満ちあふれ
るためです。（ヨハ17・13）私たちにキリストの苦難があふれて
いるように、キリストによって私たちの慰めもあふれている
からです。（Ⅱコリ1・5）

9 月 15 日 （朝）

**罪があなたがたを支配することはない‥‥。あなた
がたは律法の下にではなく、恵みの下にあるのです。**

（ロマ 6・14）

では、どうなのでしょう。私たちは律法の下にではなく、
恵みの下にあるのだから、罪を犯そう、となるのでしょうか。
決してそんなことはありません。（ロマ 6・15）私の兄弟たちよ。
あなたがたもキリストのからだを通して、律法に対して死ん
でいるのです。それは、あなたがたがほかの方、すなわち死
者の中からよみがえった方のものとなり、こうして私たちが
神のために実を結ぶようになるためです。（ロマ 7・4）私自身は
神の律法を持たない者ではなく、キリストの律法を守る者で
す。（Ⅰコリ 9・21）死のとげは罪であり、罪の力は律法です。し
かし、神に感謝します。神は、私たちの主イエス・キリスト
によって、私たちに勝利を与えてくださいました。（Ⅰコリ 15・
56.57）

キリスト・イエスにあるいのちの御霊の律法が、罪と死の
律法からあなたを解放したからです。（ロマ 8・2）罪を行ってい
る者はみな、罪の奴隷です。‥‥子があなたがたを自由にす
るなら、あなたがたは本当に自由になるのです。（ヨハ 8・34.36）

キリストは、自由を得させるために私たちを解放してくだ
さいました。ですから、あなたがたは堅く立って、再び奴隷
のくびきを負わされないようにしなさい。（ガラ 5・1）

9 月 15 日 （夜）

そういう人は二心を抱く者で、歩む道すべてにおいて
心が定まっていない‥‥。(ヤコ1・8)

鋤(すき)に手をかけてからうしろを見る者はだれも、神の
国にふさわしくありません。(ルカ9・62)

神に近づく者は、神がおられることと、神がご自分を求め
る者には報いてくださる方であることを、信じなければなら
ないのです。(ヘブ11・6) 少しも疑わずに、信じて求めなさい。
疑う人は、風に吹かれて揺れ動く、海の大波のようです。そ
の人は、主から何かをいただけると思ってはなりません。(ヤ
コ1・6.7) あなたがたが祈り求めるものは何でも、すでに得た
と信じなさい。そうすれば、そのとおりになります。(マル11・
24)

私たちはもはや子どもではなく、人の悪巧みや人を欺く悪
賢い策略から出た、どんな教えの風にも、吹き回されたり、
もてあそばれたりすることがなく、むしろ、愛をもって真理
を語り、あらゆる点において、かしらであるキリストに向かっ
て成長するのです。(エペ4・14.15)

わたしにとどまりなさい。(ヨハ15・4) 堅く立って、動かされ
ることなく、いつも主のわざに励みなさい。あなたがたは、
自分たちの労苦が主にあって無駄でないことを知っているの
ですから。(Ⅰコリ15・58)

9 月 16 日 （朝）

主は人の心を評価される。(箴21・2)

　まことに　正しい者の道は主が知っておられ　悪しき者の道は滅び去る。(詩1・6)　主は、だれがご自分に属する者か、だれが聖なる者かを示される。(民16・5)　隠れたところで見ておられるあなたの父が、あなたに報いてくださいます。(マタ6・4)

　神よ　私を探り　私の心を知ってください。私を調べ　私の思い煩いを知ってください。私のうちに　傷のついた道があるかないかを見て　私をとこしえの道に導いてください。(詩139・23.24)　愛には恐れがありません。全き愛は恐れを締め出します。(Ⅰヨハ4・18)

　主よ　私の願いはすべてあなたの御前にあり　私の嘆きはあなたに隠れてはいません。(詩38・9)　私の霊が私のうちで衰え果てたときにも　あなたは　私の道をよく知っておられます。(詩142・3)　人間の心を探る方は、御霊の思いが何であるかを知っておられます。なぜなら、御霊は神のみこころにしたがって、聖徒たちのためにとりなしてくださるからです。(ロマ8・27)

　神の堅固な土台は据えられていて、そこに次のような銘が刻まれています。「主はご自分に属する者を知っておられる。」また、「主の御名を呼ぶ者はみな、不義を離れよ。」(Ⅱテモ2・19)

9 月 16 日 （夜）

夕暮れには涙が宿っても 朝明けには喜びの叫びが
ある。(詩 30・5)

苦難の中にあっても、だれも動揺することがないように
……。あなたがた自身が知っているとおり、私たちはこのよ
うな苦難にあうように定められているのです。あなたがたの
ところにいたとき、私たちは前もって、苦難にあうようにな
ると言っておいたのです。(Ⅰテサ 3・3.4) あなたがたがわたし
にあって平安を得るためです。世にあっては苦難があります。
しかし、勇気を出しなさい。わたしはすでに世に勝ちました。
(ヨハ 16・33)

私は……目覚めるとき 御姿に満ち足りるでしょう。(詩 17・
15) 夜は深まり、昼は近づいて来ました。(ロマ 13・12) その者は、
太陽が昇る朝の光、雲一つない朝の光のようだ。雨の後に、
地の若草を照らす光のようだ。(Ⅱサム 23・4)

(主は)永久に死を呑み込まれる。神である主は、すべての顔
から涙をぬぐい取られる。(イザ 25・8) もはや死はなく、悲しみ
も、叫び声も、苦しみもない。以前のものが過ぎ去ったから
である。(黙 21・4) 生き残っている私たちが、彼らと一緒に雲
に包まれて引き上げられ、空中で主と会うのです。こうして
私たちは、いつまでも主とともにいることになります。です
から、これらのことばをもって互いに励まし合いなさい。(Ⅰ
テサ 4・17.18)

9 月 17 日 （朝）

傷んだ葦を折ることもなく、‥‥(マタ 12・20)

神へのいけにえは 砕かれた霊。打たれ 砕かれた心。神よ あなたはそれを蔑まれません。(詩 51・17) 主は心の打ち砕かれた者を癒やし 彼らの傷を包まれる。(詩 147・3) いと高くあがめられ、永遠の住まいに住み、その名が聖である方が、こう仰せられる。「わたしは、高く聖なる所に住み、砕かれた人、へりくだった人とともに住む。へりくだった人たちの霊を生かし、砕かれた人たちの心を生かすためである。わたしは、永遠に争うことはなく、いつまでも怒ってはいない。わたしから出た霊が衰え果てるからだ。わたしが造ったいのちの息が。」(イザ 57・15.16)

わたしは失われたものを捜し、追いやられたものを連れ戻し、傷ついたものを介抱し、病気のものを力づける。(エゼ 34・16) 弱った手と衰えた膝をまっすぐにしなさい。また、あなたがたは自分の足のために、まっすぐな道を作りなさい。足の不自由な人が踏み外すことなく、むしろ癒やされるためです。(ヘブ 12・12.13) 見よ。あなたがたの神が‥‥やって来る。神は来て、あなたがたを救われる。(イザ 35・4)

9 月 17 日 （夜）

味わい 見つめよ。主がいつくしみ深い方であること
を。幸いなことよ 主に身を避ける人は。(詩 34・8)

宴会の世話役は、すでにぶどう酒になっていたその水を味
見した。汲んだ給仕の者たちはそれがどこから来たのかを
知っていたが、世話役は知らなかった。それで、花婿を呼ん
で、こう言った。「みな、初めに良いぶどう酒を出して、酔
いが回ったころに悪いのを出すものだが、あなたは良いぶど
う酒を今まで取っておきました。」(ヨハ 2・9.10)

耳はことばを聞き分け、口は食物を味わうからだ。(ヨブ 34・
3) 私は信じています。それゆえに語ります。(Ⅱコリ 4・13) 私は
自分が信じてきた方をよく知っている。(Ⅱテモ 1・12) その木陰
に私は心地よく座り、その実は私の口に甘いのです。(雅 2・3)

神のいつくしみ深さ。(ロマ 2・4) 私たちすべてのために、ご
自分の御子さえも惜しむことなく死に渡された神が、どうし
て、御子とともにすべてのものを、私たちに恵んでくださら
ないことがあるでしょうか。(ロマ 8・32)

生まれたばかりの乳飲み子のように、純粋な、霊の乳を慕
い求めなさい。それによって成長し、救いを得るためです。
あなたがたは、主がいつくしみ深い方であることを、確かに
味わいました。(Ⅰペテ 2・2.3)

あなたに身を避ける者がみな喜び とこしえまでも喜び歌
いますように。(詩 5・11)

9 月 18 日 （朝）

**私の目を開いてください。私が目を留めるようにして
ください。あなたのみおしえのうちにある奇しいことに。**

（詩 119・18）

イエスは、聖書を悟らせるために彼らの心を開かれた。(ルカ 24・45) あなたがたには天の御国の奥義を知ることが許されていますが、あの人たちには許されていません。(マタ 13・11) 天地の主であられる父よ、あなたをほめたたえます。あなたはこれらのことを、知恵ある者や賢い者には隠して、幼子たちに現してくださいました。そうです、父よ。これはみこころにかなったことでした。(マタ 11・25.26) 私たちは、この世の霊を受けたのではなく、神からの霊を受けました。それで私たちは、神が私たちに恵みとして与えてくださったものを知るのです。(Ⅰコリ 2・12) 神よ あなたの御思いを知るのは なんと難しいことでしょう。そのすべては なんと多いことでしょう。数えようとしても それは砂よりも数多いのです。(詩 139・17.18) ああ、神の知恵と知識の富は、なんと深いことでしょう。神のさばきはなんと知り尽くしがたく、神の道はなんと極めがたいことでしょう。「だれが主の心を知っているのですか。だれが主の助言者になったのですか。‥‥」すべてのものが神から発し、神によって成り、神に至るのです。この神に、栄光がとこしえにありますように。アーメン。(ロマ 11・33.34.36)

9 月 18 日 （夜）

エン・ハ・コレ [呼ばわる者の泉]。(士15・19)

　もしあなたが神の賜物を知り、また、水を飲ませてくださいとあなたに言っているのがだれなのかを知っていたら、あなたのほうからその人に求めていたでしょう。(ヨハ4・10)「だれでも渇いているなら、わたしのもとに来て飲みなさい。‥‥」イエスは、ご自分を信じる者が受けることになる御霊について、こう言われたのである。イエスはまだ栄光を受けておられなかったので、御霊はまだ下っていなかったのである。(ヨハ7・37.39)

　わたしを試してみよ。――万軍の主は言われる――わたしがあなたがたのために天の窓を開き、あふれるばかりの祝福を あなたがたに注ぐかどうか。(マラ3・10) あなたがたは悪い者であっても、自分の子どもたちには良いものを与えることを知っています。それならなおのこと、天の父はご自分に求める者たちに聖霊を与えてくださいます。(ルカ11・13) 求めなさい。そうすれば与えられます。探しなさい。そうすれば見出します。(ルカ11・9)

　あなたがたが子であるので、神は「アバ、父よ」と叫ぶ御子の御霊を、私たちの心に遣わされました。(ガラ4・6) あなたがたは、人を再び恐怖に陥れる、奴隷の霊を受けたのではなく、子とする御霊を受けたのです。この御霊によって、私たちは「アバ、父」と叫びます。(ロマ8・15)

9 月 19 日 （朝）

あらゆる恵みに満ちた神。（Ⅰペテ5・10）

主の名であなたの前に宣言する。わたしは恵もうと思う者を恵む。（出33・19）神は彼をあわれんで仰せられる。「彼を救って、滅びの穴に下って行かないようにせよ。わたしは身代金を見出した」と。（ヨブ33・24）神の恵みにより、キリスト・イエスによる贖いを通して、価なしに義と認められるからです。神はこの方を、信仰によって受けるべき、血による宥（なだ）めのささげ物として公に示されました。ご自分の義を明らかにされるためです。神は忍耐をもって、これまで犯されてきた罪を見逃してこられたのです。（ロマ3・24.25）恵みとまことはイエス・キリストによって実現した。（ヨハ1・17）

この恵みのゆえに、あなたがたは信仰によって救われたのです。それはあなたがたから出たことではなく、神の賜物です。（エペ2・8）父なる神と私たちの主キリスト・イエスから、恵みとあわれみと平安がありますように。（Ⅰテモ1・2）私たちは一人ひとり、キリストの賜物の量りにしたがって恵みを与えられました。（エペ4・7）それぞれが賜物を受けているのですから、神の様々な恵みの良い管理者として、その賜物を用いて互いに仕え合いなさい。（Ⅰペテ4・10）神は、さらに豊かな恵みを与えてくださる。（ヤコ4・6）

私たちの主であり、救い主であるイエス・キリストの恵みと知識において成長しなさい。イエス・キリストに栄光が、今も永遠の日に至るまでもありますように。（Ⅱペテ3・18）

9 月 19 日 （夜）

　私は山に向かって目を上げる。私の助けは どこから
来るのか。私の助けは主から来る。天地を造られた
お方から。(詩 121・1.2)

　エルサレムを山々が取り囲んでいるように 主は御民を 今
よりとこしえまでも囲まれる。(詩 125・2)

　あなたに向かって 私は目を上げます。天の御座に着いて
おられる方よ。まことに しもべたちの目が主人の手に向けら
れ 仕える女の目が女主人の手に向けられるように 私たち
の目は私たちの神 主に向けられています。主が私たちをあ
われんでくださるまで。(詩 123・1.2) まことに あなたは私の助
けでした。御翼の陰で 私は喜び歌います。(詩 63・7)

　私たちの神よ。彼らをさばいてくださらないのですか。攻
めて来るこの大軍に当たる力は、私たちにはありません。私
たちとしては、どうすればよいのか分かりません。ただ、あ
なたに目を注ぐのみです。(II歴 20・12) 私の目はいつも主に向
かう。主が私の足を罠から引き出してくださるから。(詩 25・
15) 私たちの助けは 天地を造られた主の御名にある。(詩 124・8)

9 月 20 日 （朝）

幸いなことよ、知恵を見出す人、英知をいただく人は。

（箴3・13）

わたしを見出す者はいのちを見出し、主から恵みをいただく。（箴8・35）

―― 主はこう言われる ―― 知恵ある者は自分の知恵を誇るな。力ある者は自分の力を誇るな。‥‥誇る者は、ただ、これを誇れ。悟りを得て、わたしを知っていることを。（エレ9・23.24）主を恐れることは知恵の初め。（箴9・10）

私は、自分にとって得であったこのようなすべてのものを、キリストのゆえに損と思うようになりました。それどころか、私の主であるキリスト・イエスを知っていることのすばらしさのゆえに、私はすべてを損と思っています。私はキリストのゆえにすべてを失いましたが、それらはちりあくただと考えています。（ピリ3・7.8）このキリストのうちに、知恵と知識の宝がすべて隠されています。（コロ2・3）摂理と知性はわたしのもの。わたしは英知であり、わたしには力がある。（箴8・14）

キリストは、私たちにとって神からの知恵、すなわち、義と聖と贖いになられました。（Ⅰコリ1・30）

9 月 20 日 （夜）

貧しいようでも、多くの人を富ませ、‥‥(Ⅱコリ6・10)

あなたがたは、私たちの主イエス・キリストの恵みを知っています。すなわち、主は富んでおられたのに、あなたがたのために貧しくなられました。それは、あなたがたが、キリストの貧しさによって富む者となるためです。(Ⅱコリ8・9) 私たちはみな、この方の満ち満ちた豊かさの中から、恵みの上にさらに恵みを受けた。(ヨハ1・16) 私の神は、キリスト・イエスの栄光のうちにあるご自分の豊かさにしたがって、あなたがたの必要をすべて満たしてくださいます。(ピリ4・19) 神はあなたがたに、あらゆる恵みをあふれるばかりに与えることがおできになります。あなたがたが、いつもすべてのことに満ち足りて、すべての良いわざにあふれるようになるためです。(Ⅱコリ9・8)

神は、この世の貧しい人たちを選んで信仰に富む者とし、神を愛する者に約束された御国を受け継ぐ者とされたではありませんか。(ヤコ2・5) 人間的に見れば知者は多くはなく、力ある者も多くはなく、身分の高い者も多くはありません。しかし神は、知恵ある者を恥じ入らせるために、この世の愚かな者を選び、強い者を恥じ入らせるために、この世の弱い者を選ばれました。(Ⅰコリ1・26.27)

私たちは、この宝を土の器の中に入れています。それは、この測り知れない力が神のものであって、私たちから出たものではないことが明らかになるためです。(Ⅱコリ4・7)

9 月 21 日 （朝）

神を愛する人たち‥‥のためには、すべてのことがと
もに働いて益となることを、私たちは知っています。

(ロマ 8・28)

まことに 人の憤りまでもがあなたをたたえ あなたは あ
ふれ出た憤りを身に帯びられます。(詩 76・10) あなたがたは私
に悪を謀りましたが、神はそれを、良いことのための計らい
としてくださいました。(創 50・20)

すべては、あなたがたのものです。‥‥世界であれ、いの
ちであれ、死であれ、また現在のものであれ、未来のもので
あれ、すべてはあなたがたのもの、あなたがたはキリストの
もの、キリストは神のものです。(Ⅰコリ 3・21-23) すべてのこと
は、あなたがたのためであり、恵みがますます多くの人々に
及んで感謝が満ちあふれ、神の栄光が現れるようになるため
なのです。ですから、私たちは落胆しません。たとえ私たち
の外なる人は衰えても、内なる人は日々新たにされています。
私たちの一時の軽い苦難は、それとは比べものにならないほ
ど重い永遠の栄光を、私たちにもたらすのです。(Ⅱコリ 4・15-
17)

私の兄弟たち。様々な試練にあうときはいつでも、この上
もない喜びと思いなさい。あなたがたが知っているとおり、
信仰が試されると忍耐が生まれます。その忍耐を完全に働か
せなさい。そうすれば、あなたがたは何一つ欠けたところの
ない、成熟した、完全な者となります。(ヤコ 1・2-4)

9 月 21 日 （夜）

聖霊の交わりが、あなたがたすべてとともにあります
ように。(Ⅱコリ 13・13)

　わたしが父にお願いすると、父はもう一人の助け主をお与
えくださり、その助け主がいつまでも、あなたがたとともに
いるようにしてくださいます。この方は真理の御霊です。世
はこの方を見ることも知ることもないので、受け入れること
ができません。あなたがたは、この方を知っています。この
方はあなたがたとともにおられ、また、あなたがたのうちに
おられるようになるのです。(ヨハ 14・16.17) 御霊は自分から語る
のではなく、‥‥わたしの栄光を現されます。わたしのもの
を受けて、あなたがたに伝えてくださるのです。(ヨハ 16・13.14)

　私たちに与えられた聖霊によって、神の愛が私たちの心に
注がれている。(ロマ 5・5)

　主と交わる者は、主と一つの霊になるのです。‥‥あなた
がたは知らないのですか。あなたがたのからだは、あなたが
たのうちにおられる、神から受けた聖霊の宮であり、あなた
がたはもはや自分自身のものではありません。(Ⅰコリ 6・17.19)

　神の聖霊を悲しませてはいけません。あなたがたは、贖い
の日のために、聖霊によって証印を押されているのです。(エ
ペ 4・30) 同じように御霊も、弱い私たちを助けてくださいま
す。私たちは、何をどう祈ったらよいか分からないのですが、
御霊ご自身が、ことばにならないうめきをもって、とりなし
てくださるのです。(ロマ 8・26)

9 月 22 日 （朝）

私の心の思いが　みこころにかないますように。私は
主を喜びます。(詩104・34)

　私の愛する方が若者たちの間におられるのは、林の木々の
中のりんごの木のようです。その木陰に私は心地よく座り、
その実は私の口に甘いのです。(雅2・3) いったい　雲の上では
だれが主と並び得るでしょう。力ある者の子らの中で　だれ
が主に似ているでしょう。(詩89・6)

　私の愛する方は、輝いて赤く、万人に抜きん出ています。(雅
5・10) 地の王たちの支配者であるイエス・キリスト。(黙1・5)

　その頭は純金。髪はなつめ椰子の枝で、烏のように黒い。(雅
5・11) すべてのものの上に立つかしら。(エペ1・22) 御子はその
からだである教会のかしらです。(コロ1・18)

　頬は香料の花壇のようで、良い香りを放つ。(雅5・13) 隠れ
ていることはできなかった。(マル7・24)

　唇はゆりの花。没薬の液を滴らせる。(雅5・13) これまで、
あの人のように話した人はいませんでした。(ヨハ7・46)

　その姿はレバノンのよう。その杉の木のようにすばらしい。
(雅5・15) 御顔を　しもべの上に照り輝かせてください。(詩31・
16) 主よ　どうか　あなたの御顔の光を　私たちの上に照らして
ください。(詩4・6)

9 月 22 日 （夜）

わが父よ、できることなら、この杯をわたしから過ぎ
去らせてください。しかし、わたしが望むようにでは
なく、あなたが望まれるままに、なさってください。

（マタ 26・39）

今わたしの心は騒いでいる。何と言おうか。「父よ、この
時からわたしをお救いください」と言おうか。いや、このた
めにこそ、わたしはこの時に至ったのだ。（ヨハ 12・27）

わたしが天から下って来たのは、自分の思いを行うためで
はなく、わたしを遣わされた方のみこころを行うためです。
（ヨハ 6・38）キリストは、肉体をもって生きている間、自分を
死から救い出すことができる方に向かって、大きな叫び声と
涙をもって祈りと願いをささげ、その敬虔のゆえに聞き入れ
られました。キリストは御子であられるのに、お受けになっ
た様々な苦しみによって従順を学び、‥‥（ヘブ 5・7,8）死にま
で、それも十字架の死にまで従われました。（ピリ 2・8）

わたしが父にお願いして、十二軍団よりも多くの御使いを、
今すぐわたしの配下に置いていただくことが、できないと思
うのですか。（マタ 26・53）次のように書いてあります。「キリス
トは苦しみを受け、三日目に死人の中からよみがえり、その
名によって、罪の赦しを得させる悔い改めが、あらゆる国の
人々に宣べ伝えられる。」（ルカ 24・46,47）

9 月 23 日 （朝）

神は‥‥私たちを見捨てることなく、‥‥(エズ 9・9)

愛する者たち。あなたがたを試みるためにあなたがたの間で燃えさかる試練を、何か思いがけないことが起こったかのように、不審に思ってはいけません。(Ⅰペテ 4・12) 訓練として耐え忍びなさい。神はあなたがたを子として扱っておられるのです。父が訓練しない子がいるでしょうか。もしあなたがたが、すべての子が受けている訓練を受けていないとしたら、私生児であって、本当の子ではありません。(ヘブ 12・7.8)

あなたがたの神、主は、あなたがたが心を尽くし、いのちを尽くして、本当にあなたがたの神、主を愛しているかどうかを知ろうとして、あなたがたを試みておられるからである。(申 13・3)

主は、ご自分の大いなる御名のために、ご自分の民を捨て去りはしない。主は、あなたがたをご自分の民とすることを良しとされたからだ。(Ⅰサム 12・22) 女が自分の乳飲み子を忘れるだろうか。自分の胎の子をあわれまないだろうか。たとえ女たちが忘れても、このわたしは、あなたを忘れない。(イザ 49・15) 幸いなことよ ヤコブの神を助けとし その神 主に望みを置く人。(詩 146・5)

神は、昼も夜も神を叫び求めている、選ばれた者たちのためにさばきを行わないで、いつまでも放っておかれることがあるでしょうか。あなたがたに言いますが、神は彼らのため、速やかにさばきを行ってくださいます。(ルカ 18・7.8)

9 月 23 日 （夜）

勝利を得る者は、これらのものを相続する。(黙 21・7)

　もし私たちが、この地上のいのちにおいてのみ、キリストに望みを抱いているのなら、私たちはすべての人の中で一番哀れな者です。(Ⅰコリ 15・19) 彼らが憧れていたのは、もっと良い故郷、すなわち天の故郷でした。ですから神は、彼らの神と呼ばれることを恥となさいませんでした。神が彼らのために都を用意されたのです。(ヘブ 11・16) 朽ちることも、汚れることも、消えて行くこともない資産を受け継ぐようにしてくださいました。これらは、あなたがたのために天に蓄えられています。(Ⅰペテ 1・4)

　すべては、あなたがたのものです。‥‥世界であれ、いのちであれ、死であれ、また現在のものであれ、未来のものであれ、すべてはあなたがたのものです。(Ⅰコリ 3・21.22)「目が見たことのないもの、耳が聞いたことのないもの、人の心に思い浮かんだことがないものを、神は、神を愛する者たちに備えてくださった」と書いてあるとおりでした。それを、神は私たちに御霊によって啓示してくださいました。(Ⅰコリ 2・9. 10)

　気をつけて、私たちが労して得たものを失わないように、むしろ豊かな報いを受けられるようにしなさい。(Ⅱヨハ 8) 一切の重荷とまとわりつく罪を捨てて、自分の前に置かれている競走を、忍耐をもって走り続けようではありませんか。(ヘブ 12・1)

9 月 24 日 （朝）

私にとって 神のみそばにいることが 幸せです。

（詩 73・28）

主よ 私は愛します。あなたの住まいのある所 あなたの栄光のとどまる所を。（詩26・8）まことに あなたの大庭にいる一日は 千日にまさります。私は悪の天幕に住むよりは 私の神の家の門口に立ちたいのです。（詩84・10）幸いなことよ あなたが選び 近寄せられた人 あなたの大庭に住む人は。私たちは あなたの家の良いもの あなたの宮の聖なるもので満ち足ります。（詩65・4）

主はいつくしみ深い。主に望みを置く者、主を求めるたましいに。（哀3・25）主は、あなたがたに恵みを与えようとして待ち、それゆえ、あわれみを与えようと立ち上がられる。主は義の神であるからだ。幸いなことよ、主を待ち望むすべての者は。（イザ30・18）

兄弟たち。私たちはイエスの血によって大胆に聖所に入ることができます。イエスは‥‥私たちのために、この新しい生ける道を開いてくださいました。‥‥心に血が振りかけられて、邪悪な良心をきよめられ、‥‥全き信仰をもって真心から神に近づこうではありませんか。（ヘブ10・19.20.22）

9 月 24 日 （夜）

**あなたがたは、私たちの主イエス・キリストの恵みを
知っています。**(Ⅱコリ8・9)

ことばは人となって、私たちの間に住まわれた。私たちは
この方の栄光を見た。父のみもとから来られたひとり子とし
ての栄光である。この方は恵みとまことに満ちておられた。
(ヨハ1・14) あなたは人の子らにまさって麗しい。あなたの唇
からは優しさが流れ出る。(詩45・2) 人々はみなイエスをほめ、
その口から出て来る恵みのことばに驚いた。(ルカ4・22)

あなたがたは、主がいつくしみ深い方であることを、確か
に味わいました。(Ⅰペテ2・3) 神の御子を信じる者は、その証
しを自分のうちに持っています。(Ⅰヨハ5・10) わたしたちは
知っていることを話し、見たことを証ししている。(ヨハ3・11)

味わい 見つめよ。主がいつくしみ深い方であることを。
幸いなことよ 主に身を避ける人は。(詩34・8) その木陰に私は
心地よく座り、その実は私の口に甘いのです。(雅2・3)

主は、「わたしの恵みはあなたに十分である。わたしの力
は弱さのうちに完全に現れるからである」と言われました。
(Ⅱコリ12・9) 私たちは一人ひとり、キリストの賜物の量りに
したがって恵みを与えられました。(エペ4・7) それぞれが賜物
を受けているのですから、神の様々な恵みの良い管理者とし
て、その賜物を用いて互いに仕え合いなさい。(Ⅰペテ4・10)

9 月 25 日 （朝）

その忍耐を完全に働かせなさい。そうすれば、あな
たがたは何一つ欠けたところのない、成熟した、完
全な者となります。(ヤコ1・4)

あなたがたは大いに喜んでいます。今しばらくの間、様々
な試練の中で悲しまなければならないのですが、試練で試さ
れたあなたがたの信仰は、火で精錬されてもなお朽ちていく
金よりも高価であり、イエス・キリストが現れるとき、称賛
と栄光と誉れをもたらします。(Ⅰペテ1・6.7) 苦難さえも喜ん
でいます。それは、苦難が忍耐を生み出し、忍耐が練られた
品性を生み出し、練られた品性が希望を生み出すと、私たち
は知っているからです。(ロマ5・3.4)

主の救いを 静まって待ち望むのは良い。(哀3・26) 自分たち
にはもっとすぐれた、いつまでも残る財産がある‥‥。です
から、あなたがたの確信を投げ捨ててはいけません。その確
信には大きな報いがあります。あなたがたが神のみこころを
行って、約束のものを手に入れるために必要なのは、忍耐で
す。(ヘブ10・34-36) どうか、私たちの主イエス・キリストと、
私たちの父なる神、すなわち、私たちを愛し、永遠の慰めと
すばらしい望みを恵みによって与えてくださった方ご自身
が、あなたがたの心を慰め、強めて、あらゆる良いわざとこ
とばに進ませてくださいますように。(Ⅱテサ2・16.17)

9 月 25 日 （夜）

神がキリスト・イエスによって、人々の隠された事柄
をさばかれるその日。(ロマ2・16)

主が来られるまでは、何についても先走ってさばいてはい
けません。主は、闇に隠れたことも明るみに出し、心の中の
はかりごとも明らかにされます。そのときに、神からそれぞ
れの人に称賛が与えられるのです。(Ⅰコリ4・5) 父はだれをも
さばかず、すべてのさばきを子に委ねられました。‥‥父は、
さばきを行う権威を子に与えてくださいました。子は人の子
だからです。(ヨハ5・22.27) 燃える炎のような目を持つ‥‥神
の子。(黙2・18)

彼らは言う。「どうして神が知るだろうか。いと高き方に
知識があるだろうか。」(詩73・11) こういうことをおまえはし
てきたが わたしは黙っていた。わたしがおまえと等しい者
だと おまえは思っていたのだ。わたしはおまえを責める。
おまえの目の前でこれらのことを並べ立てる。(詩50・21) おお
われているもので現されないものはなく、隠されているもの
で知られずにすむものはありません。(ルカ12・2)

主よ 私の願いはすべてあなたの御前にあり 私の嘆きは
あなたに隠れてはいません。(詩38・9) 主よ 私を調べ 試みて
ください。私の心の深みまで精錬してください。(詩26・2)

9 月 26 日 （朝）

主は真実な神で偽りがなく、正しい方、直ぐな方である。(申32・4)

正しくさばかれる方。(Ⅰペテ2・23) 私たちはみな、善であれ悪であれ、それぞれ肉体においてした行いに応じて報いを受けるために、キリストのさばきの座の前に現れなければならないのです。(Ⅱコリ5・10) 私たちはそれぞれ自分について、神に申し開きをすることになります。(ロマ14・12) 罪を犯したたましいが死ぬ。(エゼ18・4)

剣よ、目覚めよ。わたしの羊飼いに向かい、わたしの仲間に向かえ——万軍の主のことば——。羊飼いを打て。(ゼカ13・7) 主は私たちすべての者の咎を彼に負わせた。(イザ53・6) 恵みとまことは ともに会い 義と平和は口づけします。(詩85・10) あわれみがさばきに対して勝ち誇るのです。(ヤコ2・13) 罪の報酬は死です。しかし神の賜物は、私たちの主キリスト・イエスにある永遠のいのちです。(ロマ6・23)

わたしのほかに神はいない。正しい神、救い主、わたしをおいて、ほかにはいない。(イザ45・21) 義であり、イエスを信じる者を義と認める方。(ロマ3・26) 神の恵みにより、キリスト・イエスによる贖いを通して、価なしに義と認められるからです。(ロマ3・24)

9 月 26 日 （夜）

死は勝利に呑み込まれた。(Ⅰコリ15・54)

神に感謝します。神は、私たちの主イエス・キリストによって、私たちに勝利を与えてくださいました。(Ⅰコリ15・57)

子たちがみな血と肉を持っているので、イエスもまた同じように、それらのものをお持ちになりました。それは、死の力を持つ者、すなわち、悪魔をご自分の死によって滅ぼし、死の恐怖によって一生涯奴隷としてつながれていた人々を解放するためでした。(ヘブ2・14.15)

私たちがキリストとともに死んだのなら、キリストとともに生きることにもなる、と私たちは信じています。私たちは知っています。キリストは死者の中からよみがえって、もはや死ぬことはありません。死はもはやキリストを支配しないのです。なぜなら、キリストが死なれたのは、ただ一度罪に対して死なれたのであり、キリストが生きておられるのは、神に対して生きておられるのだからです。(ロマ6・8-10)

同じように、あなたがたもキリスト・イエスにあって、自分は罪に対して死んだ者であり、神に対して生きている者だと、認めなさい。(ロマ6・11)

これらすべてにおいても、私たちを愛してくださった方によって、私たちは圧倒的な勝利者です。(ロマ8・37)

9 月 27 日 （朝）

あなたがたは神の力強い御手の下にへりくだりなさい。神は、ちょうど良い時に、あなたがたを高く上げてくださいます。(Ⅰペテ5・6)

心の高ぶりはすべて主に忌み嫌われる。断じて罰を免れない。(箴16・5)

今、主よ、あなたは私たちの父です。私たちは粘土で、あなたは私たちの陶器師です。私たちはみな、あなたの御手のわざです。主よ、どうか激しく怒らないでください。いつまでも、咎を覚えていないでください。どうか今、私たちがみな、あなたの民であることに目を留めてください。(イザ64・8.9) あなたが私を懲らしめて、私は、くびきに慣れない子牛のように懲らしめを受けました。私を帰らせてください。そうすれば、帰ります。主よ、あなたは私の神だからです。私は立ち去った後で悔い、悟った後で、ももを打ちました。恥を見て、辱めさえ受けました。若いころの恥辱を私は負っているのです。(エレ31・18.19) 人が、若いときに、くびきを負うのは良い。(哀3・27)

まことに、不幸はちりから出て来ることはなく、労苦は土から生え出ることはない。まことに、人は労苦のために生まれる。火花が上に向かって飛ぶように。(ヨブ5・6.7)

9 月 27 日 （夜）

神は本当に言われたのですか。（創3・1）

　試みる者が近づいて来て言った。「あなたが神の子なら、…。」イエスは答えられた。「『…と書いてある。…とも書いてある。…と書いてある。』」すると悪魔はイエスを離れた。（マタ4・3.4.7.10.11）

　「私は、あなたと一緒に引き返して、あなたと一緒に行くことはできません。…『そこではパンを食べてはならない。水も飲んではならない。もと来た道を通って帰ってはならない』と言われているからです。」彼はその人に言った。「私もあなたと同じく預言者です。御使いが主のことばを受けて、私に『その人をあなたの家に連れ帰り、パンを食べさせ、水を飲ませよ』と告げました。」こうして彼はその人をだました。そこで、その人は彼と一緒に帰り、彼の家でパンを食べ、水を飲んだ。…「それは、主のことばに背いた神の人だ。主が彼に告げたことばどおりに、主が彼を獅子に渡され、獅子が彼を裂いて殺したのだ。」（Ⅰ列13・16-19.26）私たちであれ天の御使いであれ、もし私たちがあなたがたに宣べ伝えた福音に反することを、福音として宣べ伝えるなら、そのような者はのろわれるべきです。（ガラ1・8）私はあなたのみことばを心に蓄えます。あなたの前に罪ある者とならないために。（詩119・11）

9 月 28 日 （朝）

**わたしの名をイスラエルの子らの上に置くなら、わた
しが彼らを祝福する。**(民 6・27)

　私たちは、とこしえから、あなたに支配されたこともなく、
御名で呼ばれたこともない者のようです。(イザ 63・19) 私たち
の神、主よ。あなた以外の多くの君主が私たちを治めました。
私たちはただあなただけを、あなたの御名を呼び求めます。
(イザ 26・13)

　地上のあらゆる民はあなたに主の名がつけられているのを
見て、あなたを恐れるであろう。(申 28・10) 主は、ご自分の大
いなる御名のために、ご自分の民を捨て去りはしない。主は、
あなたがたをご自分の民とすることを良しとされたからだ。
(Ⅰサム 12・22)

　主よ、聞いてください。主よ、お赦しください。主よ、心
に留めて事を行ってください。私の神よ、あなたご自身のた
めに、遅らせないでください。あなたの都と民には、あなた
の名がつけられているのですから。(ダニ 9・19) 私たちの救いの
神よ 私たちを助けてください。御名の栄光のために。私た
ちを救い出し 私たちの罪をお赦しください。御名のゆえに。
なぜ 国々は「彼らの神はどこにいるのか」と言うのでしょ
う。(詩 79・9, 10)

　主の名は堅固なやぐら。正しい人はその中に駆け込み、保
護される。(箴 18・10)

9 月 28 日 （夜）

天は神の栄光を語り告げ 大空は御手のわざを告げ
知らせる。(詩19・1)

神の、目に見えない性質、すなわち神の永遠の力と神性は、
世界が創造されたときから被造物を通して知られ、はっきり
と認められる。(ロマ1・20) (神は)ご自分を証ししないでおられ
たのではありません。(使14・17) 昼は昼へ話を伝え 夜は夜へ
知識を示す。話しもせず 語りもせず その声も聞こえない。
(詩19・2.3)

あなたの指のわざである あなたの天 あなたが整えられた
月や星を見るに 人とは何ものなのでしょう。あなたが心に
留められるとは。人の子とはいったい何ものなのでしょう。
あなたが顧みてくださるとは。(詩8・3.4)

太陽の輝き、月の輝き、星の輝き、それぞれ違います。星
と星の間でも輝きが違います。死者の復活もこれと同じです。
(Ⅰコリ15・41.42) 賢明な者たちは大空の輝きのように輝き、多
くの者を義に導いた者は、世々限りなく、星のようになる。(ダ
ニ12・3)

9 月 29 日 （朝）

キリストは私たちのために、ご自分のいのちを捨てて
くださいました。それによって私たちに愛が分かった
のです。(Ⅰヨハ3・16)

人知をはるかに超えたキリストの愛。(エペ3・19) 人が自分の
友のためにいのちを捨てること、これよりも大きな愛はだれ
も持っていません。(ヨハ15・13) あなたがたは、私たちの主イ
エス・キリストの恵みを知っています。すなわち、主は富ん
でおられたのに、あなたがたのために貧しくなられました。
それは、あなたがたが、キリストの貧しさによって富む者と
なるためです。(Ⅱコリ8・9) 互いに親切にし、優しい心で赦し
合いなさい。神も、キリストにおいてあなたがたを赦してく
ださったのです。(エペ4・32) 互いに忍耐し合い、だれかがほか
の人に不満を抱いたとしても、互いに赦し合いなさい。主が
あなたがたを赦してくださったように、あなたがたもそうし
なさい。(コロ3・13) 人の子も、仕えられるためではなく仕える
ために、また多くの人のための贖いの代価として、自分のい
のちを与えるために来たのです。(マル10・45) キリストも、あ
なたがたのために苦しみを受け、その足跡に従うようにと、
あなたがたに模範を残された。(Ⅰペテ2・21)

あなたがたもまた、互いに足を洗い合わなければなりませ
ん。わたしがあなたがたにしたとおりに、あなたがたもする
ようにと、あなたがたに模範を示したのです。(ヨハ13・14.15) 私
たちも兄弟のために、いのちを捨てるべきです。(Ⅰヨハ3・16)

9 月 29 日 （夜）

すべて父がなさることを、子も同様に行うのです。

（ヨハ5・19）

主が知恵を与え、御口から知識と英知が出るからだ。（箴2・6）あなたがたに反対するどんな人も、対抗したり反論したりできないことばと知恵を、わたしが与えるからです。（ルカ21・15）

待ち望め 主を。雄々しくあれ。心を強くせよ。待ち望め 主を。（詩27・14）わたしの恵みはあなたに十分である。わたしの力は弱さのうちに完全に現れるからである。（Ⅱコリ12・9）

聖とする方も、聖とされる者たちも、みな一人の方から出ています。それゆえ、イエスは彼らを兄弟と呼ぶことを恥とされません。（ヘブ2・11）

天にも地にも、わたしは満ちているではないか。——主のことば。（エレ23・24）すべてのものをすべてのもので満たす方が満ちておられる。（エペ1・23）

わたし、このわたしが主であり、ほかに救い主はいない。（イザ43・11）この方が本当に世の救い主だと分かったのです。（ヨハ4・42）

父なる神と、私たちの救い主キリスト・イエスから、恵みと平安がありますように。（テト1・4）

9 月 30 日 （朝）

神は、私の行く道を知っておられる。私は試されると、
金のようになって出て来る。(ヨブ 23・10)

主は 私たちの成り立ちを知っておられる。(詩 103・14) 主が人の子らを、意味もなく、苦しめ悩ませることはない。(哀 3・33)

神の堅固な土台は据えられていて、そこに次のような銘が刻まれています。「主はご自分に属する者を知っておられる。」また、「主の御名を呼ぶ者はみな、不義を離れよ。」大きな家には、金や銀の器だけでなく、木や土の器もあります。ある物は尊いことに、ある物は卑しいことに用いられます。ですから、だれでもこれらのことから離れて自分自身をきよめるなら、その人は尊いことに用いられる器となります。すなわち、聖なるものとされ、主人にとって役に立つもの、あらゆる良い働きに備えられたものとなるのです。(Ⅱテモ 2・19-21)

この方は、銀を精錬する者、きよめる者として座に着き、レビの子らをきよめて、金や銀にするように、彼らを純粋にする。彼らは主にとって、義によるささげ物を献げる者となる。(マラ 3・3) わたしは‥‥銀を錬るように彼らを錬る。‥‥彼らはわたしの名を呼び、わたしは彼らに答える。わたしは「これはわたしの民」と言い、彼らは「主は私の神」と言う。(ゼカ 13・9)

9 月 30 日 （夜）

主よ あなたの道を私に知らせ あなたの進む道を私
に教えてください。(詩25・4)

モーセは主に言った。‥‥「今、もしも私がみこころにか
なっているのでしたら、どうかあなたの道を教えてください。
そうすれば、私があなたを知ることができ、みこころにかな
うようになれます。‥‥」主は言われた。「わたしの臨在が
ともに行き、あなたを休ませる。」(出33・12-14) 主は ご自分の
道をモーセに そのみわざをイスラエルの子らに知らされた
方。(詩103・7)

主は貧しい者を正義に歩ませ 貧しい者にご自分の道をお
教えになります。‥‥主を恐れる人は だれか。主はその人
に選ぶべき道をお教えになる。(詩25・9.12)

心を尽くして主に拠り頼め。自分の悟りに頼るな。あなた
の行く道すべてにおいて、主を知れ。主があなたの進む道を
まっすぐにされる。(箴3・5.6)

あなたは私に いのちの道を知らせてくださいます。満ち
足りた喜びが あなたの御前にあり 楽しみが あなたの右に
とこしえにあります。(詩16・11) 私は あなたが行く道で あな
たを教え あなたを諭そう。あなたに目を留め 助言を与えよ
う。(詩32・8) 正しい人の進む道は、あけぼのの光のようだ。
いよいよ輝きを増して真昼となる。(箴4・18)

10 月 1 日 （朝）

御霊の実は‥‥自制です。(ガラ 5・22.23)

競技をする人は、あらゆることについて節制します。彼ら
は朽ちる冠を受けるためにそうするのですが、私たちは朽ち
ない冠を受けるためにそうするのです。ですから、私は目標
がはっきりしないような走り方はしません。空を打つような
拳闘もしません。むしろ、私は自分のからだを打ちたたいて
服従させます。ほかの人に宣べ伝えておきながら、自分自身
が失格者にならないようにするためです。(Ⅰコリ 9・25-27)

ぶどう酒に酔ってはいけません。そこには放蕩があるから
です。むしろ、御霊に満たされなさい。(エペ 5・18)

だれでもわたしについて来たいと思うなら、自分を捨て、
自分の十字架を負って、わたしに従って来なさい。(マタ 16・24)

ほかの者たちのように眠っていないで、目を覚まし、身を
慎んでいましょう。眠る者は夜眠り、酔う者は夜酔うのです。
しかし、私たちは昼の者なので、‥‥身を慎んでいましょう。
(Ⅰテサ 5・6-8) 不敬虔とこの世の欲を捨て、今の世にあって、
慎み深く、正しく、敬虔に生活し、祝福に満ちた望み、すな
わち、大いなる神であり私たちの救い主であるイエス・キリ
ストの、栄光ある現れを待ち望む。(テト 2・12.13)

10 月 1 日 （夜）

**あらゆる点において、かしらであるキリストに向かって
成長するのです。**(エペ4・15)

初めに苗、次に穂、次に多くの実が穂にできます。(マル4・28) 私たちはみな、神の御子に対する信仰と知識において一つとなり、一人の成熟した大人となって、キリストの満ち満ちた身丈にまで達するのです。(エペ4・13)

彼らは自分たちの間で自分自身を量ったり、互いを比較し合ったりしていますが、愚かなことです。‥‥「誇る者は主を誇れ。」自分自身を推薦する人ではなく、主に推薦される人こそ本物です。(Ⅱコリ10・12.17.18)

本体はキリストにあります。自己卑下や御使い礼拝を喜んでいる者が、あなたがたを断罪することがあってはなりません。彼らは自分が見た幻に拠り頼み、肉の思いによっていたずらに思い上がって、かしらにしっかり結びつくことをしません。このかしらがもとになって、からだ全体は節々と筋によって支えられ、つなぎ合わされ、神に育てられて成長していくのです。(コロ2・17-19)

私たちの主であり、救い主であるイエス・キリストの恵みと知識において成長しなさい。(Ⅱペテ3・18)

10 月 2 日 （朝）

雄やぎは彼らのすべての咎を負って、不毛の地へ行く。その人は雄やぎを荒野に追いやる。(レビ16・22)

東が西から遠く離れているように 主は 私たちの背きの罪を私たちから遠く離される。(詩103・12) その日、その時——主のことば——イスラエルの咎を探しても、それはない。ユダの罪も見つからない。わたしが残す者を、わたしが赦すからだ。(エレ50・20) 私たちの咎を踏みつけて、すべての罪を海の深みに投げ込んでください。(ミカ7・19) あなたのような神が、ほかにあるでしょうか。あなたは咎を除き、‥‥背きを見過ごしてくださる神。(ミカ7・18)

私たちはみな、羊のようにさまよい、それぞれ自分勝手な道に向かって行った。しかし、主は私たちすべての者の咎を彼に負わせた。(イザ53・6) わたしの正しいしもべは‥‥彼らの咎を負う。それゆえ、わたしは多くの人を彼に分け与え、彼は強者たちを戦勝品として分かち取る。彼が自分のいのちを死に明け渡し、背いた者たちとともに数えられたからである。彼は多くの人の罪を負い、背いた者たちのために、とりなしをする。(イザ53・11.12) 世の罪を取り除く神の子羊。(ヨハ1・29)

10 月 2 日 （夜）

いったいだれが、あなたをほかの人よりもすぐれてい
ると認めるのですか。あなたには、何か、人からもら
わなかったものがあるのですか。(Ⅰコリ4・7)

神の恵みによって、私は今の私になりました。(Ⅰコリ15・
10) 父が私たちを、‥‥みこころのままに真理のことばをもっ
て生んでくださいました。(ヤコ1・18) これは人の願いや努力に
よるのではなく、あわれんでくださる神によるのです。(ロマ9・
16) 私たちの誇りはどこにあるのでしょうか。それは取り除
かれました。(ロマ3・27) キリストは、私たちにとって神からの
知恵、すなわち、義と聖と贖いになられました。「誇る者は
主を誇れ」と書いてあるとおりになるためです。(Ⅰコリ1・30.
31)

あなたがたは自分の背きと罪の中に死んでいた者であり、
かつては、それらの罪の中にあってこの世の流れに従い、空
中の権威を持つ支配者、すなわち、不従順の子らの中に今も
働いている霊に従って歩んでいました。私たちもみな、不従
順の子らの中にあって、かつては自分の肉の欲のままに生き、
肉と心の望むことを行い、ほかの人たちと同じように、生ま
れながら御怒りを受けるべき子らでした。(エペ2・1-3) 主イエ
ス・キリストの御名と私たちの神の御霊によって、あなたが
たは洗われ、聖なる者とされ、義と認められたのです。(Ⅰコ
リ6・11)

10 月 3 日 （朝）

**私たちを愛し、その血によって私たちを罪から解き放っ
てくださった方。**(黙1・5)

大水もその愛を消すことができません。奔流もそれを押し
流すことができません(雅8・7) 愛は死のように強い。(雅8・6)
人が自分の友のためにいのちを捨てること、これよりも大き
な愛はだれも持っていません。(ヨハ15・13)

キリストは自ら十字架の上で、私たちの罪をその身に負わ
れた。それは、私たちが罪を離れ、義のために生きるため。
その打ち傷のゆえに、あなたがたは癒やされた。(Ⅰペテ2・24)
このキリストにあって、私たちはその血による贖い、背きの
罪の赦しを受けています。これは神の豊かな恵みによること
です。(エペ1・7)

主イエス・キリストの御名と私たちの神の御霊によって、
あなたがたは洗われ、聖なる者とされ、義と認められたので
す。(Ⅰコリ6・11) あなたがたは選ばれた種族、王である祭司、
聖なる国民、神のものとされた民です。それは、あなたがた
を闇の中から、ご自分の驚くべき光の中に召してくださった
方の栄誉を、あなたがたが告げ知らせるためです。(Ⅰペテ2・9)
兄弟たち、私は神のあわれみによって、あなたがたに勧めま
す。あなたがたのからだを、神に喜ばれる、聖なる生きたさ
さげ物として献げなさい。それこそ、あなたがたにふさわし
い礼拝です。(ロマ12・1)

10 月 3 日 （夜）

奉仕はいろいろありますが、仕える相手は同じ主です。

（Ⅰコリ 12・5）

　王の宝物倉をつかさどったのは、アディエルの子アズマウェテ。‥‥宝物倉を管理したのは、‥‥ヨナタン。土地を耕して畑仕事をする者たちを管理したのは、‥‥エズリ。ぶどう畑を管理したのは、‥‥シムイ。‥‥これらはみな、ダビデ王の所有する財産の長官であった。（Ⅰ歴 27・25-27.31）

　神は教会の中に、第一に使徒たち、第二に預言者たち、第三に教師たち、そして力あるわざ、そして癒やしの賜物、援助、管理、種々の異言を備えてくださいました。（Ⅰコリ 12・28）同じ一つの御霊がこれらすべてのことをなさるのであり、御霊は、みこころのままに、一人ひとりそれぞれに賜物を分け与えてくださるのです。（Ⅰコリ 12・11）

　それぞれが賜物を受けているのですから、神の様々な恵みの良い管理者として、その賜物を用いて互いに仕え合いなさい。語るのであれば、神のことばにふさわしく語り、奉仕するのであれば、神が備えてくださる力によって、ふさわしく奉仕しなさい。すべてにおいて、イエス・キリストを通して神があがめられるためです。この方に栄光と力が世々限りなくありますように。（Ⅰペテ 4・10.11）

**モーセは、主と話したために自分の顔の肌が輝きを
放っているのを知らなかった。**(出 34・29)

　私たちにではなく　主よ　私たちにではなく　ただあなたの
御名に　栄光を帰してください。(詩 115・1) 主よ。いつ私たち
はあなたが空腹なのを見て食べさせ、渇いているのを見て飲
ませて差し上げたでしょうか。(マタ 25・37) へりくだって、互
いに人を自分よりすぐれた者と思いなさい。(ピリ 2・3) 謙遜を
身に着けなさい。(Ⅰペテ 5・5)

　(イエスは)弟子たちの目の前でその御姿が変わった。顔は太
陽のように輝き、衣は光のように白くなった。(マタ 17・2) 最高
法院で席に着いていた人々が、みなステパノに目を注ぐと、
彼の顔は御使いの顔のように見えた。(使 6・15) わたしは、あ
なたが下さった栄光を彼らに与えました。(ヨハ 17・22) 私たち
はみな、覆いを取り除かれた顔に、鏡のように主の栄光を映
しつつ、栄光から栄光へと、主と同じかたちに姿を変えられ
ていきます。これはまさに、御霊なる主の働きによるのです。
(Ⅱコリ 3・18)

　あなたがたは世の光です。山の上にある町は隠れることが
できません。また、明かりをともして升の下に置いたりはし
ません。燭台の上に置きます。そうすれば、家にいるすべて
の人を照らします。(マタ 5・14.15)

10 月 4 日 （夜）

働きはいろいろありますが、同じ神がすべての人の中
で、すべての働きをなさいます。（Ⅰコリ 12・6）

マナセからも何人かの者がダビデのもとに下って来た。
・・・・彼らはダビデを助けて、あの略奪隊に対抗した。みな勇
士であり、軍における長であった。（Ⅰ歴 12・19.21）皆の益とな
るために、一人ひとりに御霊の現れが与えられているのです。
（Ⅰコリ 12・7）

イッサカル族からは、時を悟り、イスラエルが何をなすべ
きかを知っていた、かしら二百人。（Ⅰ歴 12・32）ある人には御
霊を通して知恵のことばが、ある人には同じ御霊によって知
識のことばが与えられています。（Ⅰコリ 12・8）

ゼブルンからは、完全に武装して戦いの備えをして従軍し
ていた者五万人。彼らは心を一つにして集まった。（Ⅰ歴 12・
33）二心を抱く者・・・・歩む道すべてにおいて心が定まってい
ない・・・・。（ヤコ 1・8）

からだの中に分裂がなく、各部分が互いのために、同じよ
うに配慮し合うためです。一つの部分が苦しめば、すべての
部分がともに苦しみ、一つの部分が尊ばれれば、すべての部
分がともに喜ぶのです。（Ⅰコリ 12・25.26）

主はひとり、信仰は一つ、バプテスマは一つです。（エペ 4・5）

10 月 5 日 （朝）

**苦難の日に わたしを呼び求めよ。わたしはあなたを
助け出し あなたはわたしをあがめる。**(詩 50・15)

わがたましいよ なぜ おまえはうなだれているのか。なぜ
私のうちで思い乱れているのか。神を待ち望め。私はなおも
神をほめたたえる。私の救い 私の神を。(詩 42・11) 主よ あな
たは貧しい者たちの願いを聞いてくださいます。あなたは彼
らの心を強くし 耳を傾けてくださいます。(詩 10・17) 主よ ま
ことにあなたは いつくしみ深く 赦しに富み あなたを呼び
求める者すべてに 恵み豊かであられます。(詩 86・5)

ヤコブは自分の家族‥‥に言った。「私たちは立って、ベ
テルに上って行こう。私はそこに、苦難の日に私に答え、私
が歩んだ道でともにいてくださった神に、祭壇を築こう。」(創
35・2.3) わがたましいよ 主をほめたたえよ。主が良くしてく
ださったことを何一つ忘れるな。(詩 103・2)

私は主を愛している。主は私の声 私の願いを聞いてくだ
さる。主が私に耳を傾けてくださるので 私は生きているか
ぎり主を呼び求める。死の綱が私を取り巻き よみの恐怖が
私を襲い 私は苦しみと悲しみの中にあった。そのとき 私は
主の御名を呼び求めた。(詩 116・1-4)

10 月 5 日 （夜）

**もうしばらくすれば、来たるべき方が来られる。遅れ
ることはない。**（ヘブ10・37）

幻を板の上に書き記して、確認せよ。これを読む者が急使
として走るために。この幻は、定めの時について証言し、終
わりについて告げ、偽ってはいない。もし遅くなっても、そ
れを待て。必ず来る。遅れることはない。（ハバ2・2.3）

愛する人たち、あなたがたはこの一つのことを見落として
はいけません。主の御前では、一日は千年のようであり、千
年は一日のようです。主は、ある人たちが遅れていると思っ
ているように、約束したことを遅らせているのではなく、あ
なたがたに対して忍耐しておられるのです。だれも滅びるこ
とがなく、すべての人が悔い改めに進むことを望んでおられ
るのです。（Ⅱペテ3・8.9）主よ あなたはあわれみ深く 情け深
い神。怒るのに遅く 恵みとまことに富んでおられます。（詩
86・15）とこしえから聞いたこともなく、耳にしたこともなく、
目で見たこともありません。あなた以外の神が 自分を待ち
望む者のために、このようにするのを。（イザ64・4）

10 月 6 日 （朝）

私たちの神である主、全能者が王となられた。(黙 19・6)

あなたには、すべてのことができることを、私は知りました。(ヨブ 42・2) 人にはできないことが、神にはできるのです。(ルカ 18・27) この方は、天の軍勢にも、地に住むものにも、みこころのままに報いる。御手を差し押さえて、「あなたは何をされるのか」と言う者もいない。(ダニ 4・35) わたしの手から救い出せる者はない。わたしが事を行えば、だれがそれを戻せるだろうか。(イザ 43・13) アバ、父よ、あなたは何でもおできになります。(マルコ 14・36)

イエスが、「わたしにそれができると信じるのか」と言われると、彼らは「はい、主よ」と言った。そこでイエスは彼らの目にさわって、「あなたがたの信仰のとおりになれ」と言われた。(マタ 9・28. 29)「主よ、お心一つで私をきよくすることがおできになります」と言った。イエスは手を伸ばして彼にさわり、「わたしの心だ。きよくなれ」と言われた。(マタ 8・2. 3) 力ある神。(イザ 9・6) わたしには天においても地においても、すべての権威が与えられています。(マタ 28・18)

ある者は戦車を ある者は馬を求める。しかし私たちは 私たちの神 主の御名を呼び求める。(詩 20・7) 強くあれ。雄々しくあれ。‥‥恐れてはならない。おののいてはならない。彼とともにいる者よりも大いなる方が、私たちとともにいてくださるからである。(Ⅱ歴 32・7)

10 月 6 日 （夜）

主がおまえに語られたことばは、何だったのか。

（Ⅰサム3・17）

　主はあなたに告げられた。人よ、何が良いことなのか、主があなたに何を求めておられるのかを。それは、ただ公正を行い、誠実を愛し、へりくだって、あなたの神とともに歩むことではないか。（ミカ6・8）あなたの幸せのために私が今日あなたに命じる、主の命令と掟を守ることである。（申10・13）

　律法の行いによる人々はみな、のろいのもとにあります。「律法の書に書いてあるすべてのことを守り行わない者はみな、のろわれる」と書いてあるからです。律法によって神の前に義と認められる者が、だれもいないということは明らかです。「義人は信仰によって生きる」からです。‥‥それでは、律法とは何でしょうか。それは、約束を受けたこの子孫が来られるときまで、違反を示すためにつけ加えられたものです。

（ガラ3・10.11.19）

　神は昔、預言者たちによって、多くの部分に分け、多くの方法で先祖たちに語られましたが、この終わりの時には、御子にあって私たちに語られました。（ヘブ1・1.2）

　主よ、お話しください。しもべは聞いております。（Ⅰサム3・9）

10 月 7 日 （朝）

主は‥‥貧しい者にご自分の道をお教えになります。

(詩 25・9)

心の貧しい者は幸いです。(マタ 5・3)

私は再び、日の下を見た。競争は足の速い人のものではなく、戦いは勇士のものではない。パンは知恵のある人のものではなく、富は悟りのある人のものではなく、愛顧は知識のある人のものではない。(伝 9・11) 人は心に自分の道を思い巡らす。しかし、主が人の歩みを確かにされる。(箴 16・9)

あなたに向かって　私は目を上げます。天の御座に着いておられる方よ。まことに　しもべたちの目が主人の手に向けられ　仕える女の目が女主人の手に向けられるように　私たちの目は私たちの神　主に向けられています。主が私たちをあわれんでくださるまで。(詩 123・1.2) 行くべき道を知らせてください。私のたましいはあなたを仰いでいますから。(詩 143・8)

私たちの神よ。彼らをさばいてくださらないのですか。攻めて来るこの大軍に当たる力は、私たちにはありません。私たちとしては、どうすればよいのか分かりません。ただ、あなたに目を注ぐのみです。(II 歴 20・12)

あなたがたのうちに、知恵に欠けている人がいるなら、その人は、だれにでも惜しみなく、とがめることなく与えてくださる神に求めなさい。そうすれば与えられます。(ヤコ 1・5) 真理の御霊が来ると、あなたがたをすべての真理に導いてくださいます。(ヨハ 16・13)

10 月 7 日 （夜）

**今、どうか、あなたのしもべの家を祝福して、御前に
とこしえに続くようにしてください。神である主よ、あ
なたがお語りになったからです。**（Ⅱサム 7・29）

主よ。あなたが祝福してくださいました。あなたのしもべ
の家はとこしえに祝福されています。（Ⅰ歴 17・27）人を富ませ
るのは主の祝福。人の苦労は何も増し加えない。（箴 10・22）

主イエスご自身が「受けるよりも与えるほうが幸いであ
る」と言われたみことばを、覚えているべきだということ。（使
20・35）食事のふるまいをするときには、貧しい人たち、から
だの不自由な人たち、足の不自由な人たち、目の見えない人
たちを招きなさい。その人たちはお返しができないので、あ
なたは幸いです。あなたは、義人の復活のときに、お返しを
受けるのです。（ルカ 14・13.14）さあ、わたしの父に祝福された
人たち。世界の基が据えられたときから、あなたがたのため
に備えられていた御国を受け継ぎなさい。あなたがたはわた
しが空腹であったときに食べ物を与え、渇いていたときに飲
ませ、旅人であったときに宿を貸し、わたしが裸のときに服
を着せ、病気をしたときに見舞い、牢にいたときに訪ねてく
れたからです。（マタ 25・34-36）

幸いなことよ　弱っている者に心を配る人は。わざわいの
日に　主はその人を助け出される。（詩 41・1）

まことに　神である主は太陽　また盾。（詩 84・11）

10 月 8 日 （朝）

私は恐れない。人が私に何ができるだろうか。

（ヘブ 13・6）

だれが、私たちをキリストの愛から引き離すのですか。苦難ですか、苦悩ですか、迫害ですか、飢えですか、裸ですか、危険ですか、剣ですか。‥‥これらすべてにおいても、私たちを愛してくださった方によって、私たちは圧倒的な勝利者です。（ロマ 8・35.37）

からだを殺しても、その後はもう何もできない者たちを恐れてはいけません。恐れなければならない方を、あなたがたに教えてあげましょう。殺した後で、ゲヘナに投げ込む権威を持っておられる方を恐れなさい。そうです。あなたがたに言います。この方を恐れなさい。（ルカ 12・4.5）

義のために迫害されている者は幸いです。天の御国はその人たちのものだからです。わたしのために人々があなたがたをののしり、迫害し、ありもしないことで悪口を浴びせるとき、あなたがたは幸いです。喜びなさい。大いに喜びなさい。天においてあなたがたの報いは大きいのですから。（マタ 5・10-12）神の恵みの福音を証しする任務を全うできるなら、自分のいのちは少しも惜しいとは思いません。（使 20・24）私は あなたのさとしを王たちの前で述べ しかも 恥を見ることはありません。（詩 119・46）

10 月 8 日 （夜）

主は‥‥私の足を巌に立たせ‥‥(詩40・2)

その岩とはキリストです。(Ⅰコリ10・4) シモン・ペテロが答えた。「あなたは生ける神の子キリストです。」‥‥「わたしはこの岩の上に、わたしの教会を建てます。よみの門もそれに打ち勝つことはできません。」(マタ16・16.18) この方以外には、だれによっても救いはありません。天の下でこの御名のほかに、私たちが救われるべき名は人間に与えられていないからです。(使4・12)

全き信仰をもって‥‥動揺しないで‥‥(ヘブ10・22.23) 少しも疑わずに‥‥。疑う人は、風に吹かれて揺れ動く、海の大波のようです。(ヤコ1・6)

だれが、私たちをキリストの愛から引き離すのですか。苦難ですか、苦悩ですか、迫害ですか、飢えですか、裸ですか、危険ですか、剣ですか。‥‥これらすべてにおいても、私たちを愛してくださった方によって、私たちは圧倒的な勝利者です。私はこう確信しています。死も、いのちも、御使いたちも、支配者たちも、今あるものも、後に来るものも、力あるものも、高いところにあるものも、深いところにあるものも、そのほかのどんな被造物も、私たちの主キリスト・イエスにある神の愛から、私たちを引き離すことはできません。

(ロマ8・35.37-39)

10 月 9 日 （朝）

あなたは赦しの神であり、情け深く、あわれみ深い。

(ネヘ9・17)

　主は、ある人たちが遅れていると思っているように、約束したことを遅らせているのではなく、あなたがたに対して忍耐しておられるのです。だれも滅びることがなく、すべての人が悔い改めに進むことを望んでおられるのです。(Ⅱペテ3・9) 私たちの主の忍耐は救いであると考えなさい。(Ⅱペテ3・15)

　私はあわれみを受けました。それは、キリスト・イエスがこの上ない寛容をまず私に示し、私を、ご自分を信じて永遠のいのちを得ることになる人々の先例にするためでした。(Ⅰテモ1・16) かつて書かれたものはすべて、私たちを教えるために書かれました。それは、聖書が与える忍耐と励ましによって、私たちが希望を持ち続けるためです。(ロマ15・4)

　神のいつくしみ深さがあなたを悔い改めに導くことも知らないで、その豊かないつくしみと忍耐と寛容を軽んじているのですか。(ロマ2・4) 衣ではなく、あなたがたの心を引き裂け。あなたがたの神、主に立ち返れ。主は情け深く、あわれみ深い。怒るのに遅く、恵み豊かで、わざわいを思い直してくださる。(ヨエ2・13)

10 月 9 日 （夜）

主のことばは 混じり気のないことば。(詩 12・6)

あなたのみことばは よく錬られていて あなたのしもべは
それを愛しています。(詩 119・140) 主の戒めは真っ直ぐで 人の
心を喜ばせ 主の仰せは清らかで 人の目を明るくする。(詩 19・
8) 神のことばは、すべて精錬されている。神は、ご自分に
身を避ける者の盾。神のことばに付け足しをしてはならない。
神があなたを責めて、あなたが偽り者とされないために。(箴
30・5.6)

私はあなたのみことばを心に蓄えます。あなたの前に罪あ
る者とならないために。私は あなたの戒めに思いを潜め あ
なたの道に私の目を留めます。(詩 119・11.15) 兄弟たち。すべ
て真実なこと、すべて尊ぶべきこと、すべて正しいこと、す
べて清いこと、すべて愛すべきこと、すべて評判の良いこと
に、また、何か徳とされることや称賛に値することがあれば、
そのようなことに心を留めなさい(ピリ 4・8) 生まれたばかり
の乳飲み子のように、純粋な、霊の乳を慕い求めなさい。そ
れによって成長し、救いを得るためです。(I ペテ 2・2)

私たちは、多くの人たちのように、神のことばに混ぜ物を
して売ったりせず、誠実な者として、また神から遣わされた
者として、神の御前でキリストにあって語るのです。(II コリ 2・
17) 神のことばを曲げず、真理を明らかにすること。(II コリ 4・2)

10 月 10 日 （朝）

天と地にあるすべての家族の、「家族」という呼び名
の元である御父。(エペ3・15)

すべてのものの上にあり、すべてのものを貫き、すべての
もののうちにおられる、すべてのものの父である神はただひ
とりです。(エペ4・6) あなたがたはみな、信仰により、キリスト・
イエスにあって神の子どもです。(ガラ3・26) 時が満ちて計画が
実行に移され、天にあるものも地にあるものも、一切のもの
が、キリストにあって、一つに集められる。(エペ1・10)

イエスは彼らを兄弟と呼ぶことを恥とせずに、‥‥(ヘブ2・
11) 見なさい。わたしの母、わたしの兄弟たちです。だれで
も天におられるわたしの父のみこころを行うなら、その人こ
そわたしの兄弟、姉妹、母なのです。(マタ12・49.50) わたしの
兄弟たちのところに行って、「わたしは、わたしの父であり、
あなたがたの父である方‥‥のもとに上る」と伝えなさい。
(ヨハ20・17)

私は、神のことばと、自分たちが立てた証しのゆえに殺さ
れた者たちのたましいが、祭壇の下にいるのを見た。‥‥す
ると、彼ら一人ひとりに白い衣が与えられた。そして、彼ら
のしもべ仲間で、彼らと同じように殺されようとしている兄
弟たちの数が満ちるまで、もうしばらくの間、休んでいるよ
うに言い渡された。(黙6・9.11) 私たちを抜きにして、彼らが完
全な者とされることはなかったのです。(ヘブ11・40)

10 月 10 日 （夜）

こう祈りなさい。「天にいます私たちの父よ。」(マタ6・9)

イエスは目を天に向けて言われた。「父よ。」(ヨハ17・1) わたしの父であり、あなたがたの父である方。(ヨハ20・17)

あなたがたはみな、信仰により、キリスト・イエスにあって神の子どもです。(ガラ3・26) あなたがたは、人を再び恐怖に陥れる、奴隷の霊を受けたのではなく、子とする御霊を受けたのです。この御霊によって、私たちは「アバ、父」と叫びます。御霊ご自身が、私たちの霊とともに、私たちが神の子どもであることを証ししてくださいます。(ロマ8・15.16)

あなたがたが子であるので、神は「アバ、父よ」と叫ぶ御子の御霊を、私たちの心に遣わされました。ですから、あなたはもはや奴隷ではなく、子です。(ガラ4・6.7)

まことに、まことに、あなたがたに言います。わたしの名によって父に求めるものは何でも、父はあなたがたに与えてくださいます。今まで、あなたがたは、わたしの名によって何も求めたことがありません。求めなさい。そうすれば受けます。あなたがたの喜びが満ちあふれるようになるためです。(ヨハ16・23.24)

わたしは、あなたがたを受け入れ、わたしはあなたがたの父となり、あなたがたはわたしの息子、娘となる。——全能の主は言われる。(Ⅱコリ6・17.18)

10 月 11 日 （朝）

どうか 私から遠く離れないでください。苦しみが近く にあり 助ける者がいないのです。(詩 22・11)

主よ いつまでですか。あなたは私を永久にお忘れになる のですか。いつまで 御顔を私からお隠しになるのですか。 いつまで 私は自分のたましいのうちで 思い悩まなければな らないのでしょう。私の心には 一日中 悲しみがあります。 (詩 13・1.2) どうか 御顔を私に隠さないでください。あなたの しもべを怒って 押しのけないでください。あなたは私の助 けです。見放さないでください。見捨てないでください。私 の救いの神よ。(詩 27・9)

彼がわたしを呼び求めれば わたしは彼に答える。わたしは 苦しみのときに彼とともにいて 彼を救い 彼に誉れを与える。 (詩 91・15) 主を呼び求める者すべて まことをもって主を呼び求 める者すべてに 主は近くあられます。また 主を恐れる者の 願いをかなえ 彼らの叫びを聞いて 救われます。(詩 145・18.19)

わたしは、あなたがたを捨てて孤児にはしません。あなた がたのところに戻って来ます。(ヨハ 14・18) 見よ。わたしは世 の終わりまで、いつもあなたがたとともにいます。(マタ 28・20)

神は われらの避け所 また力。苦しむとき そこにある強 き助け。(詩 46・1) 私のたましいは黙って ただ神を待ち望む。 私の救いは神から来る。‥‥私のたましいよ 黙って ただ神 を待ち望め。私の望みは神から来るからだ。(詩 62・1.5)

10 月 11 日 （夜）

御名が聖なるものとされますように。(マタ6・9)

あなたは、ほかの神を拝んではならない。主は、その名がねたみであり、ねたみの神であるから。(出34・14)

主よ、神々のうちに、だれかあなたのような方がいるでしょうか。だれがあなたのように、聖であって輝き、たたえられつつ恐れられ、奇しいわざを行う方がいるでしょうか。(出15・11) 聖なる、聖なる、聖なる、主なる神、全能者。(黙4・8)

聖なる装いをして、主にひれ伏せ。(Ⅰ歴16・29) 私は、高く上げられた御座に着いておられる主を見た。その裾は神殿に満ち、セラフィムがその上の方に立っていた。彼らにはそれぞれ六つの翼があり、二つで顔をおおい、二つで両足をおおい、二つで飛んでいて、互いにこう呼び交わしていた。「聖なる、聖なる、聖なる、万軍の主。その栄光は全地に満ちる。」‥‥私は言った。「ああ、私は滅んでしまう。」(イザ6・1-3.5)私はあなたのことを耳で聞いていました。しかし今、私の目があなたを見ました。それで、私は自分を蔑み、悔いています。ちりと灰のなかで。(ヨブ42・5.6)

御子イエスの血がすべての罪から私たちをきよめてくださいます。(Ⅰヨハ1・7) 私たちをご自分の聖さにあずからせようとして‥‥(ヘブ12・10) こういうわけで、兄弟たち。私たちはイエスの血によって大胆に聖所に入ることができます。‥‥真心から神に近づこうではありませんか。(ヘブ10・19.22)

10 月 12 日 （朝）

神はキリストにあって、この世をご自分と和解させ、
背きの責任を人々に負わせず、‥‥ (Ⅱコリ 5・19)

ご自分の満ち満ちたものをすべて御子のうちに宿らせ、その十字架の血によって平和をもたらし、御子によって、御子のために万物を和解させること‥‥を良しとしてくださった。(コロ 1・19.20) 恵みとまことは ともに会い 義と平和は口づけします。(詩 85・10)

わたし自身、あなたがたのために立てている計画をよく知っている——主のことば——。それはわざわいではなく平安を与える計画である。(エレ 29・11)「さあ、来たれ。論じ合おう。——主は言われる——たとえ、あなたがたの罪が緋のように赤くても、雪のように白くなる。たとえ、紅のように赤くても、羊の毛のようになる。」(イザ 1・18)

あなたのような神が、ほかにあるでしょうか。あなたは咎を除き、‥‥背きを見過ごしてくださる神。(ミカ 7・18)

さあ、あなたは神と和らぎ、平安を得よ。(ヨブ 22・21) 恐れおののいて自分の救いを達成するよう努めなさい。神はみこころのままに、あなたがたのうちに働いて志を立てさせ、事を行わせてくださる方です。(ピリ 2・12.13) 主よ。あなたは私たちのために平和を備えてくださいます。まことに、私たちのすべてのわざも、あなたが私たちのためになさったことです。(イザ 26・12)

御国が来ますように。(マタ6・10)

この王たちの時代に、天の神は一つの国を起こされます。その国は永遠に滅ぼされることがなく、その国はほかの民に渡されず、反対にこれらの国々をことごとく打ち砕いて、滅ぼし尽くします。しかし、この国は永遠に続きます。(ダニ2・44) 一つの石が人手によらずに切り出され、‥‥(ダニ2・34) 「権力によらず、能力によらず、わたしの霊によって」と万軍の主は言われる。(ゼカ4・6) 神の国は、目に見える形で来るものではありません。「見よ、ここだ」とか、「あそこだ」とか言えるようなものではありません。見なさい。神の国はあなたがたのただ中にあるのです。(ルカ17・20.21)

あなたがたには神の国の奥義が与えられています。(マル4・11) 神の国はこのようなものです。人が地に種を蒔くと、夜昼、寝たり起きたりしているうちに種は芽を出して育ちますが、どのようにしてそうなるのか、その人は知りません。‥‥実が熟すと、すぐに鎌を入れます。収穫の時が来たからです。(マル4・26.27.29)

あなたがたも用心していなさい。人の子は思いがけない時に来るのです。(マタ24・44)

御霊と花嫁が言う。「来てください。」これを聞く者も「来てください」と言いなさい。(黙22・17)

あなたが心を定めて、悟りを得ようとし、自分の神の
前で自らを戒めようとしたその最初の日から、あなた
のことばは聞かれている。(ダニ 10・12)

　いと高くあがめられ、永遠の住まいに住み、その名が聖で
ある方が、こう仰せられる。「わたしは、高く聖なる所に住み、
砕かれた人、へりくだった人とともに住む。へりくだった人
たちの霊を生かし、砕かれた人たちの心を生かすためであ
る。」(イザ57・15) 神へのいけにえは　砕かれた霊。打たれ　砕か
れた心。神よ　あなたはそれを蔑まれません。(詩51・17) まこ
とに　主は高くあられますが　低い者を顧みてくださいます。
しかし高ぶる者を　遠くから見抜かれます。(詩138・6) あなた
がたは神の力強い御手の下にへりくだりなさい。神は、ちょ
うど良い時に、あなたがたを高く上げてくださいます。(Ⅰペ
テ5・6)「神は高ぶる者には敵対し、へりくだった者には恵み
を与える。」ですから、神に従いなさい。(ヤコ4・6.7)

　主よ　まことにあなたは　いつくしみ深く　赦しに富み　あな
たを呼び求める者すべてに　恵み豊かであられます。主よ　私
の祈りに耳を傾け　私の願いの声を心に留めてください。苦
難の日に　私はあなたを呼び求めます。あなたが私に答えて
くださるからです。(詩86・5-7)

10 月 13 日 （夜）

みこころが天で行われるように、地でも行われますように。(マタ6・10)

主のみこころが何であるかを悟りなさい。(エペ5・17)

小さい者たちの一人が滅びることは、天におられるあなたがたの父のみこころではありません。(マタ18・14)

神のみこころは、あなたがたが聖なる者となることです。(Ⅰテサ4・3) 地上での残された時を、もはや人間の欲望にではなく、神のみこころに生きるようになるためです。(Ⅰペテ4・2) この父が私たちを‥‥真理のことばをもって生んでくださいました。‥‥ですから、すべての汚れを捨て去りなさい。(ヤコ1・18.21)

あなたがたは聖なる者でなければならない。わたしが聖だからである。(Ⅰペテ1・16) イエスは‥‥言われた。「だれでも神のみこころを行う人、その人がわたしの兄弟、姉妹、母なのです。」(マル3・33.35) わたしのこれらのことばを聞いて、それを行う者はみな、岩の上に自分の家を建てた賢い人にたとえることができます。雨が降って洪水が押し寄せ、風が吹いてその家を襲っても、家は倒れませんでした。岩の上に土台が据えられていたからです。(マタ7・24.25) 世と、世の欲は過ぎ去ります。しかし、神のみこころを行う者は永遠に生き続けます。(Ⅰヨハ2・17)

10 月 14 日 （朝）

キリストが死んでよみがえられたのは、死んだ人にも
生きている人にも、主となるためです。(ロマ14・9)

　彼を砕いて病を負わせることは主のみこころであった。彼が自分のいのちを代償のささげ物とするなら、末長く子孫を見ることができ、主のみこころは彼によって成し遂げられる。「彼は自分のたましいの激しい苦しみのあとを見て、満足する。わたしの正しいしもべは、その知識によって多くの人を義とし、彼らの咎を負う。」(イザ53・10.11) キリストは必ずそのような苦しみを受け、それから、その栄光に入るはずだったのではありませんか。(ルカ24・26) 一人の人がすべての人のために死んだ以上、すべての人が死んだのである。‥‥キリストはすべての人のために死なれました。それは、生きている人々が、もはや自分のためにではなく、自分のために死んでよみがえった方のために生きるためです。(Ⅱコリ5・14.15)

　イスラエルの全家は、このことをはっきりと知らなければなりません。神が今や主ともキリストともされたこのイエスを、あなたがたは十字架につけたのです。(使2・36) キリストは、世界の基が据えられる前から知られていましたが、この終わりの時に、あなたがたのために現れてくださいました。あなたがたは‥‥神を、キリストによって信じる者です。(Ⅰペテ1・20.21)

10 月 14 日 （夜）

私たちの日ごとの糧を、今日もお与えください。

(マタ6・11)

　若かったころも年老いた今も　私は見たことがない。正しい人が見捨てられることを。その子孫が食べ物を乞うことを。(詩37・25) 彼のパンは備えられ、彼の水は確保される。(イザ33・16) 何羽かの烏が、朝、彼のところにパンと肉を、また夕方にパンと肉を運んで来た。彼はその川から水を飲んだ。(1列17・6)

　私の神は、キリスト・イエスの栄光のうちにあるご自分の豊かさにしたがって、あなたがたの必要をすべて満たしてくださいます。(ピリ4・19) 今持っているもので満足しなさい。主ご自身が「わたしは決してあなたを見放さず、あなたを見捨てない」と言われたからです。(ヘブ13・5)

　主はあなたを苦しめ、飢えさせて、‥‥マナを食べさせてくださった。それは、人はパンだけで生きるのではなく、人は主の御口から出るすべてのことばで生きるということを、あなたに分からせるためであった。(申8・3) イエスは彼らに言われた。「まことに、まことに、あなたがたに言います。モーセがあなたがたに天からのパンを与えたのではありません。わたしの父が、あなたがたに天からのまことのパンを与えてくださるのです。神のパンは、天から下って来て、世にいのちを与えるものなのです。」(ヨハ6・32.33)

10 月 15 日 （朝）

神が私の砦だからです。(詩59・9)

主よ、わが巌、わが砦、わが救い主よ、身を避ける、わが岩なる神よ。わが盾、わが救いの角、わがやぐら、わが逃れ場、わが救い主、あなたは私を暴虐から救われます。(Ⅱサム22・2.3) 主は私の力 私の盾。私の心は主に拠り頼み 私は助けられた。私の心は喜び躍り 私は歌をもって主に感謝しよう。(詩28・7)

あなたは私の避け所 敵に対して強いやぐら。(詩61・3) 私たちは確信をもって言います。「主は私の助け手。私は恐れない。人が私に何ができるだろうか。」(ヘブ13・6)

主は私の光 私の救い。だれを私は恐れよう。主は私のいのちの砦。だれを私は怖がろう。(詩27・1)

エルサレムを山々が取り囲んでいるように 主は御民を 今よりとこしえまでも囲まれる。(詩125・2) まことに あなたは私の助けでした。御翼の陰で 私は喜び歌います。(詩63・7)

あなたの御名のゆえに 私を導き 私を伴ってください。(詩31・3)

　　私たちの負い目をお赦しください。私たちも、私たち
　　に負い目のある人たちを赦します。(マタ 6・12)

「主よ。兄弟が私に対して罪を犯した場合、何回赦すべきで
しょうか。七回まででしょうか。」イエスは言われた。「わた
しは七回までとは言いません。七回を七十倍するまでです。」
(マタ 18・21.22)「悪い家来だ。おまえが私に懇願したから、私
はおまえの負債をすべて免除してやったのだ。私がおまえを
あわれんでやったように、おまえも自分の仲間をあわれんで
やるべきではなかったのか。」こうして、主君は怒って、負
債をすべて返すまで彼を獄吏たちに引き渡した。あなたがた
もそれぞれ自分の兄弟を心から赦さないなら、わたしの天の
父もあなたがたに、このようになさるのです。(マタ 18・32-35)
互いに親切にし、優しい心で赦し合いなさい。神も、キリス
トにおいてあなたがたを赦してくださったのです。(エペ 4・32)
あなたがたを、神はキリストとともに生かしてくださいまし
た。私たちのすべての背きを赦し、私たちに不利な、様々な
規定で私たちを責め立てている債務証書を無効にし、それを
十字架に釘付けにして取り除いてくださいました。(コロ 2・13.
14) 主があなたがたを赦してくださったように、あなたがた
もそうしなさい。(コロ 3・13)

10 月 16 日 （朝）

勤勉で怠らず、霊に燃え、主に仕えなさい。

(ロマ 12・11)

あなたの手がなし得ると分かったことはすべて、自分の力でそれをせよ。あなたが行こうとしているよみには、わざも道理も知識も知恵もないからだ。(伝9・10) 何をするにも、人に対してではなく、主に対してするように、心から行いなさい。あなたがたは、主から報いとして御国を受け継ぐことを知っています。あなたがたは主キリストに仕えているのです。(コロ3・23.24) 良いことを行えば、それぞれ主からその報いを受けることを、あなたがたは知っています。(エペ6・8)

わたしたちは、わたしを遣わされた方のわざを、昼のうちに行わなければなりません。だれも働くことができない夜が来ます。(ヨハ9・4) わたしが自分の父のみわざのうちにいるのは当然であることを、ご存じなかったのですか。(ルカ2・49別訳) あなたの家を思う熱心が私を食い尽くす。(ヨハ2・17)

兄弟たち。自分たちの召しと選びを確かなものとするように、いっそう励みなさい。これらのことを行っているなら、決してつまずくことはありません。(Ⅱペテ1・10) 私たちが切望するのは、あなたがた一人ひとりが同じ熱心さを示して、最後まで私たちの希望について十分な確信を持ち続け、その結果、怠け者とならずに、信仰と忍耐によって約束のものを受け継ぐ人たちに倣う者となることです。(ヘブ6・11.12) あなたがたも賞を得られるように走りなさい。(Ⅰコリ9・24)

10 月 16 日 （夜）

私たちを試みにあわせないで、悪からお救いください。

（マタ6・13）

自分の心に頼る者は愚かな者、知恵をもって歩む者は救われる。（箴28・26）

だれでも誘惑されているとき、神に誘惑されていると言ってはいけません。神は悪に誘惑されることのない方であり、ご自分でだれかを誘惑することもありません。人が誘惑にあうのは、それぞれ自分の欲に引かれ、誘われるからです。（ヤコ1・13.14）彼らの中から出て行き、彼らから離れよ。――主は言われる――汚れたものに触れてはならない。そうすればわたしは、あなたがたを受け入れる。（Ⅱコリ6・17）

ロトが目を上げてヨルダンの低地全体を見渡すと、‥‥その地は‥‥主の園のように‥‥どこもよく潤っていた。ロトは、自分のためにヨルダンの低地全体を選んだ。そしてロトは東へ移動した。‥‥ところが、ソドムの人々は邪悪で、主に対して甚だしく罪深い者たちであった。（創13・10.11.13）

正しい人、ロトを救い出されました。主は‥‥敬虔な者たちを誘惑から救い出すことを、心得ておられるのです。（Ⅱペテ2・7.9）しもべは立ちます。主は、彼を立たせることがおできになるからです。（ロマ14・4）

10 月 17 日 （朝）

**彼らは あなたの御名をいつも喜び あなたの義に
よって 高く上げられます。**(詩 89・16)

わたしについて、「ただ主にだけ、正義と力がある」と言う。
主に向かっていきり立つ者はみな、主のもとに来て恥を見る。
イスラエルの子孫はみな 主によって義とされ、主を誇りと
する。(イザ 45・24. 25) 正しい者たち 主を喜び 楽しめ。すべて
心の直ぐな人たちよ 喜びの声をあげよ。(詩 32・11)

律法とは関わりなく、律法と預言者たちの書によって証し
されて、神の義が示されました。すなわち、イエス・キリス
トを信じることによって、信じるすべての人に与えられる神
の義です。‥‥ご自分が義であり、イエスを信じる者を義と
認める方であることを示すため、今この時に、ご自分の義を
明らかにされたのです。(ロマ 3・21. 22. 26)

いつも主にあって喜びなさい。もう一度言います。喜びな
さい。(ピリ 4・4) あなたがたはイエス・キリストを見たことは
ないけれども愛しており、今 見てはいないけれども信じて
おり、ことばに尽くせない、栄えに満ちた喜びに躍っていま
す。(Ⅰペテ 1・8)

10 月 17 日 （夜）

あなたの御座は いにしえから堅く立ち あなたは と
こしえからおられます。(詩 93・2)

主は‥‥力強い方。(ナホ 1・3) 神が私たちの味方であるなら、
だれが私たちに敵対できるでしょう。(ロマ 8・31) 私たちが仕え
る神は、‥‥私たちを救い出すことができます。(ダニ 3・17) わ
たしの父がわたしに与えてくださった者は、すべてにまさっ
て大切です。だれも彼らを、父の手から奪い去ることはでき
ません。(ヨハ 10・29) あなたがたのうちにおられる方は、この
世にいる者よりも偉大‥‥です。(Ⅰヨハ 4・4)

私たちにではなく 主よ 私たちにではなく ただあなたの
御名に 栄光を帰してください。(詩 115・1) 主よ、偉大さ、力、
輝き、栄光、威厳は、あなたのものです。天にあるものも地
にあるものもすべて。主よ、王国もあなたのものです。あな
たは、すべてのものの上に、かしらとしてあがめられるべき
方です。‥‥私たちの神よ。今、私たちはあなたに感謝し、
あなたの栄えに満ちた御名をほめたたえます。このように自
ら進んで献げる力を持っているとしても、私は何者なので
しょう、私の民は何者なのでしょう。すべてはあなたから出
たのであり、私たちは御手から出たものをあなたに献げたに
すぎません。(Ⅰ歴 29・11. 13. 14)

10 月 18 日 （朝）

兵士の一人は、イエスの脇腹を槍で突き刺した。す
ると、すぐに血と水が出て来た。(ヨハ19・34)

肉のいのちは血の中にある。わたしは、祭壇の上であなた
がたのたましいのために宥(なだ)めを行うよう、これをあな
たがたに与えた。(レビ17・11) 見よ。これは、‥‥主があなた
がたと結ばれる契約の血である。(出24・8) 雄牛と雄やぎの血
は罪を除くことができないからです。(ヘブ10・4)

イエスは彼らに言われた。「これは、多くの人のために流
される、わたしの契約の血です。」(マル14・24) (キリストは)ご自
分の血によって、ただ一度だけ聖所に入り、永遠の贖いを成
し遂げられました。(ヘブ9・12) その十字架の血によって平和を
もたらし、‥‥(コロ1・20)

あなたがたが‥‥贖い出されたのは、銀や金のような朽ち
る物にはよらず、傷もなく汚れもない子羊のようなキリスト
の、尊い血によったのです。キリストは‥‥この終わりの時
に、あなたがたのために現れてくださいました。(Ⅰペテ1・18-
20)

わたしがきよい水をあなたがたの上に振りかけるそのと
き、‥‥わたしはすべての偶像の汚れからあなたがたをきよ
める。(エゼ36・25) 心に血が振りかけられて、邪悪な良心をき
よめられ、‥‥全き信仰をもって真心から神に近づこうでは
ありませんか。(ヘブ10・22)

10 月 18 日 （夜）

アーメン。(黙 22・20)

アーメン。王の神、主も、そう言われますように。(Ⅰ列1・36) この地で誓う者は まことの神によって誓う。(イザ65・16)

神は、アブラハムに約束する際、ご自分より大いなるものにかけて誓うことができなかったので、ご自分にかけて誓われました。‥‥人間は自分より大いなるものにかけて誓います。そして、誓いはすべての論争を終わらせる保証となります。そこで神は、約束の相続者たちに、ご自分の計画が変わらないことをさらにはっきり示そうと思い、誓いをもって保証されました。それは、前に置かれている希望を捕えようとして逃れて来た私たちが、約束と誓いという変わらない二つのものによって、力強い励ましを受けるためです。その二つについて、神が偽ることはあり得ません。(ヘブ6・13.16-18)

アーメンである方、確かで真実な証人、神による創造の源である方がこう言われる――。(黙3・14) 神の約束はことごとく、この方において「はい」となりました。それで私たちは、この方によって「アーメン」と言い、神に栄光を帰するのです。(Ⅱコリ1・20)

ほむべきかな 神である主 イスラエルの神。ただひとり奇しいみわざを行われる方。とこしえにほむべきかな その栄光の御名。‥‥アーメン、アーメン。(詩72・18.19)

10 月 19 日 （朝）

主があなたの頼みであり、足が罠にかからないように、守ってくださるから。(箴3・26)

まことに 人の憤りまでもがあなたをたたえ あなたは あふれ出た憤りを身に帯びられます。(詩76・10) 王の心は、主の手の中にあって水の流れのよう。主はみこころのままに、その向きを変えられる。(箴21・1) 主が人の行いを喜ぶとき、敵さえもその人と和らがせる。(箴16・7)

私は主を待ち望みます。私のたましいは待ち望みます。主のみことばを私は待ちます。私のたましいは 夜回りが夜明けを まことに 夜回りが夜明けを待つのにまさって 主を待ちます。(詩130・5.6) 私が主を求めると 主は答え すべての恐怖から 私を救い出してくださった。(詩34・4)

いにしえよりの神は、住まう家。下には永遠の腕がある。神はあなたの前から敵を追い払い、「根絶やしにせよ」と命じられた。(申33・27) 主に信頼する者に祝福があるように。その人は主を頼みとする。(エレ17・7)

では、これらのことについて、どのように言えるでしょうか。神が私たちの味方であるなら、だれが私たちに敵対できるでしょう。(ロマ8・31)

10 月 19 日 （夜）

キリストにあって励ましがあり、愛の慰めがあり、御霊の交わりがあり‥‥(ピリ2・1)

　女から生まれた人間は、その齢が短く、心乱されることで満ちています。花のように咲き出てはしおれ、影のように逃げ去り、とどまることがありません。(ヨブ14・1.2) この身も心も尽き果てるでしょう。しかし 神は私の心の岩 とこしえに私が受ける割り当ての地。(詩73・26)

　父はもう一人の助け主をお与えくださり、その助け主がいつまでも、あなたがたとともにいるようにしてくださいます。(ヨハ14・16) 父がわたしの名によってお遣わしになる聖霊。(ヨハ14・26) 私たちの主イエス・キリストの父である神、あわれみ深い父、あらゆる慰めに満ちた神がほめたたえられますように。神は、どのような苦しみのときにも、私たちを慰めてくださいます。それで私たちも、自分たちが神から受ける慰めによって、あらゆる苦しみの中にある人たちを慰めることができます。(Ⅱコリ1・3.4)

　イエスが死んで復活された、と私たちが信じているなら、神はまた同じように、イエスにあって眠った人たちを、イエスとともに連れて来られるはずです。‥‥こうして私たちは、いつまでも主とともにいることになります。ですから、これらのことばをもって互いに励まし合いなさい。(Ⅰテサ4・14.17.18)

10 月 20 日 （朝）

私は、内なる人としては、神の律法を喜んでいます。

(ロマ 7・22)

どれほど私は あなたのみおしえを 愛していることでしょう。それがいつも 私の思いとなっています。(詩 119・97) 私はあなたのみことばが見つかったとき、それを食べました。そうして、あなたのみことばは、私にとって楽しみとなり、心の喜びとなりました。(エレ 15・16) その木陰に私は心地よく座り、その実は私の口に甘いのです。(雅 2・3) 私は‥‥神の口のことばを蓄えた。(ヨブ 23・12)

わが神よ 私は あなたのみこころを行うことを喜びとします。あなたのみおしえは 私の心のうちにあります。(詩 40・8) わたしの食べ物とは、わたしを遣わされた方のみこころを行い、そのわざを成し遂げることです。(ヨハ 4・34)

主の戒めは真っ直ぐで 人の心を喜ばせ 主の仰せは清らかで 人の目を明るくする。‥‥それらは 金よりも 多くの純金よりも慕わしく 蜜よりも 蜜蜂の巣の滴りよりも甘い。(詩 19・8.10) みことばを行う人になりなさい。自分を欺いて、ただ聞くだけの者となってはいけません。みことばを聞いても行わない人がいるなら、その人は自分の生まれつきの顔を鏡で眺める人のようです。(ヤコ 1・22.23)

10 月 20 日 （夜）

あなたの神、主が、あなたを受け入れてくださいますように。(Ⅱサム 24・23)

何をもって、私は主の前に進み行き、いと高き神の前にひれ伏そうか。全焼のささげ物、一歳の子牛をもって 御前に進み行くべきだろうか。主は幾千の雄羊、幾万の油を喜ばれるだろうか。私の背きのために、私の長子を、私のたましいの罪のために、胎の実を献げるべきだろうか。主はあなたに告げられた。人よ、何が良いことなのか、主があなたに何を求めておられるのかを。それは、ただ公正を行い、誠実を愛し、へりくだって、あなたの神とともに歩むことではないか。(ミカ 6・6-8)

私たちはみな、汚れた者のようになり、その義はみな、不潔な衣のようです。(イザ 64・6)「義人はいない。一人もいない。」‥‥すべての人は罪を犯して、神の栄光を受けることができず、神の恵みにより、キリスト・イエスによる贖いを通して、価なしに義と認められるからです。神はこの方を、信仰によって受けるべき、血による宥(なだ)めのささげ物として公に示されました。ご自分の義を明らかにされるためです。‥‥ご自分が義であり、イエスを信じる者を義と認める方であることを示すため、今この時に、ご自分の義を明らかにされたのです。(ロマ 3・10. 23-26)

神がその愛する方にあって私たちに与えてくださった恵み。(エペ 1・6) あなたがたは、キリストにあって満たされているのです。(コロ 2・10)

10 月 21 日 （朝）

**私たちはみな、この方の満ち満ちた豊かさの中から、
恵みの上にさらに恵みを受けた。**(ヨハ1・16)

これはわたしの愛する子。わたしはこれを喜ぶ。(マタ17・5)
私たちが神の子どもと呼ばれるために、御父がどんなにすば
らしい愛を与えてくださったかを、考えなさい。(Ⅰヨハ3・1)

神は御子を万物の相続者と定め、‥‥。(ヘブ1・2) 子どもで
あるなら、相続人でもあります。私たちはキリストと、栄光
をともに受けるために苦難をともにしているのですから、神
の相続人であり、キリストとともに共同相続人なのです。(ロ
マ8・17)

わたしと父とは一つです。‥‥父がわたしにおられ、わた
しも父にいる。(ヨハ10・30.38) わたしの父であり、あなたがた
の父である方、わたしの神であり、あなたがたの神である方。
(ヨハ20・17) わたしは彼らのうちにいて、あなたはわたしのう
ちにおられます。彼らが完全に一つになるためです。(ヨハ17・
23)

教会はキリストのからだであり、すべてのものをすべての
もので満たす方が満ちておられるところです。(エペ1・23)

愛する者たち。このような約束を与えられているのですか
ら、肉と霊の一切の汚れから自分をきよめ、神を恐れつつ聖
さを全うしようではありませんか。(Ⅱコリ7・1)

10 月 21 日 （夜）

しもべは主人にまさらず、遣わされた者は遣わした者にまさりません。（ヨハ 13・16）

　彼らの間で、自分たちのうちでだれが一番偉いのだろうか、という議論も起こった。すると、イエスは彼らに言われた。「異邦人の王たちは人々を支配し、また人々に対し権威を持つ者は守護者と呼ばれています。しかし、あなたがたは、そうであってはいけません。あなたがたの間で一番偉い人は、一番若い者のようになりなさい。上に立つ人は、給仕する者のようになりなさい。食卓に着く人と給仕する者と、どちらが偉いでしょうか。食卓に着く人ではありませんか。しかし、わたしはあなたがたの間で、給仕する者のようにしています。（ルカ 22・24-27）人の子が、仕えられるためではなく仕えるために、また多くの人のための贖いの代価として、自分のいのちを与えるために来たのと、同じようにしなさい。（マタ 20・28）

　イエスは夕食の席から立ち上がって、上着を脱ぎ、手ぬぐいを取って腰にまとわれた。それから、たらいに水を入れて、弟子たちの足を洗い、腰にまとっていた手ぬぐいでふき始められた。（ヨハ 13・4-5）

10 月 22 日 （朝）

神よ 私の心は揺るぎません。(詩108・1)

主は私の光 私の救い。だれを私は恐れよう。主は私のいのちの砦。だれを私は怖がろう。(詩27・1)

志の堅固な者を、あなたは全き平安のうちに守られます。その人があなたに信頼しているからです。(イザ26・3) その人は悪い知らせを恐れず 主に信頼して 心は揺るがない。その心は堅固で 恐れることなく 自分の敵を平然と見るまでになる。(詩112・7.8)

心に恐れを覚える日 私はあなたに信頼します。(詩56・3) それは 主が 苦しみの日に私を隠れ場に隠し その幕屋のひそかな所に私をかくまい 岩の上に私を上げてくださるからだ。今 私の頭は 私を取り囲む敵の上に高く上げられる。私は主の幕屋で喜びのいけにえをささげ 主に歌い ほめ歌を歌おう。(詩27・5.6)

あらゆる恵みに満ちた神、すなわち、あなたがたをキリストにあって永遠の栄光の中に招き入れてくださった神ご自身が、あなたがたをしばらくの苦しみの後で回復させ、堅く立たせ、強くし、不動の者としてくださいます。どうか、神のご支配が世々限りなくありますように。アーメン。(Iペテ5・10.11)

10 月 22 日 （夜）

**主は 天にご自分の王座を堅く立て その王国は すべ
てを統べ治める。**(詩 103・19)

くじは膝に投げられるが、そのすべての決定は主から来る。
(箴 16・33) 町にわざわいが起こったら、主がそれをなされた
のではないか。(アモ 3・6)

わたしが主である。ほかにはいない。わたしのほかに神は
いない。あなたはわたしを知らないが、わたしはあなたに力
を帯びさせる。それは、日の昇る方からも西からも、わたし
のほかには、だれもいないことを、人々が知るためだ。わた
しが主である。ほかにはいない。わたしは光を造り出し、闇
を創造し、平和をつくり、わざわいを創造する。わたしは主、
これらすべてを行う者。(イザ 45・5-7)

この方は、天の軍勢にも、地に住むものにも、みこころの
ままに報いる。御手を差し押さえて、「あなたは何をされる
のか」と言う者もいない。(ダニ 4・35) 神が私たちの味方である
なら、だれが私たちに敵対できるでしょう。(ロマ 8・31)

すべての敵をその足の下に置くまで、キリストは王として
治めることになっている。(Ⅰコリ 15・25) 小さな群れよ、恐れ
ることはありません。あなたがたの父は、喜んであなたがた
に御国を与えてくださるのです。(ルカ 12・32)

10 月 23 日 （朝）

その人のいのちは財産にあるのではない。(ルカ12・15)

　一人の正しい人が持つわずかなものは　多くの悪しき者が持つ富にまさる。(詩37・16) わずかな物を持って主を恐れることは、豊かな財宝を持って混乱するよりも良い。(箴15・16) 満ち足りる心を伴う敬虔こそが、大きな利益を得る道です。・・・・衣食があれば、それで満足すべきです。(Ⅰテモ6・6.8)

　貧しさも富も私に与えず、ただ、私に定められた分の食物で、私を養ってください。私が満腹してあなたを否み、「主とはだれだ」と言わないように。また、私が貧しくなって盗みをし、私の神の御名を汚すことのないように。(箴30・8.9) 私たちの日ごとの糧を、今日もお与えください。(マタ6・11)

　何を食べようか何を飲もうかと、自分のいのちのことで心配したり、何を着ようかと、自分のからだのことで心配したりするのはやめなさい。いのちは食べ物以上のもの、からだは着る物以上のものではありませんか。(マタ6・25)「わたしがあなたがたを、財布も袋も履き物も持たせずに遣わしたとき、何か足りない物がありましたか。」彼らは、「いいえ、何もありませんでした」と答えた。(ルカ22・35) 金銭を愛する生活をせずに、今持っているもので満足しなさい。主ご自身が「わたしは決してあなたを見放さず、あなたを見捨てない」と言われたからです。(ヘブ13・5)

10 月 23 日 （夜）

いのちを与えるのは御霊です。(ヨハ6・63)

「最初の人アダムは生きるものとなった。」しかし、最後の
アダムはいのちを与える御霊となりました。(Ⅰコリ15・45) 肉
によって生まれた者は肉です。御霊によって生まれた者は霊
です。(ヨハ3・6) 神は、私たちが行った義のわざによってでは
なく、ご自分のあわれみによって、聖霊による再生と刷新の
洗いをもって、私たちを救ってくださいました。(テト3・5)

キリストの御霊を持っていない人がいれば、その人はキリ
ストのものではありません。キリストがあなたがたのうちに
おられるなら、からだは罪のゆえに死んでいても、御霊が義
のゆえにいのちとなっています。イエスを死者の中からよみ
がえらせた方の御霊が、あなたがたのうちに住んでおられる
なら、キリストを死者の中からよみがえらせた方は、あなた
がたのうちに住んでおられるご自分の御霊によって、あなた
がたの死ぬべきからだも生かしてくださいます。(ロマ8・9-11)

もはや私が生きているのではなく、キリストが私のうちに
生きておられるのです。今 私が肉において生きているいの
ちは、‥‥神の御子に対する信仰によるのです。(ガラ2・20) あ
なたがたもキリスト・イエスにあって、自分は罪に対して死
んだ者であり、神に対して生きている者だと、認めなさい。(ロ
マ6・11)

10 月 24 日 （朝）

**私は御目の前から追われました。ただ、もう一度、
私はあなたの聖なる宮を仰ぎ見たいのです。**（ヨナ2・4）

シオンは言った。「主は私を見捨てた。主は私を忘れた」と。
「女が自分の乳飲み子を忘れるだろうか。自分の胎の子をあ
われまないだろうか。たとえ女たちが忘れても、このわたし
は、あなたを忘れない。」（イザ49・14.15）

私は幸せを忘れてしまった。私は言った。「私の誉れと、
主から受けた望みは消え失せた」と。（哀3・17.18）起きてくだ
さい。主よ なぜ眠っておられるのですか。目を覚ましてく
ださい。いつまでも拒まないでください。（詩44・23）ヤコブよ、
なぜ言うのか。イスラエルよ、なぜ言い張るのか。「私の道
は主に隠れ、私の訴えは私の神に見過ごされている」と。（イ
ザ40・27）怒りがあふれて、少しの間、わたしは、顔をあなた
から隠したが、永遠の真実の愛をもって、あなたをあわれむ。
——あなたを贖う方、主は言われる。（イザ54・8）

わがたましいよ なぜ おまえはうなだれているのか。なぜ
私のうちで思い乱れているのか。神を待ち望め。私はなおも
神をほめたたえる。私の救い 私の神を。（詩43・5）私たちは四
方八方から苦しめられますが、窮することはありません。途
方に暮れますが、行き詰まることはありません。迫害されま
すが、見捨てられることはありません。倒されますが、滅び
ません。（Ⅱコリ4・8.9）

10 月 24 日 (夜)

苦しむ者や貧しい者が水を求めても それはなく、そ
の舌は渇きで干からびる。わたし、主は彼らに答える。

(イザ 41・17)

　多くの者は言っています。「だれがわれわれに良い目を見
させてくれるのか」と。(詩 4・6) 実に、日の下で骨折った一切
の労苦と思い煩いは、人にとって何なのだろう。その一生の
間、その営みには悲痛と苛立ちがあり、その心は夜も休まら
ない。(伝 2・22.23) すべては空しく、風を追うようなものだ。(伝
2・17) わたしの民は‥‥いのちの水の泉であるわたしを捨て、
多くの水溜めを自分たちのために掘ったのだ。水を溜めるこ
とのできない、壊れた水溜めを。(エレ 2・13)

　わたしのもとに来る者を、わたしは決して外に追い出した
りはしません。(ヨハ 6・37) わたしは潤いのない地に水を注ぐ。
(イザ 44・3) 義に飢え渇く者は幸いです。その人たちは満ち足
りるからです。(マタ 5・6)

　神よ あなたは私の神。私はあなたを切に求めます。水の
ない 衰え果てた乾いた地で 私のたましいは あなたに渇き
私の身も あなたをあえぎ求めます。(詩 63・1)

10　月　25　日　（朝）

**見よ。わたしは世の終わりまで、いつもあなたがたと
ともにいます。**(マタ28・20)

　あなたがたのうちの二人が、どんなことでも地上で心を一
つにして祈るなら、天におられるわたしの父はそれをかなえ
てくださいます。二人か三人がわたしの名において集まって
いるところには、わたしもその中にいるのです。(マタ18・19.
20) わたしの戒めを保ち、それを守る人は、わたしを愛して
いる人です。わたしを愛している人はわたしの父に愛され、
わたしもその人を愛し、わたし自身をその人に現します。(ヨ
ハ14・21)

　「主よ。私たちにはご自分を現そうとなさるのに、世にはそ
うなさらないのは、どうしてですか。」イエスは‥‥答えら
れた。「だれでもわたしを愛する人は、わたしのことばを守
ります。そうすれば、わたしの父はその人を愛し、わたした
ちはその人のところに来て、その人とともに住みます。」(ヨハ
14・22.23)

　あなたがたを、つまずかないように守ることができ、傷の
ない者として、大きな喜びとともに栄光の御前に立たせるこ
とができる方、私たちの救い主である唯一の神に、‥‥栄光、
威厳、支配、権威が、永遠の昔も今も、世々限りなくありま
すように。アーメン。(ユダ24.25)

10　月　25　日　（夜）

万物の終わりが近づきました。（Ⅰペテ4・7）

　私は、大きな白い御座と、そこに着いておられる方を見た。地と天はその御前から逃げ去り、跡形もなくなった。（黙20・11）今ある天と地は、‥‥火で焼かれるために取っておかれ、不敬虔な者たちのさばきと滅びの日まで保たれているのです。（Ⅱペテ3・7）

　神は　われらの避け所　また力。苦しむとき　そこにある強き助け。それゆえ　われらは恐れない。たとえ地が変わり　山々が揺れ　海のただ中に移るとも。たとえその水が立ち騒ぎ　泡立っても　その水かさが増し　山々が揺れ動いても。（詩46・1-3）戦争や戦争のうわさを聞くことになりますが、気をつけて、うろたえないようにしなさい。（マタ24・6）

　私たちには天に、神が下さる建物、人の手によらない永遠の住まいがある。（Ⅱコリ5・1）私たちは‥‥義の宿る新しい天と新しい地を待ち望んでいます。ですから、愛する者たち。これらのことを待ち望んでいるのなら、しみも傷もない者として平安のうちに神に見出していただけるように努力しなさい。（Ⅱペテ3・13.14）

10 月 26 日 （朝）

主は王である。(詩99・1)

　あなたがたは、わたしを恐れないのか。——主のことば——わたしの前で震えないのか。わたしは砂浜を海の境とした。それは永遠の境界で、越えることはできない。波が逆巻いても勝てず、鳴りとどろいても越えられない。(エレ5・22) 高く上げることは　東からでもなく　西からでもなく　荒野からでもない。まことに　神こそさばき主。ある者を低くし　ある者を高く上げられる。(詩75・6.7)

　神は季節と時を変え、王を廃し、王を立てる。知恵を授けて賢者とし、知識を授けて悟りのある者とされる。(ダニ2・21) 戦争や戦争のうわさを聞くことになりますが、気をつけて、うろたえないようにしなさい。(マタ24・6)

　神が私たちの味方であるなら、だれが私たちに敵対できるでしょう。(ロマ8・31) 二羽の雀は一アサリオンで売られているではありませんか。そんな雀の一羽でさえ、あなたがたの父の許しなしに地に落ちることはありません。あなたがたの髪の毛さえも、すべて数えられています。ですから恐れてはいけません。あなたがたは多くの雀よりも価値があるのです。
(マタ10・29-31)

10　月　26　日　（夜）

あなたがたは、自分の霊に注意せよ。(マラ2・15)

　ヨハネが言った。「先生。あなたの名によって悪霊を追い出している人を見たので、やめさせようとしました。その人が私たちについて来なかったからです。」しかし、イエスは彼に言われた。「やめさせてはいけません。あなたがたに反対しない人は、あなたがたの味方です。」(ルカ9・49.50) ヤコブとヨハネが‥‥言った。「主よ。私たちが天から火を下して、彼らを焼き滅ぼしましょうか。」しかし、イエスは振り向いて二人を叱られた。(ルカ9・54.55)

　「エルダデとメダデが宿営の中で預言しています。」‥‥ヌンの子ヨシュアは答えて言った。「わが主、モーセよ。彼らをやめさせてください。」モーセは彼に言った。「あなたは私のためを思って、ねたみを起こしているのか。主の民がみな、預言者となり、主が彼らの上にご自分の霊を与えられるとよいのに。」(民11・27-29)

　御霊の実は、愛、喜び、平安、寛容、親切、善意、誠実、柔和、自制です。‥‥キリスト・イエスにつく者は、自分の肉を、情欲や欲望とともに十字架につけたのです。私たちは、御霊によって生きているのなら、御霊によって進もうではありませんか。うぬぼれて、互いに挑み合ったり、ねたみ合ったりしないようにしましょう。(ガラ5・22-26)

10 月 27 日 （朝）

彼は私たちのわずらいを担い、私たちの病を負った。

（マタ 8・17）

　祭司はそのきよめられる者のために、二羽の生きているきよい小鳥と、杉の枝と緋色の撚り糸とヒソプを取り寄せるように命じる。祭司は、その小鳥のうちの一羽を、新鮮な水を入れた土の器の上で殺すように命じる。そして、生きている小鳥を、杉の枝と緋色の撚り糸とヒソプとともに取り、それらをその生きている小鳥と一緒に、新鮮な水の上で殺された小鳥の血の中に浸す。それを、ツァラアトからきよめられる者の上に七度かけ、彼をきよいと宣言し、さらにその生きている小鳥を野に放す。(レビ 14・4-7)

　見よ、全身ツァラアトに冒された人がいた。その人はイエスを見ると、ひれ伏してお願いした。「主よ、お心一つで私をきよくすることがおできになります。」(ルカ 5・12) イエスは深くあわれみ、手を伸ばして彼にさわり、「わたしの心だ。きよくなれ」と言われた。すると、すぐにツァラアトが消えて、その人はきよくなった。(マル 1・41,42)

10 月 27 日 （夜）

あなたが祝福する者は祝福される。(民 22・6)

心の貧しい者は幸いです。天の御国はその人たちのものだからです。悲しむ者は幸いです。その人たちは慰められるからです。柔和な者は幸いです。その人たちは地を受け継ぐからです。義に飢え渇く者は幸いです。その人たちは満ち足りるからです。あわれみ深い者は幸いです。その人たちはあわれみを受けるからです。心のきよい者は幸いです。その人たちは神を見るからです。平和をつくる者は幸いです。その人たちは神の子どもと呼ばれるからです。義のために迫害されている者は幸いです。天の御国はその人たちのものだからです。わたしのために人々があなたがたをののしり、迫害し、ありもしないことで悪口を浴びせるとき、あなたがたは幸いです。喜びなさい。大いに喜びなさい。天においてあなたがたの報いは大きいのですから。(マタ 5・3-12) 幸いなのは、‥‥神のことばを聞いてそれを守る人たちです。(ルカ 11・28)

自分の衣を洗う者たちは幸いである。彼らはいのちの木の実を食べる特権が与えられ、門を通って都に入れるようになる。(黙 22・14)

10　月　28　日　（朝）

**主は人がいないのを見て、とりなす者がいないことに
唖然とされた。それで、ご自分の御腕で救いをもた
らし、ご自分の義を支えとされた。**(イザ59・16)

あなたは いけにえや穀物のささげ物を お喜びにはなりま
せんでした。あなたは私の耳を開いてくださいました。全焼
のささげ物や罪のきよめのささげ物を あなたは お求めにな
りませんでした。そのとき 私は申し上げました。「今 私は
ここに来ております。巻物の書に私のことが書いてあります。
わが神よ 私は あなたのみこころを行うことを喜びとしま
す。あなたのみおしえは 私の心のうちにあります。」(詩40・
6-8) だれも、わたしからいのちを取りません。わたしが自分
からいのちを捨てるのです。わたしには、それを捨てる権威
があり、再び得る権威があります。(ヨハ10・18)

わたしのほかに神はいない。正しい神、救い主、わたしを
おいて、ほかにはいない。地の果てのすべての者よ。わたし
を仰ぎ見て救われよ。わたしが神だ。ほかにはいない。(イザ
45・21.22) この方以外には、だれによっても救いはありません。
天の下でこの御名のほかに、私たちが救われるべき名は人間
に与えられていないからです。(使4・12)

あなたがたは、私たちの主イエス・キリストの恵みを知っ
ています。すなわち、主は富んでおられたのに、あなたがた
のために貧しくなられました。それは、あなたがたが、キリ
ストの貧しさによって富む者となるためです。(Ⅱコリ8・9)

10 月 28 日 （夜）

敵。（ルカ 10・19）

身を慎み、目を覚ましていなさい。あなたがたの敵である悪魔が、吼えたける獅子のように、だれかを食い尽くそうと探し回っています。（Ⅰペテ5・8）悪魔に対抗しなさい。そうすれば、悪魔はあなたがたから逃げ去ります。（ヤコ4・7）

悪魔の策略に対して堅く立つことができるように、神のすべての武具を身に着けなさい。私たちの格闘は血肉に対するものではなく、支配、力、この暗闇の世界の支配者たち、また天上にいるもろもろの悪霊に対するものです。ですから、邪悪な日に際して対抗できるように、また、一切を成し遂げて堅く立つことができるように、神のすべての武具を取りなさい。そして、堅く立ちなさい。腰には真理の帯を締め、胸には正義の胸当てを着け、足には平和の福音の備えをはきなさい。これらすべての上に、信仰の盾を取りなさい。それによって、悪い者が放つ火矢をすべて消すことができます。（エペ6・11-16）

私の敵よ、私のことで喜ぶな。私は倒れても起き上がる。私は闇の中に座しても、主が私の光だ。（ミカ7・8）

10 月 29 日 （朝）

あの方のすべてがいとしい。(雅 5・16)

私の心の思いが みこころにかないますように。(詩 104・34)
私の愛する方は、‥‥万人に抜きん出ています。(雅 5・10) 選
ばれた石、尊い要石‥‥。この方に信頼する者は決して失望
させられることがない。(Ⅰペテ 2・6) あなたは人の子らにま
さって麗しい。あなたの唇からは優しさが流れ出る。(詩 45・2)
神は、この方を高く上げて、すべての名にまさる名を与えら
れました。(ピリ 2・9) 神は、ご自分の満ち満ちたものをすべて
御子のうちに宿らせ、‥‥(コロ 1・19)

あなたがたはイエス・キリストを見たことはないけれども
愛しており、今 見てはいないけれども信じており、ことば
に尽くせない、栄えに満ちた喜びに躍っています。(Ⅰペテ 1・8)

私の主であるキリスト・イエスを知っていることのすばら
しさのゆえに、私はすべてを損と思っています。私はキリス
トのゆえにすべてを失いましたが、それらはちりあくただと
考えています。それは、私がキリストを得て、キリストにあ
る者と認められるようになるためです。私は律法による自分
の義ではなく、キリストを信じることによる義、すなわち、
信仰に基づいて神から与えられる義を持つのです。(ピリ 3・8.9)

10 月 29 日 （夜）

ダビデは自分の神、主によって奮い立った。（Ⅰサム 30・6）

主よ、私たちはだれのところに行けるでしょうか。あなたは、永遠のいのちのことばを持っておられます。（ヨハ6・68）私は自分が信じてきた方をよく知っており、また、その方は私がお任せしたものを、かの日まで守ることがおできになると確信している。（Ⅱテモ1・12）

私は苦しみの中で主を呼び求め わが神に叫び求めた。主はその宮で私の声を聞かれ 御前への叫びは 御耳に届いた。（詩18・6）私のわざわいの日に 彼らは立ちはだかりました。けれども 主は私の支えとなられました。主は私を広いところに導き出し 私を助け出してくださいました。主が私を喜びとされたからです。（詩18・18.19）

私はあらゆるときに 主をほめたたえる。私の口には いつも主への賛美がある。私のたましいは主を誇る。貧しい者はそれを聞いて喜ぶ。私とともに主をほめよ。一つになって御名をあがめよう。私が主を求めると 主は答え すべての恐怖から 私を救い出してくださった。‥‥味わい 見つめよ。主がいつくしみ深い方であることを。幸いなことよ 主に身を避ける人は。（詩34・1-4.8）

10 月 30 日 （朝）

主の救いを 静まって待ち望むのは良い。（哀3・26）

神は いつくしみを忘れられたのか。怒って あわれみを閉ざされたのか。（詩77・9）私は うろたえて言いました。「私はあなたの目の前から断たれたのだ」と。しかし 私の願いの声をあなたは聞かれました。私があなたに叫び求めたときに。（詩31・22）

神は、昼も夜も神に叫び求めている、選ばれた者たちのためにさばきを行わないで、いつまでも放っておかれることがあるでしょうか。あなたがたに言いますが、神は彼らのため、速やかにさばきを行ってくださいます。（ルカ18・7.8）主を待ち望め。主があなたを救われる。（箴20・22）主の前に静まり 耐え忍んで主を待て。その道が栄えている者や 悪意を遂げようとする者に腹を立てるな。（詩37・7）

この戦いは、あなたがたが戦うのではない。堅く立って、あなたがたとともにおられる主の救いを見よ。（Ⅱ歴20・17）

失望せずに善を行いましょう。あきらめずに続ければ、時が来て刈り取ることになります。（ガラ6・9）見なさい。農夫は大地の貴重な実りを、初めの雨や後の雨が降るまで耐え忍んで待っています。（ヤコ5・7）

10 月 30 日 （夜）

私たちのために、あなたがたは狐を捕らえてください。
ぶどう畑を荒らす小狐を。私たちのぶどう畑は花盛り
ですから。(雅2・15)

だれが 自分の過ちを悟ることができるでしょう。どうか
隠れた罪から私を解き放ってください。(詩19・12) だれも神の
恵みから落ちないように、また、苦い根が生え出て悩ませた
り、これによって多くの人が汚されたりしないように、気を
つけなさい。(ヘブ12・15) あなたがたはよく走っていたのに、
だれがあなたがたの邪魔をして、真理に従わないようにさせ
たのですか。(ガラ5・7)

あなたがたの間で良い働きを始められた方は、キリスト・
イエスの日が来るまでにそれを完成させてくださる。(ピリ1・
6) ただキリストの福音にふさわしく生活しなさい。(ピリ1・
27) 舌も小さな器官ですが、大きなことを言って自慢します。
見なさい。あのように小さな火が、あのように大きな森を燃
やします。舌は火です。不義の世界です。舌は私たちの諸器
官の中にあってからだ全体を汚し、人生の車輪を燃やして、
ゲヘナの火によって焼かれます。‥‥舌を制することができ
る人は、だれもいません。舌は休むことのない悪であり、死
の毒で満ちています。(ヤコ3・5.6.8) あなたがたのことばが、
いつも親切で、塩味の効いたものであるようにしなさい。(コ
ロ4・6)

10 月 31 日 （朝）

「権力によらず、能力によらず、わたしの霊によって」
と万軍の主は言われる。(ゼカ4・6)

だれが主の霊を推し量り、主の助言者として主に教えたの
か。(イザ40・13)

神は、知恵ある者を恥じ入らせるために、この世の愚かな
者を選び、強い者を恥じ入らせるために、この世の弱い者を
選ばれました。有るものを無いものとするために、この世の
取るに足りない者や見下されている者、すなわち無に等しい
者を神は選ばれたのです。肉なる者がだれも神の御前で誇る
ことがないようにするためです。(Ⅰコリ1・27-29)

風は思いのままに吹きます。その音を聞いても、それがど
こから来てどこへ行くのか分かりません。御霊によって生ま
れた者もみな、それと同じです。(ヨハ3・8) 血によってではな
く、肉の望むところでも人の意志によってでもなく、ただ、
神によって生まれた。(ヨハ1・13)

わたしの霊はあなたがたの間にとどまっている。恐れるな。
(ハガ2・5) これはあなたがたの戦いではなく、神の戦いである。
(Ⅱ歴20・15)

剣や槍がなくても、主が救いをもたらす‥‥。この戦いは
主の戦いだ。(Ⅰサム17・47)

10 月 31 日 （夜）

お語りになったとおりに行ってください。（Ⅱサム 7・25）

あなたのしもべへの 仰せのことばが成り 私があなたを恐れるようにしてください。そうすれば 私をそしる者に対して 言い返すことができます。私はあなたのみことばに信頼していますから。どうか あなたのしもべへのみことばを 心に留めてください。あなたは 私がそれを待ち望むように なさいました。あなたのおきては 私の旅の家で 私の歌となりました。（詩 119・38. 42. 49. 54）あなたの御口のみおしえは 私にとって 幾千もの金銀にまさります。主よ あなたのみことばは とこしえから 天において定まっています。あなたの真実は代々に至ります。（詩 119・72. 89. 90）

神は、約束の相続者たちに、ご自分の計画が変わらないことをさらにはっきり示そうと思い、誓いをもって保証されました。それは、前に置かれている希望を捕らえようとして逃れて来た私たちが、約束と誓いという変わらない二つのものによって、力強い励ましを受けるためです。その二つについて、神が偽ることはあり得ません。私たちが持っているこの希望は、安全で確かな、たましいの錨のようなものであり、また幕の内側にまで入って行くものです。イエスは、私たちのために先駆けとしてそこに入られたのです。（ヘブ 6・17-20）

尊く大いなる約束。（Ⅱペテ 1・4）

11 月 1 日 （朝）

幸いなことよ。日々わたしの戸の傍らで見張り、わた
しの門の柱のわきで見守って、わたしの言うことを聞
く人は。(箴 8・34)

まことに しもべたちの目が主人の手に向けられ 仕える女
の目が女主人の手に向けられるように 私たちの目は私たち
の神 主に向けられています。主が私たちをあわれんでくだ
さるまで。(詩 123・2)

これは、主の前、会見の天幕の入り口での、あなたがたの
代々にわたる常供の全焼のささげ物である。その場所でわた
しはあなたがたに会い、その場所であなたと語る。(出 29・42)
わたしが自分の名を覚えられるようにするすべての場所で、
わたしはあなたに臨み、あなたを祝福する。(出 20・24)

二人か三人がわたしの名において集まっているところに
は、わたしもその中にいるのです。(マタ 18・20)

まことの礼拝者たちが、御霊と真理によって父を礼拝する
時が来ます。今がその時です。父はそのような人たちを、ご
自分を礼拝する者として求めておられるのです。神は霊です
から、神を礼拝する人は、御霊と真理によって礼拝しなけれ
ばなりません。(ヨハ 4・23.24)

あらゆる祈りと願いによって、どんなときにも御霊によっ
て祈りなさい。(エペ 6・18) 絶えず祈りなさい。(I テサ 5・17)

11 月 1 日 （夜）

その名は「不思議な助言者」と呼ばれる。(イザ9・6)

　その上に主の霊がとどまる。それは知恵と悟りの霊、思慮と力の霊、主を恐れる、知識の霊である。この方は主を恐れることを喜びとする。(イザ11・2.3)

　知恵は呼びかけないだろうか。英知はその声をあげないだろうか。‥‥「人々よ、わたしはあなたがたに呼びかける。人の子らに向かって声をあげる。浅はかな者たちよ、賢さを身につけよ。愚かな者たちよ、良識をわきまえよ。聞け。わたしは高貴なことを語り、わたしの唇からは公正が出るからだ。‥‥摂理と知性はわたしのもの。わたしは英知であり、わたしには力がある。」(箴8・1.4-6.14)

　万軍の主‥‥その摂理は奇しく、その英知は偉大である。(イザ28・29) あなたがたのうちに、知恵に欠けている人がいるなら、その人は、だれにでも惜しみなく、とがめることなく与えてくださる神に求めなさい。そうすれば与えられます。(ヤコ1・5) 心を尽くして主に拠り頼め。自分の悟りに頼るな。あなたの行く道すべてにおいて、主を知れ。主があなたの進む道をまっすぐにされる。(箴3・5.6)

1 1 月 2 日 （朝）

いつも善を行うように努めなさい。（Ⅰテサ5・15)

このためにこそ、あなたがたは召されました。キリストも、あなたがたのために苦しみを受け、その足跡に従うようにと、あなたがたに模範を残された。キリストは罪を犯したことがなく、その口には欺きもなかった。ののしられても、ののしり返さず、‥‥正しくさばかれる方にお任せになった。（Ⅰペテ2・21-23) あなたがたは、罪人たちの、ご自分に対するこのような反抗を耐え忍ばれた方のことを考えなさい。あなたがたの心が元気を失い、疲れ果ててしまわないようにするためです。（ヘブ12・3)

一切の重荷とまとわりつく罪を捨てて、自分の前に置かれている競争を、忍耐をもって走り続けようではありませんか。信仰の創始者であり完成者であるイエスから、目を離さないでいなさい。この方は、ご自分の前に置かれた喜びのために、辱めをものともせずに十字架を忍び、神の御座の右に着座されたのです。（ヘブ12・1.2)

兄弟たち。すべて真実なこと、すべて尊ぶべきこと、すべて正しいこと、すべて清いこと、すべて愛すべきこと、すべて評判の良いことに、また、何か徳とされることや称賛に値することがあれば、そのようなことに心を留めなさい。（ピリ4・8)

11 月 2 日 （夜）

力ある神。(イザ 9・6)

　あなたは人の子らにまさって麗しい。あなたの唇からは優しさが流れ出る。神がとこしえにあなたを祝福しておられるからだ。勇士よ　あなたの剣を腰に帯びよ。あなたの威厳とあなたの威光を。あなたの威光は勝利のうちに進み行け。‥‥神よ　あなたの王座は世々限りなく　あなたの王国の杖は公平の杖。(詩 45・2-4.6) あなたはかつて　幻を通して　あなたにある敬虔な者たちに告げられました。「わたしは　一人の勇士に助けを与えた。」(詩 89・19) わたしの仲間‥‥――万軍の主のことば――。(ゼカ 13・7)

　見よ、神は私の救い。私は信頼して恐れない。ヤハ、主は私の力、私のほめ歌。私のために救いとなられた。(イザ 12・2) 神に感謝します。神はいつでも、私たちをキリストによる凱旋の行列に加えてくださいます。(Ⅱコリ 2・14)

　あなたがたを、つまずかないように守ることができ、傷のない者として、大きな喜びとともに栄光の御前に立たせることができる方、私たちの救い主である唯一の神に、‥‥栄光、威厳、支配、権威が、永遠の昔も今も、世々限りなくありますように。アーメン。(ユダ 24.25)

11 月 3 日 （朝）

主の道は平らだ。正しい者はこれを歩み、背く者はこれにつまずく。(ホセ 14・9)

この石は、信じているあなたがたには尊いものですが、信じていない人々にとっては、‥‥「つまずきの石、妨げの岩」なのです。(Ⅰペテ2・7.8) 主の道は、誠実な人には砦、不法を行う者には滅びである。(箴10・29)

耳のある者は聞きなさい。(マタ11・15) 知恵のある者はだれか。これらのことに心を留めよ。主の数々の恵みを見極めよ。(詩107・43) からだの明かりは目です。ですから、あなたの目が健やかなら全身が明るくなりますが、目が悪ければ全身が暗くなります。(マタ6・22.23) だれでも神のみこころを行おうとするなら、その人には、この教えが神から出たものなのか、‥‥分かります。(ヨハ7・17) 持っている人は与えられてもっと豊かになるのです。(マタ13・12)

神から出た者は、神のことばに聞き従います。ですから、あなたがたが聞き従わないのは、あなたがたが神から出た者でないからです。(ヨハ8・47) あなたがたは、いのちを得るためにわたしのもとに来ようとはしません。(ヨハ5・40) わたしの羊たちはわたしの声を聞き分けます。わたしもその羊たちを知っており、彼らはわたしについて来ます。(ヨハ10・27)

11 月 3 日 （夜）

永遠の父。(イザ9・6)

聞け、イスラエルよ。主は私たちの神。主は唯一である。(申6・4)

わたしと父とは一つです。‥‥父がわたしにおられ、わたしも父にいる。(ヨハ10・30.38) もし、わたしを知っていたら、わたしの父をも知っていたでしょう。(ヨハ8・19) ピリポはイエスに言った。「主よ、私たちに父を見せてください。そうすれば満足します。」イエスは彼に言われた。「ピリポ、こんなに長い間、あなたがたと一緒にいるのに、わたしを知らないのですか。わたしを見た人は、父を見たのです。」(ヨハ14・8.9) 見よ。わたしと、神がわたしに下さった子たち。(ヘブ2・13) 彼は自分のたましいの激しい苦しみのあとを見て、満足する。(イザ53・11) 神である主、今おられ、昔おられ、やがて来られる方、全能者がこう言われる。「わたしはアルファであり、オメガである。」(黙1・8) アブラハムが生まれる前から、「わたしはある」なのです。(ヨハ8・58) 神はモーセに仰せられた。「わたしは『わたしはある』という者である。」また仰せられた。「あなたはイスラエルの子らに、こう言わなければならない。『わたしはある』という方が私をあなたがたのところに遣わされた、と。」(出3・14)

御子については、こう言われました。「神よ。あなたの王座は世々限りなく、‥‥」(ヘブ1・8) 御子は万物に先立って存在し、万物は御子にあって成り立っています。(コロ1・17) キリストのうちにこそ、神の満ち満ちたご性質が形をとって宿っています。(コロ2・9)

11 月 4 日 （朝）

**今しばらくの間、様々な試練の中で悲しまなければ
ならない。**（Ⅰペテ1・6）

愛する者たち。あなたがたを試みるためにあなたがたの間
で燃えさかる試練を、何か思いがけないことが起こったかの
ように、不審に思ってはいけません。むしろ、キリストの苦
難にあずかればあずかるほど、いっそう喜びなさい。キリス
トの栄光が現れるときにも、歓喜にあふれて喜ぶためです。
（Ⅰペテ4・12.13）あなたがたに向かって子どもたちに対するよ
うに語られた、この励ましのことば‥‥。「わが子よ、主の
訓練を軽んじてはならない。主に叱られて気落ちしてはなら
ない。」（ヘブ12・5）すべての訓練は、そのときは喜ばしいもの
ではなく、かえって苦しく思われるものですが、後になると、
これによって鍛えられた人々に、義という平安の実を結ばせ
ます。（ヘブ12・11）

私たちの大祭司は、私たちの弱さに同情できない方ではあ
りません。罪は犯しませんでしたが、すべての点において、
私たちと同じように試みにあわれたのです。（ヘブ4・15）イエス
は、自ら試みを受けて苦しまれたからこそ、試みられている
者たちを助けることができるのです。（ヘブ2・18）神は真実な方
です。あなたがたを耐えられない試練にあわせることはなさ
いません。（Ⅰコリ10・13）

11 月 4 日 （夜）

平和の君。(イザ 9・6)

　彼が義をもって　あなたの民をさばきますように。公正を
もって　あなたの苦しむ民を。山も丘も　義によって　民に平
和をもたらしますように。‥‥王は　牧草地に降る雨のよう
に　地を潤す夕立のように下って来ます。彼の代に　正しい者
が栄え　月がなくなるときまでも　豊かな平和がありますよう
に。(詩 72・2.3.6.7) 栄光が神にあるように。地の上で、平和が
みこころにかなう人々にあるように。(ルカ 2・14)

　(神の)あわれみにより、曙の光が、いと高き所から私たちに
訪れ、暗闇と死の陰に住んでいた者たちを照らし、私たちの
足を平和の道に導く。(ルカ 1・78.79) 神は‥‥イエス・キリス
トによって平和の福音を宣べ伝えられました。このイエス・
キリストはすべての人の主です。(使 10・36)

　これらのことをあなたがたに話したのは、あなたがたがわ
たしにあって平安を得るためです。世にあっては苦難があり
ます。しかし、勇気を出しなさい。わたしはすでに世に勝ち
ました。(ヨハ 16・33) わたしはあなたがたに平安を残します。
わたしの平安を与えます。わたしは、世が与えるのと同じよ
うには与えません。(ヨハ 14・27) すべての理解を超えた神の平
安が、あなたがたの心と思いをキリスト・イエスにあって
守ってくれます。(ピリ 4・7)

11 月 5 日 （朝）

**あなたは最上の香料を取れ。‥‥これらを調合し、
聖なる注ぎの油を作る。**(出 30・23.25)

これを人のからだに注いではならない。また、この割合で、
これと似たものを作ってはならない。これは聖なるものであ
り、あなたがたにとっても聖なるものでなければならない。
(出 30・32) 御霊は一つです。(エペ 4・4) 賜物はいろいろあります
が、与える方は同じ御霊です。(Ⅰコリ 12・4)

あなたの神は 喜びの油を あなたに注がれた。あなたに並
ぶだれにもまして。(詩 45・7) それは、ナザレのイエスのこと
です。神はこのイエスに聖霊と力によって油を注がれました。
(使 10・38) 神が(この方に)御霊を限りなくお与えになる。(ヨハ 3・
34)

私たちはみな、この方の満ち満ちた豊かさの中から、恵み
の上にさらに恵みを受けた。(ヨハ 1・16) その注ぎの油が、すべ
てについてあなたがたに教えてくれます。それは真理であっ
て偽りではありませんから、あなたがたは教えられたとおり、
御子のうちにとどまりなさい。(Ⅰヨハ 2・27) 私たちに油を注が
れた方は神です。神はまた、私たちに証印を押し、保証とし
て御霊を私たちの心に与えてくださいました。(Ⅱコリ 1・21.22)

御霊の実は、愛、喜び、平安、寛容、親切、善意、誠実、
柔和、自制です。このようなものに反対する律法はありませ
ん。(ガラ 5・22.23)

11 月 5 日 （夜）

この世の有様は過ぎ去るからです。(Ⅰコリ7・31)

メトシェラの全生涯は九百六十九年であった。こうして彼は死んだ。(創5・27)

身分の低い兄弟は、自分が高められることを誇りとしなさい。富んでいる人は、自分が低くされることを誇りとしなさい。富んでいる人は草の花のように過ぎ去って行くのです。太陽が昇って炎熱をもたらすと、草を枯らします。すると花は落ち、美しい姿は失われます。そのように、富んでいる人も旅路の途中で消えて行くのです。(ヤコ1・9-11)あなたがたのいのちとは、どのようなものでしょうか。あなたがたは、しばらくの間現れて、それで消えてしまう霧です。(ヤコ4・14)世と、世の欲は過ぎ去ります。しかし、神のみこころを行う者は永遠に生き続けます。(Ⅰヨハ2・17)

主よ お知らせください。私の終わり 私の齢がどれだけなのか。私がいかにはかないかを 知ることができるように。(詩39・4)人々が「平和だ、安全だ」と言っているとき、妊婦に産みの苦しみが臨むように、突然の破滅が彼らを襲います。それを逃れることは決してできません。しかし、兄弟たち。あなたがたは暗闇の中にいないので、その日が盗人のようにあなたがたを襲うことはありません。(Ⅰテサ5・3.4)

11 月 6 日 （朝）

あなたがたのいのちであるキリストが現れると、その
ときあなたがたも、キリストとともに栄光のうちに現れ
ます。(コロ 3・4)

わたしはよみがえりです。いのちです。わたしを信じる者
は死んでも生きるのです。(ヨハ 11・25) 神が私たちに永遠のい
のちを与えてくださったということ、そして、そのいのちが
御子のうちにあるということ‥‥。御子を持つ者はいのちを
持っており、神の御子を持たない者はいのちを持っていませ
ん。(I ヨハ 5・11.12)

号令と御使いのかしらの声と神のラッパの響きとともに、
主ご自身が天から下って来られます。そしてまず、キリスト
にある死者がよみがえり、それから、生き残っている私たち
が、彼らと一緒に雲に包まれて引き上げられ、空中で主と会
うのです。こうして私たちは、いつまでも主とともにいるこ
とになります。ですから、これらのことばをもって互いに励
まし合いなさい。(I テサ 4・16-18) 私たちは、キリストが現れた
ときに、キリストに似た者になることは知っています。キリ
ストをありのままに見るからです。(I ヨハ 3・2) 卑しいもので
蒔かれ、栄光あるものによみがえらされ、弱いもので蒔かれ、
力あるものによみがえらされるのです。(I コリ 15・43)

わたしが行って、あなたがたに場所を用意したら、また来
て、あなたがたをわたしのもとに迎えます。わたしがいると
ころに、あなたがたもいるようにするためです。(ヨハ 14・3)

11 月 6 日 （夜）

あなたの真理に私を導き 教えてください。(詩25・5)

真理の御霊が来ると、あなたがたをすべての真理に導いてくださいます。(ヨハ16・13) あなたがたには聖なる方からの注ぎの油があるので、みな真理を知っています。(Ⅰヨハ2・20)

ただ、みおしえと証しに尋ねなければならない。もし、このことばにしたがって語らないなら、その人に夜明けはない。(イザ8・20) 聖書はすべて神の霊感によるもので、教えと戒めと矯正と義の訓練のために有益です。神の人がすべての良い働きにふさわしく、十分に整えられた者となるためです。(Ⅱテモ3・16.17) 聖書はあなたに知恵を与えて、キリスト・イエスに対する信仰による救いを受けさせることができます。(Ⅱテモ3・15)

私は あなたが行く道で あなたを教え あなたを諭そう。あなたに目を留め 助言を与えよう。(詩32・8) からだの明かりは目です。ですから、あなたの目が健やかなら全身が明るくなります。(マタ6・22) だれでも神のみこころを行おうとするなら、その人には、この教えが神から出たものなのか、‥‥分かります。(ヨハ7・17)

11 月 7 日 （朝）

主に感謝せよ。その恵みのゆえに。人の子らへの奇しいみわざのゆえに。(詩107・8)

味わい 見つめよ。主がいつくしみ深い方であることを。幸いなことよ 主に身を避ける人は。(詩34・8) なんと大きいのでしょう。あなたのいつくしみは。あなたを恐れる者のために あなたはそれを蓄えられました。(詩31・19)

わたしのためにわたしが形造ったこの民は、わたしの栄誉を宣べ伝える。(イザ43・21) 神は、みこころの良しとするところにしたがって、私たちをイエス・キリストによってご自分の子にしようと、愛をもってあらかじめ定めておられました。それは、神がその愛する方にあって私たちに与えてくださった恵みの栄光が、ほめたたえられるためです。‥‥それは、前からキリストに望みを置いていた私たちが、神の栄光をほめたたえるためです。(エペ1・5.6.12)

なんという主のいつくしみ。なんという主の麗しさ。(ゼカ9・17) 主はすべてのものにいつくしみ深く そのあわれみは 造られたすべてのものの上にあります。主よ あなたが造られたすべてのものは あなたに感謝し あなたにある敬虔な者たちは あなたをほめたたえます。彼らはあなたの王国の栄光を告げ あなたの大能のわざを語ります。こうして人の子らに 主の大能のわざと 主の王国の輝かしい栄光を知らせます。(詩145・9-12)

11 月 7 日 （夜）

耐え忍んだ人たちは幸いだと私たちは思います。

（ヤコ 5・11）

苦難さえも喜んでいます。それは、苦難が忍耐を生み出し、忍耐が練られた品性を生み出し、練られた品性が希望を生み出すと、私たちは知っているからです。この希望は失望に終わることがありません。なぜなら、私たちに与えられた聖霊によって、神の愛が私たちの心に注がれているからです。（ロマ 5・3-5）すべての訓練は、そのときは喜ばしいものではなく、かえって苦しく思われるものですが、後になると、これによって鍛えられた人々に、義という平安の実を結ばせます。（ヘブ 12・11）私の兄弟たち。様々な試練にあうときはいつでも、この上もない喜びと思いなさい。あなたがたが知っているとおり、信仰が試されると忍耐が生まれます。その忍耐を完全に働かせなさい。そうすれば、あなたがたは何一つ欠けたところのない、成熟した、完全な者となります。（ヤコ 1・2-4）試練に耐える人は幸いです。耐え抜いた人は、神を愛する者たちに約束された、いのちの冠を受けるからです。（ヤコ 1・12）キリストの力が私をおおうために、むしろ大いに喜んで自分の弱さを誇りましょう。‥‥私が弱いときにこそ、私は強いからです。（Ⅱコリ 12・9.10）

11 月 8 日 （朝）

私たちは昼の者なので、信仰と愛の胸当てを着け、救いの望みというかぶとをかぶり、身を慎んでいましょう。（Ⅰテサ5・8）

あなたがたは心を引き締め、身を慎み、イエス・キリストが現れるときに与えられる恵みを、ひたすら待ち望みなさい。（Ⅰペテ1・13）そして、堅く立ちなさい。腰には真理の帯を締め、胸には正義の胸当てを着け、‥‥これらすべての上に、信仰の盾を取りなさい。それによって、悪い者が放つ火矢をすべて消すことができます。救いのかぶとをかぶり、御霊の剣、すなわち神のことばを取りなさい。（エペ6・14.16.17）

（万軍の主は）永久に死を呑み込まれる。神である主は、すべての顔から涙をぬぐい取り、全地の上からご自分の民の恥辱を取り除かれる。主がそう語られたのだ。その日、人は言う。「見よ。この方こそ、待ち望んでいた私たちの神。私たちを救ってくださる。この方こそ、私たちが待ち望んでいた主。その御救いを楽しみ喜ぼう。」（イザ25・8.9）

信仰は、望んでいることを保証し、目に見えないものを確信させるものです。（ヘブ11・1）

11 月 8 日 （夜）

イスラエル人は彼らと向かい合って、二つの小さなや
ぎの群れのように陣を敷いたが、アラム人はその地
に満ちていた。(Ⅰ列 20・27)

　主はこう言われる。「アラム人が、主は山の神であって低
地の神ではない、と言っているので、わたしはこの大いなる
軍勢をすべてあなたの手に渡す。そうしてあなたがたは、わ
たしこそ主であることを知る。」両軍は互いに向かい合って、
七日間、陣を敷いていた。七日目になって戦いに臨んだが、
イスラエル人は一日のうちにアラムの歩兵十万人を打ち殺し
た。(Ⅰ列 20・28.29) 子どもたち。あなたがたは神から出た者で
あり、彼らに勝ちました。あなたがたのうちにおられる方は、
この世にいる者よりも偉大だからです。(Ⅰヨハ 4・4)

　恐れるな。わたしはあなたとともにいる。たじろぐな。わ
たしがあなたの神だから。わたしはあなたを強くし、あなた
を助け、わたしの義の右の手で、あなたを守る。(イザ 41・10)

　彼らはあなたと戦っても、あなたに勝てない。わたしがあ
なたとともにいて、──主のことば──あなたを救い出すか
らだ。(エレ 1・19)

11 月 9 日 （朝）

わたしは 一人の勇士に助けを与え 民の中から一人
の若者を高く上げた。(詩89・19)

わたし、このわたしが主であり、ほかに救い主はいない。(イ
ザ43・11) 神は唯一です。神と人との間の仲介者も唯一であり、
それは人としてのキリスト・イエスです。(Ⅰテモ2・5) この方
以外には、だれによっても救いはありません。天の下でこの
御名のほかに、私たちが救われるべき名は人間に与えられて
いないからです。(使4・12)

力ある神。(イザ9・6) (キリストは)ご自分を空しくして、しも
べの姿をとり、人間と同じようになられました。人としての
姿をもって現れ、自らを低くして、死にまで、それも十字架
の死にまで従われました。それゆえ神は、この方を高く上げ
て、すべての名にまさる名を与えられました。(ピリ2・7-9) 御
使いよりもわずかの間 低くされた方、すなわちイエスのこ
とは見ています。イエスは死の苦しみのゆえに、栄光と誉れ
の冠を受けられました。その死は、神の恵みによって、すべ
ての人のために味わわれたものです。(ヘブ2・9) 子たちがみな
血と肉を持っているので、イエスもまた同じように、それら
のものをお持ちになりました。(ヘブ2・14)

11 月 9 日 （夜）

わたしにある敬虔な者を わたしのところに集めよ。
いけにえによって わたしと契約を結んだ者たちを。

(詩 50・5)

　キリストも、多くの人の罪を負うために一度ご自分を献げ、二度目には、罪を負うためではなく、ご自分を待ち望んでいる人々の救いのために現れてくださいます。(ヘブ 9・28) キリストは新しい契約の仲介者です。それは、‥‥召された者たちが、約束された永遠の資産を受け継ぐためです。(ヘブ 9・15)

　父よ。わたしに下さったものについてお願いします。わたしがいるところに、彼らもわたしとともにいるようにしてください。(ヨハ 17・24) そのとき、人の子は御使いたちを遣わし、地の果てから天の果てまで、選ばれた者たちを四方から集めます。(マル 13・27) たとえ、あなたが天の果てに追いやられていても、あなたの神、主はそこからあなたを集め、そこからあなたを連れ戻される。(申 30・4)

　まず、キリストにある死者がよみがえり、それから、生き残っている私たちが、彼らと一緒に雲に包まれて引き上げられ、空中で主と会うのです。こうして私たちは、いつまでも主とともにいることになります。(Ⅰテサ 4・16.17)

11 月 10 日 （朝）

あらゆる良いわざのうちに実を結び、神を知ることにおいて成長しますように。(コロ 1・10)

ですから、兄弟たち、私は神のあわれみによって、あなたがたに勧めます。あなたがたのからだを、神に喜ばれる、聖なる生きたささげ物として献げなさい。それこそ、あなたがたにふさわしい礼拝です。この世と調子を合わせてはいけません。むしろ、心を新たにすることで、自分を変えていただきなさい。そうすれば、神のみこころは何か、すなわち、何が良いことで、神に喜ばれ、完全であるのかを見分けるようになります。(ロマ 12・1.2) 以前あなたがたは、自分の手足を汚れと不法の奴隷として献げて、不法に進みました。同じように、今はその手足を義の奴隷として献げて、聖潔に進みなさい。(ロマ 6・19) 割礼を受けているか受けていないかは、大事なことではありません。大事なのは新しい創造です。この基準にしたがって進む人々の上に、‥‥平安とあわれみがありますように。(ガラ 6・15.16)

あなたがたが多くの実を結び、わたしの弟子となることによって、わたしの父は栄光をお受けになります。(ヨハ 15・8) わたしがあなたがたを選び、あなたがたを任命しました。それは、あなたがたが行って実を結び、その実が残るようになるため、また、あなたがたがわたしの名によって父に求めるものをすべて、父が与えてくださるようになるためです。(ヨハ 15・16)

11 月 10 日 （夜）

私は‥‥私のたましいの恋い慕う方を捜していまし
た。私が捜しても、あの方は見つかりませんでした。

(雅 3・1)

あなたの神、主に立ち返れ。あなたは自分の不義につまず
いたのだ。あなたがたはことばを用意し、主に立ち返れ。主
に言え。「すべての不義を赦し、良きものを受け入れてくだ
さい。」(ホセ 14・1.2)

だれでも誘惑されているとき、神に誘惑されていると言って
はいけません。‥‥人が誘惑にあうのは、それぞれ自分の欲
に引かれ、誘われるからです。(ヤコ 1・13.14) 私の愛する兄弟たち、
思い違いをしてはいけません。すべての良い贈り物、またす
べての完全な賜物は、上からのものであり、光を造られた父
から下って来るのです。父には、移り変わりや、天体の運行
によって生じる影のようなものはありません。(ヤコ 1・16.17)

待ち望め 主を。雄々しくあれ。心を強くせよ。待ち望め
主を。(詩 27・14) 主の救いを 静まって待ち望むのは良い。(哀 3・
26) 神は、昼も夜も神に叫び求めている、選ばれた者たちの
ためにさばきを行わないで、いつまでも放っておかれること
があるでしょうか。(ルカ 18・7)

私のたましいは黙って ただ神を待ち望む。私の救いは神
から来る。‥‥私のたましいよ 黙って ただ神を待ち望め。
私の望みは神から来るからだ。(詩 62・1.5)

11 月 11 日 （朝）

神が安らかに導かれたので 彼らは恐れなかった。

(詩 78・53)

わたしは義の道を歩む。公正の通り道のただ中を。(箴 8・20)

見よ。わたしは、使いをあなたの前に遣わし、道中あなた
を守り、わたしが備えた場所にあなたを導く。(出 23・20) 彼ら
が苦しむときには、いつも主も苦しみ、主の臨在の御使いが
彼らを救った。その愛とあわれみによって、主は彼らを贖い、
昔からずっと彼らを背負い、担ってくださった。(イザ 63・9)

自分の剣によって 彼らは地を得たのではなく 自分の腕が
彼らを救ったのでもありません。ただあなたの右の手 あな
たの御腕 あなたの御顔の光が そうしたのです。あなたが彼
らを愛されたからです。(詩 44・3) あなたはご自分の民を導き、
ご自分のために輝かしい名を成されました。(イザ 63・14)

主よ 私を待ち伏せている者がいますから あなたの義に
よって私を導いてください。私の前に あなたの道をまっす
ぐにしてください。(詩 5・8) どうか あなたの光とまことを送
り それらが私を導くようにしてください。あなたの聖なる
山 あなたの住まいへと それらが私を連れて行きますよう
に。こうして 私は神の祭壇に 私の最も喜びとする神のみも
とに行き 竪琴に合わせて あなたをほめたたえます。神よ
私の神よ。(詩 43・3.4)

11 月 11 日 （夜）

**あなたがたは洗われ、聖なる者とされ、義と認めら
れたのです。**（Ⅰコリ6・11）

御子イエスの血がすべての罪から私たちをきよめてくださ
います。（Ⅰヨハ1・7）彼への懲らしめが私たちに平安をもたら
し、その打ち傷のゆえに、私たちは癒やされた。（イザ53・5）

キリストが教会を愛し、教会のためにご自分を献げられた
・・・・のは、みことばにより、水の洗いをもって、教会をきよ
めて聖なるものとするためであり、ご自分で、しみや、しわ
や、そのようなものが何一つない、聖なるもの、傷のないも
のとなった栄光の教会を、ご自分の前に立たせるためです。
（エペ5・25-27）花嫁は、輝くきよい亜麻布をまとうことが許さ
れた。その亜麻布とは、聖徒たちの正しい行いである。（黙19・
8）心に血が振りかけられて、邪悪な良心をきよめられ、か
らだをきよい水で洗われ、全き信仰をもって真心から神に近
づこうではありませんか。（ヘブ10・22）

だれが、神に選ばれた者たちを訴えるのですか。神が義と
認めてくださるのです。（ロマ8・33）幸いなことよ　その背きを
赦され　罪をおおわれた人は。幸いなことよ　主が咎をお認め
にならず　その霊に欺きがない人は。（詩32・1.2）

11 月 12 日 （朝）

神のみこころに添った悲しみは、後悔のない、救いに至る悔い改めを生じさせます。（Ⅱコリ 7・10）

ペテロは、「鶏が鳴く前に、あなたは三度わたしを知らないと言います」と言われたイエスのことばを思い出した。そして、外に出て行って激しく泣いた。（マタ 26・75）もし私たちが自分の罪を告白するなら、神は真実で正しい方ですから、その罪を赦し、私たちをすべての不義からきよめてくださいます。（Ⅰヨハ 1・9）御子イエスの血がすべての罪から私たちをきよめてくださいます。（Ⅰヨハ 1・7）

私の咎が襲いかかり 私は何も見ることができません。それは私の髪の毛よりも多く 私の心も私を見捨てました。主よ みこころによって私を救い出してください。主よ 急いで私を助けてください。（詩 40・12.13）

あなたは、あなたの神に立ち返り、誠実と公正を守り、絶えずあなたの神を待ち望め。（ホセ 12・6）

神へのいけにえは 砕かれた霊。打たれ 砕かれた心。神よ あなたはそれを蔑まれません。（詩 51・17）主は心の打ち砕かれた者を癒やされる。（詩 147・3）主はあなたに告げられた。人よ、何が良いことなのか、主があなたに何を求めておられるのかを。それは、ただ公正を行い、誠実を愛し、へりくだって、あなたの神とともに歩むことではないか。（ミカ 6・8）

11 月 12 日 （夜）

「あなたは無事ですか。」‥‥彼女はそれにこう答え
た。「無事です。」(Ⅱ列 4・26)

同じ信仰の霊を持っている私たち。(Ⅱコリ 4・13)

懲らしめられているようでも、殺されておらず、悲しんで
いるようでも、いつも喜んでおり、貧しいようでも、多くの
人を富ませ、何も持っていないようでも、すべてのものを持っ
ています。(Ⅱコリ 6・9.10)

私たちは四方八方から苦しめられますが、窮することはあ
りません。途方に暮れますが、行き詰まることはありません。
迫害されますが、見捨てられることはありません。倒されま
すが、滅びません。私たちは、いつもイエスの死を身に帯び
ています。それはまた、イエスのいのちが私たちの身に現れ
るためです。‥‥ですから、私たちは落胆しません。たとえ
私たちの外なる人は衰えても、内なる人は日々新たにされて
います。私たちの一時の軽い苦難は、それとは比べものにな
らないほど重い永遠の栄光を、私たちにもたらすのです。私
たちは見えるものにではなく、見えないものに目を留めます。
(Ⅱコリ 4・8-10.16-18)

愛する者よ。あなたのたましいが幸いを得ているように、
あなたがすべての点で幸いを得、また健康であるように祈り
ます。(Ⅲヨハ 2)

11 月 13 日 （朝）

**キリストが教会を愛し、教会のためにご自分を献げら
れた‥‥のは、みことばにより、水の洗いをもって、
教会をきよめて聖なるものとするためです。**

(エペ 5・25.26)

愛のうちに歩みなさい。キリストも私たちを愛して、私た
ちのために、ご自分を神へのささげ物、またいけにえとし、
芳ばしい香りを献げてくださいました。(エペ 5・2)

あなたがたが新しく生まれたのは、朽ちる種からではなく
朽ちない種からであり、生きた、いつまでも残る、神のこと
ばによるのです。(Ⅰペテ 1・23) 真理によって彼らを聖別してく
ださい。あなたのみことばは真理です。(ヨハ 17・17) 人は、水
と御霊によって生まれなければ、神の国に入ることはできま
せん。(ヨハ 3・5) 神は、私たちが行った義のわざによってでは
なく、ご自分のあわれみによって、聖霊による再生と刷新の
洗いをもって、私たちを救ってくださいました。(テト 3・5) ま
ことに あなたのみことばは私を生かします。(詩 119・50)

主のおしえは完全で たましいを生き返らせ 主の証しは確
かで 浅はかな者を賢くする。主の戒めは真っ直ぐで 人の心
を喜ばせ 主の仰せは清らかで 人の目を明るくする。(詩 19・7.
8)

11 月 13 日 （夜）

**このキリストを通して、私たち二つのものが、一つの御
霊によって御父に近づくことができるのです。**(エペ2・18)

わたしは彼らのうちにいて、あなたはわたしのうちにおら
れます。彼らが完全に一つになるためです。(ヨハ17・23)

わたしは、あなたがたがわたしの名によって求めることは、
何でもそれをしてあげます。父が子によって栄光をお受けにな
るためです。あなたがたが、わたしの名によって何かをわたし
に求めるなら、わたしがそれをしてあげます。‥‥そしてわたし
が父にお願いすると、父はもう一人の助け主をお与えくださり、
その助け主がいつまでも、あなたがたとともにいるようにしてく
ださいます。この方は真理の御霊です。世はこの方を見ること
も知ることもないので、受け入れることができません。あなたが
たは、この方を知っています。この方はあなたがたとともにおら
れ、また、あなたがたのうちにおられるようになるのです。(ヨハ
14・13.14.16.17) あなたがたが召された、その召しの望みが一つで
あったのと同じように、からだは一つ、御霊は一つです。主は
ひとり、信仰は一つ、バプテスマは一つです。すべてのものの
上にあり、すべてのものを貫き、すべてのもののうちにおられる、
すべてのものの父である神はただひとりです。(エペ4・4-6) あなた
がたはこう祈りなさい。「天にいます私たちの父よ。」(マタ6・9)

こういうわけで、兄弟たち。私たちはイエスの血によって
大胆に聖所に入ることができます。‥‥新しい生ける道‥‥。
真心から神に近づこうではありませんか。(ヘブ10・19.20.22)

11 月 14 日 （朝）

**あなたは私の助け 私を救い出す方。わが神よ 遅れ
ないでください。**(詩40・17)

　主によって 人の歩みは確かにされる。主はその人の道を
喜ばれる。その人は転んでも 倒れ伏すことはない。主が そ
の人の腕を支えておられるからだ。(詩37・23.24) 力ある拠り所
は主を恐れることにあり、それは主の子らの避け所となる。
(箴14・26)

　あなたは何者なのか。死ななければならない人間や、草に
も等しい人の子を恐れるとは。‥‥あなたを造った主を、あ
なたは忘れている。(イザ51・12.13)

　わたしがあなたとともにいて、あなたを救い出す。(エレ1・8)
強くあれ。雄々しくあれ。彼らを恐れてはならない。おのの
いてはならない。あなたの神、主ご自身があなたとともに進
まれるからだ。主はあなたを見放さず、あなたを見捨てない。
(申31・6)

　この私はあなたの力を歌います。朝明けには あなたの恵
みを喜び歌います。私の苦しみの日に あなたが私の砦 また
私の逃れ場であられたからです。(詩59・16) あなたは私の隠れ
場。あなたは苦しみから私を守り 救いの歓声で 私を囲んで
くださいます。(詩32・7)

11 月 14 日 （夜）

どうしてヨルダンの氾濫原で過ごせるだろうか。

（エレ 12・5、英語欽定訳による）

ヨルダン川は刈り入れの期間中で、どこの川岸にも水があふれていた。（ヨシ 3・15）

主の契約の箱を担ぐ祭司たちは、ヨルダン川の真ん中の乾いたところにしっかりと立ち止まった。イスラエル全体は乾いたところを渡り、ついに民全員がヨルダン川を渡り終えた。（ヨシ 3・17）

御使いよりもわずかの間 低くされた方、すなわちイエスのことは見ています。イエスは死の苦しみのゆえに、栄光と誉れの冠を受けられました。その死は、神の恵みによって、すべての人のために味わわれたものです。（ヘブ 2・9）

たとえ 死の陰の谷を歩むとしても 私はわざわいを恐れません。あなたが ともにおられますから。あなたのむちとあなたの杖 それが私の慰めです。（詩 23・4）あなたが水の中を過ぎるときも、わたしは、あなたとともにいる。川を渡るときも、あなたは押し流されない。（イザ 43・2）

恐れることはない。わたしは初めであり、終わりであり、生きている者である。わたしは死んだが、見よ、世々限りなく生きている。また、死とよみの鍵を持っている。（黙 1・17.18）

神は真実です。その神に召されて、あなたがたは神の御子、私たちの主イエス・キリストとの交わりに入れられたのです。（Ⅰコリ1・9）

約束してくださった方は真実な方ですから、私たちは動揺しないで、しっかりと希望を告白し続けようではありませんか。（ヘブ10・23）神がこう言われるとおりです。「わたしは彼らの間に住み、また歩む。わたしは彼らの神となり、彼らはわたしの民となる。」（Ⅱコリ6・16）私たちの交わりとは、御父また御子イエス・キリストとの交わりです。（Ⅰヨハ1・3）キリストの苦難にあずかればあずかるほど、いっそう喜びなさい。キリストの栄光が現れるときにも、歓喜にあふれて喜ぶためです。（Ⅰペテ4・13）

信仰によって、あなたがたの心のうちにキリストを住まわせてくださいますように。そして、愛に根ざし、愛に基礎を置いているあなたがたが、すべての聖徒たちとともに、その広さ、長さ、高さ、深さがどれほどであるかを理解する力を持つようになり、人知をはるかに超えたキリストの愛を知ることができますように。そのようにして、神の満ちあふれる豊かさにまで、あなたがたが満たされますように。（エペ3・17-19）

だれでも、イエスが神の御子であると告白するなら、神はその人のうちにとどまり、その人も神のうちにとどまっています。（Ⅰヨハ4・15）神の命令を守る者は神のうちにとどまり、神もまた、その人のうちにとどまります。（Ⅰヨハ3・24）

11 月 15 日 （夜）

私たちは神の作品です。(エペ2・10)

王は、切り石を神殿の礎に据えるために、大きな石、高価な石を切り出すように命じた。(I列5・17) 神殿が建てられたとき、石切り場で完全に仕上げられた石で建てられたので、工事中、槌や斧や、いかなる鉄の道具の音も、いっさい神殿の中では聞こえなかった。(I列6・7)

あなたがた自身も生ける石として霊の家に築き上げられます。(Iペテ2・5) 使徒たちや預言者たちという土台の上に建てられていて、キリスト・イエスご自身がその要の石です。このキリストにあって、建物の全体が組み合わされて成長し、主にある聖なる宮となります。あなたがたも、このキリストにあって、ともに築き上げられ、御霊によって神の御住まいとなるのです。(エペ2・20-22) あなたがたは以前は神の民ではなかったのに、今は神の民です。(Iペテ2・10)

あなたがたは‥‥神の建物です。(Iコリ3・9) だれでもキリストのうちにあるなら、その人は新しく造られた者です。古いものは過ぎ去って、見よ、すべてが新しくなりました。(Ⅱコリ5・17) そうなるのにふさわしく私たちを整えてくださったのは、神です。神はその保証として御霊を下さいました。(Ⅱコリ5・5)

11 月 16 日 （朝）

**真理によって彼らを聖別してください。あなたのみこ
とばは真理です。**(ヨハ 17・17)

あなたがたは、わたしがあなたがたに話したことばによっ
て、すでにきよいのです。(ヨハ 15・3) キリストのことばが、あ
なたがたのうちに豊かに住むようにしなさい。(コロ 3・16)

どのようにして若い人は 自分の道を 清く保つことができ
るでしょうか。あなたのみことばのとおりに 道を守ること
です。私は心を尽くしてあなたを求めています。どうか あ
なたの仰せから 私が迷い出ないようにしてください。(詩 119・
9. 10)

知恵があなたの心に入り、知識がたましいに喜びとなる。
思慮はあなたを守り、英知はあなたを保つ。(箴 2・10. 11)

私の足は神の歩みにつき従い、神の道を守って、それたこ
とがない。私は神の唇の命令から離れず、自分の定めよりも
神の口のことばを蓄えた。(ヨブ 23・11.12) 私には 私のすべての
師にまさる賢さがあります。あなたのさとしが私の思いだか
らです。(詩 119・99) あなたがたは、わたしのことばにとどまる
なら、本当にわたしの弟子です。あなたがたは真理を知り、
真理はあなたがたを自由にします。(ヨハ 8・31.32)

11 月 16 日 （夜）

聖徒たちと同じ国の民。(エペ2・19)

あなたがたが近づいているのは、シオンの山、生ける神の都である天上のエルサレム、無数の御使いたちの喜びの集い、天に登録されている長子たちの教会、すべての人のさばき主である神、完全な者とされた義人たちの霊です。(ヘブ12・22. 23)

これらの人たちはみな、信仰の人として死にました。約束のものを手に入れることはありませんでしたが、はるか遠くにそれを見て喜び迎え、地上では旅人であり、寄留者であることを告白していました。(ヘブ11・13) 私たちの国籍は天にあります。そこから主イエス・キリストが救い主として来られるのを、私たちは待ち望んでいます。キリストは、万物をご自分に従わせることさえできる御力によって、私たちの卑しいからだを、ご自分の栄光に輝くからだと同じ姿に変えてくださいます。(ピリ3・20.21) 御父は、私たちを暗闇の力から救い出して、愛する御子のご支配の中に移してくださいました。(コロ1・13)

あなたがたは旅人、寄留者なのですから、たましいに戦いを挑む肉の欲を避けなさい。(Iペテ2・11)

11 月 17 日 （朝）

主よ‥‥あなたの御思いは あまりにも深いのです。

（詩 92・5）

　私たちも‥‥絶えずあなたがたのために祈り求めています。どうか、あなたがたが、あらゆる霊的な知恵と理解力によって、神のみこころについての知識に満たされますように。(コロ 1・9) 愛に根ざし、愛に基礎を置いているあなたがたが、すべての聖徒たちとともに、その広さ、長さ、高さ、深さがどれほどであるかを理解する力を持つようになり、人知をはるかに超えたキリストの愛を知ることができますように。そのようにして、神の満ちあふれる豊かさにまで、あなたがたが満たされますように。(エペ 3・17-19)

　ああ、神の知恵と知識の富は、なんと深いことでしょう。神のさばきはなんと知り尽くしがたく、神の道はなんと極めがたいことでしょう。(ロマ 11・33) わたしの思いは、あなたがたの思いと異なり、あなたがたの道は、わたしの道と異なるからだ。──主のことば──天が地よりも高いように、わたしの道は、あなたがたの道よりも高く、わたしの思いは、あなたがたの思いよりも高い。(イザ 55・8.9) わが神 主よ なんと多いことでしょう。あなたがなさった奇しいみわざと 私たちへの計らいは。あなたに並ぶ者はありません。語ろうとしても 告げようとしても それはあまりに多くて数えきれません。(詩 40・5)

11 月 17 日 （夜）

人は種を蒔けば、刈り取りもすることになります。

（ガラ 6・7）

不法を耕して害悪を蒔く者が、自らそれらを刈り取るのだ。
（ヨブ 4・8）彼らは風を蒔いて、つむじ風を刈り取る。（ホセ 8・7）
自分の肉に蒔く者は、肉から滅びを刈り取るのです。（ガラ 6・8）

義を蒔く者は確かな賃金を得る。（箴 11・18）御霊に蒔く者は、
御霊から永遠のいのちを刈り取るのです。失望せずに善を行い
ましょう。あきらめずに続ければ、時が来て刈り取ること
になります。ですから、私たちは機会があるうちに、すべて
の人に、特に信仰の家族に善を行いましょう。（ガラ 6・8-10）

気前よく施して、なお富む人があり、正当な支払いを惜し
んで、かえって乏しくなる者がある。おおらかな人は豊かに
され、他人を潤す人は自分も潤される。（箴 11・24,25）わずかだ
け蒔く者はわずかだけ刈り入れ、豊かに蒔く者は豊かに刈り
入れます。（Ⅱコリ 9・6）

11 月 18 日 （朝）

あなたは‥‥東風の日に、激しい息で彼らを吹き払われた。(イザ27・8)

　主の手に陥らせてください。主のあわれみは深いからです。(Ⅱサム24・14) わたしがあなたとともにいて、——主のことば——あなたを救うからだ。わたしが‥‥さばきによってあなたを懲らしめる。決してあなたを罰せずにおくことはない。(エレ30・11) 主は いつまでも争ってはおられない。とこしえに 怒ってはおられない。私たちの罪にしたがって 私たちを扱うことをせず 私たちの咎にしたがって 私たちに報いをされることもない。‥‥主は 私たちの成り立ちを知り 私たちが土のちりにすぎないことを 心に留めてくださる。(詩103・9.10.14) 人が自分に仕える子をあわれむように、わたしは彼らをあわれむ。(マラ3・17)

　神は真実な方です。あなたがたを耐えられない試練にあわせることはなさいません。むしろ、耐えられるように、試練とともに脱出の道も備えていてくださいます。(Ⅰコリ10・13) サタンがあなたがたを麦のようにふるいにかけることを願って、聞き届けられました。しかし、わたしはあなたのために、あなたの信仰がなくならないように祈りました。(ルカ22・31.32)

　あなたは弱っている者の砦、貧しい者の、苦しみのときの砦、嵐のときの避け所、暑さを避ける陰となられました。(イザ25・4)

— 645 —

11 月 18 日 （夜）

**私は自分で来て、自分の目で見るまでは、そのこと
を信じなかったのですが、なんと、私にはその半分
も知らされていなかったのです。**（Ⅰ列 10・7）

南の女王が、さばきのときにこの時代の人々とともに立っ
て、この時代の人々を罪ありとします。彼女はソロモンの知
恵を聞くために地の果てから来たからです。しかし見なさい。
ここにソロモンにまさるものがあります。（マタ 12・42）私たち
はこの方の栄光を見た。父のみもとから来られたひとり子と
しての栄光である。この方は恵みとまことに満ちておられた。
（ヨハ 1・14）

私のことばと私の宣教は、‥‥御霊と御力の現れによるも
のでした。それは、あなたがたの信仰が、人間の知恵によら
ず、神の力によるものとなるためだったのです。（Ⅰコリ 2・4.5）
このことは、「目が見たことのないもの、耳が聞いたことの
ないもの、人の心に思い浮かんだことがないものを、神は、
神を愛する者たちに備えてくださった」と書いてあるとおり
でした。それを、神は私たちに御霊によって啓示してくださ
いました。御霊はすべてのことを、神の深みさえも探られる
からです。（Ⅰコリ 2・9.10）

あなたの目は麗しい王を見る。（イザ 33・17）キリストをあり
のままに見る。（Ⅰヨハ 3・2）私は私の肉から神を見る。（ヨブ 19・
26）私は‥‥目覚めるとき 御姿に満ち足りるでしょう。（詩 17・
15）

あなたがたは彼らを実によって見分けることになるのです。(マタ7・20)

幼子たち、だれにも惑わされてはいけません。義を行う者は、キリストが正しい方であるように、正しい人です。(Ⅰヨハ3・7) 泉が、甘い水と苦い水を同じ穴から湧き出させるでしょうか。私の兄弟たち。いちじくの木がオリーブの実をならせたり、ぶどうの木がいちじくの実をならせたりすることができるでしょうか。塩水も甘い水を出すことはできません。あなたがたのうちで、知恵があり、分別のある人はだれでしょうか。その人はその知恵にふさわしい柔和な行いを、立派な生き方によって示しなさい。(ヤコ3・11-13) 異邦人の中にあって立派にふるまいなさい。そうすれば、彼らがあなたがたを悪人呼ばわりしていても、あなたがたの立派な行いを目にして、神の訪れの日に神をあがめるようになります。(Ⅰペテ2・12)

木を良いとし、その実も良いとするか、木を悪いとし、その実も悪いとするか、どちらかです。木の良し悪しはその実によって分かります。‥‥良い人は良い倉から良い物を取り出し、悪い者は悪い倉から悪い物を取り出します。(マタ12・33, 35)

わがぶどう畑になすべきことで、何かわたしがしなかったことがあるか。(イザ5・4)

11 月 19 日 （夜）

わたしは、自分の足台を栄光あるものとする。

(イザ60・13)

主はこう言われる。「天はわたしの王座、地はわたしの足台。」(イザ66・1)

神は、はたして人間とともに地の上に住まわれるでしょうか。実に、天も、天の天も、あなたをお入れすることはできません。まして私が建てたこの宮など、なおさらのことです。(Ⅱ歴6・18)

まことに、万軍の主はこう言われる。「間もなく、もう一度、わたしは天と地、海と陸を揺り動かす。わたしはすべての国々を揺り動かす。すべての国々の宝物がもたらされ、わたしはこの宮を栄光で満たす。——万軍の主は言われる——この宮のこれから後の栄光は、先のものにまさる。——万軍の主は言われる——」(ハガ2・6.7.9)

私は、新しい天と新しい地を見た。以前の天と以前の地は過ぎ去り、もはや海もない。‥‥私はまた、大きな声が御座から出て、こう言うのを聞いた。「見よ、神の幕屋が人々とともにある。神は人々とともに住み、人々は神の民となる。神ご自身が彼らの神として、ともにおられる。」(黙21・1.3)

11 月 20 日 （朝）

私は闇の中に座しても、主が私の光だ。（ミカ7・8）

あなたが水の中を過ぎるときも、わたしは、あなたとともにいる。川を渡るときも、あなたは押し流されず、火の中を歩いても、あなたは焼かれず、炎はあなたに燃えつかない。わたしはあなたの神、主、イスラエルの聖なる者、あなたの救い主であるからだ。（イザ43・2.3）わたしは目の見えない人に、知らない道を歩ませ、知らない通り道を行かせる。彼らの前で闇を光に、起伏のある地を平らにする。これらのことをわたしは行い、彼らを見捨てはしない。（イザ42・16）

たとえ 死の陰の谷を歩むとしても 私はわざわいを恐れません。あなたが ともにおられますから。あなたのむちとあなたの杖 それが私の慰めです。（詩23・4）心に恐れを覚える日 私はあなたに信頼します。神にあって 私はみことばをほめたたえます。神に信頼し 私は何も恐れません。肉なる者が私に何をなし得るでしょう。（詩56・3.4）主は私の光 私の救い。だれを私は恐れよう。主は私のいのちの砦。だれを私は怖がろう。（詩27・1）

11 月 20 日 （夜）

神は唯一です。神と人との間の仲介者も唯一であり、
それは人としてのキリスト・イエスです。(Ⅰテモ2・5)

聞け、イスラエルよ。主は私たちの神。主は唯一である。(申6・4) 仲介者は、当事者が一人であれば、いりません。しかし約束をお与えになった神は唯一の方です。(ガラ3・20)

私たちは 先祖と同じように罪を犯し 不義を行い 悪を行ってきました。私たちの先祖はエジプトで あなたの奇しいみわざを悟らず あなたの豊かな恵みを思い出さず‥‥逆らいました。(詩106・6.7) それで神は「彼らを根絶やしにする」と言われた。もし 神に選ばれた人モーセが 滅ぼそうとする激しい憤りを収めていただくために 御前の破れに立たなかったなら どうなっていたことか。(詩106・23)

天の召しにあずかっている聖なる兄弟たち。私たちが告白する、使徒であり大祭司であるイエスのことを考えなさい。モーセが神の家全体の中で忠実であったのと同様に、イエスはご自分を立てた方に対して忠実でした。(ヘブ3・1.2)

よりすぐれた契約の仲介者。‥‥その契約は、よりすぐれた約束に基づいて制定されたものです。(ヘブ8・6)「わたしが彼らの不義にあわれみをかけ、もはや彼らの罪を思い起こさないからだ。」(ヘブ8・12)

11 月 21 日 （朝）

わたしのもとに来る者を、わたしは決して外に追い出したりはしません。(ヨハ6・37)

彼がわたしに向かって叫ぶとき、わたしはそれを聞き入れる。わたしは情け深いからである。(出22・27) わたしは彼らを退けず、彼らを嫌って絶ち滅ぼさず、彼らとのわたしの契約を破ることはない。わたしが彼らの神、主だからである。(レビ26・44) わたしは、あなたが若かった日々にあなたと結んだ契約を覚えて、あなたと永遠の契約を立てる。(エゼ16・60)

さあ、来たれ。論じ合おう。——主は言われる——たとえ、あなたがたの罪が緋のように赤くても、雪のように白くなる。たとえ、紅のように赤くても、羊の毛のようになる。(イザ1・18) 悪しき者は自分の道を、不法者は自分のはかりごとを捨て去れ。主に帰れ。そうすれば、主はあわれんでくださる。私たちの神に帰れ。豊かに赦してくださるから。(イザ55・7)「イエス様。あなたが御国に入られるときには、私を思い出してください。」イエスは彼に言われた。「まことに、あなたに言います。あなたは今日、わたしとともにパラダイスにいます。」(ルカ23・42.43)

（彼は）傷んだ葦を折ることもなく、くすぶる灯芯を消すこともない。(イザ42・3)

11 月 21 日 （夜）

(御父の)愛する御子。(コロ1・13)

そして、見よ、天から声があり、こう告げた。「これはわたしの愛する子。わたしはこれを喜ぶ。」(マタ3・17) 見よ。わたしが支えるわたしのしもべ、わたしの心が喜ぶ、わたしの選んだ者。(イザ42・1) 父のふところにおられるひとり子の神。(ヨハ1・18)

神はそのひとり子を世に遣わし、その方によって私たちにいのちを得させてくださいました。それによって神の愛が私たちに示されたのです。私たちが神を愛したのではなく、神が私たちを愛し、私たちの罪のために、宥(なだ)めのささげ物としての御子を遣わされました。ここに愛があるのです。(Ⅰヨハ4・9.10) 私たちは自分たちに対する神の愛を知り、また信じています。神は愛です。(Ⅰヨハ4・16)

わたしは、あなたが下さった栄光を彼らに与えました。わたしたちが一つであるように、彼らも一つになるためです。わたしは彼らのうちにいて、あなたはわたしのうちにおられます。彼らが完全に一つになるためです。また、あなたがわたしを遣わされたことと、わたしを愛されたように彼らも愛されたことを、世が知るためです。(ヨハ17・22.23) 私たちが神の子どもと呼ばれるために、御父がどんなにすばらしい愛を与えてくださったかを、考えなさい。事実、私たちは神の子どもです。(Ⅰヨハ3・1)

11 月 22 日 （朝）

聖霊によって祈りなさい。(ユダ20)

　神は霊ですから、神を礼拝する人は、御霊と真理によって礼拝しなければなりません。(ヨハ4・24) このキリストを通して、‥‥一つの御霊によって御父に近づくことができるのです。(エペ2・18)

　わが父よ、できることなら、この杯をわたしから過ぎ去らせてください。しかし、わたしが望むようにではなく、あなたが望まれるままに、なさってください。(マタ26・39)

　同じように御霊も、弱い私たちを助けてくださいます。私たちは、何をどう祈ったらよいか分からないのですが、御霊ご自身が、ことばにならないうめきをもって、とりなしてくださるのです。人間の心を探る方は、御霊の思いが何であるかを知っておられます。なぜなら、御霊は神のみこころにしたがって、聖徒たちのためにとりなしてくださるからです。(ロマ8・26.27) 何事でも神のみこころにしたがって願うなら、神は聞いてくださるということ、これこそ神に対して私たちが抱いている確信です。(Ⅰヨハ5・14) 真理の御霊が来ると、あなたがたをすべての真理に導いてくださいます。(ヨハ16・13)

　あらゆる祈りと願いによって、どんなときにも御霊によって祈りなさい。そのために、目を覚ましていて、すべての聖徒のために、忍耐の限りを尽くして祈りなさい。(エペ6・18)

11 月 22 日 （夜）

木には望みがある。たとえ切られても、また芽を出し
その若枝は絶えることがない。(ヨブ14・7)

傷んだ葦を折ることもなく、‥‥(イザ42・3) 主は私のたま
しいを生き返らせます。(詩23・3)

神のみこころに添った悲しみは、後悔のない、救いに至る
悔い改めを生じさせますが、世の悲しみは死をもたらします。
(Ⅱコリ7・10) すべての訓練は、そのときは喜ばしいものでは
なく、かえって苦しく思われるものですが、後になると、こ
れによって鍛えられた人々に、義という平安の実を結ばせま
す。(ヘブ12・11)

苦しみにあう前には 私は迷い出ていました。しかし今は
あなたのみことばを守ります。(詩119・67) 私たちの悪い行いと
大きな罪過のゆえに、様々なことが私たちの上に起こりまし
たが、私たちの神、あなたは、私たちの咎に値するよりも軽
い罰を与え、逃れの者をこのように私たちに備えてください
ました。(エズ9・13)

私の敵よ、私のことで喜ぶな。私は倒れても起き上がる。
私は闇の中に座しても、主が私の光だ。‥‥主は私を光に連
れ出してくださる。私は、その義を見る。(ミカ7・8.9)

11 月 23 日 （朝）

わたしに聞き従う者は、安全に住み、わざわいを恐
れることなく、安らかである。(箴1・33)

主よ　代々にわたって　あなたは私たちの住まいです。(詩90・
1)　いと高き方の隠れ場に住む者　その人は　全能者の陰に宿
る。(詩91・1)　主の真実は大盾　また砦。(詩91・4)

あなたがたのいのちは、キリストとともに神のうちに隠さ
れているのです。(コロ3・3)　あなたがたに触れる者は、わたし
の瞳に触れる者。(ゼカ2・8)　恐れてはならない。しっかり立っ
て、‥‥主の救いを見なさい。‥‥主があなたがたのために
戦われるのだ。あなたがたは、ただ黙っていなさい。(出14・
13.14)　神は　われらの避け所　また力。苦しむとき　そこにある
強き助け。それゆえ　われらは恐れない。(詩46・1.2)

イエスはすぐに彼らに話しかけ、「しっかりしなさい。わ
たしだ。恐れることはない」と言われた。(マタ14・27)　なぜ取
り乱しているのですか。どうして心に疑いを抱くのですか。
わたしの手やわたしの足を見なさい。まさしくわたしです。
わたしにさわって、よく見なさい。幽霊なら肉や骨はありま
せん。見て分かるように、わたしにはあります。(ルカ24・38.
39)　私は自分が信じてきた方をよく知っており、また、その
方は私がお任せしたものを、かの日まで守ることがおできに
なると確信している。(Ⅱテモ1・12)

11 月 23 日 （夜）

わたしの国はこの世のものではありません。

（ヨハ 18・36）

キリストは、罪のために一つのいけにえを献げた後、永遠に神の右の座に着き、あとは、敵がご自分の足台とされるのを待っておられます。（ヘブ 10・12.13）あなたがたは今から後に、人の子が力ある方の右の座に着き、そして天の雲とともに来るのを見ることになります。（マタ 26・64）

すべての敵をその足の下に置くまで、キリストは王として治めることになっている。（Ⅰコリ 15・25）

神に感謝します。神は、私たちの主イエス・キリストによって、私たちに勝利を与えてくださいました。（Ⅰコリ 15・57）神は‥‥キリストを死者の中からよみがえらせ、天上でご自分の右の座に着かせて、すべての支配、権威、権力、主権の上に、また、今の世だけでなく、次に来る世においても、となえられるすべての名の上に置かれました。また、神はすべてのものをキリストの足の下に従わせ、キリストを、すべてのものの上に立つかしらとして教会に与えられました。教会はキリストのからだであり、すべてのものをすべてのもので満たす方が満ちておられるところです。（エペ 1・20-23）キリストの現れを、定められた時にもたらしてくださる、祝福に満ちた唯一の主権者、王の王、主の主。（Ⅰテモ 6・15）

11 月 24 日 （朝）

わたしの母、わたしの兄弟たちとは、神のことばを聞いて行う人たちのことです。(ルカ 8・21)

聖とする方も、聖とされる者たちも、みな一人の方から出ています。それゆえ、イエスは彼らを兄弟と呼ぶことを恥とせずに、こう言われます。「わたしは、あなたの御名を兄弟たちに語り告げ、会衆の中であなたを賛美しよう。」(ヘブ2・11. 12) キリスト・イエスにあって大事なのは、割礼を受ける受けないではなく、愛によって働く信仰なのです。(ガラ5・6) わたしが命じることを行うなら、あなたがたはわたしの友です。(ヨハ15・14) 幸いなのは、‥‥神のことばを聞いてそれを守る人たちです。(ルカ11・28)

わたしに向かって「主よ、主よ」と言う者がみな天の御国に入るのではなく、天におられるわたしの父のみこころを行う者が入るのです。(マタ7・21) わたしの食べ物とは、わたしを遣わされた方のみこころを行い、そのわざを成し遂げることです。(ヨハ4・34)

もし私たちが、神と交わりがあると言いながら、闇の中を歩んでいるなら、私たちは偽りを言っているのであり、真理を行っていません。(Iヨハ1・6) だれでも神のことばを守っているなら、その人のうちには神の愛が確かに全うされているのです。それによって、自分が神のうちにいることが分かります。(Iヨハ2・5)

11 月 24 日 （夜）

エリヤよ、ここで何をしているのか。(Ⅰ列 19・9)

　神は、私の行く道を知っておられる。(ヨブ 23・10) 主よ あなたは私を探り 知っておられます。あなたは 私の座るのも立つのも知っておられ 遠くから私の思いを読み取られます。あなたは私が歩くのも伏すのも見守り 私の道のすべてを知り抜いておられます。(詩 139・1-3) 私はどこへ行けるでしょう。あなたの御霊から離れて。どこへ逃れられるでしょう。あなたの御前を離れて。私が暁の翼を駆って 海の果てに住んでも そこでも あなたの御手が私を導き あなたの右の手が私を捕らえます。(詩 139・7.9.10)

　エリヤは私たちと同じ人間でした。(ヤコ 5・17) 人を恐れると罠にかかる。しかし、主に信頼する者は高い所にかくまわれる。(箴 29・25) その人は転んでも 倒れ伏すことはない。主がその人の腕を支えておられるからだ。(詩 37・24) 正しい人は七度倒れても、また起き上がる。(箴 24・16)

　失望せずに善を行いましょう。あきらめずに続ければ、時が来て刈り取ることになります。(ガラ 6・9) 霊は燃えていても肉は弱いのです。(マタ 26・41) 父がその子をあわれむように 主は ご自分を恐れる者をあわれまれる。(詩 103・13)

11 月 25 日 （朝）

罪から解放されて、義の奴隷となりました。(ロマ6・18)

あなたがたは神と富とに仕えることはできません。(マタ6・24) あなたがたは、罪の奴隷であったとき、義については自由にふるまっていました。ではそのころ、あなたがたはどんな実を得ましたか。今では恥ずかしく思っているものです。それらの行き着くところは死です。しかし今は、罪から解放されて神の奴隷となり、聖潔に至る実を得ています。その行き着くところは永遠のいのちです。(ロマ6・20-22)

律法が目指すものはキリストです。それで、義は信じる者すべてに与えられるのです。(ロマ10・4)

わたしに仕えるというのなら、その人はわたしについて来なさい。わたしがいるところに、わたしに仕える者もいることになります。わたしに仕えるなら、父はその人を重んじてくださいます。(ヨハ12・26) わたしは心が柔和でへりくだっているから、あなたがたもわたしのくびきを負って、わたしから学びなさい。そうすれば、たましいに安らぎを得ます。わたしのくびきは負いやすく、わたしの荷は軽いからです。(マタ11・29.30)

私たちの神、主よ。あなた以外の多くの君主が私たちを治めました。私たちはただあなただけを、あなたの御名を呼び求めます。(イザ26・13) 私はあなたの仰せの道を走ります。あなたが私の心を広くしてくださるからです。(詩119・32)

11 月 25 日 （夜）

主の御名を呼び求める者は みな救われる。(使2・21)

　彼(マナセ)は、主がイスラエルの子らの前から追い払われた異邦の民の忌み嫌うべき慣わしをまねて、主の目に悪であることを行った。‥‥バアルのためにいくつもの祭壇を築き、‥‥主の宮の二つの庭には、天の万象のために祭壇を築いた。また、自分の子どもに火の中を通らせ、卜占(ぼくせん)をし、まじないをし、霊媒や口寄せをし、主の目に悪であることを行って、いつも主の怒りを引き起こしていた。(Ⅱ列21・2.3.5.6)彼(マナセ)は苦しみの中で彼の神、主に嘆願し、父祖の神の前に大いにへりくだり、神に祈ったので、神は彼の願いを聞き入れられた。(Ⅱ歴33・12.13)

　「さあ、来たれ。論じ合おう。――主は言われる――たとえ、あなたがたの罪が緋のように赤くても、雪のように白くなる。たとえ、紅のように赤くても、羊の毛のようになる。」(イザ1・18) 主は‥‥あなたがたに対して忍耐しておられるのです。だれも滅びることがなく、すべての人が悔い改めに進むことを望んでおられるのです。(Ⅱペテ3・9)

11 月 26 日 （朝）

主の喜びがあなたにある。(イザ62・4)

　主はこう言われる。‥‥あなたを造った方が。「恐れるな。わたしがあなたを贖ったからだ。わたしはあなたの名を呼んだ。あなたは、わたしのもの。」(イザ43・1) 女が自分の乳飲み子を忘れるだろうか。自分の胎の子をあわれまないだろうか。たとえ女たちが忘れても、このわたしは、あなたを忘れない。見よ、わたしは手のひらにあなたを刻んだ。あなたの城壁は、いつもわたしの前にある。(イザ49・15.16)

　主によって 人の歩みは確かにされる。主はその人の道を喜ばれる。(詩37・23) 主を恐れる者と 御恵みを待ち望む者とを主は好まれる。(詩147・11) 人の子らを喜んだ。(箴8・31) 彼らは、わたしのものとなる。——万軍の主は言われる——わたしが事を行う日に、わたしの宝となる。人が自分に仕える子をあわれむように、わたしは彼らをあわれむ。(マラ3・17)

　あなたがたも、かつては神から離れ、敵意を抱き、悪い行いの中にありましたが、今は、神が御子の肉のからだにおいて、その死によって、あなたがたをご自分と和解させてくださいました。あなたがたを聖なる者、傷のない者、責められるところのない者として御前に立たせるためです。(コロ1・21.22)

11 月 26 日 （夜）

世の悲しみは死をもたらします。(Ⅱコリ 7・10)

アヒトフェルは、自分の助言が実行されないのを見ると、ろばに鞍を置いて自分の町の家に帰り、家を整理して首をくくって死んだ。(Ⅱサム 17・23) 打ちひしがれた霊はだれが担えるだろう。(箴 18・14)

乳香はギルアデにないのか。医者はそこにいないのか。なぜ、娘である私の民の傷は癒えなかったのか。(エレ 8・22) 貧しい人に良い知らせを伝えるため、心の傷ついた者を癒やすため、主はわたしに油を注ぎ、わたしを遣わされた。‥‥すべての嘆き悲しむ者を慰めるために。シオンの嘆き悲しむ者たちに、灰の代わりに頭の飾りを、嘆きの代わりに喜びの油を、憂いの心の代わりに賛美の外套を着けさせるために。(イザ 61・1-3) すべて疲れた人、重荷を負っている人はわたしのもとに来なさい。わたしがあなたがたを休ませてあげます。わたしは心が柔和でへりくだっているから、あなたがたもわたしのくびきを負って、わたしから学びなさい。そうすれば、たましいに安らぎを得ます。(マタ 11・28.29)

ピリポは‥‥イエスの福音を彼(宦官のエチオピア人)に伝えた。(使 8・35) 主は心の打ち砕かれた者を癒やし 彼らの傷を包まれる。(詩 147・3)

11 月 27 日 （朝）

わたしは、あなたが下さった栄光を彼らに与えました。

(ヨハ 17・22)

　私は、高く上げられた御座に着いておられる主を見た。その裾は神殿に満ち、セラフィムがその上の方に立っていた。‥‥(彼らは)互いにこう呼び交わしていた。「聖なる、聖なる、聖なる、万軍の主。その栄光は全地に満ちる。」(イザ 6・1-3) イザヤがこう言ったのは、イエスの栄光を見たからであり、イエスについて語ったのである。(ヨハ 12・41) その王座に似たもののはるか上には、人間の姿に似たものがあった。‥‥その方の周りにある輝きは、雨の日の雲の間にある虹のようであり、まさに主の栄光の姿のようであった。(エゼ 1・26.28)

　「どうか、あなたの栄光を私に見せてください。」主は言われた。‥‥「あなたはわたしの顔を見ることはできない。人はわたしを見て、なお生きていることはできないからである。」(出 33・18-20) いまだかつて神を見た者はいない。父のふところにおられるひとり子の神が、神を説き明かされたのである。(ヨハ 1・18)「闇の中から光が輝き出よ」と言われた神が、キリストの御顔にある神の栄光を知る知識を輝かせるために、私たちの心を照らしてくださったのです。(Ⅱコリ 4・6)

11 月 27 日 （夜）

**わが子よ。罪人たちがあなたを惑わしても、それに
応じてはならない。**(箴 1・10)

女はその実を取って食べ、ともにいた夫にも与えたので、
夫も食べた。(創 3・6) ゼラフの子アカンが、聖絶の物のことで
主の信頼を裏切り、イスラエルの全会衆の上に御怒りが下っ
たではないか。彼の不義によって死んだ者は彼一人ではな
かった。(ヨシ 22・20)

多数に従って悪の側に立ってはならない。(出 23・2)

滅びに至る門は大きく、その道は広く、そこから入って行
く者が多いのです。(マタ 7・13)

私たちの中でだれ一人、自分のために生きている人はいな
い。(ロマ 14・7) 兄弟たち。あなたがたは自由を与えられるため
に召されたのです。ただ、その自由を肉の働く機会としない
で、愛をもって互いに仕え合いなさい。(ガラ 5・13) あなたがた
のこの権利が、弱い人たちのつまずきとならないように気を
つけなさい。(Ⅰコリ 8・9) あなたがたはこのように兄弟たちに
対して罪を犯し、彼らの弱い良心を傷つけるとき、キリスト
に対して罪を犯しているのです。(Ⅰコリ 8・12)

私たちはみな、羊のようにさまよい、それぞれ自分勝手な
道に向かって行った。しかし、主は私たちすべての者の咎を
彼に負わせた。(イザ 53・6)

**からだが霊を欠いては死んでいるのと同じように、信
仰も行いを欠いては死んでいるのです。**(ヤコ2・26)

　わたしに向かって「主よ、主よ」と言う者がみな天の御国
に入るのではなく、天におられるわたしの父のみこころを行
う者が入るのです。(マタ7・21) 聖さがなければ、だれも主を見
ることができません。(ヘブ12・14) 信仰には徳を、徳には知識
を、知識には自制を、自制には忍耐を、忍耐には敬虔を、敬
虔には兄弟愛を、兄弟愛には愛を加えなさい。これらがあな
たがたに備わり、ますます豊かになるなら、私たちの主イエ
ス・キリストを知る点で、あなたがたが役に立たない者とか
実を結ばない者になることはありません。これらを備えてい
ない人は盲目です。自分の以前の罪がきよめられたことを忘
れてしまって、近視眼的になっているのです。ですから、兄
弟たち。自分たちの召しと選びを確かなものとするように、
いっそう励みなさい。これらのことを行っているなら、決し
てつまずくことはありません。(Ⅱペテ1・5-10)

　この恵みのゆえに、あなたがたは信仰によって救われたの
です。それはあなたがたから出たことではなく、神の賜物で
す。行いによるのではありません。だれも誇ることのないた
めです。(エペ2・8.9)

11 月 28 日 （夜）

子たちがみな血と肉を持っているので、イエスもまた同じように、‥‥。それは、‥‥死の恐怖によって一生涯奴隷としてつながれていた人々を解放するためでした。(ヘブ2・14.15)

「死よ、おまえの勝利はどこにあるのか。死よ、おまえのとげはどこにあるのか。」‥‥神に感謝します。神は、私たちの主イエス・キリストによって、私たちに勝利を与えてくださいました。(Ⅰコリ15・55.57) ですから、私たちは落胆しません。たとえ私たちの外なる人は衰えても、内なる人は日々新たにされています。(Ⅱコリ4・16)

たとえ私たちの地上の住まいである幕屋が壊れても、私たちには天に、神が下さる建物、人の手によらない永遠の住まいがあることを、私たちは知っています。‥‥ですから、私たちはいつも心強いのです。ただし、肉体を住まいとしている間は、私たちは主から離れているということも知っています。‥‥私たちは‥‥むしろ肉体を離れて、主のみもとに住むほうがよいと思っています。(Ⅱコリ5・1.6.8)

あなたがたは心を騒がせてはなりません。‥‥わたしの父の家には住む所がたくさんあります。‥‥わたしが行って、あなたがたに場所を用意したら、また来て、あなたがたをわたしのもとに迎えます。(ヨハ14・1-3)

11 月 29 日 （朝）

私たちは あなたの家の良いもの あなたの宮の聖な
るもので満ち足ります。(詩65・4)

一つのことを私は主に願った。それを私は求めている。私
のいのちの日の限り 主の家に住むことを。主の麗しさに目
を注ぎ その宮で思いを巡らすために。(詩27・4)

義に飢え渇く者は幸いです。その人たちは満ち足りるから
です。(マタ5・6) (主は)飢えた者を良いもので満ち足らせ、富
む者を何も持たせずに追い返されました。(ルカ1・53)

まことに主は 渇いたたましいを満ち足らせ 飢えたたまし
いを良いもので満たされた。(詩107・9) わたしがいのちのパン
です。わたしのもとに来る者は決して飢えることがなく、わ
たしを信じる者はどんなときにも、決して渇くことがありま
せん。(ヨハ6・35)

神よ あなたの恵みはなんと尊いことでしょう。人の子ら
は 御翼の陰に身を避けます。彼らは あなたの家の豊かさに
満たされ あなたは 楽しみの流れで潤してくださいます。い
のちの泉はあなたとともにあり あなたの光のうちに 私たち
は光を見るからです。(詩36・7-9)

11 月 29 日 （夜）

あなたがたは今、信じているのですか。(ヨハ 16・31)

　私の兄弟たち。だれかが自分には信仰があると言っても、その人に行いがないなら、何の役に立つでしょうか。そのような信仰がその人を救うことができるでしょうか。‥‥信仰も行いが伴わないなら、それだけでは死んだものです。(ヤコ 2・14.17)

　信仰によって、アブラハムは試みを受けたときにイサクを献げました。約束を受けていた彼が、自分のただひとりの子を献げようとしたのです。‥‥彼は、神には人を死者の中からよみがえらせることもできると考えました。(ヘブ 11・17.19) 私たちの父アブラハムは、その子イサクを祭壇に献げたとき、行いによって義と認められたではありませんか。‥‥人は行いによって義と認められるのであって、信仰だけによるのではないことが分かるでしょう。(ヤコ 2・21.24)

　自由をもたらす完全な律法を一心に見つめて、それから離れない人は、すぐに忘れる聞き手にはならず、実際に行う人になります。こういう人は、その行いによって祝福されます。(ヤコ 1・25)

　あなたがたは彼らを実によって見分けることになるのです。わたしに向かって「主よ、主よ」と言う者がみな天の御国に入るのではなく、天におられるわたしの父のみこころを行う者が入るのです。(マタ 7・20.21) これらのことが分かっているなら、そして、それを行うなら、あなたがたは幸いです。(ヨハ 13・17)

11 月 30 日 （朝）

どうか、平和の主ご自身が、どんな時にも、どんな
場合にも、あなたがたに平和を与えてくださいますよ
うに。どうか、主があなたがたすべてとともにいてく
ださいますように。(Ⅱテサ 3・16)

今おられ、昔おられ、やがて来られる方から、‥‥平安が
あなたがたにあるように。(黙 1・4.5) すべての理解を超えた神
の平安が、あなたがたの心と思いをキリスト・イエスにあっ
て守ってくれます。(ピリ 4・7)

わたしはあなたがたに平安を残します。わたしの平安を与
えます。わたしは、世が与えるのと同じようには与えません。
あなたがたは心を騒がせてはなりません。ひるんではなりま
せん。(ヨハ 14・27)

助け主、すなわち‥‥真理の御霊。(ヨハ 15・26) 御霊の実は、
愛、喜び、平安。(ガラ 5・22) 御霊ご自身が、私たちの霊ととも
に、私たちが神の子どもであることを証ししてくださいます。
(ロマ 8・16)

「わたしの臨在がともに行き、あなたを休ませる。」モーセ
は言った。「もしあなたのご臨在がともに行かないのなら、
私たちをここから導き上らないでください。私とあなたの民
がみこころにかなっていることは、いったい何によって知ら
れるのでしょう。それは、あなたが私たちと一緒に行くこと
によるのではないでしょうか。」(出 33・14-16)

11 月 30 日 （夜）

苦難さえも喜んでいます。(ロマ5・3)

もし私たちが、この地上のいのちにおいてのみ、キリスト
に望みを抱いているのなら、私たちはすべての人の中で一番
哀れな者です。(Ⅰコリ15・19) 愛する者たち。あなたがたを試
みるためにあなたがたの間で燃えさかる試練を、何か思いが
けないことが起こったかのように、不審に思ってはいけませ
ん。むしろ、キリストの苦難にあずかればあずかるほど、いっ
そう喜びなさい。キリストの栄光が現れるときにも、歓喜に
あふれて喜ぶためです。(Ⅰペテ4・12.13) 悲しんでいるようで
も、いつも喜んでいます。(Ⅱコリ6・10)

いつも主にあって喜びなさい。もう一度言います。喜びな
さい。(ピリ4・4) 使徒たちは、御名のために辱められるに値す
る者とされたことを喜びながら、最高法院から出て行った。
(使5・41)

どうか、希望の神が、信仰によるすべての喜びと平安であ
なたがたを満たしてくださいますように。(ロマ15・13)

いちじくの木は花を咲かせず、ぶどうの木には実りがなく、
オリーブの木も実がなく、畑は食物を生み出さない。羊は囲
いから絶え、牛は牛舎にいなくなる。しかし、私は主にあっ
て喜び躍り、わが救いの神にあって楽しもう。(ハバ3・17.18)

12 月 1 日 （朝）

ある人が、‥‥風を避ける避け所、嵐を避ける隠れ
場のようになる。(イザ 32・1.2、英語欽定訳)

子たちがみな血と肉を持っているので、イエスもまた同じように、それらのものをお持ちになりました。(ヘブ 2・14) わたしの仲間である「人」‥‥ ── 万軍の主のことば ── (ゼカ 13・7、英語欽定訳) わたしと父とは一つです。(ヨハ 10・30)

いと高き方の隠れ場に住む者 その人は 全能者の陰に宿る。(詩 91・1) その仮庵は昼に暑さを避ける陰となり、嵐と雨から逃れる避け所、また隠れ家となる。(イザ 4・6) 主はあなたの右手をおおう陰。昼も 日があなたを打つことはなく 夜も 月があなたを打つことはない。(詩 121・5.6) 私の心が衰え果てるとき‥‥どうか 及びがたいほど高い岩の上に 私を導いてください。(詩 61・2) あなたは私の隠れ場。あなたは苦しみから私を守ってくださいます。(詩 32・7) あなたは弱っている者の砦、貧しい者の、苦しみのときの砦、嵐のときの避け所、暑さを避ける陰となられました。横暴な者たちの息は、壁に吹きつける嵐のようです。(イザ 25・4)

12 月 1 日 （夜）

見よ、わたしは新しい天と新しい地を創造する。

(イザ65・17)

わたしが造る新しい天と新しい地が、わたしの前にいつまでも続くのと同じように、——主のことば——あなたがたの子孫とあなたがたの名もいつまでも続く。(イザ66・22)

私たちは、神の約束にしたがって、義の宿る新しい天と新しい地を待ち望んでいます。(Ⅱペテ3・13)

私は、新しい天と新しい地を見た。以前の天と以前の地は過ぎ去り、もはや海もない。私はまた、聖なる都、新しいエルサレムが、夫のために飾られた花嫁のように整えられて、神のみもとから、天から降って来るのを見た。私はまた、大きな声が御座から出て、こう言うのを聞いた。「見よ、神の幕屋が人々とともにある。神は人々とともに住み、人々は神の民となる。神ご自身が彼らの神として、ともにおられる。神は彼らの目から涙をことごとくぬぐい取ってくださる。もはや死はなく、悲しみも、叫び声も、苦しみもない。以前のものが過ぎ去ったからである。」すると、御座に座っておられる方が言われた。「見よ、わたしはすべてを新しくする。」(黙21・1-5)

12 月 2 日 （朝）

あなたがたには聖なる方からの注ぎの油があるの
で、みな真理を知っています。(Ⅰヨハ2・20)

神はこのイエスに聖霊と力によって油を注がれました。(使
10・38) 神は、ご自分の満ち満ちたものをすべて御子のうちに
宿らせ、‥‥(コロ1・19) 私たちはみな、この方の満ち満ちた
豊かさの中から、恵みの上にさらに恵みを受けた。(ヨハ1・16)

あなたは‥‥(私の)頭に香油を注いでくださいます。(詩23・
5) あなたがたのうちには、御子から受けた注ぎの油がとど
まっているので、だれかに教えてもらう必要はありません。
その注ぎの油が、すべてについてあなたがたに教えてくれま
す。それは真理であって偽りではありませんから、あなたが
たは教えられたとおり、御子のうちにとどまりなさい。(Ⅰヨ
ハ2・27)

助け主、すなわち、父がわたしの名によってお遣わしにな
る聖霊は、あなたがたにすべてのことを教え、わたしがあな
たがたに話したすべてのことを思い起こさせてくださいま
す。(ヨハ14・26)

同じように御霊も、弱い私たちを助けてくださいます。私
たちは、何をどう祈ったらよいか分からないのですが、御霊
ご自身が、ことばにならないうめきをもって、とりなしてく
ださるのです。(ロマ8・26)

12 月 2 日 （夜）

心に血が振りかけられて、邪悪な良心をきよめられ、

・・・・(ヘブ 10・22)

雄やぎと雄牛の血や、若い雌牛の灰を汚れた人々に振りかけると、それが聖なるものとする働きをして、からだをきよいものにするのなら、まして、キリストが傷のないご自分を、とこしえの御霊によって神にお献げになったその血は、どれだけ私たちの良心をきよめて死んだ行いから離れさせ、生ける神に仕える者にすることでしょうか。(ヘブ9・13.14) アベルの血よりもすぐれたことを語る、注ぎかけられたイエスの血。(ヘブ12・24)

私たちはその血による贖い、背きの罪の赦しを受けています。これは神の豊かな恵みによることです。(エペ1・7)

モーセは、律法にしたがってすべての戒めを民全体に語った後、水と緋色の羊の毛とヒソプとともに、子牛と雄やぎの血を取って、契約の書自体にも民全体にも振りかけ、・・・・幕屋と、礼拝に用いるすべての用具にも同様に血を振りかけました。律法によれば、ほとんどすべてのものは血によってきよめられます。血を流すことがなければ、罪の赦しはありません。(ヘブ9・19.21.22)

12 月 3 日 （朝）

**私なら、神に尋ね、神に向かって自分のことを訴える
だろう。**(ヨブ5・8)

主にとって不可能なことがあるだろうか。(創18・14) あなた
の道を主にゆだねよ。主に信頼せよ。主が成し遂げてくださ
る。(詩37・5) 何も思い煩わないで、あらゆる場合に、感謝を
もってささげる祈りと願いによって、あなたがたの願い事を
神に知っていただきなさい。(ピリ4・6) あなたがたの思い煩い
を、いっさい神にゆだねなさい。神があなたがたのことを心
配してくださるからです。(Iペテ5・7)

ヒゼキヤは、使者の手からその手紙を受け取って読み、主
の宮に上って行き、それを主の前に広げた。ヒゼキヤは主に
祈った。(イザ37・14.15)

彼らが呼ばないうちに、わたしは答え、彼らがまだ語って
いるうちに、わたしは聞く。(イザ65・24) 正しい人の祈りは、
働くと大きな力があります。(ヤコ5・16)

私は主を愛している。主は私の声 私の願いを聞いてくだ
さる。主が私に耳を傾けてくださるので 私は生きているか
ぎり主を呼び求める。(詩116・1.2)

12 月 3 日 （夜）

からだをきよい水で洗われ、‥‥(ヘブ 10・22)

　洗盤‥‥を青銅で作り、それを会見の天幕と祭壇の間に置き、その中に水を入れよ。アロンとその子らは、そこで手と足を洗う。彼らが会見の天幕に入るときには水を浴びる。彼らが死ぬことのないようにするためである。‥‥その手、その足を洗う。彼らが死ぬことのないようにするためである。(出 30・18-21)

　あなたがたのからだは、あなたがたのうちにおられる‥‥聖霊の宮です。(Ⅰコリ 6・19)

　もし、だれかが神の宮を壊すなら、神がその人を滅ぼされます。神の宮は聖なるものだからです。あなたがたは、その宮です。(Ⅰコリ 3・17)

　私の皮がこのように剥ぎ取られた後に、私は私の肉から神を見る。この方を私は自分自身で見る。私自身の目がこの方を見る。ほかの者ではない。(ヨブ 19・26.27) すべての汚れたもの、また忌まわしいことや偽りを行う者は、決して都に入れない。(黙 21・27) 兄弟たち、私は神のあわれみによって、あなたがたに勧めます。あなたがたのからだを、神に喜ばれる、聖なる生きたささげ物として献げなさい。それこそ、あなたがたにふさわしい礼拝です。(ロマ 12・1)

12 月 4 日 （朝）

知恵はどこで見つかるのか。(ヨブ28・12)

あなたがたのうちに、知恵に欠けている人がいるなら、その人は、だれにでも惜しみなく、とがめることなく与えてくださる神に求めなさい。そうすれば与えられます。ただし、少しも疑わずに、信じて求めなさい。(ヤコ1・5.6)

心を尽くして主に拠り頼め。自分の悟りに頼るな。あなたの行く道すべてにおいて、主を知れ。主があなたの進む道をまっすぐにされる。(箴3・5.6) 自分を知恵のある者と考えるな。主を恐れ、悪から遠ざかれ。(箴3・7)

「ああ、神、主よ、ご覧ください。私はまだ若くて、どう語ってよいか分かりません。」主は私に言われた。「まだ若い、と言うな。わたしがあなたを遣わすすべてのところへ行き、わたしがあなたに命じるすべてのことを語れ。彼らの顔を恐れるな。わたしがあなたとともにいて、あなたを救い出すからだ。──主のことば。」(エレ1・6-8)

わたしの名によって父に求めるものは何でも、父はあなたがたに与えてくださいます。今まで、あなたがたは、わたしの名によって何も求めたことがありません。求めなさい。そうすれば受けます。あなたがたの喜びが満ちあふれるようになるためです。(ヨハ16・23.24) あなたがたは、信じて祈り求めるものは何でも受けることになります。(マタ21・22)

12 月 4 日 （夜）

いつまでも生きたくありません。(ヨブ7・16)

　私は言いました。「ああ　私に鳩のように翼があったなら。飛び去って　休むことができたなら。‥‥嵐と疾風を避けて私の逃れ場に急ぎたい。」(詩55・6.8)

　私たちはこの幕屋にあってうめき、天から与えられる住まいを着たいと切望しています。‥‥確かにこの幕屋のうちにいる間、私たちは重荷を負ってうめいています。それは、この幕屋を脱ぎたいからではありません。死ぬはずのものが、いのちによって呑み込まれるために、天からの住まいを上に着たいからです。(Ⅱコリ5・2.4) 私の願いは、世を去ってキリストとともにいることです。そのほうが、はるかに望ましいのです。(ピリ1・23)

　自分の前に置かれている競走を、忍耐をもって走り続けようではありませんか。信仰の創始者であり完成者であるイエスから、目を離さないでいなさい。この方は、ご自分の前に置かれた喜びのために、辱めをものともせずに十字架を忍び、神の御座の右に着座されたのです。あなたがたは、罪人たちの、ご自分に対するこのような反抗を耐え忍ばれた方のことを考えなさい。あなたがたの心が元気を失い、疲れ果ててしまわないようにするためです。(ヘブ12・1-3)

　あなたがたは心を騒がせてはなりません。ひるんではなりません。(ヨハ14・27)

12 月 5 日 （朝）

**苦しみにあったことは 私にとって幸せでした。それに
より 私はあなたのおきてを学びました。**(詩119・71)

キリストは御子であられるのに、お受けになった様々な苦
しみによって従順を学び、‥‥(ヘブ5・8) 私たちはキリストと、
栄光をともに受けるために苦難をともにしているのです。
‥‥今の時の苦難は、やがて私たちに啓示される栄光に比べ
れば、取るに足りないと私は考えます。(ロマ8・17.18)

神は、私の行く道を知っておられる。私は試されると、金
のようになって出て来る。私の足は神の歩みにつき従い、神
の道を守って、それたことがない。(ヨブ23・10.11)

あなたの神、主がこの四十年の間、荒野であなたを歩ませ
られたすべての道を覚えていなければならない。それは、あ
なたを苦しめて、あなたを試し、あなたがその命令を守るか
どうか、あなたの心のうちにあるものを知るためであった。
‥‥あなたは、人がその子を訓練するように、あなたの神、
主があなたを訓練されることを知らなければならない。あな
たの神、主の命令を守って主の道に歩み、主を恐れなさい。(申
8・2.5.6)

12 月 5 日 （夜）

人は、自分の能力によっては勝てないからです。

（Ⅰサム2・9）

ダビデはペリシテ人に言った。「おまえは、剣と槍と投げ槍を持って私に向かって来るが、私は、おまえがそしったイスラエルの戦陣の神、万軍の主の御名によって、おまえに立ち向かう。」‥‥ダビデは手を袋の中に入れて、石を一つ取り、石投げでそれを放って、ペリシテ人の額を撃った。石は額に食い込み、彼はうつぶせに地面に倒れた。ダビデは、石投げと石一つでこのペリシテ人に勝った。（Ⅰサム17・45.49.50）

王は 軍勢の大きさでは救われない。勇者は 力の大きさでは救い出されない。‥‥見よ 主の目は主を恐れる者に注がれる。主の恵みを待ち望む者に。（詩33・16.18）富と誉れは御前から出ます。あなたはすべてのものを支配しておられます。あなたの御手には勢いと力があり、あなたの御手によって、すべてのものが偉大にされ、力づけられるのです。（Ⅰ歴29・12）

キリストの力が私をおおうために、むしろ大いに喜んで自分の弱さを誇りましょう。ですから私は、キリストのゆえに、弱さ、侮辱、苦悩、迫害、困難を喜んでいます。というのは、私が弱いときにこそ、私は強いからです。（Ⅱコリ12・9.10）

12 月 6 日 （朝）

神は‥‥あなたがたのうちに働いて‥‥くださる方です。（ピリ 2・13）

　何かを、自分が成したことだと考える資格は、私たち自身にはありません。私たちの資格は神から与えられるものです。（Ⅱコリ 3・5）人は、天から与えられるのでなければ、何も受けることができません。（ヨハ 3・27）わたしを遣わされた父が引き寄せてくださらなければ、だれもわたしのもとに来ることはできません。わたしはその人を終わりの日によみがえらせます。（ヨハ 6・44）わたしは、‥‥わたしをいつも恐れるよう、彼らに一つの心と一つの道を与える。（エレ 32・39）

　私の愛する兄弟たち、思い違いをしてはいけません。すべての良い贈り物、またすべての完全な賜物は、上からのものであり、光を造られた父から下って来るのです。父には、移り変わりや、天体の運行によって生じる影のようなものはありません。この父が私たちを、いわば被造物の初穂にするために、みこころのままに真理のことばをもって生んでくださいました。（ヤコ 1・16-18）

　私たちは神の作品であって、良い行いをするためにキリスト・イエスにあって造られたのです。神は、私たちが良い行いに歩むように、その良い行いをあらかじめ備えてくださいました。（エペ 2・10）

　主よ。あなたは私たちのために平和を備えてくださいます。まことに、私たちのすべてのわざも、あなたが私たちのためになさったことです。（イザ 26・12）

12 月 6 日 （夜）

霊は燃えていても肉は弱いのです。(マタ 26・41)

主よ。まことに、あなたのさばきの道で 私たちはあなたを待ち望みます。あなたの御名、あなたの呼び名は 私のたましいの望みです。私のたましいは、夜にあなたを慕います。まことに、私の内なる霊はあなたを切に求めます。(イザ 26・8.9)

私は、自分のうちに、すなわち、自分の肉のうちに善が住んでいないことを知っています。私には良いことをしたいという願いがいつもあるのに、実行できないからです。‥‥私は、内なる人としては、神の律法を喜んでいますが、私のからだには異なる律法があって、それが私の心の律法に対して戦いを挑み、私を、からだにある罪の律法のうちにとりこにしていることが分かるのです。(ロマ 7・18.22.23) 肉が望むことは御霊に逆らい、御霊が望むことは肉に逆らうからです。この二つは互いに対立しているので、あなたがたは願っていることができなくなります。(ガラ 5・17)

私を強くしてくださる方によって、私はどんなことでもできるのです。(ピリ 4・13) 私たちの資格は神から与えられるものです。(Ⅱコリ 3・5) わたしの恵みはあなたに十分である。(Ⅱコリ 12・9)

12 月 7 日 （朝）

神は、罪を知らない方を私たちのために罪とされました。それは、私たちがこの方にあって神の義となるためです。(Ⅱコリ5・21)

主は私たちすべての者の咎を彼に負わせた。(イザ53・6) キリストは自ら十字架の上で、私たちの罪をその身に負われた。それは、私たちが罪を離れ、義のために生きるため。その打ち傷のゆえに、あなたがたは癒やされた。(Ⅰペテ2・24) 一人の人の不従順によって多くの人が罪人とされたのと同様に、一人の従順によって多くの人が義人とされるのです。(ロマ5・19)

私たちの救い主である神のいつくしみと人に対する愛が現れたとき、神は、私たちが行った義のわざによってではなく、ご自分のあわれみによって、聖霊による再生と刷新の洗いをもって、私たちを救ってくださいました。神はこの聖霊を、私たちの救い主イエス・キリストによって、私たちに豊かに注いでくださったのです。それは、私たちがキリストの恵みによって義と認められ、永遠のいのちの望みを抱く相続人となるためでした。(テト3・4-7) こういうわけで、今や、キリスト・イエスにある者が罪に定められることは決してありません。(ロマ8・1)

「主は私たちの義」。(エレ23・6)

12 月 7 日 （夜）

わたしはイスラエルにとって露のようになる。（ホセ 14・5）

キリストの柔和さと優しさ。（Ⅱコリ 10・1）

傷んだ葦を折ることもなく、くすぶる灯芯を消すこともない。（イザ 42・3）

「主の霊がわたしの上にある。貧しい人に良い知らせを伝えるため、主はわたしに油を注ぎ、わたしを遣わされた。捕らわれ人には解放を、目の見えない人には目の開かれることを告げ、虐げられている人を自由の身とし、主の恵みの年を告げるために。」‥‥イエスは人々に向かって話し始められた。「あなたがたが耳にしたとおり、今日、この聖書のことばが実現しました。」人々はみなイエスをほめ、その口から出て来る恵みのことばに驚いた。（ルカ 4・18. 19. 21. 22）

主は振り向いてペテロを見つめられた。ペテロは、「今日、鶏が鳴く前に、あなたは三度わたしを知らないと言います」と言われた主のことばを思い出した。そして、外に出て行って、激しく泣いた。（ルカ 22・61. 62）

主は羊飼いのように、その群れを飼い、御腕に子羊を引き寄せ、懐に抱く。（イザ 40・11）

愛をもって互いに仕え合いなさい。(ガラ5・13)

兄弟たち。もしだれかが何かの過ちに陥っていることが分かったなら、御霊の人であるあなたがたは、柔和な心でその人を正してあげなさい。また、自分自身も誘惑に陥らないように気をつけなさい。互いの重荷を負い合いなさい。そうすれば、キリストの律法を成就することになります。(ガラ6・1.2)

私の兄弟たち。あなたがたの中に真理から迷い出た者がいて、だれかがその人を連れ戻すなら、罪人を迷いの道から連れ戻す人は、罪人のたましいを死から救い出し、また多くの罪をおおうことになるのだと、知るべきです。(ヤコ5・19.20)あなたがたは真理に従うことによって、たましいを清め、偽りのない兄弟愛を抱くようになったのですから、きよい心で互いに熱く愛し合いなさい。(Ⅰペテ1・22)だれに対しても、何の借りもあってはいけません。ただし、互いに愛し合うことは別です。他の人を愛する者は、律法の要求を満たしているのです。(ロマ13・8)兄弟愛をもって互いに愛し合い、互いに相手をすぐれた者として尊敬し合いなさい。(ロマ12・10)みな互いに謙遜を身に着けなさい。「神は高ぶる者には敵対し、へりくだった者には恵みを与えられる」のです。(Ⅰペテ5・5)

私たち力のある者たちは、力のない人たちの弱さを担うべきであり、自分を喜ばせるべきではありません。(ロマ15・1)

12 月 8 日 （夜）

土のちりは元あったように地に帰る。(伝 12・7)

朽ちるもので蒔かれ、‥‥卑しいもので蒔かれ、‥‥弱い
もので蒔かれ、‥‥血肉のからだで蒔かれ、‥‥（Ⅰコリ 15・
42-44）第一の人は地から出て、土で造られた人です。（Ⅰコリ 15・
47）

あなたは土のちりだから、土のちりに帰るのだ。(創 3・19)
ある者は元気盛りの時に死ぬ。全く安らかに、平穏のうちに。
‥‥ある者は苦悩のうちに死ぬ。幸せを味わうこともなく。
両者はともに土のちりに伏し、うじ虫が彼らをおおう。(ヨブ
21・23. 25. 26)

私の身も安らかに住まいます。(詩 16・9) 私の皮がこのよう
に剥ぎ取られた後に、私は私の肉から神を見る。(ヨブ 19・26)
キリストは、万物をご自分に従わせることさえできる御力に
よって、私たちの卑しいからだを、ご自分の栄光に輝くから
だと同じ姿に変えてくださいます。(ピリ 3・21)

主よ お知らせください。私の終わり 私の齢がどれだけな
のか。私がいかにはかないかを 知ることができるように。(詩
39・4) どうか教えてください。自分の日を数えることを。そ
うして私たちに 知恵の心を得させてください。(詩 90・12)

12 月 9 日 （朝）

義と公正を行うことは、主の前で、いけにえより望ましい。(箴21・3)

主はあなたに告げられた。人よ、何が良いことなのか、主があなたに何を求めておられるのかを。それは、ただ公正を行い、誠実を愛し、へりくだって、あなたの神とともに歩むことではないか。(ミカ6・8) 主は、全焼のささげ物やいけにえを、主の御声に聞き従うことほどに喜ばれるだろうか。見よ。聞き従うことは、いけにえにまさり、耳を傾けることは、雄羊の脂肪にまさる。(Ⅰサム15・22) 心を尽くし、知恵を尽くし、力を尽くして主を愛すること、また、隣人を自分自身のように愛することは、どんな全焼のささげ物やいけにえよりもはるかにすぐれています。(マル12・33)

あなたは、あなたの神に立ち返り、誠実と公正を守り、絶えずあなたの神を待ち望め。(ホセ12・6) （マリアは）主の足もとに座って、主のことばに聞き入っていた。(ルカ10・39) 「必要なことは一つだけです。マリアはその良いほうを選びました。それが彼女から取り上げられることはありません。」(ルカ10・42)

神はみこころのままに、あなたがたのうちに働いて志を立てさせ、事を行わせてくださる方です。(ピリ2・13)

12 月 9 日 （夜）

霊はこれを与えた神に帰る。(伝 12・7)

神である主は、その大地のちりで人を形造り、その鼻にいのちの息を吹き込まれた。それで人は生きるものとなった。(創 2・7) 確かに、人の中には霊があり、全能者の息が人に悟りを与える。(ヨブ 32・8) 最初の人アダムは生きるものとなった。(Ⅰコリ 15・45) 人の子らの霊は上に昇る。(伝 3・21)

肉体を住まいとしている間は、私たちは主から離れているということも知っています。‥‥私たちは心強いのですが、むしろ肉体を離れて、主のみもとに住むほうがよいと思っています。(Ⅱコリ 5・6.8) 私の願いは、世を去ってキリストとともにいることです。そのほうが、はるかに望ましいのです。(ピリ 1・23) 眠っている人たちについては、兄弟たち、あなたがたに知らずにいてほしくありません。あなたがたが、望みのない他の人々のように悲しまないためです。イエスが死んで復活された、と私たちが信じているなら、神はまた同じように、イエスにあって眠った人たちを、イエスとともに連れて来られるはずです。(Ⅰテサ 4・13.14)

わたしが行って、あなたがたに場所を用意したら、また来て、あなたがたをわたしのもとに迎えます。わたしがいるところに、あなたがたもいるようにするためです。(ヨハ 14・3)

12 月 10 日 （朝）

だれも彼らを、父の手から奪い去ることはできません。

(ヨハ 10・29)

　私は自分が信じてきた方をよく知っており、また、その方は私がお任せしたものを、かの日まで守ることがおできになると確信している。(Ⅱテモ 1・12) 主は私を、どんな悪しきわざからも救い出し、無事、天にある御国に入れてくださいます。(Ⅱテモ 4・18) これらすべてにおいても、私たちを愛してくださった方によって、私たちは圧倒的な勝利者です。私はこう確信しています。死も、いのちも、御使いたちも、支配者たちも、今あるものも、後に来るものも、力あるものも、高いところにあるものも、深いところにあるものも、そのほかのどんな被造物も、私たちの主キリスト・イエスにある神の愛から、私たちを引き離すことはできません。(ロマ 8・37-39) あなたがたのいのちは、キリストとともに神のうちに隠されているのです。(コロ 3・3)

　神は、この世の貧しい人たちを選んで信仰に富む者とし、神を愛する者に約束された御国を受け継ぐ者とされたではありませんか。(ヤコ 2・5)

　どうか、私たちの主イエス・キリストと、私たちの父なる神、すなわち、私たちを愛し、永遠の慰めとすばらしい望みを恵みによって与えてくださった方ご自身が、あなたがたの心を慰め、強めて、あらゆる良いわざとことばに進ませてくださいますように。(Ⅱテサ 2・16.17)

12 月 10 日 （夜）

自由をもたらす完全な律法。(ヤコ1・25)

　あなたがたは真理を知り、真理はあなたがたを自由にします。‥‥まことに、まことに、あなたがたに言います。罪を行っている者はみな、罪の奴隷です。‥‥ですから、子があなたがたを自由にするなら、あなたがたは本当に自由になるのです。(ヨハ8・32.34.36)

　キリストは、自由を得させるために私たちを解放してくださいました。ですから、あなたがたは堅く立って、再び奴隷のくびきを負わされないようにしなさい。‥‥兄弟たち。あなたがたは自由を与えられるために召されたのです。ただ、その自由を肉の働く機会としないで、愛をもって互いに仕え合いなさい。律法全体は、「あなたの隣人を自分自身のように愛しなさい」という一つのことばで全うされるのです。(ガラ5・1.13.14) （あなたがたは）罪から解放されて、義の奴隷となりました。(ロマ6・18) 結婚している女は、夫が生きている間は、律法によって夫に結ばれています。しかし、夫が死んだら、自分を夫に結びつけていた律法から解かれます。(ロマ7・2)

　キリスト・イエスにあるいのちの御霊の律法が、罪と死の律法からあなたを解放した。(ロマ8・2) 私は広やかな所に歩いて行きます。あなたの戒めを私が求めているからです。(詩119・45)

12 月 11 日 （朝）

あなたがたが良いとしていることで、悪く言われない
ようにしなさい。(ロマ 14・16)

あらゆる形の悪から離れなさい。(Iテサ 5・22) 主の御前だけ
でなく、人々の前でも正しくあるように心がけているのです。
(IIコリ 8・21) 善を行って、愚かな者たちの無知な発言を封じ
ることは、神のみこころだからです。(Iペテ 2・15)

あなたがたのうちのだれも、人殺し、盗人、危害を加える
者、他人のことに干渉する者として、苦しみにあうことがな
いようにしなさい。しかし、キリスト者として苦しみを受け
るのなら、恥じることはありません。かえって、このことの
ゆえに神をあがめなさい。(Iペテ 4・15.16)

兄弟たち。あなたがたは自由を与えられるために召された
のです。ただ、その自由を肉の働く機会としないで、愛をもっ
て互いに仕え合いなさい。(ガラ 5・13) あなたがたのこの権利
が、弱い人たちのつまずきとならないように気をつけなさい。
(Iコリ 8・9) わたしを信じるこの小さい者たちの一人をつまず
かせる者は、大きな石臼を首にかけられて、海の深みに沈め
られるほうがよいのです。(マタ 18・6) これらのわたしの兄弟た
ち、それも最も小さい者たちの一人にしたことは、わたしに
したのです。(マタ 25・40)

12 月 11 日 （夜）

眠っている人よ、起きよ。死者の中から起き上がれ。
そうすれば、キリストがあなたを照らされる。

（エペ 5・14）

あなたがたが眠りからさめるべき時刻が、もう来ているの
です。私たちが信じたときよりも、今は救いがもっと私たち
に近づいているのですから。（ロマ 13・11）ほかの者たちのよう
に眠っていないで、目を覚まし、身を慎んでいましょう。眠
る者は夜眠り、酔う者は夜酔うのです。しかし、私たちは昼
の者なので、信仰と愛の胸当てを着け、救いの望みというか
ぶとをかぶり、身を慎んでいましょう。（Ⅰテサ 5・6-8）

起きよ。輝け。まことに、あなたの光が来る。主の栄光が
あなたの上に輝く。見よ、闇が地をおおっている。暗闇が諸
国の民を。しかし、あなたの上には主が輝き、主の栄光があ
なたの上に現れる。（イザ 60・1.2）

あなたがたは心を引き締め、身を慎み、イエス・キリスト
が現れるときに与えられる恵みを、ひたすら待ち望みなさい。
（Ⅰペテ 1・13）腰に帯を締め、明かりをともしていなさい。主
人‥‥の帰りを待っている人たちのようでありなさい。（ルカ
12・35.36）

12 月 12 日 (朝)

主は、あなたのただ中におられる。(ゼパ3・15)

　恐れるな。わたしはあなたとともにいる。たじろぐな。わたしがあなたの神だから。わたしはあなたを強くし、あなたを助け、わたしの義の右の手で、あなたを守る。(イザ41・10)弱った手を強め、よろめく膝をしっかりさせよ。心騒ぐ者たちに言え。「強くあれ。恐れるな。見よ。あなたがたの神が、復讐が、神の報いがやって来る。神は来て、あなたがたを救われる。」(イザ35・3.4) あなたの神、主は、あなたのただ中にあって救いの勇士だ。主はあなたのことを大いに喜び、その愛によってあなたに安らぎを与え、高らかに歌ってあなたのことを喜ばれる。(ゼパ3・17) 待ち望め　主を。雄々しくあれ。心を強くせよ。(詩27・14)

　私はまた、大きな声が御座から出て、こう言うのを聞いた。「見よ、神の幕屋が人々とともにある。神は人々とともに住み、人々は神の民となる。神ご自身が彼らの神として、ともにおられる。神は彼らの目から涙をことごとくぬぐい取ってくださる。もはや死はなく、悲しみも、叫び声も、苦しみもない。」(黙21・3.4)

12 月 12 日 （夜）

なぜ、あなたはわたしに向かって叫ぶのか。イスラ
エルの子らに、前進するように言え。(出14・15)

　強くあれ。われわれの民のため、われわれの神の町々のた
めに、奮い立とう。主が、御目にかなうことをされるのだ。(Ⅰ
歴19・13) 私たちは、私たちの神に祈り、彼らに備えて昼も夜
も見張りを置いた。(ネヘ4・9)

　わたしに向かって「主よ、主よ」と言う者がみな天の御国
に入るのではなく、天におられるわたしの父のみこころを行
う者が入るのです。(マタ7・21) だれでも神のみこころを行おう
とするなら、その人には、この教えが神から出たものなのか、
‥‥分かります。(ヨハ7・17) 私たちは知ろう。主を知ることを
切に追い求めよう。(ホセ6・3)

　誘惑に陥らないように、目を覚まして祈っていなさい。(マ
タ26・41) 目を覚ましていなさい。堅く信仰に立ちなさい。雄々
しく、強くありなさい。(Ⅰコリ16・13) 勤勉で怠らず、霊に燃え、
主に仕えなさい。(ロマ12・11)

　弱った手を強め、よろめく膝をしっかりさせよ。心騒ぐ者
たちに言え。「強くあれ。恐れるな。」(イザ35・3.4)

12 月 13 日 （朝）

キリスト・イエスにある恵みによって強くなりなさい。

（Ⅱテモ2・1）

　神の栄光の支配により、あらゆる力をもって強くされ、
‥‥（コロ1・11）このように、あなたがたは主キリスト・イエ
スを受け入れたのですから、キリストにあって歩みなさい。
キリストのうちに根ざし、建てられ、教えられたとおり信仰
を堅くし、あふれるばかりに感謝しなさい。（コロ2・6,7）彼ら
は、義の樫の木、栄光を現す、主の植木と呼ばれる。（イザ61・3）
（あなたがたは）使徒たちや預言者たちという土台の上に建てら
れていて、キリスト・イエスご自身がその要の石です。この
キリストにあって、建物の全体が組み合わされて成長し、主
にある聖なる宮となります。あなたがたも、このキリストに
あって、ともに築き上げられ、御霊によって神の御住まいと
なるのです。（エペ2・20-22）

　今 私は、あなたがたを神とその恵みのみことばにゆだね
ます。みことばは、あなたがたを成長させ、聖なるものとさ
れたすべての人々とともに、あなたがたに御国を受け継がせ
ることができるのです。（使20・32）（あなたがたが）イエス・キリ
ストによって与えられる義の実に満たされて、神の栄光と誉
れが現されますように。（ピリ1・11）

　信仰の戦いを立派に戦いなさい。（Ⅰテモ6・12）どんなことが
あっても、反対者たちに脅かされることはない。（ピリ1・28）

12 月 13 日 （夜）

あなたは その行いに応じて人に報いられます。

（詩62・12）

だれも、すでに据えられている土台以外の物を据えること
はできないからです。その土台とはイエス・キリストです。
‥‥だれかの建てた建物が残れば、その人は報いを受けます。
だれかの建てた建物が焼ければ、その人は損害を受けますが、
その人自身は火の中をくぐるようにして助かります。(Ⅰコリ3・
11.14.15) 私たちはみな、善であれ悪であれ、それぞれ肉体に
おいてした行いに応じて報いを受けるために、キリストのさ
ばきの座の前に現れなければならないのです。(Ⅱコリ5・10)

あなたが施しをするときは、右の手がしていることを左の
手に知られないようにしなさい。あなたの施しが、隠れたと
ころにあるようにするためです。そうすれば、隠れたところ
で見ておられるあなたの父が、あなたに報いてくださいます。
(マタ6・3.4) かなり時がたってから、しもべたちの主人が帰っ
て来て彼らと清算をした。(マタ25・19)

何かを、自分が成したことだと考える資格は、私たち自身
にはありません。私たちの資格は神から与えられるものです。
(Ⅱコリ3・5) 主よ。あなたは私たちのために平和を備えてくだ
さいます。まことに、私たちのすべてのわざも、あなたが私
たちのためになさったことです。(イザ26・12)

12 月 14 日 （朝）

神の誉れに栄光を帰せよ。(詩66・2)

わたしのためにわたしが形造ったこの民は、わたしの栄誉を宣べ伝える。(イザ43・21) わたしは、彼らがわたしに犯したすべての咎から彼らをきよめ、彼らがわたしに犯し、わたしに背いたすべての咎を赦す。この都は、地のすべての国々の間で、わたしにとって喜びの名となり、栄誉となり、栄えとなる。(エレ33・8.9) 私たちはイエスを通して、賛美のいけにえ、御名をたたえる唇の果実を、絶えず神にささげようではありませんか。(ヘブ13・15)

わが神 主よ 私は心を尽くしてあなたに感謝し とこしえまでも あなたの御名をあがめます。あなたの恵みは私の上に大きく あなたが私のたましいを よみの深みから救い出してくださるからです。(詩86・12.13) 主よ、神々のうちに、だれかあなたのような方がいるでしょうか。だれがあなたのように、聖であって輝き、たたえられつつ恐れられ、奇しいわざを行う方がいるでしょうか。(出15・11) 歌をもって 私は神の御名をほめたたえ 感謝をもって 私は神をあがめます。(詩69・30) 彼らは神のしもべモーセの歌と子羊の歌を歌った。「主よ、全能者なる神よ。あなたのみわざは偉大で、驚くべきものです。」(黙15・3)

12 月 14 日 （夜）

ほかの人たちと同じように、生まれながら御怒りを受けるべき子らでした。(エペ 2・3)

私たちも以前は、愚かで、不従順で、迷っていた者であり、いろいろな欲望と快楽の奴隷になり、悪意とねたみのうちに生活し、人から憎まれ、互いに憎み合う者でした。(テト 3・3) あなたがたは新しく生まれなければならない、とわたしが言ったことを不思議に思ってはなりません。(ヨハ 3・7)

ヨブは主に答えた。ああ、私は取るに足りない者です。あなたに何と口答えできるでしょう。私はただ手を口に当てるばかりです。(ヨブ 40・3.4) 主はサタンに言われた。「おまえは、わたしのしもべヨブに心を留めたか。彼のように、誠実で直ぐな心を持ち、神を恐れて悪から遠ざかっている者は、地上には一人もいない。」(ヨブ 1・8)

私は咎ある者として生まれ 罪ある者として 母は私を身ごもりました。(詩 51・5) 神は‥‥彼(ダビデ)について証しして言われました。「わたしは、エッサイの子ダビデを見出した。彼はわたしの心にかなった者で、わたしが望むことをすべて成し遂げる。」(使 13・22)

私(パウロ)は以前には、神を冒瀆する者、迫害する者、暴力をふるう者でした。しかし、‥‥あわれみを受けました。(Iテモ 1・13)

肉によって生まれた者は肉です。御霊によって生まれた者は霊です。(ヨハ 3・6)

12 月 15 日 （朝）

**互いの重荷を負い合いなさい。そうすれば、キリスト
の律法を成就することになります。**(ガラ 6・2)

自分のことだけでなく、ほかの人のことも顧みなさい。キ
リスト・イエスのうちにあるこの思いを、あなたがたの間で
も抱きなさい。キリストは‥‥しもべの姿をとり、‥‥(ピリ
2・4-7) 人の子も、仕えられるためではなく仕えるために、ま
た多くの人のための贖いの代価として、自分のいのちを与え
るために来たのです。(マル 10・45) キリストはすべての人のた
めに死なれました。それは、生きている人々が、もはや自分
のためにではなく、自分のために死んでよみがえった方のた
めに生きるためです。(Ⅱコリ 5・15)

イエスは、彼女が泣き、一緒に来たユダヤ人たちも泣いて
いるのをご覧になった。そして、霊に憤りを覚え、心を騒が
せて、‥‥(ヨハ 11・33) 涙を流された。(ヨハ 11・35) 喜んでいる
者たちとともに喜び、泣いている者たちとともに泣きなさい。
(ロマ 12・15)

みな、一つ思いになり、同情し合い、兄弟愛を示し、心の
優しい人となり、謙虚でありなさい。悪に対して悪を返さず、
侮辱に対して侮辱を返さず、逆に祝福しなさい。あなたがた
は祝福を受け継ぐために召されたのです。(Ⅰペテ 3・8.9)

12 月 15 日 （夜）

「子よ、今日、ぶどう園に行って働いてくれ。」

（マタ 21・28）

あなたはもはや奴隷ではなく、子です。子であれば、神による相続人です。（ガラ4・7）

あなたがたもキリスト・イエスにあって、自分は罪に対して死んだ者であり、神に対して生きている者だと、認めなさい。ですから、あなたがたの死ぬべきからだを罪に支配させて、からだの欲望に従ってはいけません。また、あなたがたの手足を不義の道具として罪に献げてはいけません。むしろ、死者の中から生かされた者としてあなたがた自身を神に献げ、また、あなたがたの手足を義の道具として神に献げなさい。（ロマ6・11-13）従順な子どもとなり、以前、無知であったときの欲望に従わず、むしろ、あなたがたを召された聖なる方に倣い、あなたがた自身、生活のすべてにおいて聖なる者となりなさい。「あなたがたは聖なる者でなければならない。わたしが聖だからである」と書いてあるからです。（Ⅰペテ1・14-16）聖なるものとされ、主人にとって役に立つもの、あらゆる良い働きに備えられたものとなるのです。（Ⅱテモ2・21）

ですから、私の愛する兄弟たち。堅く立って、動かされることなく、いつも主のわざに励みなさい。あなたがたは、自分たちの労苦が主にあって無駄でないことを知っているのですから。（Ⅰコリ15・58）

12 月 16 日 （朝）

世にいるご自分の者たちを愛してきたイエスは、彼ら
を最後まで愛された。(ヨハ 13・1)

わたしは彼らのためにお願いします。世のためにではなく、あなたがわたしに下さった人たちのためにお願いします。彼らはあなたのものですから。わたしのものはすべてあなたのもの、あなたのものはわたしのものです。わたしは彼らによって栄光を受けました。‥‥わたしがお願いすることは、あなたが彼らをこの世から取り去ることではなく、悪い者から守ってくださることです。わたしがこの世のものでないように、彼らもこの世のものではありません。(ヨハ 17・9. 10. 15. 16)

父がわたしを愛されたように、わたしもあなたがたを愛しました。わたしの愛にとどまりなさい。(ヨハ 15・9) 人が自分の友のためにいのちを捨てること、これよりも大きな愛はだれも持っていません。わたしが命じることを行うなら、あなたがたはわたしの友です。(ヨハ 15・13. 14) わたしはあなたがたに新しい戒めを与えます。互いに愛し合いなさい。わたしがあなたがたを愛したように、あなたがたも互いに愛し合いなさい。(ヨハ 13・34)

あなたがたの間で良い働きを始められた方は、キリスト・イエスの日が来るまでにそれを完成させてくださると、私は確信しています。(ピリ 1・6) キリストが教会を愛し、教会のためにご自分を献げられた‥‥のは、みことばにより、水の洗いをもって、教会をきよめて聖なるものとするためです。(エペ 5・25. 26)

12 月 16 日 （夜）

神の深み。（Ⅰコリ2・10）

わたしはもう、あなたがたをしもべとは呼びません。しもべなら主人が何をするのか知らないからです。わたしはあなたがたを友と呼びました。父から聞いたことをすべて、あなたがたには知らせたからです。（ヨハ15・15）あなたがたには天の御国の奥義を知ることが許されています。（マタ13・11）

私たちは、この世の霊を受けたのではなく、神からの霊を受けました。それで私たちは、神が私たちに恵みとして与えてくださったものを知るのです。（Ⅰコリ2・12）

こういうわけで、私は膝をかがめて、天と地にあるすべての家族の、「家族」という呼び名の元である御父の前に祈ります。どうか御父が、その栄光の豊かさにしたがって、内なる人に働く御霊により、力をもってあなたがたを強めてくださいますように。‥‥愛に根ざし、愛に基礎を置いているあなたがたが、すべての聖徒たちとともに、その広さ、長さ、高さ、深さがどれほどであるかを理解する力を持つようになり、人知をはるかに超えたキリストの愛を知ることができますように。そのようにして、神の満ちあふれる豊かさにまで、あなたがたが満たされますように。（エペ3・14-19）

12 月 17 日 （朝）

**私たちを生かしてください。私たちはあなたの御名を
呼び求めます。**(詩 80・18)

いのちを与えるのは御霊です。(ヨハ 6・63) 御霊も、弱い私た
ちを助けてくださいます。私たちは、何をどう祈ったらよい
か分からないのですが、御霊ご自身が、ことばにならないう
めきをもって、とりなしてくださるのです。人間の心を探る
方は、御霊の思いが何であるかを知っておられます。なぜな
ら、御霊は神のみこころにしたがって、聖徒たちのためにと
りなしてくださるからです。(ロマ 8・26.27) あらゆる祈りと願
いによって、どんなときにも御霊によって祈りなさい。その
ために、目を覚ましていて、‥‥忍耐の限りを尽くして祈り
なさい。(エペ 6・18)

私は決して あなたの戒めを忘れません。それによって あ
なたが私を生かしてくださったからです。(詩 119・93) わたしが
あなたがたに話してきたことばは、霊であり、またいのちで
す。(ヨハ 6・63) 文字は殺し、御霊は生かす。(Ⅱコリ 3・6) あなた
がたがわたしにとどまり、わたしのことばがあなたがたにと
どまっているなら、何でも欲しいものを求めなさい。そうす
れば、それはかなえられます。(ヨハ 15・7) 何事でも神のみここ
ろにしたがって願うなら、神は聞いてくださるということ、
これこそ神に対して私たちが抱いている確信です。(Ⅰヨハ 5・14)

聖霊によるのでなければ、だれも「イエスは主です」と言
うことはできません。(Ⅰコリ 12・3)

12 月 17 日 （夜）

**実を結ばない暗闇のわざに加わらず、むしろ、それ
を明るみに出しなさい。**(エペ5・11)

惑わされてはいけません。「悪い交際は良い習慣を損なう」
のです。(Ⅰコリ15・33)

わずかなパン種が、こねた粉全体をふくらませることを、
あなたがたは知らないのですか。新しいこねた粉のままでい
られるように、古いパン種をすっかり取り除きなさい。‥‥
私は前の手紙で、淫らな行いをする者たちと付き合わないよ
うにと書きました。それは、この世の淫らな者、貪欲な者、
奪い取る者、偶像を拝む者と、いっさい付き合わないように
という意味ではありません。そうだとしたら、この世から出
て行かなければならないでしょう。私が今 書いたのは、兄
弟と呼ばれる者で、淫らな者、貪欲な者、偶像を拝む者、人
をそしる者、酒におぼれる者、奪い取る者がいたなら、その
ような者とは付き合ってはいけない、一緒に食事をしてもい
けない、ということです。(Ⅰコリ5・6.7.9-11) あなたがたが、非
難されるところのない純真な者となり、また、曲がった邪悪
な世代のただ中にあって傷のない神の子どもとなり、‥‥彼
らの間で世の光として輝くためです。(ピリ2・15.16)

大きな家には、金や銀の器だけでなく、木や土の器もあり
ます。ある物は尊いことに、ある物は卑しいことに用いられ
ます。(Ⅱテモ2・20)

12 月 18 日 （朝）

私たちは、あわれみを受け、また恵みをいただいて、
折にかなった助けを受けるために、大胆に恵みの御
座に近づこうではありませんか。（ヘブ 4・16）

何も思い煩わないで、あらゆる場合に、感謝をもってささ
げる祈りと願いによって、あなたがたの願い事を神に知って
いただきなさい。そうすれば、すべての理解を超えた神の平
安が、あなたがたの心と思いをキリスト・イエスにあって
守ってくれます。（ピリ 4・6.7）あなたがたは、人を再び恐怖に
陥れる、奴隷の霊を受けたのではなく、子とする御霊を受け
たのです。この御霊によって、私たちは「アバ、父」と叫び
ます。（ロマ 8・15）

こういうわけで、兄弟たち。私たちはイエスの血によって
大胆に聖所に入ることができます。イエスはご自分の肉体と
いう垂れ幕を通して、私たちのために、この新しい生ける道
を開いてくださいました。また私たちには、神の家を治める、
この偉大な祭司がおられるのですから、心に血が振りかけら
れて、邪悪な良心をきよめられ、からだをきよい水で洗われ、
全き信仰をもって真心から神に近づこうではありませんか。
（ヘブ 10・19-22）私たちは確信をもって言います。「主は私の助
け手。私は恐れない。人が私に何ができるだろうか。」（ヘブ
13・6）

12 月 18 日 （夜）

**あなたがたは真理を知り、真理はあなたがたを自由
にします。**（ヨハ8・32）

主の御霊がおられるところには自由があります。（Ⅱコリ3・
17）キリスト・イエスにあるいのちの御霊の律法が、罪と死
の律法からあなたを解放した。（ロマ8・2）子があなたがたを自
由にするなら、あなたがたは本当に自由になるのです。（ヨハ8・
36）

兄弟たち、私たちは女奴隷の子どもではなく、自由の女の
子どもです。（ガラ4・31）人は律法を行うことによってではな
く、ただイエス・キリストを信じることによって義と認めら
れると知って、私たちもキリスト・イエスを信じました。律
法を行うことによってではなく、キリストを信じることに
よって義と認められるためです。というのは、肉なる者はだ
れも、律法を行うことによっては義と認められないからです。
（ガラ2・16）

自由をもたらす完全な律法を一心に見つめて、それから離
れない人は、すぐに忘れる聞き手にはならず、実際に行う人
になります。こういう人は、その行いによって祝福されます。
（ヤコ1・25）キリストは、自由を得させるために私たちを解放
してくださいました。ですから、あなたがたは堅く立って、
再び奴隷のくびきを負わされないようにしなさい。（ガラ5・1）

12 月 19 日 （朝）

直ぐな人たちのために 光は闇の中に輝き昇る。

（詩 112・4）

　あなたがたのうちで主を恐れ、主のしもべの声に聞き従う
のはだれか。闇の中を歩くのに光を持たない人は、主の御名
に信頼し、自分の神に拠り頼め。(イザ50・10) その人は転んで
も 倒れ伏すことはない。主が その人の腕を支えておられる
からだ。(詩37・24) 命令はともしび、おしえは光。(箴6・23)

　私の敵よ、私のことで喜ぶな。私は倒れても起き上がる。
私は闇の中に座しても、主が私の光だ。私は主の激しい怒り
を身に受けている。私が主の前に罪ある者だからだ。しかし、
それは、主が私の訴えを取り上げ、私を正しくさばいてくだ
さるまでだ。主は私を光に連れ出してくださる。私は、その
義を見る。(ミカ7・8.9)

　からだの明かりは目です。ですから、あなたの目が健やか
なら全身が明るくなりますが、目が悪ければ全身が暗くなり
ます。ですから、もしあなたのうちにある光が闇なら、その
闇はどれほどでしょうか。(マタ6・22.23)

12 月 19 日 （夜）

**主は羊飼いのように、その群れを飼い、御腕に子羊
を引き寄せ、懐に抱き、乳を飲ませる羊を優しく導く。**

（イザ 40・11）

かわいそうに、この群衆はすでに三日間わたしとともにい
て、食べる物を持っていないのです。空腹のまま帰らせたく
はありません。途中で動けなくなるといけないから。（マタ 15・
32）私たちの大祭司は、私たちの弱さに同情できない方では
ありません。（ヘブ 4・15）

人々が子どもたちを連れて来た。‥‥イエスは子どもたち
を抱き、彼らの上に手を置いて祝福された。（マル 10・13. 16）

私は 滅びる羊のようにさまよっています。どうかこのし
もべを捜してください。私はあなたの仰せを忘れません。（詩
119・176）人の子は、失われた者を捜して救うために来たので
す。（ルカ 19・10）あなたがたは羊のようにさまよっていた。し
かし今や、自分のたましいの牧者であり監督者である方のも
とに帰った。（Ⅰペテ 2・25）

小さな群れよ、恐れることはありません。あなたがたの父
は、喜んであなたがたに御国を与えてくださるのです。（ルカ
12・32）わたしがわたしの羊を飼い、わたしが彼らを憩わせる
——神である主のことば——。（エゼ 34・15）

12 月 20 日 （朝）

**神は、世界の基が据えられる前から、この方にあっ
て私たちを選び、‥‥**(エペ1・4)

御前に聖なる、傷のない者にしようとされたのです。(エペ1・
4)

　神が、御霊による聖別と、真理に対する信仰によって、あ
なたがたを初穂として救いに選ばれたからです。そのために
神は‥‥あなたがたを召し、私たちの主イエス・キリストの
栄光にあずからせてくださいました。(Ⅱテサ2・13.14) 神は、あ
らかじめ知っている人たちを、御子のかたちと同じ姿にあら
かじめ定められたのです。それは、多くの兄弟たちの中で御
子が長子となるためです。神は、あらかじめ定めた人たちを
さらに召し、召した人たちをさらに義と認め、義と認めた人
たちにはさらに栄光をお与えになりました。(ロマ8・29.30) 父
なる神の予知のままに、御霊による聖別によって、イエス・
キリストに従うように、またその血の注ぎかけを受けるよう
に選ばれた人たち。(Ⅰペテ1・2)

　あなたがたに新しい心を与え、あなたがたのうちに新しい
霊を与える。わたしはあなたがたのからだから石の心を取り
除き、あなたがたに肉の心を与える。(エゼ36・26) 神が私たち
を召されたのは、汚れたことを行わせるためではなく、聖さ
にあずからせるためです。(Ⅰテサ4・7)

12 月 20 日 （夜）

**たとえ主が天に窓を作られたとしても、そんなことが
あるだろうか。**（Ⅱ列7・2）

神を信じなさい。（マル11・22）信仰がなければ、神に喜ばれ
ることはできません。（ヘブ11・6）神にはどんなことでもできま
す。（マタ19・26）

わたしの手が短くて贖うことができないのか。わたしには
救い出す力がないというのか。（イザ50・2）

わたしの思いは、あなたがたの思いと異なり、あなたがた
の道は、わたしの道と異なるからだ。——主のことば——天
が地よりも高いように、わたしの道は、あなたがたの道より
も高く、わたしの思いは、あなたがたの思いよりも高い。（イ
ザ55・8.9）こうしてわたしを試してみよ。——万軍の主は言
われる——わたしがあなたがたのために天の窓を開き、あふ
れるばかりの祝福をあなたがたに注ぐかどうか。（マラ3・10）

見よ。主の手が短くて救えないのではない。その耳が遠く
て聞こえないのではない。（イザ59・1）主よ、力の強い者を助け
るのも、力のない者を助けるのも、あなたには変わりはあり
ません。（Ⅱ歴14・11）

私たちが自分自身に頼らず、死者をよみがえらせてくださ
る神に頼る者となるためだったのです。（Ⅱコリ1・9）

12 月 21 日 （朝）

あなたの嘆き悲しむ日が終わる。(イザ60・20)

　世にあっては苦難があります。(ヨハ16・33) 私たちは知っています。被造物のすべては、今に至るまで、ともにうめき、ともに産みの苦しみをしています。それだけでなく、御霊の初穂をいただいている私たち自身も、子にしていただくこと、すなわち、私たちのからだが贖われることを待ち望みながら、心の中でうめいています。(ロマ8・22.23) この幕屋のうちにいる間、私たちは重荷を負ってうめいています。それは、この幕屋を脱ぎたいからではありません。死ぬはずのものが、いのちによって呑み込まれるために、天からの住まいを上に着たいからです。(Ⅱコリ5・4)

　この人たちは大きな患難を経てきた者たちで、その衣を洗い、子羊の血で白くしたのです。それゆえ、彼らは神の御座の前にあって、昼も夜もその神殿で神に仕えている。御座に着いておられる方も、彼らの上に幕屋を張られる。彼らは、もはや飢えることも渇くこともなく、太陽もどんな炎熱も、彼らを襲うことはない。御座の中央におられる子羊が彼らを牧し、いのちの水の泉に導かれる。また、神は彼らの目から涙をことごとくぬぐい取ってくださる。(黙7・14-17)

12 月 21 日 （夜）

先生。私たちが死んでも、かまわないのですか。

(マ ル 4・38)

主はすべてのものにいつくしみ深く そのあわれみは 造られたすべてのものの上にあります。(詩 145・9)

生きて動いているものはみな、あなたがたの食物となる。緑の草と同じように、そのすべてのものを、今、あなたがたに与える。(創 9・3) この地が続くかぎり、種蒔きと刈り入れ、寒さと暑さ、夏と冬、昼と夜がやむことはない。(創 8・22)

主はいつくしみ深く、苦難の日の砦。ご自分に身を避ける者を知っていてくださる。(ナホ 1・7) 神は少年の声を聞かれ、神の使いは天からハガルを呼んで言った。「ハガルよ、どうしたのか。恐れてはいけない。神が、あそこにいる少年の声を聞かれたからだ。」‥‥神がハガルの目を開かれたので、彼女は井戸を見つけた。それで、行って皮袋を水で満たし、少年に飲ませた。(創 21・17.19)

何を食べようか、何を飲もうか‥‥と言って、心配しなくてよいのです。‥‥あなたがたにこれらのものすべてが必要であることは、あなたがたの天の父が知っておられます。(マタ 6・31.32) 私たちにすべての物を豊かに与えて楽しませてくださる神に望みを置きなさい。(Ⅰテモ 6・17)

12 月 22 日 （朝）

あなたがたの信仰から出た働き。(Ⅰテサ1・3)

神が遣わした者をあなたがたが信じること、それが神のわざです。(ヨハ6・29)

信仰も行いが伴わないなら、それだけでは死んだものです。(ヤコ2・17) 愛によって働く信仰。(ガラ5・6) 自分の肉に蒔く者は、肉から滅びを刈り取り、御霊に蒔く者は、御霊から永遠のいのちを刈り取るのです。(ガラ6・8) 私たちは神の作品であって、良い行いをするためにキリスト・イエスにあって造られたのです。神は、私たちが良い行いに歩むように、その良い行いをあらかじめ備えてくださいました。(エペ2・10) キリストは、私たちをすべての不法から贖い出し、良いわざに熱心な選びの民をご自分のものとしてきよめるため、私たちのためにご自分を献げられたのです。(テト2・14)

兄弟たち。あなたがたについて、私たちはいつも神に感謝しなければなりません。それは当然のことです。あなたがたの信仰が大いに成長し、あなたがたすべての間で、一人ひとりの互いに対する愛が増し加わっているからです。‥‥こうしたことのため、私たちはいつも、あなたがたのために祈っています。どうか私たちの神が、あなたがたを召しにふさわしい者にし、また御力によって、善を求めるあらゆる願いと、信仰から出た働きを実現してくださいますように。(Ⅱテサ1・3. 11) 神はみこころのままに、あなたがたのうちに働いて志を立てさせ、事を行わせてくださる方です。(ピリ2・13)

12 月 22 日 （夜）

彼の来臨の約束はどこにあるのか。（Ⅱペテ3・4）

アダムから七代目のエノクも、彼らについてこう預言しました。「見よ、主は何万もの聖徒を引き連れて来られる。すべての者にさばきを行うためである。」（ユダ14.15）見よ、その方は雲とともに来られる。すべての目が彼を見る。彼を突き刺した者たちさえも。地のすべての部族は彼のゆえに胸をたたいて悲しむ。（黙1・7）

号令と御使いのかしらの声と神のラッパの響きとともに、主ご自身が天から下って来られます。そしてまず、キリストにある死者がよみがえり、それから、生き残っている私たちが、彼らと一緒に雲に包まれて引き上げられ、空中で主と会うのです。こうして私たちは、いつまでも主とともにいることになります。（Ⅰテサ4・16.17）

すべての人に救いをもたらす神の恵みが現れたのです。その恵みは、私たちが不敬虔とこの世の欲を捨て、今の世にあって、慎み深く、正しく、敬虔に生活し、祝福に満ちた望み、すなわち、大いなる神であり私たちの救い主であるイエス・キリストの、栄光ある現れを待ち望むように教えています。

（テト2・11-13）

12 月 23 日 （朝）

わたしという砦に頼りたければ、わたしと和を結ぶが
よい。(イザ27・5)

わたし自身、あなたがたのために立てている計画をよく
知っている——主のことば——。それはわざわいではなく平
安を与える計画である。(エレ29・11)「悪しき者には平安がな
い。」主はそう言われる。(イザ48・22)

かつては遠く離れていたあなたがたも、今ではキリスト・
イエスにあって、キリストの血によって近い者となりました。
実に、キリストこそ私たちの平和です。(エペ2・13.14)

神は、ご自分の満ち満ちたものをすべて御子のうちに宿ら
せ、その十字架の血によって平和をもたらし、御子によって、
御子のために万物を和解させること‥‥を良しとしてくだ
さった。(コロ1・19.20) 神はこの方を、信仰によって受けるべき、
血による宥(なだ)めのささげ物として公に示されました。ご
自分の義を明らかにされるためです。神は忍耐をもって、こ
れまで犯されてきた罪を見逃してこられたのです。(ロマ3・25)
もし私たちが自分の罪を告白するなら、神は真実で正しい方
ですから、その罪を赦し、私たちをすべての不義からきよめ
てくださいます。(Ⅰヨハ1・9)

いつまでも主に信頼せよ。ヤハ、主は、とこしえの岩だか
ら。(イザ26・4)

12 月 23 日 （夜）

神が私たちに永遠のいのちを与えてくださったという
こと、そして、そのいのちが御子のうちにあるというこ
と。(Ⅰヨハ5・11)

父がご自分のうちにいのちを持っておられるように、子に
も、自分のうちにいのちを持つようにしてくださった。(ヨハ5・
26) 父が死人をよみがえらせ、いのちを与えられるように、
子もまた、与えたいと思う者にいのちを与えます。(ヨハ5・21)

わたしはよみがえりです。いのちです。わたしを信じる者
は死んでも生きるのです。また、生きていてわたしを信じる
者はみな、永遠に決して死ぬことがありません。(ヨハ11・25.
26) わたしは良い牧者です。良い牧者は羊たちのためにいの
ちを捨てます。‥‥だれも、わたしからいのちを取りません。
わたしが自分からいのちを捨てるのです。わたしには、それ
を捨てる権威があり、再び得る権威があります。わたしはこ
の命令を、わたしの父から受けたのです。(ヨハ10・11.18) わた
しを通してでなければ、だれも父のみもとに行くことはでき
ません。(ヨハ14・6) 御子を持つ者はいのちを持っており、神の
御子を持たない者はいのちを持っていません。(Ⅰヨハ5・12) あ
なたがたはすでに死んでいて、あなたがたのいのちは、キリ
ストとともに神のうちに隠されているのです。あなたがたの
いのちであるキリストが現れると、そのときあなたがたも、
キリストとともに栄光のうちに現れます。(コロ3・3.4)

12 月 24 日 （朝）

もし肉に従って生きるなら、あなたがたは死ぬことに
なります。しかし、もし御霊によってからだの行いを
殺すなら、あなたがたは生きます。(ロマ8・13)

肉のわざは明らかです。すなわち、淫らな行い、汚れ、好
色、‥‥そういった類のものです。以前にも言ったように、
今もあなたがたにあらかじめ言っておきます。このようなこ
とをしている者たちは神の国を相続できません。しかし、御
霊の実は、愛、喜び、平安、寛容、親切、善意、誠実、柔和、
自制です。このようなものに反対する律法はありません。キ
リスト・イエスにつく者は、自分の肉を、情欲や欲望ととも
に十字架につけたのです。私たちは、御霊によって生きてい
るのなら、御霊によって進もうではありませんか。(ガラ5・19.
21-25)

　すべての人に救いをもたらす神の恵みが現れたのです。そ
の恵みは、私たちが不敬虔とこの世の欲を捨て、今の世にあっ
て、慎み深く、正しく、敬虔に生活し、祝福に満ちた望み、
すなわち、大いなる神であり私たちの救い主であるイエス・
キリストの、栄光ある現れを待ち望むように教えています。
キリストは、私たちをすべての不法から贖い出し、良いわざ
に熱心な選びの民をご自分のものとしてきよめるため、私た
ちのためにご自分を献げられたのです。(テト2・11-14)

12 月 24 日 （夜）

**ペリシテ人の首長たちは言った。「このヘブル人たち
は、いったい何なのですか。」**（Ⅰサム 29・3）

キリストの名のためにののしられるなら、あなたがたは幸
いです。栄光の御霊、すなわち神の御霊が、あなたがたの上
にとどまってくださるからです。あなたがたのうちのだれも、
人殺し、盗人、危害を加える者、他人のことに干渉する者と
して、苦しみにあうことがないようにしなさい。（Ⅰペテ4・14.
15)

あなたがたが良いとしていることで、悪く言われないよう
にしなさい。（ロマ14・16）異邦人の中にあって立派にふるまい
なさい。（Ⅰペテ2・12)

不信者と、つり合わないくびきをともにしてはいけません。
正義と不法に何の関わりがあるでしょう。光と闇に何の交わ
りがあるでしょう。‥‥私たちは生ける神の宮なのです。
‥‥それゆえ、彼らの中から出て行き、彼らから離れよ。
――主は言われる――汚れたものに触れてはならない。（Ⅱコ
リ6・14.16.17)

あなたがたは選ばれた種族、王である祭司、聖なる国民、
神のものとされた民です。それは、あなたがたを闇の中から、
ご自分の驚くべき光の中に召してくださった方の栄誉を、あ
なたがたが告げ知らせるためです。（Ⅰペテ2・9)

12 月 25 日 （朝）

私たちの救い主である神のいつくしみと人に対する愛が現れた。(テト3・4)

永遠の愛をもって、わたしはあなたを愛した。(エレ31・3)

神はそのひとり子を世に遣わし、その方によって私たちにいのちを得させてくださいました。それによって神の愛が私たちに示されたのです。私たちが神を愛したのではなく、神が私たちを愛し、私たちの罪のために、宥(なだ)めのささげ物としての御子を遣わされました。ここに愛があるのです。(Ⅰヨハ4・9.10)

時が満ちて、神はご自分の御子を、女から生まれた者、律法の下にある者として遣わされました。それは、律法の下にある者を贖い出すためであり、私たちが子としての身分を受けるためでした。(ガラ4・4.5) ことばは人となって、私たちの間に住まわれた。私たちはこの方の栄光を見た。父のみもとから来られたひとり子としての栄光である。この方は恵みとまことに満ちておられた。(ヨハ1・14) この敬虔の奥義は偉大です。「キリストは肉において現れ、‥‥」(Ⅰテモ3・16)

子たちがみな血と肉を持っているので、イエスもまた同じように、それらのものをお持ちになりました。それは、死の力を持つ者、すなわち、悪魔をご自分の死によって滅ぼすためでした。(ヘブ2・14.15)

12 月 25 日 （夜）

ことばに表せないほどの賜物のゆえに、神に感謝します。（Ⅱコリ 9・15）

全地よ 主に向かって喜びの声をあげよ。喜びをもって主に仕えよ。喜び歌いつつ御前に来たれ。‥‥感謝しつつ 主の門に 賛美しつつ その大庭に入れ。主に感謝し 御名をほめたたえよ。（詩 100・1.2.4）ひとりのみどりごが私たちのために生まれる。ひとりの男の子が私たちに与えられる。主権はその肩にあり、その名は「不思議な助言者、力ある神、永遠の父、平和の君」と呼ばれる。（イザ 9・6）

私たちすべてのために、ご自分の御子さえも惜しむことなく死に渡された。（ロマ 8・32）主人には‥‥愛する息子がいた。‥‥最後に、息子を彼らのところに遣わした。（マル 12・6）

主に感謝せよ。その恵みのゆえに。人の子らへの奇しいみわざのゆえに。（詩 107・21）わがたましいよ 主をほめたたえよ。私のうちにあるすべてのものよ 聖なる御名をほめたたえよ。（詩 103・1）

私のたましいは主をあがめ、私の霊は私の救い主である神をたたえます。（ルカ 1・46.47）

12 月 26 日 （朝）

**堅く立って、動かされることなく、いつも主のわざに
励みなさい。**（Ⅰコリ 15・58）

あなたがたは、自分たちの労苦が主にあって無駄でないこ
とを知っているのですから。（Ⅰコリ 15・58）

あなたがたは主キリスト・イエスを受け入れたのですか
ら、キリストにあって歩みなさい。キリストのうちに根ざし、
建てられ、教えられたとおり信仰を堅くし、あふれるばかり
に感謝しなさい。（コロ 2・6, 7）最後まで耐え忍ぶ人は救われま
す。（マタ 24・13）良い地に落ちたものとは、こういう人たちの
ことです。彼らは立派な良い心でみことばを聞いて、それを
しっかり守り、忍耐して実を結びます。（ルカ 8・15）

あなたがたは信仰に堅く立っている。（Ⅱコリ 1・24）

わたしたちは、わたしを遣わされた方のわざを、昼のうち
に行わなければなりません。だれも働くことができない夜が
来ます。（ヨハ 9・4）

自分の肉に蒔く者は、肉から滅びを刈り取り、御霊に蒔く
者は、御霊から永遠のいのちを刈り取るのです。失望せずに
善を行いましょう。あきらめずに続ければ、時が来て刈り取
ることになります。ですから、私たちは機会があるうちに、
すべての人に、特に信仰の家族に善を行いましょう。（ガラ 6・
8-10）

12 月 26 日 (夜)

**イエスは‥‥ご自分によって神に近づく人々を完全に
救うことがおできになります。**(ヘブ 7・25)

わたしが道であり、真理であり、いのちなのです。わたし
を通してでなければ、だれも父のみもとに行くことはできま
せん。(ヨハ 14・6) この方以外には、だれによっても救いはあり
ません。天の下でこの御名のほかに、私たちが救われるべき
名は人間に与えられていないからです。(使 4・12)

わたしの羊たちはわたしの声を聞き分けます。わたしもそ
の羊たちを知っており、彼らはわたしについて来ます。わた
しは彼らに永遠のいのちを与えます。彼らは永遠に、決して
滅びることがなく、また、だれも彼らをわたしの手から奪い
去りはしません。(ヨハ 10・27.28) あなたがたの間で良い働きを
始められた方は、キリスト・イエスの日が来るまでにそれを
完成させてくださる。(ピリ 1・6) 主にとって不可能なことがあ
るだろうか。(創 18・14)

あなたがたを、つまずかないように守ることができ、傷の
ない者として、大きな喜びとともに栄光の御前に立たせるこ
とができる方、私たちの救い主である唯一の神に、私たちの
主イエス・キリストを通して、栄光、威厳、支配、権威が、
永遠の昔も今も、世々限りなくありますように。アーメン。(ユ
ダ 24.25)

12 月 27 日 （朝）

私たちは見えるものにではなく、見えないものに目を
留めます。見えるものは一時的であり、見えないも
のは永遠に続くからです。(Ⅱコリ4・18)

私たちは、いつまでも続く都をこの地上に持っているので
はなく、‥‥(ヘブ13・14) もっとすぐれた、いつまでも残る財
産がある。(ヘブ10・34)

小さな群れよ、恐れることはありません。あなたがたの父
は、喜んであなたがたに御国を与えてくださるのです。(ルカ
12・32)

今しばらくの間、様々な試練の中で悲しまなければならな
いのですが、‥‥(Ⅰペテ1・6) かしこでは、悪しき者は荒れ狂
うのをやめ、かしこでは、力の萎えた者は憩う。(ヨブ3・17)

この幕屋のうちにいる間、私たちは重荷を負ってうめいて
います。(Ⅱコリ5・4) 神は彼らの目から涙をことごとくぬぐい
取ってくださる。もはや死はなく、悲しみも、叫び声も、苦
しみもない。以前のものが過ぎ去ったからである。(黙21・4)

今の時の苦難は、やがて私たちに啓示される栄光に比べれ
ば、取るに足りない。(ロマ8・18) 私たちの一時の軽い苦難は、
それとは比べものにならないほど重い永遠の栄光を、私たち
にもたらすのです。(Ⅱコリ4・17)

12 月 27 日 （夜）

キリストこそ私たちの平和です。（エペ2・14）

　神はキリストにあって、この世をご自分と和解させ、背き
の責任を人々に負わせず、和解のことばを私たちに委ねられ
ました。‥‥神は、罪を知らない方を私たちのために罪とさ
れました。それは、私たちがこの方にあって神の義となるた
めです。（Ⅱコリ5・19.21）その十字架の血によって平和をもたら
し、御子によって、御子のために万物を和解させること、す
なわち、地にあるものも天にあるものも、御子によって和解
させることを良しとしてくださったからです。あなたがたも、
かつては神から離れ、敵意を抱き、悪い行いの中にありまし
たが、今は、神が御子の肉のからだにおいて、その死によって、
あなたがたをご自分と和解させてくださいました。あなたが
たを聖なる者、傷のない者、責められるところのない者とし
て御前に立たせるためです。（コロ1・20-22）私たちに不利な、様々
な規定で私たちを責め立てている債務証書を無効にし、それ
を十字架に釘付けにして取り除いてくださいました。（コロ2・
14）キリストは‥‥ご自分の肉において、隔ての壁である敵意
を打ち壊し、様々な規定から成る戒めの律法を廃棄されまし
た。こうしてキリストは、この二つをご自分において新しい
一人の人に造り上げて平和を実現されました。（エペ2・14.15）

　わたしはあなたがたに平安を残します。わたしの平安を与
えます。わたしは、世が与えるのと同じようには与えません。
あなたがたは心を騒がせてはなりません。ひるんではなりま
せん。（ヨハ14・27）

12 月 28 日 （朝）

あなたの罪は赦された。(マル 2・5)

わたしが彼らの不義を赦し、もはや彼らの罪を思い起こさないからだ。(エレ 31・34) 神おひとりのほかに、だれが罪を赦すことができるだろうか。(マル 2・7)

わたし、このわたしは、わたし自身のためにあなたの背きの罪をぬぐい去り、もうあなたの罪を思い出さない。(イザ 43・25) 幸いなことよ その背きを赦され 罪をおおわれた人は。(詩 32・1) あなたのような神が、ほかにあるでしょうか。あなたは咎を除き、‥‥背きを見過ごしてくださる神。(ミカ 7・18)

神も、キリストにおいてあなたがたを赦してくださったのです。(エペ 4・32) 御子イエスの血がすべての罪から私たちをきよめてくださいます。もし自分には罪がないと言うなら、私たちは自分自身を欺いており、私たちのうちに真理はありません。もし私たちが自分の罪を告白するなら、神は真実で正しい方ですから、その罪を赦し、私たちをすべての不義からきよめてくださいます。(Ⅰ ヨハ 1・7-9)

東が西から遠く離れているように 主は 私たちの背きの罪を私たちから遠く離される。(詩 103・12) 罪があなたがたを支配することはないからです。あなたがたは律法の下にではなく、恵みの下にあるのです。(ロマ 6・14) 罪から解放されて、義の奴隷となりました。(ロマ 6・18)

12 月 28 日 （夜）

イエスにお目にかかりたいのです。(ヨハ 12・21)

主よ。‥‥私たちはあなたを待ち望みます。あなたの御名、あなたの呼び名は私のたましいの望みです。(イザ 26・8)

主を呼び求める者すべて　まことをもって主を呼び求める者すべてに　主は近くあられます。(詩 145・18)

二人か三人がわたしの名において集まっているところには、わたしもその中にいるのです。(マタ 18・20) わたしは、あなたがたを捨てて孤児にはしません。あなたがたのところに戻って来ます。(ヨハ 14・18) 見よ。わたしは世の終わりまで、いつもあなたがたとともにいます。(マタ 28・20)

自分の前に置かれている競走を、忍耐をもって走り続けようではありませんか。信仰の創始者であり完成者であるイエスから、目を離さないでいなさい。(ヘブ 12・1.2)

今、私たちは鏡にぼんやり映るものを見ていますが、そのときには顔と顔を合わせて見ることになります。(Ⅰコリ 13・12) 私の願いは、世を去ってキリストとともにいることです。そのほうが、はるかに望ましいのです。(ピリ 1・23)

愛する者たち、私たちは今すでに神の子どもです。やがてどのようになるのか、まだ明らかにされていません。しかし、私たちは、キリストが現れたときに、キリストに似た者になることは知っています。キリストをありのままに見るからです。キリストにこの望みを置いている者はみな、キリストが清い方であるように、自分を清くします。(Ⅰヨハ 3・2.3)

主のみこころが何であるかを悟りなさい。(エペ5・17)

神のみこころは、あなたがたが聖なる者となることです。(Ⅰテサ4・3) さあ、あなたは神と和らぎ、平安を得よ。そうすれば幸いがあなたのところに来るだろう。(ヨブ22・21) 永遠のいのちとは、唯一のまことの神であるあなたと、あなたが遣わされたイエス・キリストを知ることです。(ヨハ17・3) 神の御子が来て、真実な方を知る理解力を私たちに与えてくださったことも、知っています。私たちは真実な方のうちに、その御子イエス・キリストのうちにいるのです。(Ⅰヨハ5・20)

私たちも‥‥絶えずあなたがたのために祈り求めています。どうか、あなたがたが、あらゆる霊的な知恵と理解力によって、神のみこころについての知識に満たされますように。(コロ1・9) どうか、私たちの主イエス・キリストの神、栄光の父が、神を知るための知恵と啓示の御霊を、あなたがたに与えてくださいますように。また、あなたがたの心の目がはっきり見えるようになって、神の召しにより与えられる望みがどのようなものか、聖徒たちが受け継ぐものがどれほど栄光に富んだものか、また、‥‥私たち信じる者に働く神のすぐれた力が、どれほど偉大なものであるかを、知ることができますように。(エペ1・17-19)

12 月 29 日 （夜）

**神に近づきなさい。そうすれば、神はあなたがたに
近づいてくださいます。**(ヤコ4・8)

エノクは神とともに歩んだ。(創5・24) 私にとって 神のみそ
ばにいることが 幸せです。(詩73・28)

あなたがたが主とともにいる間は、主はあなたがたととも
におられます。もし、あなたがたがこの方を求めるなら、あ
なたがたにご自分を示してくださいます。もし、あなたがた
がこの方を捨てるなら、この方はあなたがたを捨ててしまわ
れます。‥‥苦しみの中で、彼らがイスラエルの神、主に立
ち返り、この方を慕い求めたところ、主は彼らにご自分を示
してくださいました。(Ⅱ歴15・2.4)

わたし自身、あなたがたのために立てている計画をよく
知っている——主のことば——。それはわざわいではなく平
安を与える計画であり、あなたがたに将来と希望を与えるた
めのものだ。あなたがたがわたしに呼びかけ、来て、わたし
に祈るなら、わたしはあなたがたに耳を傾ける。あなたがた
がわたしを捜し求めるとき、心を尽くしてわたしを求めるな
ら、わたしを見つける。(エレ29・11-13)

こういうわけで、兄弟たち。私たちはイエスの血によって大
胆に聖所に入ることができます。イエスは‥‥この新しい生け
る道を開いてくださいました。また私たちには、神の家を治め
る、この偉大な祭司がおられるのですから、‥‥全き信仰をもっ
て真心から神に近づこうではありませんか。(ヘブ10・19-22)

12 月 30 日 （朝）

**私たちの主イエス・キリストの日に責められるところ
がない者。**（Ⅰコリ1・8）

あなたがたも、かつては神から離れ、敵意を抱き、悪い行
いの中にありましたが、今は、神が御子の肉のからだにおい
て、その死によって、あなたがたをご自分と和解させてくだ
さいました。あなたがたを聖なる者、傷のない者、責められ
るところのない者として御前に立たせるためです。ただし、
あなたがたは信仰に土台を据え、堅く立ち、聞いている福音
の望みから外れることなく、信仰にとどまらなければなりま
せん。（コロ1・21-23） それは、あなたがたが、非難されるとこ
ろのない純真な者となり、また、曲がった邪悪な世代のただ
中にあって傷のない神の子どもとなり、‥‥彼らの間で世の
光として輝くためです。（ピリ2・15.16）

ですから、愛する者たち。これらのことを待ち望んでいる
のなら、しみも傷もない者として平安のうちに神に見出して
いただけるように努力しなさい。（Ⅱペテ3・14） キリストの日に
備えて、純真で非難されるところのない者。（ピリ1・10）

あなたがたを、つまずかないように守ることができ、傷の
ない者として、大きな喜びとともに栄光の御前に立たせるこ
とができる方、私たちの救い主である唯一の神に、‥‥栄光、
威厳、支配、権威が、永遠の昔も今も、世々限りなくありま
すように。（ユダ24.25）

12 月 30 日 (夜)

主は敬虔な者たちの足を守られます。（Ｉサム 2・9）

　もし私たちが、神と交わりがあると言いながら、闇の中を歩んでいるなら、私たちは偽りを言っているのであり、真理を行っていません。もし私たちが、神が光の中におられるように、光の中を歩んでいるなら、互いに交わりを持ち、御子イエスの血がすべての罪から私たちをきよめてくださいます。（Ｉヨハ 1・6.7）水浴した者は、足以外は洗う必要がありません。全身がきよいのです。（ヨハ 13・10）

　私は知恵の道をあなたに教え、まっすぐな道筋にあなたを導いた。あなたが歩むとき、その歩みは妨げられず、走っても、つまずくことはない。‥‥悪しき者たちの進む道に入るな。悪人たちの道を行ってはならない。それを無視せよ。そこを通るな。それを避けて通れ。‥‥あなたの目が前方を見つめ、まぶたがまっすぐ前を向くようにせよ。あなたの足の道筋に心を向けよ、そうすれば、あなたのすべての道は堅く定まる。右にも左にもそれてはならない。あなたの足を悪から遠ざけよ。（箴 4・11.12.14.15.25-27）

　主は私を、どんな悪しきわざからも救い出し、無事、天にある御国に入れてくださいます。主に栄光が世々限りなくありますように。アーメン。（Ⅱテモ 4・18）

12 月 31 日 （朝）

**この場所に来るまでの全道中、あなたの神、主が、
人が自分の子を抱くようにあなたを抱いてくださった。**

(申 1・31)

　あなたがたを鷲の翼に乗せて、わたしのもとに連れて来た。
(出 19・4) その愛とあわれみによって、主は彼らを贖い、昔か
らずっと彼らを背負い、担ってくださった。(イザ 63・9) 鷲が巣
のひなを呼び覚まし、そのひなの上を舞い、翼を広げてこれ
を取り、羽に乗せて行くように。ただ主だけでこれを導かれ
た。(申 32・11.12)

　あなたがたが年をとっても、わたしは同じようにする。あ
なたがたが白髪になっても、わたしは背負う。わたしはそう
してきたのだ。わたしは運ぶ。背負って救い出す。(イザ 46・4)
この方こそまさしく神。世々限りなく われらの神。神は 死
を越えて私たちを導かれる。(詩 48・14)

　あなたの重荷を主にゆだねよ。主があなたを支えてくださ
る。(詩 55・22) 何を食べようか何を飲もうかと、自分のいのち
のことで心配したり、何を着ようかと、自分のからだのこと
で心配したりするのはやめなさい。‥‥あなたがたにこれら
のものすべてが必要であることは、あなたがたの天の父が
知っておられます。(マタ 6・25.32)

　ここまで主が私たちを助けてくださった。(Ⅰサム 7・12)

12 月 31 日 （夜）

占領すべき地は非常にたくさん残っている。（ヨシ13・1）

私は、すでに得たのでもなく、すでに完全にされているのでもありません。ただ捕らえようとして追求しているのです。そして、それを得るようにと、キリスト・イエスが私を捕らえてくださったのです。（ピリ3・12）

ですから、あなたがたの天の父が完全であるように、完全でありなさい。（マタ5・48）あなたがたはあらゆる熱意を傾けて、信仰には徳を、徳には知識を、知識には自制を、自制には忍耐を、忍耐には敬虔を、敬虔には兄弟愛を、兄弟愛には愛を加えなさい。（Ⅱペテ1・5-7）

私はこう祈っています。あなたがたの愛が、知識とあらゆる識別力によって、いよいよ豊かになりますように。（ピリ1・9）

「目が見たことのないもの、耳が聞いたことのないもの、人の心に思い浮かんだことがないものを、神は、神を愛する者たちに備えてくださった」と書いてあるとおりでした。それを、神は私たちに御霊によって啓示してくださいました。（Ⅰコリ2・9.10）

安息日の休みは、神の民のためにまだ残されています。（ヘブ4・9）あなたの目は麗しい王を見、遠くまで広がる国を眺める。（イザ33・17）

臨時の部

誕　生　日

主があなたを祝福し、あなたを守られますように。

(民 6・24)

天地を造られた主が‥‥あなたを祝福されるように。(詩 134・3)

私たちの父なる神。(Ⅱテサ 2・16) 私たちにすべての物を豊かに与えて楽しませてくださる神。(Ⅰテモ 6・17) あなたがたにこれらのものすべてが必要であることは、あなたがたの天の父が知っておられます。(マタ 6・32) 父ご自身があなたがたを愛しておられるのです。(ヨハ 16・27)

主は‥‥誠実に歩む者に良いものを拒まれません。(詩 84・11) 主は正直な人のために、すぐれた知性を蓄え、誠実に歩む人たちの盾となられる。(箴 2・7) 幸いなことよ　主のさとしを守り　心を尽くして主を求める人々。(詩 119・2)

あなたを守る方は　まどろむこともない。見よ　イスラエルを守る方は　まどろむこともなく　眠ることもない。(詩 121・3. 4) 主があなたの頼みであり、足が罠にかからないように、守ってくださる。(箴言 3・26) 志の堅固な者を、あなたは全き平安のうちに守られます。その人があなたに信頼しているからです。(イザ 26・3)

どうか、平和の主ご自身が、どんな時にも、どんな場合にも、あなたがたに平和を与えてくださいますように。(Ⅱテサ 3・16)

新　家　庭

結　婚

私は家の中を 全き心で行き来します。(詩 101・2)

私と私の家は主に仕える。(ヨシ 24・15)

まず神の国と神の義を求めなさい。そうすれば、これらの
ものはすべて、それに加えて与えられます。(マタ 6・33) どんな
しもべも二人の主人に仕えることはできません。‥‥あなた
がたは、神と富とに仕えることはできません。(ルカ 16・13)

夫たちよ、‥‥いのちの恵みをともに受け継ぐ者として(妻
を)尊敬しなさい。そうすれば、あなたがたの祈りは妨げら
れません。(Ⅰペテ 3・7) 二人は一人よりもまさっている。‥‥
どちらかが倒れるときには、一人がその仲間を起こす。(伝 4・9.
10) 愛と善行を促すために、互いに注意を払おうではありま
せんか。(ヘブ 10・24) 夫たちよ、妻を愛しなさい。(コロ 3・19) 若
い女の人に、夫を愛するように諭す。(テト 2・4.5) 苛立たず、
‥‥(Ⅰコリ 13・5) 互いに親切にし、優しい心で赦し合いなさい。
神も、キリストにおいてあなたがたを赦してくださったので
す。(エペ 4・32)

私たちの資格は神から与えられるものです。(Ⅱコリ 3・5) わ
たしがあなたの神、主であり、あなたの右の手を固く握り、
「恐れるな。わたしがあなたを助ける」と言う者だからであ
る。(イザ 41・13)

思 い 煩 う 時

私たちとしては、どうすればよいのか分かりません。
ただ、あなたに目を注ぐのみです。(Ⅱ歴 20・12)

神よ あなたは私の愚かさをご存じです。私の数々の罪過
は あなたに隠されていません。(詩 69・5) あなたのみこころを
行うことを教えてください。あなたは私の神であられますか
ら。(詩 143・10) 主よ‥‥あなたの義によって私を導いてくださ
い。私の前に あなたの道をまっすぐにしてください。(詩 5・8)
私の時は御手の中にあります。(詩 31・15)

あなたがたのうちに、知恵に欠けている人がいるなら、そ
の人は、だれにでも惜しみなく、とがめることなく与えてく
ださる神に求めなさい。そうすれば与えられます。ただし、
少しも疑わずに、信じて求めなさい。(ヤコ 1・5.6) あなたがた
のうちで主を恐れるのはだれか。‥‥闇の中を歩くのに光を
持たない人は、主の御名に信頼し、自分の神に拠り頼め。(イ
ザ 50・10)

私のうちで 思い煩いが増すときに あなたの慰めで私のた
ましいを喜ばせてください。(詩 94・19) わがたましいよ なぜ
おまえはうなだれているのか。私のうちで思い乱れているの
か。神を待ち望め。(詩 42・5)

イエスは彼らに言われた。「どうして怖がるのですか。ま
だ信仰がないのですか。」(マル 4・40) 信仰は‥‥目に見えない
ものを確信させるものです。(ヘブ 11・1)

患　　難

神よ　私をお救いください。水が喉にまで入って来ました。(詩69・1)

わが父よ、できることなら、この杯をわたしから過ぎ去らせてください。しかし、わたしが望むようにではなく、あなたが望まれるままに、なさってください。(マタ26・39)　イエスは苦しみもだえて‥‥祈られた。(ルカ22・44)　イエスは涙を流された。(ヨハ11・35)

まことに、彼は私たちの病を負い、私たちの痛みを担った。(イザ53・4)　私たちの大祭司は、私たちの弱さに同情できない方ではありません。罪は犯しませんでしたが、すべての点において、私たちと同じように試みにあわれたのです。ですから私たちは、あわれみを受け、また恵みをいただいて、折にかなった助けを受けるために、大胆に恵みの御座に近づこうではありませんか。(ヘブ4・15.16)

神があなたがたのことを心配してくださる。(Ⅰペテ5・7)　わたしはあなたの名を呼んだ。あなたは、わたしのもの。あなたが水の中を過ぎるときも、わたしは、あなたとともにいる。川を渡るときも、あなたは押し流されない。(イザ43・1.2)　わたしは決してあなたを見放さず、あなたを見捨てない。(ヘブ13・5)

この身も心も尽き果てるでしょう。しかし　神は私の心の岩　とこしえに　私が受ける割り当ての地。(詩73・26)

病　　　気

主よ、ご覧ください。あなたが愛しておられる者が病気です。(ヨハ11・3)

まことに、彼は私たちの病を負い、私たちの痛みを担った。(イザ53・4) 彼は私たちのわずらいを担い、私たちの病を負った。(マタ8・17) 神はあわれみ深い。(詩78・38) 父がその子をあわれむように 主は ご自分を恐れる者をあわれまれる。主は私たちの成り立ちを知っておられる。(詩103・13.14)

だれが、私たちをキリストの愛から引き離すのですか。苦難ですか、苦悩ですか。(ロマ8・35) 主はその愛する者を訓練される。‥‥すべての訓練は、そのときは喜ばしいものではなく、かえって苦しく思われるものですが、後になると、これによって鍛えられた人々に、義という平安の実を結ばせます。(ヘブ12・6.11) 神を愛する人たち‥‥のためには、すべてのことがともに働いて益となることを、私たちは知っています。(ロマ8・28)

主は、「わたしの恵みはあなたに十分である。わたしの力は弱さのうちに完全に現れるからである」と言われました。ですから私は、キリストの力が私をおおうために、むしろ大いに喜んで自分の弱さを誇りましょう。(Ⅱコリ12・9)

死　　　別

父よ。わたしに下さったものについてお願いします。
わたしがいるところに、彼らもわたしとともにいるよう
にしてください。(ヨハ 17・24)

その人はもう自分の家には帰れず、彼の家も、もう彼のこ
とが分かりません。(ヨブ 7・10)

肉体を住まいとしている間は、私たちは主から離れている
ということも知っています。‥‥むしろ肉体を離れて、主の
みもとに住むほうがよいと思っています。(Ⅱコリ 5・6.8) 私は、
その二つのことの間で板ばさみとなっています。私の願いは、
世を去ってキリストとともにいることです。そのほうが、は
るかに望ましいのです。(ピリ 1・23) 生きるにしても、死ぬにし
ても、私たちは主のものです。(ロマ 14・8)

もっとすぐれた、いつまでも残る財産がある。(ヘブ 10・34)
やがてどのようになるのか、まだ明らかにされていません。
しかし、私たちは、キリストが現れたときに、キリストに似
た者になることは知っています。キリストをありのままに見
るからです。(Ⅰヨハ 3・2) 今、私たちは鏡にぼんやり映るもの
を見ていますが、そのときには顔と顔を合わせて見ることに
なります。(Ⅰコリ 13・12) 私は 義のうちに御顔を仰ぎ見 目覚
めるとき 御姿に満ち足りるでしょう。(詩 17・15) こうして私
たちは、いつまでも主とともにいることになります。ですか
ら、これらのことばをもって互いに励まし合いなさい。(Ⅰテ
サ 4・17.18)

日々の光〈新改訳 2017〉

聖書 新改訳 2017 ©2017 新日本聖書刊行会 許諾番号 4-2-8 号

2019 年 3 月 20 日　初版発行 3000 部

定価（本体 2,300 円 + 税）

版権所有者

編集者　伝道出版社編集部

発行所　**伝道出版社**

〒183-0056 東京都府中市寿町 2-8-9

TEL 042-366-7760

FAX 042-366-7790

郵便振替 00140-9-27336

※落丁本・乱丁本は送料弊社負担にてお取り替えいたします。　Printed in Japan

ISBN978-4-901415-38-5